Le secret ministériel

Théorie et pratique

DIKÈ

Collection dirigée par Josiane Boulad-Ayoub et Bjarne Melkevik

« Le soleil ne transgressera pas son orbe (métra).

Ou alors les Érinyes, aides de la justice, le découvriront. »

(Héraclite, *Aphorisme* 94)

Les Érinyes, déesses de la vengeance, dont Héraclite fait les auxiliaires de la justice, se métamorphosent à la fin de l'Orestie d'Eschyle en bienveillantes Euménides. Fille de Thémis dans la mythologie, DIKÈ, alliée cependant aux nouvelles divinités Athéna et Apollon, s'humanise dans la tragédie, se laïcise, se politise en s'associant aux progrès de la démocratie, du débat juridique et politique, du développement des lois.

DIKÈ n'était pas, à Athènes, la mimésis d'une essence de la justice, elle était à la fois l'idée abstraite du droit et, sous de multiples formes, l'action judiciaire.

La collection « DIKÈ », comme la Pnyx et l'Agora athéniennes, offre un espace public, un lieu de rencontre pour penseurs venus d'horizons et de disciplines différents, du droit, de la philosophie du droit, de la philosophie politique, de la sociologie, prêts à débattre des questions juridiques urgentes et disposés à une critique aussi polymorphe et diverse que les structures complexes du droit contemporain qu'ils tenteront de mettre à jour. Penseurs persuadés que DIKÈ, élevée à la dignité autonome du concept, est toujours enchaînée au juste et à l'injuste et que, privée de déterminations concrètes, la justice n'est qu'une forme vide. Persuadés aussi que l'ambivalence des structures juridiques invite à procéder à une enquête sur la généalogie des formes historiques du droit.

YAN CAMPAGNOLO

Le secret ministériel

Théorie et pratique

**Presses de
l'Université Laval**

Financé par le gouvernement du Canada
Funded by the Government of Canada | Canadä

Nous remercions le Conseil des arts du Canada de son soutien.
We acknowledge the support of the Canada Council for the Arts.

 Conseil des arts   Canada Council
du Canada   for the Arts

Les Presses de l'Université Laval reçoivent chaque année de la Société de développement des entreprises culturelles du Québec une aide financière pour l'ensemble de leur programme de publication.

SODEC
Québec

Maquette de couverture : Laurie Patry
Mise en pages : Danielle Motard
Révision : Sandra Guimont

ISBN : 978-2-7637-4557-2
ISBN PDF : 9782763745589

TABLE DES MATIÈRES

CHAPITRE 3
Le secret ministériel et l'immunité d'intérêt public en droit législatif

PRÉFACE

Les auteurs décident d'écrire et, si possible, de publier. Cependant, ils ne contrôlent pas aisément le moment et l'opportunité de leur publication. Toutefois, par un heureux hasard, la parution du livre du professeur Yan Campagnolo sur le secret ministériel, sous le titre *Le secret ministériel: théorie et pratique*, coïncide avec des débats politiques et des incidents qui ont marqué l'opinion publique durant plusieurs mois depuis le début de l'année 2019, particulièrement dans la politique fédérale canadienne.

Dans les deux chambres du Parlement du Canada, dans les médias comme dans le monde politique, l'on a beaucoup glosé sur le secret ministériel et débattu de sa nature et de sa portée. Des opinions fort contradictoires ont été émises sur son contenu et ses effets. Parfois, dans ces débats, une seule chose était claire pour le lecteur: la perception du secret ministériel variait, mais celui-ci semblait avoir été mal compris et rarement étudié dans son ensemble à partir de ses origines historiques et politiques.

L'étude du professeur Campagnolo de la Section de common law de la Faculté de droit de l'Université d'Ottawa, entreprise il y a quelques années, offre maintenant une synthèse de la nature et des problèmes du secret ministériel. Elle eût sans doute été fort utile pour cerner sa portée dans les débats politiques et médiatiques que le Canada a connus depuis quelques mois sur cette question.

L'auteur souligne que son étude relève certes du droit, mais d'un droit compris et analysé à partir de ses racines politiques et historiques. On retrouve, dans cet examen du secret ministériel, une vision globale des aspects juridiques et constitutionnels de cette institution. Cette étude comporte un volet comparatif et historique étendu. En effet, elle situe l'institution dans la vie et l'histoire de l'organisation politique des pays du Commonwealth, notamment dans celle du rôle du Cabinet et du secret de ses délibérations à partir de leurs sources dans le droit et l'histoire du Royaume-Uni.

L'étude du professeur Campagnolo examine le rôle de l'institution dans le droit constitutionnel, décrivant attentivement comment elle s'est peu à peu structurée. Elle étudie aussi de près la législation qui, au Canada, notamment dans le droit de la preuve et dans les lois relatives à l'accès à l'information, a cherché à l'encadrer et parfois à le renforcer. Dans ce cadre, elle souligne particulièrement la tension entre l'importance du secret ministériel, la nécessité de lui donner une effectivité réelle et l'impossibilité de lui conférer un caractère absolu. Elle confirme la difficulté de créer un ensemble de principes et de règles qui permettent de le sauvegarder, mais, en même temps, de préserver des valeurs constitutionnelles fondamentales de liberté d'expression et d'accès à l'information gouvernementale.

Cette analyse repose en grande partie sur une recherche jurisprudentielle extensive et attentive. Le professeur Campagnolo rappelle alors l'importance du rôle de l'existence du secret ministériel dans les rapports de l'État avec les tribunaux, à l'égard de l'action judiciaire elle-même. Son analyse de la jurisprudence établit des problèmes constitutionnels importants à cet égard. Elle conclut que l'aménagement du secret ministériel à l'ordre fédéral comporte des violations de nature constitutionnelle de l'indépendance judiciaire et de la primauté du droit.

L'auteur invite donc à une réforme de l'encadrement juridique du secret ministériel. Il propose une grille d'analyse qui, selon lui, faciliterait sa mise en œuvre par les tribunaux, tout en maintenant la pertinence et l'effectivité du principe de confidentialité des délibérations ministérielles. Reconnaissant toujours l'importance du secret ministériel pour l'action gouvernementale et la prise de décision à l'égard de celle-ci, il souligne le besoin d'une réforme pour assurer davantage le respect des normes fondamentales qui gouvernent l'ordre constitutionnel canadien.

Le professeur Campagnolo offre ainsi une contribution intellectuelle importante dans un domaine difficile du droit public canadien. La publication de son livre crée donc l'occasion de tenir une discussion mieux informée sur le secret ministériel, sur son rôle politique et juridique, et sur son encadrement. J'espère que son œuvre contribuera à guider les débats qui surviendront inéluctablement dans des lieux sensibles situés au cœur du fonctionnement de la démocratie canadienne. Il faut ainsi remercier tant le professeur Campagnolo que son éditeur, Les Presses de l'Université Laval, collection « Dikè », pour avoir écrit ce livre et l'avoir rendu disponible ; celui-ci prendra une place significative dans le développement du droit public du Canada.

L'honorable Louis LeBel, C.C.

REMERCIEMENTS

Ce livre est le fruit de l'expérience que j'ai acquise à titre d'avocat au Bureau du Conseil privé, des recherches que j'ai effectuées dans le cadre de mes études doctorales à l'Université de Toronto et des cours que j'ai enseignés à la Section de common law de la Faculté de droit de l'Université d'Ottawa. Il intègre et présente de manière cohérente l'ensemble de mes réflexions sur le secret ministériel en date du 30 juin 2019[1]. Sa rédaction n'aurait pas été possible sans l'appui de plusieurs institutions et individus. D'abord, je tiens à remercier le Conseil de recherches en sciences humaines, la Fondation pour la recherche juridique, l'Université de Toronto, l'Université d'Ottawa et le Bureau du Conseil privé d'avoir financé ce projet.

Ensuite, j'aimerais exprimer ma profonde reconnaissance à mes mentors, collègues et amis qui ont contribué, par leurs commentaires constructifs, à enrichir cet ouvrage, notamment les professeurs Kent Roach, David Dyzenhaus et Hamish Stewart de l'Université de Toronto, la professeure Geneviève Cartier de l'Université de Sherbrooke, le professeur Peter Oliver de l'Université d'Ottawa et le professeur Vincent Kazmierski de l'Université Carleton. Je tiens également à souligner la contribution inestimable de mes assistantes de recherche, Amélie Lavigne, Christina Houle et Véronique Newman, qui ont minutieusement vérifié l'exactitude des sources citées. Cet ouvrage a, en outre, bénéficié de l'expertise

---

1. Voir aussi : Yan Campagnolo, « The Political Legitimacy of Cabinet Secrecy » (2017) 51:1 *R.J.T.* 51 ; Yan Campagnolo, « A Rational Approach to Cabinet Immunity Under the Common law » (2017) 55:1 *Alta. L. Rev.* 43 ; Yan Campagnolo, « The History, Law and Practice of Cabinet Immunity in Canada » (2017) 47:2 *R.G.D.* 239 ; Yan Campagnolo, « Cabinet Immunity in Canada : The Legal Black Hole » (2017) 63:2 *R.D. McGill* 315.

générale de 2011[9]. Bien que les conservateurs aient remporté un gouvernement majoritaire lors de cette élection, leur réputation d'opacité a perduré[10].

Au cours de l'élection générale de 2015, le Parti libéral du Canada a également promis, sans surprise, « un gouvernement ouvert et transparent[11] ». Ses promesses les plus ambitieuses à cet égard visaient à rendre applicable la *LAI* au Bureau du premier ministre et aux bureaux des ministres et à conférer au commissaire à l'information le pouvoir de rendre des ordonnances exécutoires de divulgation de renseignements gouvernementaux[12]. À la suite de la victoire des libéraux, ces promesses ont été réitérées dans les lettres de mandat du premier ministre au président du Conseil du Trésor ainsi qu'au ministre de la Justice et procureur général du Canada[13]. Néanmoins, les modifications apportées à la *LAI* à l'initiative du gouvernement libéral n'ont pas véritablement mis en œuvre ces promesses[14]. En date du 30 juin 2019, le régime fédéral d'accès à l'information se classait au 57e rang au niveau interna-

---

9.   *Débats de la Chambre des communes*, 40e parl., 3e sess., n° 149 (25 mars 2011) à la p. 1420.

10.   La Presse canadienne, « Conservatives win "most secretive" government award », *CBC News* (29 avril 2012).

11.   Parti libéral du Canada, *Le bon plan pour renforcer la classe moyenne*, Programme électoral fédéral, 2015 à la p. 26, en ligne : <https://www.liberal.ca/wp-content/uploads/2015/10/Le-bon-plan-pour-renforcer-la-classe-moyenne.pdf>.

12.   *Ibid.* Contrairement aux conservateurs, les libéraux n'ont toutefois pas promis de réformer le secret ministériel.

13.   Voir : Lettre de mandat du président du Conseil du Trésor du Canada (12 novembre 2015) ; Lettre de mandat du ministre de la Justice et procureur général du Canada (12 novembre 2015).

14.   Le 19 juin 2017, le président du Conseil du Trésor a déposé le projet de loi C-58, la *Loi modifiant la Loi sur l'accès à l'information, la Loi sur la protection des renseignements personnels et d'autres lois en conséquence*, 42e parl., 1re sess., 2017, à la Chambre des communes. Ce dernier a reçu la sanction royale le 21 juin 2019. À la suite d'une analyse détaillée du projet de loi, l'ancienne commissaire à l'information, Suzanne Legault, a conclu que les changements proposés n'avaient pas réellement pour effet de rendre la *LAI*, *supra* note 6, applicable au Bureau du premier ministre et aux bureaux des ministres et de conférer au commissaire à l'information le pouvoir de rendre des ordonnances exécutoires de divulgation de renseignements gouvernementaux. Selon elle, le projet de loi C-58 ne met donc pas en œuvre les promesses phares des libéraux en matière d'accès à l'information. Voir : Commissaire à l'information du Canada, *Objectif transparence : la cible ratée* (septembre 2017), en ligne : <https://www.oic-ci.gc.ca/fr/ressources/rapports-publications/objectif-transparence-la-cible-ratee>.

tional et au 5e rang au niveau national en termes de transparence gouvernementale[15]. Comme l'a souligné l'ancien commissaire à l'information John Reid :

> Les gouvernements ont le don de réveiller dans tout commissaire à l'information le sceptique qui sommeille. Maintes et maintes fois, régime après régime, scandale après scandale, les chefs de gouvernement suscitent des attentes toujours plus élevées en promettant davantage de responsabilisation et de transparence. Cependant, avec la même constance, les gouvernements conservent leur vive prédilection pour le secret [...]. Quand il s'agit de respecter le « droit de savoir » du public, les gouvernements trouvent extrêmement difficile de passer de la parole aux actes[16].

La transparence gouvernementale est rarement une priorité pour les politiciens lorsqu'ils sont au pouvoir, et ce, quelle que soit leur affiliation politique. Il n'est généralement pas dans leur intérêt d'accroître la transparence puisqu'ils s'exposent ainsi à davantage de surveillance, de critiques et de responsabilité. Cela dit, la prédilection pour le secret n'est pas l'apanage de l'exécutif, on la retrouve aussi au sein du législatif et du judiciaire. En effet, les députés et les sénateurs reçoivent des avis confidentiels du personnel parlementaire et de leurs assistants. Les réunions des comités parlementaires et du Bureau de la régie interne de la Chambre des communes ont parfois lieu à huis clos[17]. Les réunions des caucus politiques sont, en principe, privées, à moins de circonstances exceptionnelles. De plus, les délibérations des juges ont lieu à huis clos. Aux États-Unis, [TRADUCTION] « il est difficile d'imaginer des délibérations plus secrètes que celles qui ont lieu durant les réunions des juges de

---

15. Centre for Law and Democracy, *Global Right to Information Rating*, en ligne : <https://www.rti-rating.org/country-data/> ; Centre for Law and Democracy, *Canadian RTI Rating*, en ligne : <http://www.law-democracy.org/live/rti-rating/canada/>.

16. Voir : Commissaire à l'information, *Rapport annuel : 2003-2004* à la p. 3, en ligne : <http://publications.gc.ca/site/fra/9.502367/publication.html>.

17. Auparavant, les réunions du Bureau de la régie interne étaient systématiquement confidentielles. Cela a changé à la suite de l'entrée en vigueur de l'article 51.1 de la *Loi sur le Parlement du Canada*, L.R.C. 1985, c. P-1, le 22 juin 2017.

la Cour suprême[18] ». Les auxiliaires juridiques et le personnel des juges doivent respecter un strict engagement de confidentialité pour garder leur emploi. La situation est similaire au Canada[19]. Le professeur Mark Rozell soutient que le secret dans le cadre du processus décisionnel mène à de meilleures décisions que celles qui seraient prises à la suite d'un processus public. Ce qui importe, en fin de compte, est que le décideur justifie publiquement le [TRA-DUCTION] « résultat final », c'est-à-dire la décision prise à la suite du processus décisionnel, et qu'il en soit tenu responsable[20].

On dit souvent qu'un gouvernement ne peut fonctionner de manière complètement ouverte ; il y a des raisons légitimes de préserver la confidentialité de certains renseignements[21]. Pour prendre un exemple évident, la divulgation à un ennemi de la stratégie militaire d'un État en temps de guerre porterait clairement préjudice à l'intérêt public de ce dernier. De manière analogue, un gouvernement devrait pouvoir protéger la confidentialité de son processus décisionnel interne, en particulier aux plus hauts échelons : [TRADUCTION] « Personne ne croit réellement que les réunions du Cabinet et les débats qui s'y déroulent devraient avoir lieu en présence de journalistes, de caméras de télévision et de tiers intéressés[22] ». Le premier ministre de la Colombie-Britannique, Gordon Campbell, a introduit, sans succès, le concept de « Cabinet ouvert » à la suite de sa victoire électorale en 2001. Ces réunions « ouvertes » n'étaient pas de « vraies » réunions du Cabinet puisqu'elles ne donnaient lieu à aucun débat ou désaccord entre les ministres[23]. Toutefois, bien qu'il existe des raisons légitimes de maintenir un certain niveau

---

18. Mark J. Rozell, *Executive Privilege: Presidential Power, Secrecy, and Accountability*, 3e éd., Lawrence (Kansas), University Press of Kansas, 2010 à la p. 53.

19. La Cour suprême du Canada a fait une analogie entre le secret ministériel et le secret judiciaire dans *Ontario (Sûreté et Sécurité publique) c. Criminal Lawyers' Association*, 2010 CSC 23, [2010] 1 R.C.S. 815 au para. 40.

20. Rozell, *supra* note 18 à la p. 53.

21. Royaume-Uni, Comité Franks, *Report of the Departmental Committee on Section 2 of the Official Secrets Act 1911*, Cmnd. 5104, Londres, HMSO, 1972 au para. 75.

22. Royaume-Uni, Comité Radcliffe, *Report of the Committee of Privy Councillors on Ministerial Memoirs*, Cmnd. 6386, Londres, HMSO, 1976 à la p. 15.

23. Graham White, *Cabinets and First Ministers*, Vancouver, UBC Press, 2005 à la p. 116.

de confidentialité au sein du gouvernement, il y a aussi un risque que les officiers publics cachent des renseignements pour des raisons illégitimes, afin d'éviter d'être gênés en public ou d'occulter un acte criminel, comme l'a fait le président américain Richard Nixon dans le cadre du scandale du Watergate[24]. Dans le but de minimiser ces risques, il faut délimiter la portée légitime du secret gouvernemental et s'assurer que les décisions visant à prévenir la divulgation de renseignements soient assujetties à des mécanismes de surveillance et de contrôle adéquats.

Cet ouvrage porte sur le secret ministériel dans le système de gouvernement responsable de type Westminster. Il examine tout particulièrement le régime législatif fédéral canadien. L'expression « secret ministériel » fait référence aux règles politiques (les conventions constitutionnelles) et aux règles juridiques (la common law et le droit législatif) qui visent à protéger la confidentialité du processus décisionnel collectif au sommet de l'exécutif.

D'un point de vue politique, dans le système de gouvernement responsable, où le gouvernement doit rendre des comptes à la Chambre des communes, les ministres ont besoin d'un forum (c'est-à-dire la salle de réunion du Cabinet) où ils peuvent librement proposer, débattre et décider des politiques et des actions du gouvernement. La confidentialité des travaux du Cabinet permet aux ministres de s'exprimer en toute franchise lors du processus délibératif. De plus, il fait en sorte que les documents qui font état des opinions et des désaccords internes des ministres ne tombent pas entre les mains de leurs adversaires politiques, qui pourraient exploiter ces renseignements afin de miner la crédibilité du gouvernement et mettre en danger sa capacité de préserver la confiance de la Chambre des communes. Le secret ministériel est essentiel au maintien de la solidarité ministérielle. Historiquement, les tentatives d'assouplir la solidarité ministérielle, en permettant aux ministres de débattre publiquement des avantages et des inconvénients des initiatives gouvernementales avant qu'elles ne fassent l'objet d'un consensus au sein du Cabinet, comme l'a fait le premier

---

24. *United States v. Nixon*, 418 U.S. 683 (1974).

ministre Pierre Elliott Trudeau en 1968, ont échoué[25]. En effet, les désaccords publics entre ministres donnent l'impression que le gouvernement est faible et désorganisé. En ce sens, il est possible de soutenir que le secret ministériel est [TRADUCTION] « un mal nécessaire dans la quête d'un processus décisionnel efficace et d'une bonne gouvernance[26] ».

D'un point de vue juridique, en common law, la doctrine de l'immunité d'intérêt public fournit au gouvernement une justification pour refuser la divulgation de secrets du Cabinet. À l'ordre de gouvernement fédéral, au Canada, la common law a été remplacée par le régime législatif établi par les articles 39 de la *Loi sur la preuve au Canada*[27] (ci-après « *LPC* ») et 69 de la *LAI*[28]. L'article 39 retire aux tribunaux le pouvoir d'examiner les « renseignements confidentiels du Conseil privé de la Reine pour le Canada » (ci-après « renseignements confidentiels du Cabinet ») et d'ordonner leur production dans le cadre de litiges[29]. Il s'agit d'une clause privative. Pour sa part, l'article 69 exclut les renseignements confidentiels du Cabinet de la portée de la *LAI* ainsi que de la compétence du commissaire à l'information et de la Cour fédérale. Aucun autre ressort de type Westminster – parmi les ressorts étudiés dans le cadre de cet ouvrage – ne confère à ces renseignements un degré de protection aussi élevé.

Selon l'Organisation des Nations unies, une saine gouvernance se mesure au moyen de plusieurs facteurs, tels que l'efficacité, la transparence, la responsabilité, la participation civile et le

---

25. *Débats de la Chambre des communes*, 28e parl., 1re sess., vol. 5 (4 février 1969) à la p. 5110. Voir aussi : W.A. Matheson, *The Prime Minister and the Cabinet*, Toronto, Methuen, 1976 à la p. 18.

26. White, *supra* note 23 à la p. 141.

27. *Loi sur la preuve au Canada*, L.R.C. 1985, c. C-5, art. 39 [*LPC*], reproduit en annexe.

28. *LAI*, *supra* note 6, art. 69, reproduit en annexe.

29. En comparaison, les juges ont le pouvoir d'examiner les renseignements relatifs aux relations internationales, à la défense nationale et à la sécurité nationale et d'ordonner leur production dans le cadre de litiges. Voir les articles 38 et suivants de la *LPC*, *supra* note 27.

respect de la primauté du droit[30]. Le secret ministériel favorise certainement l'efficacité gouvernementale. Si les travaux du Cabinet avaient lieu en public, cela aurait pour conséquence d'accroître la pression publique exercée sur les ministres par les parties prenantes et de susciter des critiques partisanes de la part d'opposants politiques. Et, en fin de compte, cela aurait pour effet de paralyser le processus décisionnel collectif.

Toutefois, bien que le secret ministériel favorise l'efficacité gouvernementale, il ne favorise pas la transparence et la responsabilité gouvernementales et nuit, dans une certaine mesure, à la participation civile et à la primauté du droit. En effet, les citoyens, les parlementaires (c'est-à-dire les députés et les sénateurs) et les juges doivent être en mesure d'accéder à l'information gouvernementale afin d'accomplir leurs devoirs civiques et constitutionnels[31]. Tout d'abord, l'accès à l'information permet aux citoyens de participer pleinement au processus démocratique en exprimant des opinions informées sur les affaires publiques et en exerçant leur droit de vote de façon éclairée le moment venu[32]. Dans cette optique, la presse joue un rôle crucial en communiquant aux citoyens les renseignements pertinents à cet égard. Ensuite, l'accès à l'information permet aux parlementaires d'accomplir leur rôle constitutionnel d'évaluer et d'approuver les projets de loi et les dépenses gouvernementales. Enfin, il permet aux juges de se prononcer de manière équitable dans le cadre de litiges contre le gouvernement, en tenant compte de l'ensemble de la preuve pertinente, prévenant ainsi les dénis de justice. L'accès à l'information gouvernementale habilite donc les citoyens, les parlementaires et les juges à tenir le gouvernement responsable pour ses politiques et ses actions. Et, au bout de plusieurs années, l'accès à certaines archives (contenant des ren-

---

30. Organisation des Nations unies, Commission économique et sociale pour l'Asie et le Pacifique, « What is Good Governance? » (10 juillet 2009), en ligne : <https://www.unescap.org/sites/default/files/good-governance.pdf>.

31. Donald C. Rowat, « How Much Administrative Secrecy? » (1965) 31:4 *Canadian Journal of Economics and Political Science* 479 à la p. 480. Voir aussi : *Dagg c. Canada (Ministre des Finances)*, [1997] 2 R.C.S. 403 au para. 61.

32. Vincent Kazmierski, « Something to Talk About: Is There a *Charter* Right to Access Government Information? » (2008) 31:2 *Dal. L.J.* 351.

seignements antérieurement sensibles) permet aux chercheurs de donner vie à notre histoire nationale et de tirer des leçons importantes pour les générations futures[33].

A priori, dans ce contexte, deux problèmes se posent avec le régime législatif protégeant le secret ministériel au Canada. Le premier problème est celui de la portée excessivement large du régime. Les articles 39 de la *LPC* et 69 de la *LAI* protègent les « renseignements confidentiels du Cabinet » en tant que « catégorie » de renseignements, sans définir de façon substantielle le sens de cette expression. Ils établissent une liste non exhaustive de documents dans lesquels de tels renseignements peuvent se retrouver, c'est-à-dire : les mémoires au Cabinet ; les documents de travail ; les ordres du jour, les procès-verbaux des réunions du Cabinet et les comptes rendus des décisions prises ; les communications entre les ministres quant aux travaux du Cabinet ; les notes de breffage à l'intention des ministres relativement aux travaux du Cabinet ; les avant-projets de loi et les projets de règlement ; et les autres documents connexes. Le caractère indéterminé de l'expression « renseignements confidentiels du Cabinet » permet aux officiers publics de protéger tout document possédant un lien, aussi ténu soit-il, avec le processus décisionnel collectif. De plus, au fil des années, le gouvernement a pris des mesures administratives afin de réduire la portée d'une exception fondamentale à l'immunité du Cabinet : l'« exception relative aux documents de travail ». Cette dernière permet la divulgation de renseignements factuels et contextuels lorsque la décision sous-jacente du Cabinet a été rendue publique. En abolissant les « documents de travail » en 1984 et en entrelaçant les renseignements factuels et contextuels qu'ils contenaient aux opinions et aux recommandations ministérielles en 2012, le gouvernement a augmenté, de manière importante, la portée du secret ministériel.

Le deuxième problème résulte de l'absence de mécanismes de surveillance et de contrôle adéquats des décisions de l'exécutif de refuser l'accès à l'information sur la base de l'immunité du

---

33. Voir notamment : Dave Seglins et Jeremy McDonald, « Government accused of hoarding Canadian history in "secret" archives », *CBC News* (25 mai 2017).

Cabinet. Dans le cadre de travaux parlementaires, comme il a été démontré avec l'incident de 2011 relatif au refus des conservateurs de dévoiler les coûts de mesures pénales, de baisses d'impôts pour les compagnies et de l'achat des avions F-35, la Chambre des communes ne peut contraindre le gouvernement à divulguer les renseignements pertinents ; elle peut uniquement le sanctionner pour outrage, dans la mesure où le gouvernement est minoritaire. Hormis cette sanction extrême, il n'existe aucune procédure de règlement des différends pour gérer ce type de conflits entre l'exécutif et le législatif. Dans le cadre de litiges, les tribunaux n'ont pas le pouvoir d'examiner les renseignements confidentiels du Cabinet et de déterminer si la divulgation de ces renseignements est refusée pour des raisons valables, dans l'intérêt public. Cette limite au pouvoir des juges est incompatible avec le principe de la séparation des pouvoirs. De même, aux termes de la *LAI*, le commissaire à l'information et la Cour fédérale ne peuvent examiner les renseignements confidentiels du Cabinet. L'absence de mécanismes de surveillance et de contrôle adéquats, jumelée à la portée excessivement large du régime législatif, confère à l'exécutif une discrétion illimitée qui peut aisément faire l'objet d'abus.

Le présent ouvrage a pour but d'examiner si le secret ministériel demeure légitime, à une époque où la transparence gouvernementale est une valeur importante. De plus, il cherche à déterminer si le régime législatif adopté pour protéger le secret ministériel à l'ordre fédéral au Canada est conforme au principe de la primauté du droit et aux dispositions de la Constitution. Enfin, il mettra de l'avant des propositions de réforme pour améliorer le régime législatif. Les textes savants sur le sujet sont rares. Cet ouvrage constitue le premier texte exhaustif sur le secret ministériel au sein du Commonwealth. Il vise à ouvrir de nouvelles avenues de recherche pour la communauté des chercheurs universitaires. Il vise également à aider les officiers publics, les avocats et les juges à mieux comprendre et à mieux appliquer l'immunité du Cabinet. Il devrait, enfin, mener à une protection plus limitée des secrets du Cabinet et à un plus grand niveau de transparence gouvernementale.

Cet ouvrage contient quatre chapitres qui examineront le secret ministériel d'un point de vue politique, juridique, théorique et comparé. Le chapitre 1 portera sur la protection politique du secret ministériel. Le Cabinet est, d'abord et avant tout, une institution politique ; son fonctionnement est donc régi par des règles politiques connues sous le nom de « conventions constitutionnelles ». Dans le système de gouvernement responsable, les conventions ont historiquement protégé la confidentialité des travaux du Cabinet. Toutefois, de nos jours, le secret ministériel est vu avec un certain scepticisme. La justification et la portée du secret ministériel ne font pas l'unanimité. Dans ce contexte, les deux questions suivantes seront abordées : pourquoi le secret ministériel est-il jugé essentiel au bon fonctionnement de notre système de gouvernement ? et quelles sont les limites au secret ministériel ?

La première section identifiera la justification du secret ministériel. Elle soutiendra que le secret ministériel favorise la franchise des discussions entre les ministres, protège l'efficacité du processus décisionnel collectif et permet aux ministres de demeurer unis en public, et ce, quels que soient leurs désaccords en privé. Le secret ministériel fait aussi en sorte que les documents du Cabinet créés sous un parti politique ne tombent pas entre les mains de ses opposants lorsqu'il y a un changement de gouvernement. Le fait de forcer les ministres à déterminer publiquement leurs orientations politiques ou à divulguer prématurément les documents du Cabinet ne favoriserait pas la transparence gouvernementale. Au contraire, une telle approche porterait atteinte à cette valeur, puisque les véritables discussions entre les ministres se déplaceraient vraisemblablement dans un autre forum, encore plus opaque, et les documents du Cabinet cesseraient probablement d'être produits, ce qui aurait des effets néfastes sur la qualité des archives historiques nationales.

La deuxième section cernera les limites au secret ministériel. Elle démontrera que, en dépit de son caractère fondamental, cette règle n'est pas absolue. Les acteurs politiques reconnaissent que les secrets du Cabinet ne sont pas tous également sensibles : les renseignements qui révèlent les opinions personnelles exprimées par les ministres au cours du processus décisionnel collectif (les « secrets fondamentaux ») devraient recevoir un plus haut degré de protection que les renseignements factuels et contextuels (les « secrets périphériques ») qui sous-tendent les décisions du Cabinet. De plus, il est bien établi que la sensibilité des secrets du Cabinet diminue avec le passage du temps, jusqu'à ce qu'ils ne présentent plus qu'un intérêt purement historique, comme le montre la règle permettant aux anciens ministres de dévoiler des secrets du Cabinet dans le cadre de leurs mémoires politiques. Enfin, les acteurs politiques reconnaissent que l'intérêt public requiert parfois que le voile du secret soit levé, par exemple lorsque des officiers publics font l'objet d'allégations crédibles de conduites répréhensibles, de mauvaise gestion ou d'actes criminels. La deuxième section tentera d'établir que, correctement interprété et appliqué, le secret ministériel est légitime.

Le chapitre 2 traitera de la protection juridique du secret ministériel en common law au Royaume-Uni, en Australie, en Nouvelle-Zélande et à l'ordre provincial au Canada. Étant donné leur nature politique, les conventions ne peuvent être invoquées pour prévenir la divulgation de secrets du Cabinet dans le cadre de litiges. Les tribunaux sont responsables de la mise en œuvre des règles juridiques plutôt que politiques. Cela dit, rien n'empêche les tribunaux de s'appuyer sur la raison d'être justifiant une convention pour étendre la portée d'une doctrine juridique de common law. C'est exactement ce qui s'est produit lorsque les tribunaux ont élargi la portée de la doctrine de l'immunité d'intérêt public pour protéger les secrets du Cabinet. Selon cette doctrine, un ministre peut s'opposer à la divulgation de secrets gouvernementaux dans l'intérêt public. Toutefois, lorsque ces renseignements sont pertinents à la juste résolution d'un litige, une tension surgit entre deux aspects divergents de l'intérêt public : l'intérêt de la justice et l'intérêt du bon gouvernement. Cette tension soulève deux questions d'une grande importance sur le plan constitutionnel : qui devrait décider quel aspect de l'intérêt public devrait avoir préséance, le gouvernement ou les tribunaux ? et comment cette décision devrait-elle être prise ?

La première section fera un survol de l'évolution historique de la doctrine de l'immunité d'intérêt public. Elle démontrera que, pour une brève période de 1942 à 1968, les tribunaux anglais l'ont traitée comme une immunité absolue, ce qui a donné lieu à des abus de la part de l'exécutif[34]. En 1968, dans l'arrêt *Conway v. Rimmer*, le comité d'appel de la Chambre des lords a réaffirmé le pouvoir des tribunaux d'examiner les documents gouvernementaux et d'ordonner leur production dans l'intérêt public[35]. Sur la base des principes de la primauté du droit et de la séparation des pouvoirs, la première section soutiendra que les lords en sont venus à la bonne conclusion. En raison de leur plus grande indépendance et impartialité, les juges sont mieux placés que les ministres pour décider si des secrets gouvernementaux devraient être divulgués ou non dans le cadre de litiges, surtout lorsque le gouvernement est lui-même partie à l'instance. L'admissibilité de la preuve est une question qui relève du pouvoir des juges, non des ministres. Aucune catégorie de secrets gouvernementaux, pas même les secrets du Cabinet, ne devrait échapper au contrôle judiciaire[36]. Bien qu'il y ait maintenant un consensus sur ces principes, on observe une certaine incohérence quant au niveau de déférence accordé aux revendications d'immunité du Cabinet et à la manière dont ces dernières sont évaluées au sein du Commonwealth[37]. En effet, les diverses approches suivies par les juges pour évaluer les revendications d'immunité du Cabinet sont insatisfaisantes, puisqu'elles favorisent indûment soit l'intérêt de la justice, soit l'intérêt du bon gouvernement.

La deuxième section proposera une nouvelle « approche rationnelle » ou « pondérée » pour évaluer les revendications d'immunité du Cabinet. L'approche proposée suggère l'adoption d'une

---

34. *Duncan v. Cammell, Laird & Co.*, [1942] UKHL 3, [1942] A.C. 624. Pour un exemple clair d'abus d'immunité d'intérêt public, voir: *Ellis v. Home Office*, [1953] 2 Q.B. 135 (C.A.).

35. *Conway v. Rimmer*, [1968] UKHL 2, [1968] A.C. 910.

36. *Sankey v. Whitlam*, [1978] H.C.A. 43, 142 C.L.R. 1.

37. Comparer: *Air Canada v. Secretary of State for Trade (No. 2)*, [1983] 2 A.C. 394; *Commonwealth v. Northern Land Council*, [1993] H.C.A. 24, 176 C.L.R. 604; *Fletcher Timber Ltd. v. Attorney-General*, [1984] 1 N.Z.L.R. 290 (C.A.); *Carey c. Ontario*, [1986] 2 R.C.S. 637 [*Carey*].

norme plus étroite lors de l'étape de l'enquête préalable afin de diminuer le nombre de différends portant sur la communication de documents qui ne sont pas vraiment pertinents à une juste résolution du litige. Elle impose également au gouvernement l'obligation de justifier pourquoi des documents qui sont à première vue pertinents ne devraient pas être produits dans le cadre d'un litige. La partie la plus importante de l'approche proposée est l'analyse coûts-bénéfices, dont l'objet consiste à favoriser une évaluation plus méthodique du « degré de pertinence » et du « degré de préjudice » des documents. Son dernier élément est la reconnaissance d'une obligation judiciaire de minimiser le degré de préjudice lorsque la production des documents est ordonnée. La deuxième section tentera de démontrer que l'adoption de l'approche proposée aurait pour effet d'accroître la prévisibilité, la certitude et la transparence du processus par lequel les revendications d'immunité du Cabinet sont évaluées, et ce, dans le but d'atteindre un meilleur équilibre entre l'intérêt de la justice et l'intérêt du bon gouvernement.

Le chapitre 3 portera sur la protection juridique du secret ministériel en vertu du droit législatif. Parmi les ressorts de type Westminster étudiés (c'est-à-dire le Royaume-Uni, l'Australie, la Nouvelle-Zélande et le Canada), l'ordre fédéral au Canada est le seul qui maintient une immunité quasi absolue pour les renseignements confidentiels du Cabinet. En réaction à l'affirmation par les tribunaux de leur pouvoir d'examiner et d'ordonner la production de documents gouvernementaux, le Parlement a mis en place un régime législatif pour remplacer la common law, d'abord en 1970[38] et, ensuite, en 1982[39]. Tel que susmentionné, l'article 39 de la *LPC* prive les tribunaux du pouvoir d'examiner les renseignements confidentiels du Cabinet et d'ordonner leur production dans le cadre de litiges. Pour sa part, l'article 69 de la *LAI* exclut ces renseignements de la portée du régime d'accès à l'information, ce qui a pour effet de les placer au-delà de la compétence du commissaire

---

38.   *Loi sur la Cour fédérale*, S.R.C. 1970, 2ᵉ supp., c. 10, art. 41(2), reproduit en annexe.

39.   *Loi édictant la Loi sur l'accès à l'information et la Loi sur la protection des renseignements personnels, modifiant la Loi sur la preuve du Canada et la Loi sur la Cour fédérale et apportant des modifications corrélatives à d'autres lois*, L.C. 1980-81-82-83, c. 111, ann. 1, art. 69 et ann. 3, art. 36.3.

à l'information et de la Cour fédérale. Ces dispositions protègent les renseignements confidentiels du Cabinet pour une période de 20 ans. Dans ce contexte, deux questions particulières seront analysées : pourquoi le Parlement a-t-il adopté ces dispositions draconiennes ? et comment ces dispositions ont-elles été interprétées et appliquées depuis leur entrée en vigueur ?

La première section démontrera que les libéraux ont, à la dernière minute, renié une promesse faite dans le discours du Trône de 1980[40] de mettre fin au caractère absolu de l'immunité du Cabinet. Ce changement a été fait à la demande personnelle du premier ministre Pierre Elliott Trudeau, à la suite d'une série d'événements qui l'ont porté à croire que l'on ne pouvait pas se fier aux juges pour adjudiquer adéquatement les revendications d'immunité du Cabinet. Bien que ce changement de dernière minute (ayant mené à l'adoption des articles 39 de la *LPC* et 69 de la *LAI*) ait été dénoncé par les partis d'opposition, aucun d'entre eux n'a modifié la loi une fois au pouvoir. Il est pour le moins paradoxal que le premier ministre Trudeau, qui a octroyé des pouvoirs sans précédent aux juges par l'adoption de la *Charte canadienne des droits et libertés*[41] et qui leur a permis d'évaluer les revendications d'immunité relatives aux relations internationales, à la défense nationale et à la sécurité nationale, ne leur ait pas fait suffisamment confiance pour leur permettre d'évaluer les revendications d'immunité du Cabinet.

La deuxième section cherchera à établir que la portée de l'immunité du Cabinet suivant le régime législatif est trop large et laisse trop peu de place au contrôle judiciaire des revendications d'immunité du Cabinet. Elle soutiendra que le gouvernement a tiré avantage du caractère indéterminé et non exhaustif des articles 39 de la *LPC* et 69 de la *LAI* pour étendre la portée du secret ministériel au-delà du niveau de protection conféré à ce type de renseignements par les conventions et la common law. De plus, en

---

40. Sénat, *Journaux du Sénat*, 32ᵉ parl., 2ᵉ sess., vol. 126, partie 1 (14 avril 1980) à la p. 16.

41. *Charte canadienne des droits et libertés*, partie I de la *Loi constitutionnelle de 1982*, constituant l'annexe B de la *Loi de 1982 sur le Canada* (R.-U.), 1982, c. 11.

faisant des changements administratifs au système de dossiers du Cabinet, l'exécutif a restreint la portée d'une exception importante à l'immunité du Cabinet, c'est-à-dire l'exception relative aux documents de travail[42]. Cette exception devait fournir un certain niveau de transparence à la population en permettant la divulgation des renseignements factuels et contextuels sous-jacents à une décision du Cabinet au moment où cette dernière est rendue publique. Ces problèmes sont exacerbés par le fait que seul un contrôle judiciaire minime peut être exercé à l'encontre d'une revendication d'immunité du Cabinet, ce qui la rend fort difficile à contester en pratique.

Le chapitre 4 traitera des problèmes de nature théorique qui résultent de l'adoption d'une immunité quasi absolue pour les renseignements confidentiels du Cabinet à l'ordre fédéral. Au fil des années, la constitutionnalité de l'article 39 de la *LPC* a été contestée à plusieurs reprises sur la base des principes non écrits de la Constitution[43], du partage des compétences[44] et des droits et libertés fondamentaux[45]. En 2002, dans l'arrêt *Babcock c. Canada (Procureur général)*[46], la Cour suprême du Canada a voulu mettre fin au débat en concluant que l'article 39 ne violait ni le principe de la primauté du droit ni les dispositions de la Constitution. Selon la Cour, l'article 39 n'a pas changé de manière fondamentale la relation entre l'exécutif et le judiciaire, étant donné que les juges peuvent contrôler la légalité des revendications d'immunité du Cabinet dans des circonstances très limitées. Cette conclusion n'était toutefois pas cohérente avec la position prise par la Cour lorsqu'elle s'est prononcée sur l'immunité du Cabinet reconnue par la common law dans l'arrêt *Carey c. Ontario*[47]. Le chapitre 4 tentera d'établir que le raisonnement de la Cour dans l'arrêt *Babcock* ne résiste pas à une analyse approfondie des sources pertinentes.

---

42. Voir les alinéas 39(4)b) de la *LPC*, *supra* note 27 et 69(3)b) de la *LAI*, *supra* note 6.

43. *Singh c. Canada (Procureur général)*, [2000] 3 C.F. 185 (C.A.).

44. *Commission des droits de la personne c. Procureur général du Canada*, [1982] 1 R.C.S. 215.

45. *Canadian Association of Regulated Importers c. Canada (Procureur général)*, [1992] 2 C.F. 130 (C.A.) ; *Canada (Procureur général) c. Central Cartage Co.*, [1990] 2 C.F. 641 (C.A.).

46. *Babcock c. Canada (Procureur général)*, 2002 CSC 57, [2002] 3 R.C.S. 3.

47. *Carey*, *supra* note 37.

Deux questions seront examinées : la Cour a-t-elle mis de l'avant une conception utile du principe de la primauté du droit ? et le régime législatif est-il vraiment conforme à ce principe et aux dispositions de la Constitution ?

La première section démontrera que la Cour suprême a jusqu'à présent adopté une conception très étroite de la primauté du droit dans sa jurisprudence[48]. Selon cette conception, une disposition législative est valide dans la mesure où elle a été adoptée par une autorité compétente en suivant la procédure appropriée. Cette conception de la primauté du droit a une utilité limitée, d'un point de vue normatif, pour évaluer la légalité de dispositions législatives, comme l'article 39 de la *LPC*, puisqu'elle n'impose aucune véritable contrainte à l'action législative. À cette fin, la première section s'appuiera sur la « théorie du droit comme culture de la justification » du professeur David Dyzenhaus, qui promeut les valeurs de l'équité, de la transparence et de la responsabilité[49]. Elle tentera de démontrer que cette théorie, implicite dans l'ordre juridique canadien, offre un meilleur cadre normatif pour évaluer les dispositions législatives, puisqu'elle impose de véritables contraintes à l'État qui, à leur tour, illuminent les faiblesses de l'article 39. De plus, la théorie est cohérente avec l'approche rationnelle mise de l'avant au chapitre 2. Afin de se conformer aux exigences de cette théorie, une décision exécutive refusant la divulgation d'éléments de preuve pertinents dans le cadre d'un litige doit respecter deux critères fondamentaux : la décision doit être prise par un décideur indépendant et impartial à la suite d'un processus équitable ; et elle doit être assujettie à un véritable contrôle judiciaire.

La deuxième section soutiendra que l'article 39 de la *LPC* enfreint ces critères fondamentaux. En effet, le processus décisionnel établi par le Parlement sous l'article 39 est inéquitable, d'un point de vue procédural, puisque la personne qui a le pouvoir ultime de refuser la production de renseignements confidentiels du

---

48.   Voir généralement : *Colombie-Britannique c. Imperial Tobacco Canada Ltée*, 2005 CSC 49, [2005] 2 R.C.S. 473.

49.   David Dyzenhaus, *The Constitution of Law : Legality in a Time of Emergency*, Cambridge, Cambridge University Press, 2006.

Cabinet (c'est-à-dire un ministre ou le greffier du Conseil privé) n'est pas suffisamment indépendante et impartiale pour accomplir cette fonction. Le caractère inéquitable du processus est accentué par le fait que le décideur n'est pas tenu d'expliquer pourquoi l'intérêt public requiert que les renseignements confidentiels du Cabinet soient protégés dans les circonstances du litige. Cette violation au « devoir d'agir équitablement » n'est pas conforme à la théorie du droit comme culture de la justification et à l'alinéa 2e) de la *Déclaration canadienne des droits*[50]. En outre, l'article 39 empiète sur la compétence et les pouvoirs fondamentaux des cours supérieures provinciales, puisqu'il les prive de l'autorité de contrôler : (1) l'admissibilité de la preuve dans le cadre de litiges ; et (2) la légalité des actes de l'exécutif. Cela est contraire à la théorie du droit comme culture de la justification, ainsi qu'à la séparation des pouvoirs qui devrait exister en vertu de l'article 96 de la *Loi constitutionnelle de 1867*[51]. Pour ces raisons, la deuxième section soutiendra que l'article 39 est une clause privative illégale, une forme de « trou noir juridique », qui viole le principe de la primauté du droit et les dispositions de la Constitution.

Enfin, la conclusion portera sur la réforme du secret ministériel et formulera des recommandations pour améliorer le régime législatif fédéral. L'objectif consiste à concevoir un système qui protège adéquatement les renseignements confidentiels du Cabinet de manière conforme à la primauté du droit et aux valeurs démocratiques. Ces recommandations visent à remédier aux problèmes identifiés dans les chapitres précédents, tout en tenant compte des meilleures pratiques en vigueur au Royaume-Uni, en Australie, en Nouvelle-Zélande et à l'ordre provincial au Canada. De plus, elles prennent en considération les divers rapports rédigés par des comités parlementaires, des commissaires à l'information et des groupes d'études gouvernementaux sur la réforme du régime législatif fédéral. D'un point de vue normatif, la portée de l'immunité du Cabinet devrait être proportionnelle à son objectif, et

---

50. *Déclaration canadienne des droits*, S.C. 1960, c. 44.
51. *Loi constitutionnelle de 1867* (R.-U.), 30 & 31 Vict., c. 3, reproduite dans L.R.C. 1985, ann. II, n° 5.

ses revendications devraient être sujettes à un véritable pouvoir de surveillance et de contrôle. Le droit devrait maximiser la transparence gouvernementale, tout en conférant un niveau de protection suffisant aux renseignements confidentiels du Cabinet. Les questions clés sont les suivantes : quelles mesures pourraient être prises pour limiter la portée de l'immunité du Cabinet ? et quelles institutions devraient pouvoir contrôler la légalité de son exercice ?

Quatre mesures seront proposées pour diminuer la portée de l'immunité du Cabinet de manière importante, sans toutefois compromettre le bon fonctionnement de notre système de gouvernement. En premier lieu, les articles 39 de la *LPC* et 69 de la *LAI* devraient protéger les renseignements confidentiels du Cabinet sur la base d'un critère fondé sur le « préjudice » plutôt que sur la « catégorie » à laquelle ces renseignements appartiennent. Comme c'est le cas selon les conventions et la common law, les renseignements confidentiels du Cabinet devraient seulement être protégés lorsque leur divulgation nuirait à la franchise des discussions entre ministres, à l'efficacité du processus décisionnel collectif ou à la solidarité ministérielle. En second lieu, les articles 39 et 69 devraient contenir une clause explicite de « primauté de l'intérêt public ». En effet, l'immunité du Cabinet devrait uniquement être revendiquée lorsque l'intérêt public dans la non-divulgation prime l'intérêt public dans la divulgation. Il ne suffit donc pas de se demander dans quelle mesure la divulgation serait préjudiciable, mais plutôt de déterminer si les coûts de la divulgation sont supérieurs à ses bénéfices. En troisième lieu, les articles 39 et 69 devraient affirmer clairement que les renseignements factuels et contextuels qui appuient les décisions du Cabinet doivent être divulgués une fois que la décision sous-jacente a été rendue publique. À cette fin, les documents du Cabinet devraient être formatés de façon à permettre aux fonctionnaires de séparer les faits des opinions, c'est-à-dire les secrets périphériques des secrets fondamentaux. En quatrième lieu, la période maximale au cours de laquelle l'immunité du Cabinet peut être revendiquée ne devrait pas excéder la durée anticipée de la carrière politique d'un ministre.

Deux mesures seront également proposées pour faire en sorte que les revendications d'immunité du Cabinet soient assujetties à un véritable pouvoir de surveillance et de contrôle. En premier lieu, dans le cadre de litiges, les cours supérieures provinciales et la Cour fédérale devraient pouvoir examiner les renseignements confidentiels du Cabinet, soupeser les aspects divergents de l'intérêt public et ordonner leur production lorsque cela s'avère nécessaire. De plus, pour faire en sorte que les revendications d'immunité soient évaluées de manière plus méthodique par les tribunaux, le Parlement devrait songer à incorporer à l'article 39 de la *LPC* l'approche rationnelle mise de l'avant au chapitre 2. En second lieu, dans le contexte du régime d'accès à l'information, le commissaire à l'information et la Cour fédérale devraient pouvoir examiner les renseignements confidentiels du Cabinet pour s'assurer que l'immunité ne fasse pas l'objet d'abus. La Cour fédérale devrait, en outre, être habilitée à rendre une ordonnance exécutoire de divulgation lorsque l'immunité n'a pas été valablement revendiquée.

Pour que le secret ministériel demeure légitime, son rôle et son importance dans le système de gouvernement responsable de type Westminster doivent être adéquatement expliqués et compris. Toutefois, il n'est pas suffisant de démystifier le secret ministériel ; il faut aussi repenser et réformer cette doctrine pour faire en sorte qu'elle soit appliquée de manière raisonnable par le gouvernement, en tenant compte de la Constitution et des meilleures pratiques dans les ressorts comparables. Autrement dit, il faut concilier le secret ministériel avec la primauté du droit. C'est là l'essence de ce que cet ouvrage cherche à accomplir.

CHAPITRE 1

LE SECRET MINISTÉRIEL
ET LES CONVENTIONS
CONSTITUTIONNELLES

INTRODUCTION

Le chapitre 1 traite de la raison d'être et de la portée des conventions constitutionnelles qui protègent le secret ministériel dans le système de gouvernement responsable de type Westminster[1]. Les conventions sont [TRADUCTION] « les règles de comportement constitutionnel par lesquelles ceux qui appliquent la Constitution s'estiment liés et sont liés, mais dont la violation ne peut être sanctionnée par les tribunaux[2] ». Les « conventions constitutionnelles » sont distinctes des « lois constitutionnelles » du fait que les tribunaux ne peuvent sanctionner leur violation[3]. Selon le professeur Ivor Jennings, dont l'approche a été adoptée par la Cour suprême du Canada, il faut examiner trois questions pour établir l'existence et la portée d'une convention : y a-t-il des précédents ? les acteurs dans les précédents se croyaient-ils liés par une règle ? et la règle a-t-elle une raison d'être[4] ?

---

1. Ce chapitre s'intéresse principalement aux conventions constitutionnelles pertinentes au Canada, à l'ordre fédéral, et au Royaume-Uni. De plus, des exemples précis sont tirés des ressorts provinciaux canadiens, australiens et néo-zélandais lorsque cela est approprié.

2. Geoffrey Marshall et Graeme C. Moodie, *Some Problems of the Constitution*, Londres, Hutchinson University Library, 1961 à la p. 29.

3. Albert Venn Dicey, *Introduction to the Study of the Law of the Constitution*, 8ᵉ éd., Londres, MacMillan, 1915 aux p. cxl-cxlvi, 277.

4. Ivor Jennings, *The Law and the Constitution*, 5ᵉ éd., Londres, University of London Press, 1959 à la p. 136 [Jennings, *Law and Constitution*], tel que cité dans *Renvoi : Résolution pour modifier la Constitution*, [1981] 1 R.C.S. 753 à la p. 888 [*Renvoi relatif au rapatriement*].

sur le secret vise à protéger. En comparaison, les « secrets périphériques » visent les renseignements relatifs au processus décisionnel
collectif qui ne révèlent pas les opinions personnelles exprimées
par les ministres lors des délibérations du Cabinet. Au regard de
la convention, les secrets fondamentaux sont jugés plus sensibles
que les secrets périphériques. Ils reçoivent donc une plus grande
protection. De plus, les secrets du Cabinet peuvent se trouver dans
des documents tant officiels que non officiels, selon que le document en cause fasse ou non partie du système formel des dossiers
du Cabinet (comme les mémoires du Cabinet, les ordres du jour,
les procès-verbaux et les comptes rendus des décisions)[25].

1.1.2   Les raisons fondées sur l'intérêt public

Selon le critère élaboré par le professeur Jennings, il ne fait
aucun doute que l'existence de la convention sur le secret est étayée
par une longue série de précédents et que les acteurs politiques visés
s'estiment liés par elle. La seule question en suspens, sur laquelle
il convient maintenant de se pencher, est donc celle de savoir s'il
existe une raison susceptible de justifier l'existence de la règle. Trois
raisons fondées sur l'intérêt public justifient le secret des délibérations du Cabinet : les arguments de la franchise, de l'efficacité et de
la solidarité[26].

1.1.2.1 La franchise

Premièrement, la convention sur le secret favorise la franchise
et l'exhaustivité des discussions entre les ministres. Les ministres
doivent se sentir à l'aise de s'exprimer librement au cours du processus décisionnel collectif dans le but de cerner et de régler les
désaccords qui les opposent. Dans ce contexte, si la confidentialité
des délibérations n'était pas assurée, les ministres seraient réticents
à dire le fond de leur pensée sur certaines questions délicates d'un
point de vue politique. Ils s'abstiendraient de donner leur opinion

---

25. Les documents créés pour appuyer le processus décisionnel collectif du Conseil
du Trésor et du gouverneur en conseil sont également des « documents officiels du
Cabinet ».

26. Voir généralement : d'Ombrain, *supra* note 13.

dans les cas où celle-ci pourrait sembler impopulaire ou politi-
quement incorrecte[27]. Comme le rapporte son biographe, l'ancien
premier ministre britannique lord Salisbury a expliqué dans les
termes suivants l'importance de la tradition de la franchise lors
des réunions du Cabinet:

> [TRADUCTION] Le système du Cabinet, qui tire son origine
> de rencontres spontanées d'amis et qui ne dispose d'aucune
> assise juridique, avait hérité d'une tradition de liberté et
> d'informalité qui, à ses yeux, était indispensable à son effi-
> cacité. Une réunion du Cabinet n'était pas le moment pour
> exprimer un jugement nuancé, mais l'occasion de chercher
> des conclusions pratiques. Elle ne pouvait être parfaitement
> efficace à cette fin que si le flot des suggestions qui en éma-
> nait était similaire à celui des conversations privées qui per-
> mettent de s'exprimer librement et de dire le fond de sa pensée
> – les membres du Cabinet ne doivent se sentir contraints par
> aucune considération relative à la cohérence avec leurs paroles
> passées ou avec les justifications qu'ils pourraient avoir à
> exprimer dans le futur[28].

Le lien entre la confidentialité et la franchise relève tout simplement de la nature humaine. Nous avons tous des opinions que
nous sommes disposés à partager en privé, dans le confort de nos
maisons, avec les membres de notre famille et nos amis, et que
nous ne répéterions pas nécessairement en public. De même, les
ministres ont des opinions qu'ils sont disposés à partager en privé
durant les réunions du Cabinet, avec leurs alliés politiques, et qu'ils
ne répéteraient pas nécessairement en public, particulièrement
compte tenu du niveau d'attention médiatique dont ils font l'objet
au quotidien.

Le système juridique reconnaît également le lien qui existe
entre la confidentialité et la franchise. Ceux qui sont accusés
d'avoir commis des actes criminels parleraient-ils librement à leur
conseiller juridique si leurs paroles pouvaient ultérieurement être

---

27. Herbert Morrison, *Government and Parliament: A Survey from the Inside*, 3ᵉ éd.,
    Londres, Oxford University Press, 1964 aux p. 26-27; Royaume-Uni, Comité
    Radcliffe, *Report of the Committee of Privy Counsellors on Ministerial Memoirs*,
    Cmnd. 6386, Londres, HMSO, 1976 à la p. 19 [*Report on Ministerial Memoirs*].
28. Reproduit dans *Report on Ministerial Memoirs*, *supra* note 27 à la p. 13.

doivent rester solidaires de leurs collègues du Cabinet quelles que soient leurs préférences personnelles ; s'ils ne peuvent soutenir la décision collective, ils doivent démissionner, comme l'ont fait Lucien Bouchard après l'échec de l'Accord du lac Meech et Michael Chong pour contester une motion reconnaissant que les Québécois constituent une nation au sein d'un Canada uni[33]. Toutefois, jusqu'à ce qu'un ministre démissionne, un mur de silence doit dissimuler les dissensions entre ses collègues et lui.

La solidarité et la confidentialité protègent les ministres des attaques de leurs adversaires politiques que la perception de divisions entre les membres du Cabinet pourrait susciter. En effet, si les désaccords entre les ministres étaient rendus publics, leurs adversaires politiques les exploiteraient pour miner l'unité au sein du Cabinet et sa capacité à maintenir la confiance de la Chambre des communes. La confidentialité garantit que les ministres peuvent changer d'avis durant le processus décisionnel, et peut-être même accepter le rejet d'une proposition, sachant que ce revirement ne sera pas exploité contre eux. Le professeur Lawrence Lowell faisait remarquer que [TRADUCTION] « les personnes défendant une cause commune qui s'unissent pour s'entendre sur une question réussissent généralement à le faire, à condition que leurs divergences d'opinions ne soient pas rendues publiques[34] ». Le professeur Robert MacGregor Dawson a exprimé le même point de vue :

> [TRADUCTION] Le miracle de la solidarité ministérielle […] n'est généralement pas du tout un miracle, pour la simple et bonne raison qu'elle n'existerait possiblement pas n'eût été de la nécessité de faire front commun contre un ennemi agressif […]. Les délibérations du Cabinet, dit succinctement, se tiennent dans la plus stricte confidentialité […]. Forts de cette protection, les membres du Cabinet sont libres d'exprimer leurs opinions sans réserve sur tous les sujets dont il est question ; les raisons qui ont influencé le Cabinet pour arrêter une décision ne seront pas divulguées ; les dissidents peuvent soutenir la politique convenue sans être pris à partie

---

33. *Ibid.* à la p. 108.
34. Lowell, *supra* note 17 à la p. 65.

individuellement et sans que leurs intentions soient atta-quées[35].

Les ruptures de solidarité ont été rares au Canada. Dans son ouvrage qui fait autorité en matière de conventions constitution-nelles, le professeur Andrew Heard en donne deux exemples. D'abord, il relate le cas de 1902 où le premier ministre Wilfrid Laurier a démis de ses fonctions son ministre des Travaux publics, Israel Tarte, parce qu'il avait publiquement exprimé son désac-cord à l'égard de la politique tarifaire du gouvernement. Ensuite, il mentionne le cas de 1916 où le premier ministre Robert Borden a congédié son ministre de la Défense, Sam Hughes, pour insubor-dination[36]. La suspension de la solidarité est également rare. Elle est survenue, par exemple, lors des votes libres sur la peine de mort en 1967, 1976 et 1987 et sur l'avortement en 1988[37].

L'expérience a démontré qu'il n'est pas sage de miner la soli-darité. Lorsque Pierre Elliott Trudeau est devenu premier ministre pour la première fois, en 1968, il a encouragé ses ministres à débattre en public des avantages et des inconvénients des poli-tiques proposées avant que le Cabinet ne dégage un consensus. Le 4 février 1969, il a fait la déclaration suivante à la Chambre des communes :

> Les ministres ne peuvent pas discuter une décision devenue programme ministériel. Tous sont responsables de cette déci-sion et tous doivent la respecter, à moins de quitter le cabinet.

> Toutefois, en ce qui a trait aux programmes ébauchés, à l'ordre futur des priorités, à l'orientation prospective du pays [...] les ministres et tous les membres du gouvernement sont encouragés à soulever, non seulement à la Chambre mais dans tout le pays, toutes sortes d'idées nouvelles [...][38].

---

35. Robert MacGregor Dawson, *The Government of Canada*, 3e éd. révisée, Toronto, University of Toronto Press, 1957 à la p. 219.

36. Heard, *supra* note 5 à la p. 107.

37. *Ibid.* à la p. 108.

38. *Débats de la Chambre des communes*, 28e parl., 1re sess., vol. 5 (4 février 1969) à la p. 5110. Voir aussi : W.A. Matheson, *The Prime Minister and the Cabinet*, Toronto, Methuen, 1976 à la p. 18.

Cette initiative n'a pas duré longtemps, compte tenu du dommage causé à la crédibilité du gouvernement Trudeau du fait que ses ministres débattaient les uns contre les autres en public. En fait, l'absence de solidarité donne l'impression que le gouvernement est faible et désorganisé ; un tel gouvernement ne peut maintenir très longtemps la confiance de la Chambre des communes et de l'électorat. L'argument de la solidarité est le plus solide pour justifier l'existence du secret ministériel.

Les arguments de la franchise, de l'efficacité et de la solidarité expliquent pourquoi le secret ministériel est une caractéristique essentielle du système de gouvernement responsable de type Westminster, et pourquoi il est irréaliste de s'attendre à ce que les délibérations du Cabinet se déroulent en public. L'idée que les réunions du Cabinet soient « publiques » est aussi étrange que celle de la tenue « publique » des réunions du caucus : en effet, on ne peut s'attendre à ce que le parti politique au pouvoir, pas plus que les partis politiques d'opposition d'ailleurs, décident de leur stratégie politique sous le feu des projecteurs.

Lorsqu'il était premier ministre de la Colombie-Britannique, Gordon Campbell a fait l'expérience de tenir certaines réunions de son Cabinet publiquement. Auparavant, alors qu'il était dans l'opposition, il avait promis d'adopter diverses mesures pour favoriser la transparence gouvernementale. Après sa victoire électorale en 2001, il a donné accès au public à une réunion du Cabinet par mois en autorisant sa diffusion en direct ainsi que la publication en ligne de l'ordre du jour, des documents déposés, des diapositives et des transcriptions. En raison de cette initiative, 29 des réunions de son Cabinet ont été publiques pendant les 34 premiers mois de son mandat. Or, au cours de ces séances, il n'y a eu [TRADUCTION] « aucun débat et très peu de discussion[39] ». Le professeur Graham White en a donné la description suivante :

[TRADUCTION] En général, des ministres choisis d'avance font de longues annonces minutieusement préparées qui sont suivies de félicitations et de questions visant à appuyer l'initiative

39.   Vaughn Palmer, « Open cabinet: A few hits and what's missing », *Vancouver Sun* (28 juin 2001).

de la part de leurs collègues. Au moment de prendre une « décision », le résultat est joué d'avance. Il est par ailleurs remarquable que ces réunions ne soient le théâtre d'aucun conflit, d'aucun débat et d'aucune rivalité entre les ministres pour fixer les priorités et répartir les ressources (personne n'y fait non plus de références manifestes aux conséquences politiques des initiatives proposées). À l'occasion, la présentation d'un ministre donne lieu à un minimum de concessions entre ministres. Cela dit, si les questions peuvent être sincères et porter sur le fond, elles visent toutes à obtenir des clarifications ou des explications ; aucune ne remet en question la position des ministres ou les politiques qu'ils proposent[40].

Les réunions publiques du Cabinet sont des événements mis en scène et, à ce titre, ne peuvent être comparées à celles qui ont lieu à huis clos. C'est toujours derrière des portes closes que se tiennent les vraies discussions et que se prennent les vraies décisions. D'ailleurs, comme l'a noté le comité Radcliffe sur les mémoires politiques : [TRADUCTION] « Personne ne croit réellement que les réunions du Cabinet et les débats qui s'y déroulent devraient avoir lieu en présence de journalistes, de caméras de télévision et de tiers intéressés[41] ». Les ministres ne peuvent se permettre de combattre les uns contre les autres en public. C'est pourquoi si les réunions du Cabinet devaient nécessairement se tenir publiquement, c'est vraisemblablement dans un autre forum, encore plus opaque, qu'auraient lieu les vraies discussions et que se prendraient les vraies décisions.

En résumé, la convention sur le secret des délibérations du Cabinet est essentielle au bon fonctionnement d'un système de gouvernement responsable de type Westminster. Une longue série de précédents remontant à 1867 appuient l'existence de cette convention qui a été systématiquement appliquée depuis. Le fait que tous les ministres, nommés membres du Conseil privé, aient prêté le serment de préserver la confidentialité du processus décisionnel collectif et qu'ils respectent ce serment au quotidien,

---

40. Graham White, *Cabinets and First Ministers*, Vancouver, UBC Press, 2005 à la p. 116.

41. *Report on Ministerial Memoirs, supra* note 27 à la p. 15.

1.2.1.2 Le Canada

Étant donné le succès de l'expérience britannique, il a été recommandé qu'un secrétariat du Cabinet soit mis en place au Canada dès 1919[46]. Cette recommandation n'a toutefois pas été immédiatement suivie. En 1927, le premier ministre William Lyon Mackenzie King a envisagé la possibilité de créer un tel secrétariat, mais celui qu'il souhaitait nommer secrétaire a décliné l'offre. Le projet est resté sur la glace durant plusieurs années, puisque le premier ministre King [TRADUCTION] « n'était pas homme à prendre une décision à la hâte » et que « l'appareil gouvernemental ne l'intéressait pas »[47] particulièrement. En 1936, il a rencontré Mᵉ Arnold Heeney, le fils d'un ami. Le premier ministre a été si impressionné par Mᵉ Heeney qu'il l'a invité à travailler pour lui. C'est d'abord à titre de secrétaire principal que l'avocat s'est joint à l'équipe du premier ministre, avec la possibilité qu'il soit ultérieurement nommé secrétaire du Cabinet. En 1938, le Cabinet n'avait toujours ni secrétariat ni système organisé pour colliger les documents afférents à ses travaux. À son arrivée à Ottawa, Mᵉ Heeney a été stupéfait de [TRADUCTION] « l'incroyable laisser-aller » dans la façon dont les affaires du Cabinet étaient menées :

> [TRADUCTION] J'ai été estomaqué de découvrir que le comité le plus important du pays menait ses affaires d'une manière si désordonnée qu'on ne s'y servait pas d'un ordre du jour, ni qu'on ne rédigeait de procès-verbal à l'issue des réunions. Plus j'en apprenais sur les pratiques du Cabinet, plus j'avais du mal à comprendre comment une telle approche pouvait fonctionner. En fait, la situation qui prévalait au Canada avant 1940 était la même que celle qui prévalait en Grande-Bretagne avant 1916[48].

---

46. Canada, Comité McLennan, *Report of the Special Committee on the Machinery of Government*, vol. 55, Ottawa, Journals of the Senate of the Dominion of Canada (1867-1970), 2 juillet 1919 aux p. 344-345.

47. J.R. Mallory, « Mackenzie King and the Origins of the Cabinet Secretariat » (1976) 19:2 *Administration publique du Canada* 254 à la p. 254.

48. Arnold Heeney, *The Things That Are Caesar's: Memoirs of a Canadian Public Servant*, Toronto, University of Toronto Press, 1972 aux p. 74-75 [Heeney, *The Things That Are Caesar's*]. Voir aussi : Arnold Heeney, « Mackenzie King and the Cabinet Secretariat » (1967) 10:3 *Administration publique du Canada* 366 à la p. 367 [Heeney, « Mackenzie King »].

En dépit de ces défis à relever, le premier ministre King [TRA-DUCTION] « a résisté aux efforts visant à formaliser le fonctionne-ment du Cabinet, une institution dont le génie, historiquement et suivant sa propre expérience, avait résidé dans sa flexibilité et son caractère informel[49] ». Ce n'est qu'en 1940 que, à contrecœur, le pre-mier ministre a créé le Secrétariat du Cabinet. Il l'a fait en raison de l'augmentation soudaine de la quantité de renseignements devant être gérée durant la Deuxième Guerre mondiale. La croissance du volume et de la complexité des affaires gouvernementales a engendré le besoin d'améliorer la coordination et de consigner d'une façon précise les décisions passées et les arguments qui y ont mené. Le Comité de guerre du Cabinet, qui avait remplacé le Cabinet plénier de 1939 à 1944, avait besoin d'un système plus efficace pour prendre des décisions, ainsi que pour les communi-quer et en assurer la mise en œuvre. Le Secrétariat du Cabinet a été incorporé au Bureau du Conseil privé qui était, depuis 1867, le Secrétariat du Conseil privé, mais qui, jusqu'alors, n'était pas intervenu dans les affaires du Cabinet :

> [TRADUCTION] Depuis la Confédération, le greffier du Conseil privé avait toujours agi comme secrétaire du Conseil. [...] Il n'exerçait toutefois aucune fonction pour le Cabinet. Avant que les ministres se rassemblent pour les réunions – qui se déroulaient dans la salle du Conseil privé située dans l'édi-fice de l'Est de la colline parlementaire – le greffier plaçait devant la chaise du premier ministre une série d'ébauches de décrets qui avaient été préparées pour examen. Au moment où s'amorçaient les délibérations, le greffier sortait de la salle. Au terme de la réunion, le greffier retournait dans la salle pour y retrouver les décrets rangés dans deux compartiments d'une grande boîte en bois déposée devant la place du premier ministre. Les décrets placés à droite avaient été approuvés, ils étaient formellement rédigés, puis transmis à Rideau Hall pour y être signés par le gouverneur général ; ceux placés à gauche avaient été reportés ou rejetés. Le greffier n'avait donc guère plus qu'un contact distant avec le Cabinet[50].

---

49.   Heeney, *The Things That Are Caesar's, supra* note 48 à la p. 79. Voir aussi : Heeney, « Mackenzie King », *supra* note 48 à la p. 371.

50.   Masschaele, *supra* note 44 à la p. 153. Voir aussi : Heeney, *The Things That Are Caesar's, supra* note 48 à la p. 75 ; Heeney, « Mackenzie King », *supra* note 48 à la p. 368.

Puisque le greffier du Conseil privé exerçait déjà les fonctions de secrétaire pour le Conseil, il a semblé naturel qu'il s'acquitte de fonctions similaires pour le Cabinet. Ainsi, l'ancien poste de greffier du Conseil privé et le nouveau poste de secrétaire du Cabinet ont été combinés. En mars 1940, l'adoption d'un décret a mis en œuvre la nouvelle structure et nommé Me Heeney aux postes de greffier et de secrétaire:

> [TRADUCTION] [C]ompte tenu de la croissance importante du travail du Cabinet durant les dernières années et tout particulièrement depuis le déclenchement de la guerre, il faut prendre des mesures pour que des fonctions du type de celles dont s'acquitte un secrétariat puissent être menées, notamment, en matière de préparation de l'ordre du jour des réunions du Cabinet, de remise des renseignements et des documents nécessaires aux délibérations du Cabinet et de rédaction de comptes rendus des décisions auxquelles ont abouti les discussions, ainsi que pour la communication de ces décisions aux ministères concernés [...].

> Pour mener à bien ces nouvelles tâches [...], le plus commode consiste à les confier au greffier du Conseil privé, et [...] à cette fin, il est souhaitable qu'il soit nommé secrétaire du Cabinet[51].

Au bout de quelques années, le Secrétariat du Cabinet était considéré comme un organe nécessaire de l'appareil gouvernemental. En 1945, le système qui avait été élaboré pour soutenir le Comité de guerre du Cabinet a été étendu au Cabinet plénier[52]. Me Heeney a attribué cet accomplissement au premier ministre King: [TRADUCTION] «même s'il s'intéressait peu au processus administratif, [il] avait un instinct solide et subtil quant aux affaires gouvernementales[53]».

---

51. Décret en conseil, C.P. 1940-1121 (25 mars 1940).
52. Heeney, *The Things That Are Caesar's*, *supra* note 48 à la p. 79. Voir aussi: Heeney, «Mackenzie King», *supra* note 48 à la p. 372.
53. Heeney, *The Things That Are Caesar's*, *supra* note 48 à la p. 81. Voir aussi: Heeney, «Mackenzie King», *supra* note 48 à la p. 374. En fait, Me Heeney a défendu la création du Secrétariat du Cabinet [TRADUCTION] «malgré l'obtusité du premier ministre King» et «a réussi là où une personne moins forte aurait sans doute échoué». Voir: J.R. Mallory, *The Structure of Canadian Government*, éd. révisée, Toronto, Gage Publishing Limited, 1984 à la p. 119 [Mallory, *Canadian Government*].

1.2.2   Le développement de la convention sur l'accès

Si la création d'un secrétariat du Cabinet au Royaume-Uni et au Canada a considérablement accru l'efficacité du processus décisionnel au sommet de l'exécutif, elle a créé un nouveau risque, c'est-à-dire celui que les documents consignant les travaux du Cabinet d'un gouvernement tombent entre les mains de ses adversaires politiques lors d'un changement de gouvernement. Comme l'a rapporté le professeur William R. Anson, cette situation s'était déjà vue, même avant la création du premier secrétariat :

> [TRADUCTION] Lorsque le gouvernement de lord Grey a démissionné en 1832 en raison d'un différend avec le Roi quant à la création de pairies, le procès-verbal d'une réunion du Cabinet qui avait consigné la dissidence du duc de Richmond par rapport à l'opinion de ses collègues a été porté à l'attention du duc de Wellington, qui avait été invité à former un gouvernement. Après l'échec du duc et le retour de lord Grey au pouvoir, cette divergence de point de vue parmi les collègues de ce dernier a été utilisée à leur détriment durant des débats. Le problème ne résidait pas tant dans la divulgation de la dissidence dans le procès-verbal que dans celle de la communication du procès-verbal d'une réunion d'un Cabinet aux adversaires du ministre qui a exprimé cette dissidence. Voilà sans l'ombre d'un doute qui est contraire à la coutume[54].

Ce risque a attiré l'attention sur la nécessité que les gouvernements entrants et sortants parviennent à un arrangement. Deux considérations devaient être conciliées. D'une part, les documents consignant les travaux du Cabinet des gouvernements précédents doivent être préservés pour assurer la continuité de l'administration des affaires publiques et pour des motifs historiques. Les ministres ne devraient pas avoir le droit de quitter leur poste en apportant des documents qui pourraient les mettre dans l'embarras. D'autre part, les documents consignant les travaux du Cabinet d'un parti politique ne devraient pas tomber entre les mains d'un autre parti politique[55]. En effet, comme l'a illustré le

---

54.   Anson et Keith, *supra* note 12 à la p. 120.

55.   John Hunt, « Access to a Previous Government's Papers » [1982] *P.L.* 514 à la p. 515 : [TRADUCTION] « La [convention tente de] réconcilier deux [...] exigences.

> Le Cabinet approuve la proposition du premier ministre vou-
> lant que la procédure utilisée au Royaume-Uni quant à l'accès
> aux documents d'un gouvernement précédent soit adoptée au
> Canada[60].

Pourquoi le premier ministre Diefenbaker a-t-il consenti à cet
arrangement ? Tout simplement parce que si un premier ministre
en poste souhaite que les futurs premiers ministres respectent
la confidentialité des documents du Cabinet créés durant son
mandat, il doit être prêt à respecter celle des documents du Cabinet
créés durant les mandats de ses prédécesseurs. Cette entente, dont
ont convenu les premiers ministres St-Laurent et Diefenbaker, était
d'une grande importance. En y songeant, Me Heeney a émis le
commentaire suivant :

> [TRADUCTION] Estimons-nous chanceux que ces deux
> hommes aient convenu qu'il faudrait suivre la tradition bri-
> tannique et que le secrétaire du Cabinet devrait agir comme
> gardien des documents du Cabinet [...]. Grâce à cette entente,
> le Secrétariat du Cabinet est devenu une institution perma-
> nente du gouvernement canadien[61].

Depuis 1957, la convention sur l'accès a été systématiquement
respectée et le secrétaire du Cabinet a agi à titre de gardien des
documents du Cabinet. À ce titre, le secrétaire peut informer le
gouvernement entrant des décisions prises par le gouvernement
sortant, afin qu'il puisse mener efficacement les affaires de l'État.
Le secrétaire ne peut toutefois révéler les opinions personnelles
exprimées par les anciens ministres, ni les désaccords qui pouvaient exister entre eux. Bref, le secrétaire devrait [TRADUCTION]
« fournir aux nouveaux ministres tous les renseignements dont
ils ont besoin sans embarrasser les anciens ministres sur le plan
politique[62] ». D'un point de vue conventionnel, les anciens premiers ministres conservent le contrôle des documents du Cabinet

---

60.   Extrait de conclusions du Cabinet intitulées « United Kingdom Cabinet Office:
       Procedures on Access to Records of a Previous Administration » (6 juillet 1957)
       (soulignements dans l'original), reproduit dans Côté, *supra* note 59 à la p. 233.

61.   Heeney, *The Things That Are Caesar's*, *supra* note 48 à la p. 80. Voir aussi : Heeney,
       « Mackenzie King », *supra* note 48 à la p. 373.

62.   Hunt, *supra* note 55 à la p. 516.

créés durant leur mandat et peuvent donner leur accord pour qu'ils soient communiqués au gouvernement en poste ou divulgués au public[63].

Le secrétaire du Cabinet veille à ce que la convention sur l'accès soit respectée à chaque changement de gouvernement en demandant à la fois au premier ministre sortant et à son successeur de ratifier la convention par écrit. Neuf échanges de lettres ont eu lieu depuis 1957 : en 1963, lorsque Lester B. Pearson a battu John Diefenbaker[64] ; en 1979, lorsque Joe Clark a succédé à Pierre Elliott Trudeau[65] ; en 1980, lorsque ce dernier a défait Joe Clark[66] ; en 1984, lorsque John Turner a perdu les élections aux mains de Brian Mulroney[67] ; en 1993, lorsque Kim Campbell a remplacé Brian Mulroney[68] ; en 1993, lorsque Jean Chrétien a défait Kim Campbell[69] ; en 2003, lorsque Paul Martin a remplacé Jean Chrétien[70] ; en 2006, lors de la prise de pouvoir de Stephen Harper

---

63. *Ibid.* aux p. 517-518.

64. Lettre de Robert Bryce à Lester B. Pearson (17 avril 1963) [Lettre de Bryce à Pearson] ; Lettre de Lester B. Pearson à Robert Bryce (12 juin 1963). Ces lettres ont été divulguées par le Bureau du Conseil privé conformément à la *Loi sur l'accès à l'information*, L.R.C. 1985, c. A-1 [*LAI*] (A-2016-00370).

65. Lettre de Michael Pitfield à Pierre Elliott Trudeau (1er juin 1979) ; Lettre de Pierre Elliott Trudeau à Michael Pitfield (1er juin 1979) ; Lettre de Michael Pitfield à Joe Clark (1er juin 1979). Ces lettres ont été divulguées par le Bureau du Conseil privé conformément à la *LAI*, *supra* note 64 (A-2016-00370).

66. Lettre de Marcel Massé à Joe Clark (29 février 1980) ; Lettre de Joe Clark à Marcel Massé (29 février 1980) ; Lettre de Marcel Massé à Pierre Elliott Trudeau (29 février 1980). Ces lettres ont été divulguées par le Bureau du Conseil privé conformément à la *LAI*, *supra* note 64 (A-2016-00370).

67. Lettre de Gordon Osbaldeston à John Turner (12 septembre 1984) ; Lettre de Gordon Osbaldeston à Brian Mulroney (14 septembre 1984). Ces lettres ont été divulguées par le Bureau du Conseil privé conformément à la *LAI*, *supra* note 64 (A-2016-00370).

68. Lettre de Glen Shortliffe à Brian Mulroney (24 juin 1993) ; Lettre de Glen Shortliffe à Kim Campbell (30 juin 1993). Ces lettres ont été divulguées par le Bureau du Conseil privé conformément à la *LAI*, *supra* note 64 (A-2016-00370).

69. Lettre de Glen Shortliffe à Kim Campbell (sans date) ; Lettre de Glen Shortliffe à Jean Chrétien (3 novembre 1993). Ces lettres ont été divulguées par le Bureau du Conseil privé conformément à la *LAI*, *supra* note 64 (A-2016-00370).

70. Le Bureau du Conseil privé a confirmé que la convention sur l'accès avait été appliquée en 2003 lorsque Paul Martin a remplacé Jean Chrétien ; toutefois, les lettres pertinentes n'ont pas encore été divulguées.

de la convention sur l'accès. De plus, ces dispositions prévoient une exception pour les « documents de travail », un type de documents destinés à présenter des problèmes, des analyses ou des options politiques au Cabinet afin d'éclairer ses prises de décisions. Ces documents de travail ne sont plus protégés par l'immunité du Cabinet dans les cas où les décisions auxquelles ils se rapportent ont été rendues publiques[77]. Enfin, la Cour suprême du Canada a indirectement limité la portée de la convention dans l'arrêt *Babcock* en décidant que les documents du Cabinet peuvent être protégés dans le contexte d'un litige uniquement lorsque l'intérêt public le requiert[78]. Ces exceptions restreintes à l'application de la convention ne portent pas atteinte à son objet.

En résumé, le système organisé d'archivage des documents du Cabinet en place à l'heure actuelle n'aurait pas été créé si la confidentialité de ces documents n'avait pu être préservée. La convention sur l'accès vise à empêcher que les opinions personnelles exprimées par les ministres durant le processus décisionnel, opinions qui peuvent être consignées dans un document du Cabinet, ne tombent entre les mains de leurs adversaires politiques à l'occasion d'un changement de gouvernement, puisque ces renseignements pourraient être utilisés à des fins partisanes. Compte tenu de ce qui précède, la portée de la convention a vraisemblablement été inutilement étendue au Canada : premièrement, en l'appliquant à des documents qui ne révèlent pas d'opinions personnelles exprimées par des ministres durant le processus décisionnel ; et, deuxièmement, en l'appliquant à l'arrivée en poste d'un nouveau chef au sein d'un même parti politique.

2.   LES LIMITES CONVENTIONNELLES AU SECRET MINISTÉRIEL

Quelles sont les limites au secret ministériel dans un système de gouvernement responsable de type Westminster ? Quand les

---

77.   *LPC, supra* note 76, art. 39(2)b), 39(4)b) ; *LAI, supra* note 64, art. 69(1)b), 69(3)b). Voir aussi : *Canada (Commissaire à l'information) c. Canada (Ministre de l'Environnement)*, 2003 CAF 68.

78.   *Babcock, supra* note 15 au para. 22.

secrets du Cabinet peuvent-ils être révélés et par qui ? La section 2 traitera de ces questions. Elle décrira les limites convention-nelles au secret ministériel, c'est-à-dire celles que les acteurs poli-tiques ont volontairement acceptées plutôt que celles fixées par le Parlement ou par les tribunaux. Bien que le secret ministériel soit protégé par le droit législatif pour une période de 20 ans[79], suivant les conventions, le devoir de confidentialité peut s'éteindre avant l'expiration de ce délai. De fait, le devoir s'éteint lorsque la raison qui en justifiait l'existence disparaît[80] ou lorsqu'un autre intérêt public plus impérieux l'emporte sur ce dernier. Le passage du temps constitue une limite importante au secret ministériel : à un certain moment, les secrets qu'il protège ne revêtent qu'un intérêt historique et peuvent être divulgués sans qu'aucun dommage ne risque d'être causé. Il n'existe toutefois aucune règle claire pour évaluer précisément quand survient le moment en question. De même, dans certaines circonstances, les conventions assurant la confidentialité des travaux du Cabinet ont été assouplies par les acteurs politiques en cause. Ces circonstances se divisent en deux catégories. La première sous-section examinera les situations dans lesquelles d'anciens ministres sont autorisés à divulguer des secrets du Cabinet. La deuxième sous-section présentera les situations dans lesquelles le gouvernement a fait une exception aux conven-tions sur le secret ministériel dans l'intérêt public.

2.1   La divulgation volontaire par d'anciens ministres

Il existe principalement deux situations dans lesquelles d'an-ciens ministres peuvent légitimement révéler le contenu des déli-bérations du Cabinet : premièrement, lorsqu'ils démissionnent ; et, deuxièmement, lorsqu'ils publient leurs mémoires politiques. Les anciens ministres ne sont pas liés par la période de 20 ans fixée par le droit législatif. En effet, celui-ci autorise le gouvernement à refuser la divulgation des secrets du Cabinet, mais il ne contraint pas juridiquement les ministres à garder ces renseignements confi-dentiels. Si ces derniers sont tenus moralement par le serment

---

79.   *LPC, supra* note 76, art. 39(4)a) ; *LAI, supra* note 64, art. 69(3)a).

80.   Lowell, *supra* note 17 aux p. 65-66, n. 1.

qu'ils ont prêté à titre de membres du Conseil privé, ce serment ne peut les astreindre à garder le silence jusqu'à la fin des temps. De plus, le manquement à ce serment ne peut faire l'objet d'une sanction judiciaire, et les sanctions politiques sont inefficaces contre un individu qui n'est plus en poste. Il faut reconnaître que, [TRADUCTION] «à un certain moment, ce qui constituait des secrets à une époque doit pouvoir être connu de tous à une autre époque[81]».

2.1.1 Les démissions ministérielles

Lorsqu'un ministre démissionne en raison d'une divergence d'opinion inconciliable avec d'autres membres du Cabinet, il peut souhaiter expliquer le fondement du désaccord à la Chambre des communes et aux médias. Ainsi, [TRADUCTION] «[lorsque] des ministres démissionnent du Cabinet en raison de divergences de points de vue quant à une politique, ils sont autorisés à faire une brève déclaration sur les sujets qui ont mené à leur décision; toutefois, ces divulgations donnent rarement lieu à des révélations importantes, outre le fait manifeste qu'il existait un différend au sein du Cabinet[82]». Par le passé, dans les cas où un ministre démissionnaire a voulu franchir un pas supplémentaire et divulguer des documents officiels qui révélaient la nature de son désaccord avec le Cabinet, il a dû, pour ce faire, obtenir le consentement du gouverneur général par l'intermédiaire du premier ministre[83]. Il existe très peu de précédents ayant donné lieu à l'application de cette procédure au Canada. La démission du ministre de la Défense James Ralston en 1944, en lien avec la question de la conscription, en constitue un rare exemple. Le ministre Ralston a sollicité la permission de déposer à la Chambre des communes la correspondance qu'il avait échangée avec le premier ministre King sur le sujet. Suivant le conseil de ce dernier, le gouverneur général a accueilli la demande même si [TRADUCTION] «la correspondance

---

81.   *Report on Ministerial Memoirs*, *supra* note 27 à la p. 29.

82.   Heard, *supra* note 5 à la p. 110.

83.   Mallory, *Canadian Government*, *supra* note 53 à la p. 94. Voir aussi: Anson et Keith, *supra* note 12 à la p. 121.

en question [contenait] des références aux discussions et aux délibérations tenues durant des réunions du Cabinet[84]».

2.1.2   Les mémoires politiques

Les anciens ministres peuvent également révéler le contenu des délibérations du Cabinet dans leurs mémoires politiques ou dans d'autres ouvrages relatifs à leur expérience dans cette fonction. En effet, ceux qui ont occupé une charge publique ont une vaste connaissance d'événements historiques qui ont façonné la nation et une perspective unique à leur égard. À un certain moment, ils doivent pouvoir partager leur expérience avec les membres de la société civile. À cette fin, les anciens ministres ont accès à la totalité des documents du Cabinet qui sont sous la garde du secrétaire du Cabinet et qui leur ont été remis durant leur mandat comme ministre. Ces anciens ministres ne peuvent cependant publier, sans autorisation, les documents du Cabinet qui datent de moins de 20 ans. Règle générale, ils doivent solliciter les conseils du secrétaire du Cabinet avant de publier leurs mémoires[85]. Il ne semble pas y avoir de cas où le gouvernement aurait tenté d'empêcher la publication de mémoires politiques au Canada. Cela n'est toutefois pas sans précédent au Royaume-Uni. La saga qui a entouré la publication des journaux intimes de l'ancien ministre Richard Crossman illustre de manière éloquente les tensions qui surgissent lorsqu'un ancien ministre décide de publier ses mémoires politiques.

2.1.2.1   L'affaire Crossman

Richard Crossman a été ministre dans le gouvernement formé par le Labour Party qu'a dirigé le premier ministre Harold Wilson de 1964 à 1970. Durant son mandat, le ministre Crossman a rédigé des journaux intimes qui contenaient des détails sur les réunions du Cabinet et révélaient les désaccords entre certains ministres sur les questions en cause. Le politicien avait conservé ses journaux

---

84.   Lettre de William Lyon Mackenzie King au comte d'Athlone (17 novembre 1944); Lettre du comte d'Athlone à William Lyon Mackenzie King (18 novembre 1944). Ces lettres sont reproduites dans Elcock, « Affidavit », pièces C et D, *supra* note 23.

85.   Canada, Bureau du Conseil privé, *Guidance for Ministers, supra* note 18 à la p. 42.

dans l'intention de les publier à une date ultérieure, ce que savaient ses collègues du Cabinet. Après la chute du Labour Party au terme des élections générales de 1970, M. Crossman a commencé à organiser ses journaux en vue de leur publication. Après son décès en 1974, ses exécuteurs littéraires ont continué le processus de publication. Or, le Labour Party était alors de retour au pouvoir et plusieurs des anciens collègues de M. Crossman, y compris le premier ministre Wilson, étaient de nouveau en poste.

Avant leur publication, une copie de ces journaux intimes a été envoyée au secrétaire du Cabinet, John Hunt, pour qu'il en fasse un examen officiel. À l'issue d'un certain nombre d'échanges avec les exécuteurs, M. Hunt s'est opposé à la publication des textes en question parce qu'ils constituaient un compte rendu [TRADUCTION] « détaillé » des délibérations du Cabinet ainsi que des divergences d'opinions entre les ministres[86]. En dépit de cette opposition, un extrait des journaux intimes a été publié dans *The Sunday Times* en janvier 1975. En réaction, le gouvernement britannique a intenté une poursuite contre les exécuteurs, l'éditeur et le journal pour empêcher toute autre publication. Cette cause était unique, car elle ne portait pas sur une situation dans laquelle le gouvernement s'opposait à la divulgation de documents du Cabinet dans le cadre d'un litige. Au contraire, le gouvernement sollicitait activement le prononcé d'une injonction permanente qui interdirait la publication de mémoires politiques parce que ces écrits révéleraient le contenu des délibérations du Cabinet. Il s'agissait d'une mesure draconienne qui n'avait jamais été sollicitée auparavant. Si le recours avait été couronné de succès, il aurait considérablement restreint la liberté de parole des anciens ministres.

Durant l'instance, le gouvernement s'est fondé sur la convention sur le secret des délibérations du Cabinet. Les défendeurs ont répliqué que la confidentialité de ces délibérations reposait exclusivement sur une règle politique, une obligation de conscience, et que les tribunaux ne pouvaient pas empêcher la publication des journaux intimes sur ce fondement. Le gouvernement devait donc

---

86.   *Jonathan Cape*, *supra* note 20 à la p. 762.

trouver une règle juridique qui justifierait le prononcé de l'in-jonction. Il a plaidé que la doctrine de l'abus de confiance (selon laquelle une personne ne devrait pas pouvoir profiter de la publi-cation abusive de renseignements qui lui ont été transmis confi-dentiellement), qui n'avait jusqu'alors été appliquée qu'aux secrets des personnes privées, devrait être étendue aux secrets de l'État pour favoriser la bonne gestion gouvernementale. Sous la plume de lord Widgery, juge en chef, la High Court a donné raison au gouvernement sur ce point et a établi le critère suivant :

> [TRADUCTION] Le [gouvernement] doit démontrer a) qu'une telle publication constituerait un abus de confiance, b) qu'il est dans l'intérêt public que la publication soit restreinte et c) qu'il n'existe aucune autre facette de l'intérêt public opposée à celle sur laquelle se fonde la restriction à la publication et qui lui est supérieure[87].

En appliquant ce critère, lord Widgery a tiré trois conclusions. Premièrement, le gouvernement avait établi que les délibérations du Cabinet sont confidentielles. Ainsi, la publication de leur contenu pouvait être restreinte dans l'intérêt public. Deuxièmement, il était dans l'intérêt public de maintenir la doctrine de la responsabilité ministérielle collective à laquelle la divulgation prématurée des délibérations du Cabinet pouvait porter atteinte. Troisièmement, il existait une échéance après laquelle le contenu des délibérations du Cabinet perdait son caractère confidentiel et les tribunaux n'étaient plus tenus d'en restreindre la publication. La conclusion de lord Widgery sur ce point a été décisive pour la cause :

> [TRADUCTION] Depuis la fin de l'audition de la présente cause, j'ai eu l'occasion de lire le premier volume des journaux intimes et, en tout respect, je ne peux croire que la publi-cation après tout ce temps de quelque élément de ce volume entraverait la libre discussion au sein du Cabinet aujourd'hui, et ce, même si les individus en cause sont les mêmes et si les enjeux nationaux s'apparentent hélas à ceux avec lesquels le pays était aux prises il y a une décennie[88].

---

87.   *Ibid.* à la p. 770.
88.   *Ibid.* à la p. 771.

Malgré la controverse suscitée par cette décision, le gouvernement n'a pas interjeté appel. Le premier volume des journaux intimes de M. Crossman a été publié en 1975, puis les deuxième et troisième volumes en 1976 et 1977 respectivement, et ce, sans que le gouvernement ne s'y oppose[89]. La publication de ces journaux a été décrite comme [TRADUCTION] « la défaite des revendications excessives du Secrétariat du Cabinet pour protéger le secret ministériel[90] ». Les journaux ont servi de source d'inspiration pour les auteurs des comédies satiriques britanniques populaires *Yes Minister* et *Yes Prime Minister* diffusées durant les années 1980. L'affaire *Crossman* a affaibli le sentiment des anciens ministres qu'ils étaient tenus au secret et, depuis, de nombreux mémoires politiques ont été publiés au Royaume-Uni[91]. En revanche, au Canada, peu de ministres ont publié leurs mémoires politiques, ce que déplorent les chercheurs universitaires qui sont par le fait même privés de sources importantes de renseignements[92].

2.1.2.2 *Le rapport du Comité Radcliffe*

En avril 1975, alors que l'affaire *Crossman* était encore en délibéré, le gouvernement britannique a formé un Comité de membres du Conseil privé, présidé par lord Radcliffe. Ce comité avait le mandat de proposer des règles sur la publication de mémoires politiques et d'autres ouvrages du même type par les anciens ministres, et les moyens par lesquels ces règles pourraient être mises en œuvre. En examinant la question, le Comité Radcliffe a cherché à maintenir l'équilibre entre l'intérêt public pour que les secrets gouvernementaux soient protégés et celui pour que des mémoires politiques soient publiés:

> [TRADUCTION] Il est dans l'intérêt public que soit disséminée cette forme d'expérience éclairée des affaires

---

89. Richard Crossman, *The Diaries of a Cabinet Minister*, vol. 1-3, Londres, Hamish Hamilton Limited & Jonathan Cape Limited, 1975-1977.

90. Naylor, *supra* note 45 à la p. 311.

91. Heard, *supra* note 5 à la p. 111.

92. David E. Smith, « The Federal Cabinet in Canadian Politics » dans Michael S. Whittington et Glen Williams, dir., *Canadian Politics in the 1980s*, 2ᵉ éd., Toronto, Methuen, 1984 aux p. 351-352.

gouvernementales qu'un ancien ministre est particulièrement bien placé pour révéler [...]. Il est aussi dans l'intérêt public d'offrir, à ceux qui ont occupé une charge publique au service de leur pays et qui se sont exposés à la controverse et à la critique en s'acquittant de leurs fonctions, la possibilité de rendre compte à la population de leur travail de manière raisonnée et documentée[93].

Selon le Comité Radcliffe, le cadre juridique établi par lord Widgery n'était pas utile, et ce, pour deux raisons. Premièrement, il ne fournissait pas un ensemble de règles uniformes susceptibles de guider clairement les anciens ministres ; il s'agissait plutôt d'une approche individualisée appliquée par voie judiciaire. Deuxièmement, le recours aux tribunaux n'est pas le meilleur moyen pour régler ce type de litige, parce que leur résolution requiert de faire preuve de jugement politique et administratif. En outre, le Comité Radcliffe était d'avis que l'adoption de mesures législatives ne constituait pas la bonne solution, parce qu'il faudrait imposer des sanctions juridiques pour les mettre en œuvre[94]. Le Comité estimait au contraire que le devoir de confidentialité qui incombe aux ministres devait continuer à relever du domaine des conventions. Il a donc proposé un ensemble de « lignes directrices ».

Selon ces lignes directrices, les ministres seraient autorisés à publier un compte rendu de leurs années en poste, sous réserve de deux exceptions : d'abord, ils devraient s'abstenir de divulguer des renseignements susceptibles de porter préjudice à la sécurité nationale et aux relations internationales ; ensuite, pendant 15 ans, ils devraient s'abstenir de révéler des renseignements susceptibles de nuire aux échanges confidentiels des ministres entre eux, comme ceux qui portent sur les opinions personnelles de leurs

---

93. *Report on Ministerial Memoirs*, *supra* note 27 à la p. 16.

94. *Ibid.* aux p. 25-26 : [TRADUCTION] « [Les ministres] devraient, assurément, se conduire de manière appropriée et respecter leurs obligations sans qu'il soit nécessaire d'imposer des sanctions ou des pénalités juridiques. Prétendre le contraire reviendrait à reconnaître un triste déclin dans le prestige du gouvernement moderne ».

collègues quant aux politiques et aux actions du gouvernement[95]. De plus, les ministres devraient soumettre une ébauche de leurs mémoires au secrétaire du Cabinet pour deux raisons : premièrement, afin que ce dernier puisse veiller à ce que ces textes ne divulguent pas de renseignements préjudiciables pour la sécurité nationale ou les relations internationales ; et, deuxièmement, afin qu'il puisse donner des conseils sur le traitement des échanges confidentiels entre ministres. Certes, on s'attendrait à ce que les ministres tiennent compte des conseils que leur donnerait le secrétaire du Cabinet, mais, en définitive, ils auraient le dernier mot sur le contenu de leurs mémoires politiques[96].

Les lignes directrices proposées par le Comité ont été acceptées par le gouvernement britannique[97] et sont encore en vigueur[98]. Elles guident clairement les anciens ministres et comblent ainsi une lacune par rapport à l'approche individualisée préconisée par lord Widgery. Dans la mesure où ils respectent ces règles, les anciens ministres peuvent s'attendre à ce que le gouvernement n'interfère pas dans la publication de leurs mémoires. Pour sa part, le gouvernement peut avoir confiance que le contenu des délibérations du Cabinet ne sera pas divulgué prématurément. Le maintien

---

95. *Ibid.* à la p. 30. Le Comité Radcliffe a choisi une période de 15 ans pour deux raisons : premièrement, un ministre qui a quelque chose à écrire devrait pouvoir le faire de son vivant ; et, deuxièmement, une période de 15 ans, qui correspond à la durée de trois législatures successives, est suffisamment longue pour protéger le bon fonctionnement du système de gouvernement responsable.

96. *Ibid.* aux p. 27-29. Ces règles avaient été établies en 1946 par lord Morrison, au nom du premier ministre Attlee, dans une déclaration à la Chambre des communes. Elles étaient basées sur une note de service rédigée par le secrétaire du Cabinet, Edward Bridges, et approuvée par le Cabinet. La déclaration et la note de service sont reproduites dans le *Report on Ministerial Memoirs, ibid.* aux p. 5-9. Pour un résumé des lignes directrices émises par le Comité Radcliffe, voir : Geoffrey Marshall, *Ministerial Responsibility*, Oxford, Oxford University Press, 1989 aux p. 68-71.

97. Naylor, *supra* note 45 à la p. 312.

98. Royaume-Uni, Cabinet Office, *Cabinet Manual, supra* note 21 aux para. 11.30-11.31 ; Royaume-Uni, Cabinet Office, *Ministerial Code, supra* note 21 au para. 8.10. Bien que, en Australie, le *Cabinet Handbook, supra* note 21, demeure silencieux sur ce point, en Nouvelle-Zélande, le *Cabinet Manual, supra* note 21, adopte, aux para. 8.120-8.123, des règles qui sont similaires à celles recommandées par le Comité Radcliffe en 1976. La version canadienne, *Pour un gouvernement ouvert et responsable, supra* note 21, ne contient pas de lignes directrices sur la publication des mémoires politiques, à l'exception de la recommandation de consulter le secrétaire du Cabinet.

en vigueur des lignes directrices au Royaume-Uni donne à penser qu'elles établissent l'équilibre approprié entre les divers intérêts en cause. Il est intéressant de noter que si le moratoire de 15 ans proposé par le Comité Radcliffe avait été adopté par lord Widgery, le premier volume des journaux intimes de M. Crossman aurait été publié non en 1975, mais en 1979 au plus tôt. À cette date, ni le premier ministre Wilson ni le Labour Party n'auraient été au pouvoir. Dans ce contexte, la publication des journaux intimes aurait sans doute été moins préjudiciable pour l'ancien parti et les ex-collègues de M. Crossman.

En résumé, les anciens ministres peuvent révéler des secrets du Cabinet au moment de leur démission ou à l'occasion de la publication de leurs mémoires politiques. Dans ces circonstances, le gouvernement ne peut guère intervenir pour réduire les anciens ministres au silence, puisque les sanctions politiques sont inefficaces contre eux. De plus, les tribunaux ont été réticents à prononcer des injonctions pour interdire à d'anciens ministres de divulguer des secrets du Cabinet dans leurs mémoires politiques, comme l'illustre l'affaire *Crossman*. En définitive, ce que les anciens ministres choisissent de révéler dans leurs mémoires politiques relève de leur discernement. Rien ne laisse croire que ces exceptions à la règle aient indûment miné le bon fonctionnement du système de gouvernement responsable de type Westminster.

2.2   La divulgation volontaire par le gouvernement

Le gouvernement peut divulguer volontairement les documents du Cabinet dans l'intérêt public. Il s'agit d'une exception aux conventions sur le secret ministériel. Selon la pratique actuelle, la divulgation de documents du Cabinet doit être autorisée par le gouverneur en conseil conformément à la recommandation du premier ministre en poste et, si les documents ont été créés par un ancien gouvernement, à la recommandation de l'individu qui était premier ministre à l'époque. Lorsqu'il y a lieu de faire une exception à la règle, le gouverneur en conseil adopte un décret qui dresse la liste des documents qui seront rendus publics et qui autorise, le cas échéant, tout individu à témoigner sur le contenu de ces

un commissaire peut-il s'acquitter de son mandat sans avoir accès à tous les renseignements pertinents? Si l'intérêt public commande qu'une commission d'enquête soit créée, il commande assurément que son commissaire dispose des outils nécessaires pour s'acquitter de son mandat. En définitive, le commissaire a blanchi le premier ministre Martin de tout blâme, mais il a sévèrement critiqué son prédécesseur, le premier ministre Chrétien qui, selon lui, n'avait pas pris les mesures requises pour prévenir les dérapages. Cette dernière conclusion du commissaire a ultérieurement été annulée par la Cour fédérale, qui a conclu à une crainte raisonnable de partialité[106].

La Commission Oliphant a été créée en 2008 pour mener une enquête sur trois paiements en argent comptant de montants allant de 75 000 à 100 000 dollars canadiens, chacun fait par Karlheinz Schreiber à Brian Mulroney peu de temps après que celui-ci ait quitté son poste de premier ministre[107]. Les allégations soulevaient des questions quant à l'intégrité du Bureau du premier ministre. L'enquête a surtout porté sur le projet Bear Head, une proposition de la compagnie allemande Thyssen pour construire une usine de chars d'assaut en Nouvelle-Écosse. Comme la proposition avait été soumise au Cabinet, le commissaire devait avoir accès aux documents de ce dernier pour s'acquitter de son mandat. Certains des documents pouvaient être consultés parce qu'ils avaient été rédigés plus de 20 ans auparavant, mais d'autres demeuraient protégés par l'immunité du Cabinet. En conséquence, le commissaire n'a d'abord eu accès qu'à la moitié de l'histoire. Pour qu'il puisse prendre connaissance de l'ensemble des faits, il avait besoin du consentement de Brian Mulroney, en sa qualité d'ancien premier ministre. Si ce dernier avait refusé de donner son consentement à la divulgation des documents pertinents, il en aurait vraisemblablement découlé une crise politique, puisqu'il était l'individu

---

106. *Chrétien c. Canada (Ex-commissaire, Commission d'enquête sur le programme de commandites et les activités publicitaires)*, 2008 CF 802, confirmée par 2010 CAF 283.

107. Le décret en conseil C.P. 2008-1092 du 12 juin 2008 a établi la «Commission d'enquête concernant les allégations au sujet des transactions financières et commerciales entre Karlheinz Schreiber et le très honorable Brian Mulroney» et a nommé le juge Jeffrey J. Oliphant à titre de commissaire.

qui faisait l'objet de l'enquête. Cela dit, en définitive, après avoir examiné les documents par l'intermédiaire de son avocat, l'ancien premier ministre Mulroney a donné son consentement et la crise a été évitée. Le gouverneur en conseil a fait une exception aux conventions sur le secret et sur l'accès en autorisant le commissaire à prendre connaissance de 142 documents du Cabinet et en autorisant les témoins à s'exprimer à leur sujet[108]. Cette divulgation limitée a donc permis d'établir un bon équilibre entre la confidentialité et la transparence : le commissaire a eu accès aux renseignements dont il avait besoin pour mener son enquête, sans que cela ne porte indûment atteinte aux conventions sur le secret ministériel. Au terme de son enquête, le commissaire a conclu que l'ancien premier ministre Mulroney avait failli à la norme de conduite qu'il avait lui-même imposée durant son mandat en acceptant des paiements en argent comptant de M. Schreiber et en tentant de les cacher.

2.2.1.2 Les poursuites pénales

L'accès à des documents du Cabinet a été donné dans le cadre de commissions d'enquête, mais il l'a aussi été dans le contexte des poursuites pénales intentées contre deux ministres : André Bissonnette et John Munro. Dans les cas exceptionnels où des ministres font l'objet d'allégations crédibles d'actes criminels, les forces policières, les poursuivants et les accusés peuvent obtenir l'accès aux documents pertinents du Cabinet ainsi que la permission de les utiliser en preuve au cours du procès dans l'intérêt de la saine administration de la justice. Lorsque des ministres sont accusés au criminel pour des gestes qu'ils ont posés ou omis de poser dans le cadre de leurs fonctions, le secret ministériel ne peut servir à entraver l'enquête policière ou les démarches judiciaires des poursuivants. Autrement dit, le secret ministériel ne donne aucune immunité aux ministres à l'égard d'activités criminelles menées dans le contexte de leurs fonctions officielles et ne saurait le faire. De même, le secret ministériel ne saurait priver un accusé d'éléments de preuve disculpatoires.

---

108. Décret en conseil, C.P. 2009-534 (10 avril 2009).

Monsieur Bissonnette était ministre d'État aux Petites entreprises et ministre d'État au Transport sous le gouvernement Mulroney. En 1987, il a été accusé de fraude et d'abus de confiance en application du *Code criminel* relativement à la vente d'un terrain à l'entreprise suisse Oerlikon Aerospace[109]. Le poursuivant a allégué que M. Bissonnette et ses associés en affaires avaient fait un grand nombre de transactions pour pousser à la hausse le prix du terrain à Saint-Jean au Québec avant de le vendre à Oerlikon pour qu'elle y construise une usine. Ces transactions ont fait passer le prix du terrain de 800 000 à près de 2,9 millions de dollars canadiens en 11 jours. Oerlikon s'est engagé à acheter le terrain en question 13 semaines avant d'obtenir du gouvernement un contrat de 600 millions de dollars canadiens pour construire un système de défense aérienne à basse altitude. La GRC a sollicité l'accès aux documents du Cabinet pertinents à l'affaire. En 1987, le gouverneur en conseil lui a donné accès à 11 documents du Cabinet et a autorisé les témoins à en discuter sous serment «pour les fins des procédures» intentées contre M. Bissonnette[110]. Bien que ce dernier ait été acquitté par un jury canadien, un de ses proches associés a été condamné pour fraude.

Monsieur Munro était, entre autres, ministre des Affaires indiennes et du Développement du Nord dans le deuxième gouvernement de Pierre Elliott Trudeau. De 1985 à 1989, la GRC a mené une enquête à propos d'allégations d'usage frauduleux de deniers publics par le ministre pour financer la campagne à la chefferie du Parti libéral du Canada qu'il a menée en 1984. Monsieur Munro était soupçonné d'avoir consenti un prêt de 1,5 million de dollars canadiens à l'Assemblée des Premières Nations, à titre de ministre, de telle sorte qu'une partie des fonds puisse être redirigée vers sa campagne à la chefferie. En 1989, M. Munro et huit autres individus ont été accusés, en application du *Code criminel*, de fraude et d'autres infractions connexes. En 1990, étant donné «la nature particulière des accusations» et dans «l'intérêt d'une saine administration du système de justice pénale», le gouverneur en conseil a

109. *Code criminel*, L.R.C. 1985, c. C-46 [*Code criminel*].
110. Décret en conseil, C.P. 1987-2284 (6 novembre 1987).

fait une exception aux conventions sur le secret et sur l'accès. Cela a permis tant à M. Munro qu'à la GRC d'avoir accès aux documents pertinents du Cabinet créés sous le deuxième gouvernement Trudeau[111]. Les témoins ont également été autorisés à discuter de leur contenu dans le cadre des procédures. En définitive, les accusations portées contre M. Munro ont été rejetées, et il a reçu une indemnité de 1,4 million de dollars canadiens du gouvernement.

À la lumière de ces précédents, il est surprenant que le gouvernement libéral du premier ministre Justin Trudeau n'ait pas volontairement autorisé la divulgation des documents du Cabinet pertinents aux fins de la poursuite intentée contre le vice-amiral Mark Norman. En 2018, ce dernier a fait l'objet d'une inculpation pour abus de confiance en application du *Code criminel*, en raison de fuites de secrets du Cabinet relatifs à un contrat d'acquisition d'un navire d'approvisionnement[112]. Cependant, plutôt que d'autoriser la divulgation des documents pertinents, le gouvernement en a refusé l'accès en s'appuyant notamment sur la doctrine de l'immunité du Cabinet[113]. Il s'agissait d'une décision sans précédent en matière pénale, surtout considérant que le premier ministre précédent, Stephen Harper, aurait, pour sa part, consenti à la divulgation des documents pertinents créés sous sa gouverne[114].

---

111. Décret en conseil, C.P. 1990-2228, 1990-2229 et 1990-2230 (11 octobre 1990).

112. Selon le président du Conseil du Trésor alors en fonction, Scott Brison, [TRADUCTION] « les fuites ont empêché le Cabinet d'évaluer adéquatement le projet du chantier Davie en raison de la pression politique accrue en provenance de la Ville de Québec pour que le contrat soit maintenu ». Voir : Robert Fife et Steven Chase, « Trudeau sought RCMP probe of cabinet leaks on navy supply ship », *The Globe and Mail* (24 avril 2017).

113. En définitive, le gouvernement s'est appuyé sur la doctrine de l'immunité du Cabinet reconnue par la common law, plutôt que sur l'article 39 de la *LPC*, *supra* note 76, pour refuser la divulgation des documents. Ce choix avait pour conséquence de conférer au tribunal le pouvoir d'examiner les documents et de décider lesquels devaient être divulgués dans l'intérêt public. Si, au contraire, le gouvernement s'était fondé sur l'article 39, le tribunal n'aurait pas eu ce pouvoir. Une telle approche aurait sans doute donné lieu à une contestation constitutionnelle, au nom du vice-amiral Norman, pour violation du droit à un procès équitable. Voir : Lee Berthiaume, « Feds to let court decide on releasing cabinet secrets to Norman lawyers », *La Presse canadienne* (7 décembre 2018).

114. Une partie des faits reprochés au vice-amiral Norman a eu lieu alors que les conservateurs étaient au pouvoir. En effet, ce sont ces derniers qui avaient initialement octroyé le contrat d'acquisition du navire. C'est pourquoi la divulgation de certains documents du Cabinet pertinents dans cette poursuite relevait, en

déposée par le secrétaire du Cabinet en application de l'article 36.3 de la *LPC* (maintenant l'article 39). Le gouvernement a également plaidé que le seul recours du vérificateur général était de faire rapport du rejet de sa demande d'accès à la Chambre des communes, qui pourrait imposer les sanctions politiques appropriées contre le gouvernement.

Le dossier a été entendu par le juge en chef adjoint Jerome, un ancien député libéral fédéral et ex-président de la Chambre des communes. S'il a reconnu l'existence de la convention sur le secret, le juge Jerome a insisté sur le fait qu'une règle politique ne peut pas, dans notre système de gouvernement, avoir préséance sur une règle juridique[119]. De plus, selon le juge en chef adjoint Jerome, il n'y avait pas d'incompatibilité entre les articles 13 de la *LVG* et 36.3 de la *LPC*: même si le certificat l'empêchait d'ordonner la production des secrets du Cabinet, il ne l'empêchait pas de rendre un jugement déclaratoire affirmant que le vérificateur général pouvait avoir accès aux renseignements demandés. Enfin, le juge Jerome s'est dit en désaccord avec la thèse selon laquelle le vérificateur général ne disposait que d'un seul recours, soit de faire rapport à la Chambre des communes du refus d'accès. À son avis, il s'agissait d'un recours inefficace puisque le parti au pouvoir détenait une majorité de sièges à la Chambre. Compte tenu de la discipline de parti, toute tentative de forcer la production des renseignements ou l'adoption d'une motion de non-confiance était vouée à l'échec[120]. Le juge Jerome a donc prononcé un jugement déclaratoire favorable au vérificateur général.

Cette décision de la Cour fédérale inquiétait le gouvernement parce qu'elle accordait au vérificateur général un droit d'accès à tous les renseignements contenus dans les documents du Cabinet qu'il estimait nécessaire à des fins de vérification, sans qu'il soit tenu de préserver la confidentialité des renseignements en question. Le ministre de la Justice John Crosbie a expliqué pourquoi

---

119. *Canada (Vérificateur général) c. Canada (Ministre de l'Énergie, des Mines et des Ressources)*, [1985] 1 C.F. 719 aux p. 739-742.

120. *Ibid.* aux p. 749-750.

le gouvernement a décidé d'en appeler de la décision de la Cour fédérale :

> [TRADUCTION] Le jugement donne au vérificateur général l'accès à l'ensemble des renseignements et il n'a aucune obligation de ne pas les divulguer [...]. Selon nous, un gouvernement de Cabinet ne peut pas fonctionner avec ce jugement, dans sa forme actuelle [...]. Les ministres, membres du Cabinet, doivent être libres de se dire franchement les uns aux autres le fond de leur pensée, d'être en désaccord entre eux et de défendre les intérêts de leur région respective aussi vigoureusement qu'ils le peuvent. Ils ne peuvent agir de la sorte si la nécessaire confidentialité des délibérations du Cabinet [...] est abolie[121].

Cela dit, à la suite de la décision de la Cour fédérale, le gouvernement a concédé que le vérificateur général devrait avoir accès, à des fins de vérification, aux renseignements contenus dans certains documents du Cabinet. Il a donc pris une décision sans précédent en donnant au vérificateur général un accès limité et confidentiel aux documents du Cabinet relatifs aux dépenses publiques. Le 27 décembre 1985, par décret, le gouverneur en conseil a conféré au vérificateur général le droit d'accéder aux types de documents suivants créés à compter du 1er janvier 1986 :

a) une [présentation] au Gouverneur en conseil ;

b) une [présentation] au Conseil du Trésor ;

c) les explications, analyses des problèmes ou options politiques contenues dans un [mémoire] ou un [document] de travail présenté à l'examen du Conseil, mais non les renseignements révélant une recommandation ou une proposition présentée au Conseil par un ministre de la Couronne ;

d) une décision finale du Conseil ;

e) une décision du Conseil du Trésor[122].

---

121. La Presse canadienne, « Ottawa to appeal cabinet-secrecy ruling: Crosbie », *The Gazette* (31 décembre 1985) B1.

122. Décret en conseil, C.P. 1985-3783 (27 décembre 1985).

Essentiellement, le vérificateur général a gagné l'accès aux décisions du Cabinet et du Conseil, de même qu'aux présentations et aux renseignements factuels et contextuels relatifs à ces décisions. On ne lui a toutefois pas donné accès aux secrets fondamentaux protégés par les conventions constitutionnelles, c'est-à-dire les documents qui révélaient les opinions personnelles exprimées par les ministres durant les délibérations sur les politiques et les actions du gouvernement. Ainsi, les procès-verbaux des réunions du Cabinet restaient clairement hors de portée. De plus, le vérificateur n'a pas obtenu l'accès à l'ordre du jour des réunions du Cabinet ni aux ébauches de projets de loi, non parce qu'ils révélaient des secrets fondamentaux, mais parce qu'il n'avait pas besoin d'avoir accès à ces documents pour exécuter son mandat législatif. Selon le ministre Crosbie :

> [TRADUCTION] Les nouvelles politiques [...] donneront au vérificateur général un accès à environ 80 % des renseignements relatifs aux travaux du Cabinet, y compris aux présentations destinées au Conseil du Trésor, aux décisions finales du Cabinet ainsi qu'aux options offertes aux ministres [...]. [Toutefois, le] vérificateur général n'aura pas accès aux renseignements qui révèlent le contenu des discussions entre les ministres et des positions exprimées par ces derniers ou encore les délibérations et les procédures internes du Cabinet[123].

À l'époque, le vérificateur général a déploré que le décret de 1985 ne lui donne pas accès aux renseignements qu'il sollicitait relativement à l'acquisition de Petrofina[124]; il n'en demeure pas moins que la concession faite par le gouvernement et l'accès qu'aurait le vérificateur général dans le futur constituaient un progrès considérable.

En appel, tant la Cour d'appel fédérale que la Cour suprême du Canada ont donné raison au gouvernement[125]. Selon la déclaration importante faite par la Cour suprême dans cette affaire, le

---

123. *Ibid.*
124. *Ibid.*
125. *Canada (Vérificateur général) c. Canada (Ministre de l'Énergie, des Mines et des Ressources)*, [1987] 1 C.F. 406 (C.A.); *Vérificateur général*, CSC, *supra* note 118.

vérificateur général ne dispose pas d'un droit d'accès aux documents du Cabinet qu'il peut faire valoir devant les tribunaux. Lorsqu'on lui nie l'accès aux documents du Cabinet dont il a besoin pour exécuter son mandat législatif, il ne peut que faire rapport à la Chambre des communes du refus de sa demande d'accès[126]. La Chambre peut alors adopter une motion pour ordonner la production des renseignements ; elle peut aussi adopter une motion de non-confiance. Il se peut que, si le parti politique au pouvoir contrôle une majorité de sièges à la Chambre, aucune sanction ne soit prise contre le gouvernement. Il n'en demeure pas moins que, sur le plan juridique, la composition de la Chambre n'est pas pertinente[127].

Selon la Cour suprême, compte tenu de la nature du litige qui opposait les pouvoirs exécutif et législatif, il convenait de trouver une solution politique plutôt qu'une solution juridique pour remédier au problème. Si le pouvoir judiciaire devait intervenir dans de tels litiges, cela créerait un déséquilibre des pouvoirs constitutionnels. Cela dit, il ne faut pas sous-estimer l'importance du recours politique dont dispose le vérificateur général. En effet, un rapport à la Chambre des communes attestant du refus du gouvernement de donner accès aux renseignements porte la question à l'attention des adversaires politiques de ce dernier, des médias et, par conséquent, de l'électorat. Le gouvernement s'expose à se faire poser des questions à la Chambre et à être critiqué dans les médias. De plus, les électeurs peuvent tenir compte de la situation pour évaluer la performance du gouvernement au moment d'aller voter. Les pressions politiques et les critiques des médias peuvent amener le gouvernement à reconsidérer sa position. Après tout, sans le recours intenté par le vérificateur général, le gouvernement n'aurait probablement pas accepté de lui donner accès aux documents du Cabinet créés depuis le 1er janvier 1986. En soi, il s'agissait d'une victoire importante pour le vérificateur général.

En plus du décret de 1985, trois autres décrets ont été adoptés en 2006, 2017 et 2018 pour préciser davantage la portée de l'accès

---

126. *LVG, supra* note 117, art. 7(1)b).
127. *Vérificateur général*, CSC, *supra* note 118 aux p. 103-104.

aux documents du Cabinet auquel a droit le vérificateur général[128]. Le Bureau du vérificateur général, le Bureau du Conseil privé et le Secrétariat du Conseil du Trésor ont également signé deux ententes en 2010 qui énoncent des lignes directrices quant à l'interprétation et l'application des décrets ainsi qu'un processus pour régler les litiges relatifs à l'accès aux documents du Cabinet[129]. Somme toute, ces documents n'ont pas modifié de façon considérable la portée du décret de 1985. Au fil des ans, le gouvernement et le vérificateur général ont tenté de maintenir un bon équilibre entre la transparence et la confidentialité : le gouvernement a reconnu que le vérificateur général peut avoir accès aux secrets périphériques que contiennent certains documents du Cabinet à des fins de vérification et, en contrepartie, le vérificateur général a accepté de ne pas avoir accès aux secrets fondamentaux et d'assurer, quoi qu'il arrive, la confidentialité des renseignements.

2.2.2.2 La Chambre des communes

Dans le système de gouvernement responsable de type Westminster, le rôle de la Chambre des communes consiste, entre autres, à demander des comptes au gouvernement. Ce rôle prend différentes formes, y compris la période des questions quotidienne, l'étude des projets de loi et les votes sur ces derniers, ainsi que l'examen de comptes publics. Pour s'acquitter de cette fonction, la Chambre doit avoir accès à certains renseignements. Elle peut les obtenir du gouvernement en demandant l'accès aux documents ou en invitant les fonctionnaires et les ministres à témoigner devant l'un de ses comités. Le privilège parlementaire confère à

---

128. Voir : Décret en conseil, C.P. 2006-1289 (6 novembre 2006) ; Décret en conseil, C.P. 2017-517 (12 mai 2017) ; et Décret en conseil, C.P. 2018-535 (11 mai 2018). Les deux derniers décrets s'appliquent aux documents du Cabinet du gouvernement de Justin Trudeau. Le décret de 2018 clarifie la portée du droit d'accès du vérificateur général et remplace celui de 2017, qui a été abrogé.

129. Voir les documents suivants signés par le Bureau du Conseil privé, le Secrétariat du Conseil du Trésor et le Bureau du vérificateur général : Lignes directrices aux conseillers juridiques des ministères et des entités et aux agents de liaison d'audit avec le BVG concernant l'accès du vérificateur général à l'information contenue dans certains renseignements confidentiels du Conseil privé de la Reine pour le Canada (Documents confidentiels du Cabinet) (12 mai 2010) ; Protocole d'entente de 2010 sur l'accès du Bureau du vérificateur général aux documents du Cabinet (12 mai 2010).

la Chambre de vastes pouvoirs lui permettant d'ordonner au gouvernement de produire des renseignements. Ces pouvoirs sont-ils toutefois illimités ? La Chambre peut-elle contraindre le gouvernement à révéler des secrets du Cabinet ? À cet égard, une décision clé a été prise en 1957 par le président de la Chambre, Roland Michener :

> J'ai saisi la question de l'honorable député. Ce que j'en pense, ainsi que je l'ai déclaré, c'est qu'il est absolument contraire au Règlement de demander des renseignements sur la méthode à laquelle le Gouvernement recourt pour prendre sa décision au sein du cabinet. Il est également contraire au Règlement en soi de demander si la question était à l'ordre du jour, et c'est ce que l'honorable député a demandé. Ce qu'on peut évidemment demander, c'est quelle décision le Gouvernement a prise. Si je comprends bien, la décision du Gouvernement est une et indivisible. Il n'est pas permis à la Chambre de demander des renseignements sur la manière dont la décision a été prise ni, en particulier, sur la méthode suivie au cabinet[130].

Les instances australiennes ont tiré une conclusion similaire. Dans l'arrêt *Egan v. Chadwick*, la Cour d'appel de New South Wales a conclu, dans une décision à deux contre un, que le pouvoir du Conseil législatif (c'est-à-dire la Chambre Haute du Parlement, dont les membres sont élus par la population) d'exiger la production de documents ne s'étend pas aux documents du Cabinet[131]. Selon le raisonnement des juges majoritaires, le pouvoir d'exiger la production de documents découle du pouvoir du Conseil législatif de demander au gouvernement de rendre des comptes, un pouvoir qui découle lui-même du principe du gouvernement responsable. Le pouvoir d'exiger la production de documents est donc aussi limité par le principe du gouvernement responsable. Par ailleurs, comme le système de gouvernement responsable ne peut fonctionner sans la convention sur le secret, sur laquelle reposent les conventions sur la confiance et sur la solidarité, le Conseil législatif

---

130. *Débats de la Chambre des communes*, 23ᵉ parl., 1ʳᵉ sess., vol. 1 (6 novembre 1957) à la p. 853 (hon. Roland Michener).

131. *Egan v. Chadwick*, [1999] NSWCA 176 [*Egan*].

ne peut forcer un ministre à déposer des documents du Cabinet ou à révéler le contenu des délibérations de ce dernier :

> [TRADUCTION] [Il] ne peut être raisonnablement nécessaire au bon fonctionnement du Conseil législatif d'exiger la production de documents dont le dépôt serait contraire à la doctrine de la responsabilité ministérielle [...]. Ce pouvoir découle lui-même [...] de cette doctrine. L'existence d'une incompatibilité ou d'un conflit constitue une restriction au pouvoir lui-même[132].

L'arrêt *Egan* est un cas exceptionnel. Les litiges qui opposent les pouvoirs législatif et exécutif quant à la portée du pouvoir d'exiger la production de documents ne sont généralement pas résolus dans l'enceinte judiciaire. En effet, c'est plutôt par une décision de nature politique qu'on y met fin, comme dans les cas du litige de 2009-2010 qui portait sur l'accès à des documents relatifs à des détenus afghans, ou de celui de 2011 concernant le coût d'application de divers projets de loi.

Premièrement, le 25 novembre 2009, après le témoignage du diplomate canadien Richard Colvin, le Comité spécial sur la mission canadienne en Afghanistan de la Chambre des communes a demandé au gouvernement de lui remettre des documents relatifs au traitement des prisonniers transférés par les autorités canadiennes aux forces afghanes. Le 10 décembre 2009, la Chambre a ordonné au gouvernement de produire les documents en question sans les caviarder. En mars et en avril 2010, le gouvernement a déposé des milliers de pages de documents caviardés, faisant valoir son obligation de protéger la sécurité nationale. En réponse, le 27 avril 2010, le président de la Chambre, Peter Milliken, a rendu une décision selon laquelle le pouvoir de la Chambre des communes d'exiger des documents était illimité :

> [Les] ouvrages de procédure affirment catégoriquement, à bon nombre de reprises, le pouvoir qu'a la Chambre d'ordonner la production de documents. Ils ne prévoient aucune

---

132. *Ibid.* au para. 55 (juge en chef Spigelman). Voir aussi *ibid.* aux para. 43, 46, 54 (juge en chef Spigelman), 154 (juge Meagher).

exception pour aucune catégorie de documents gouvernementaux, même ceux qui ont trait à la sécurité nationale.

Par conséquent, la présidence doit conclure que l'ordre de
produire les documents en question s'inscrit parfaitement
dans le cadre des privilèges de la Chambre[133].

Cette déclaration du président Milliken ratissait très large. En
effet, elle laissait entendre que la Chambre des communes pouvait
même demander la production des documents du Cabinet, une
position à laquelle n'avaient adhéré ni le président Michener en
1957 ni la Cour d'appel de New South Wales en 1999. Cela dit,
rien ne donne à penser que le président Milliken songeait aux
documents du Cabinet lorsqu'il a fait cette affirmation, puisque
le gouvernement invoquait la sécurité nationale pour justifier le
caviardage.

Le 15 juin 2010, après que le président Milliken eut rendu sa
décision, tous les partis politiques, à l'exception du Parti néo-dé-
mocrate, ont signé un « protocole d'entente » pour résoudre la
crise[134]. Les chefs de ces partis, Stephen Harper, Michael Ignatieff
et Gilles Duceppe, ont convenu de créer un comité *ad hoc* formé
de députés ainsi qu'une formation d'arbitres, composée de trois
anciens juges, pour revoir les documents et décider lesquels pouvaient être divulgués. Ce comité *ad hoc* ne pouvait toutefois pas
avoir accès aux documents du Cabinet. Seule la formation d'arbitres pouvait les consulter pour décider s'ils devaient ou non être
divulgués. Bien entendu, les conservateurs ne voulaient pas que
leurs secrets du Cabinet tombent entre les mains de leurs adversaires politiques. Ce protocole d'entente a suffi pour mettre fin à
la crise. En définitive, la formation d'arbitres n'a revu aucun document du Cabinet, puisqu'elle a été dissoute dès que les conservateurs sont devenus majoritaires à l'issue d'une élection générale
un an plus tard.

---

133. *Débats de la Chambre des communes*, 40ᵉ parl., 3ᵉ sess., nᵒ 34 (27 avril 2010) à la
p. 1530 (hon. Peter Milliken).

134. Heather MacIvor, « The Speaker's Ruling on Afghan Detainee Documents: The Last
Hurrah for Parliamentary Privilege? » (2010) 19:1 *Const. Forum Const.* 129.

Deuxièmement, le 25 mars 2011, le gouvernement conserva-teur a été reconnu coupable d'outrage au Parlement et a ainsi perdu la confiance de la Chambre des communes. La 41ᵉ élection générale canadienne a donc été déclenchée[135]. La perte de confiance était une conséquence du refus du gouvernement de remettre au Comité des finances de la Chambre des documents divulguant le coût de l'application de projets de loi relatifs à des modifications en matière pénale, à des baisses d'impôts pour les entreprises et à l'achat des avions de chasse F-35. Le gouvernement a soutenu que les « docu-ments » demandés étaient protégés par le secret ministériel. Les partis d'opposition ont contesté cette prise de position et ont fait valoir avec insistance qu'ils avaient besoin des « renseignements » pour évaluer correctement les mesures législatives proposées. Tous les experts ayant témoigné devant le Comité permanent de la pro-cédure et des affaires de la Chambre, y compris l'ancien secrétaire du Cabinet et greffier du Conseil privé, Mel Cappe, étaient d'avis que la Chambre avait le droit de connaître le coût des mesures législatives proposées et que le gouvernement ne pouvait invoquer le secret ministériel pour refuser de lui communiquer ces rensei-gnements[136].

Lorsqu'un projet de loi est déposé à la Chambre des com-munes, les députés doivent disposer des renseignements financiers nécessaires pour être en mesure d'exercer comme il se doit leur responsabilité constitutionnelle fondamentale d'évaluer le projet de loi en question ainsi que d'allouer les fonds nécessaires à sa mise en œuvre[137]. Si ces renseignements ne se trouvent que dans les

---

135. *Débats de la Chambre des communes*, 40ᵉ parl., 3ᵉ sess., n° 149 (25 mars 2011) à la p. 1420.

136. Chambre des communes, Comité permanent de la procédure et des affaires de la Chambre, *Témoignages*, nᵒˢ 49-50 (16-17 mars 2011) [*Témoignages au Comité permanent*].

137. Pour cette raison, un gouvernement ne devrait pas, en principe, refuser de fournir au directeur parlementaire du budget (ci-après « DPB ») les données financières dont il a besoin pour évaluer, de manière indépendante, les coûts des projets de lois et autres initiatives gouvernementales ayant été rendus publics. Pourtant, dans son rapport annuel 2017-2018, le DPB affirme que le ministère de la Santé et le ministère de la Justice ont notamment refusé de lui divulguer leur estimation du coût de mise en œuvre de projets de loi concernant le cannabis et modifiant le *Code criminel*, *supra* note 109, au motif que ces données financières constituaient des renseignements confidentiels du Cabinet. L'adoption d'un décret en faveur du DPB,

documents du Cabinet, il faut les en extraire et les communiquer à la Chambre. En mars 2011, la Chambre ne sollicitait pas la divulgation par le gouvernement de documents du Cabinet révélant les opinions personnelles des ministres. Une telle demande n'aurait pas été acceptable et le gouvernement aurait eu raison de refuser de s'y conformer. La Chambre cherchait plutôt à avoir accès à des renseignements financiers pour prendre une décision éclairée à propos des mesures législatives proposées. Dans ces circonstances, comme l'affirme l'arrêt *Egan*, le critère applicable est celui de savoir [TRADUCTION] « si la divulgation est incompatible avec le principe du gouvernement responsable[138] ». En mars 2011, la divulgation n'aurait pas été incompatible. Ces événements démontrent qu'il n'existe toujours pas d'interprétation qui fasse consensus quant à ce qui est visé ou non par le secret ministériel, et qu'il n'existe aucun mécanisme de règlement des différends à cet égard[139].

Il arrive, néanmoins, de manière exceptionnelle, lorsque des allégations crédibles de conduites répréhensibles sont formulées à son égard, qu'un gouvernement accepte de lever le secret ministériel pour permettre à des officiers publics de témoigner et de divulguer des documents dans le cadre de travaux parlementaires. Ce fut le cas dans le contexte du scandale des commandites[140] et, plus récemment, dans celui de l'affaire SNC-Lavalin.

---

analogue à celui permettant au vérificateur général du Canada d'accéder à certains renseignements confidentiels du Cabinet, permettrait de régler ce problème dans le futur : Canada, Bureau du directeur parlementaire du budget, *Compte rendu sur les activités du Bureau du directeur parlementaire du budget pour 2017-2018* aux p. 13-15, en ligne : <https://www.pbo-dpb.gc.ca/fr/blog/news/2017-18_PBO_Annual_Report>.

138. *Egan, supra* note 131 au para. 71 (juge en chef Spigelman).

139. *Témoignages au Comité permanent, supra* note 136 à la p. 1405. Voir aussi : Beverly Duffy, « Orders for Papers and Cabinet Confidentiality post *Egan v Chadwick* » (2006) 21:2 *Australasian Parliamentary Review* 93 à la p. 104. Le même problème existe dans l'État de New South Wales : [TRADUCTION] « Un nombre croissant de documents ne sont pas divulgués au Conseil [législatif] sur la base du secret ministériel ; toutefois, la Chambre ne dispose d'aucun moyen lui permettant de vérifier si la revendication du gouvernement porte sur de véritables documents du Cabinet ou sur une catégorie plus large de documents qui ne sont pas sujets à cette immunité. Un pas important pour permettre au Conseil de tenir le gouvernement responsable consiste à faire en sorte que ces documents puissent faire l'objet d'un examen par un arbitre indépendant ».

140. Voir : Décret en conseil, C.P. 2004-119 (20 février 2004).

dépenses publiques. Toutefois, le gouvernement a généralement refusé de produire des documents du Cabinet à la demande de la Chambre des communes, sauf en présence d'allégations crédibles de conduites répréhensibles de la part du gouvernement. Cette prise de position est légitime dans la mesure où certains députés pourraient, en tant qu'adversaires politiques, utiliser les renseignements à des fins partisanes. Cela dit, le gouvernement ne peut se fonder sur le secret ministériel pour refuser de divulguer les renseignements factuels et contextuels nécessaires pour évaluer le coût des mesures législatives proposées.

CONCLUSION

Le présent chapitre visait à démontrer que le secret ministériel est essentiel au bon fonctionnement du système de gouvernement responsable de type Westminster. Il est protégé par deux conventions, la convention sur le secret et celle sur l'accès. Les conditions d'existence des conventions constitutionnelles supposent l'analyse des précédents, des déclarations des acteurs politiques et de la raison d'être de la règle[144].

Tout d'abord, les précédents relatifs aux conventions sur le secret ministériel se manifestent dans le cadre des activités quotidiennes du pouvoir exécutif. Dans l'exercice de leurs fonctions, les ministres ne divulguent généralement pas à des tiers, sans les autorisations requises, les secrets du Cabinet, et l'accès aux documents qui contiennent de tels renseignements est minutieusement contrôlé par le secrétaire du Cabinet, qui agit à titre de gardien des documents du Cabinet. Des premiers ministres de diverses allégeances politiques dans l'ensemble des États dotés d'un régime parlementaire de type Westminster ont reconnu l'existence de ces conventions dans des discours, de la correspondance et des guides destinés à chaque nouveau ministre qui entre en fonction. En outre, leur existence a été reconnue par des décrets et des décisions judiciaires.

---

144. Jennings, *Law and Constitution*, *supra* note 4 à la p. 136, tel que cité dans le *Renvoi relatif au rapatriement*, *supra* note 4 à la p. 888.

Ensuite, depuis la création de la fédération canadienne en 1867, tous les ministres ont prêté serment à titre de membres du Conseil privé, geste par lequel ils promettent de veiller à la confidentialité du processus décisionnel collectif. Le devoir de confidentialité relève d'une obligation à l'endroit tant du souverain, dont le consentement est requis pour que des documents du Cabinet soient publiés, que du gouvernement. Les ministres en poste n'ont pas le choix de garder le secret des délibérations du Cabinet : il s'agit d'une obligation dont le premier ministre assure le respect. La survie politique de tous en dépend. En se fondant sur le principe du donnant-donnant, les premiers ministres successifs ont consenti à respecter la confidentialité des documents émanant des travaux des Cabinets de leurs adversaires politiques à chaque changement de gouvernement. Un gouvernement ne pourrait s'attendre au respect de la confidentialité de ses documents du Cabinet par les gouvernements à venir s'il n'était pas disposé à faire preuve du même respect à l'endroit des documents des gouvernements précédents.

Enfin, c'est le bon fonctionnement du système de gouvernement responsable de type Westminster qui justifie les conventions sur le secret ministériel. La logique est la suivante : pour maintenir la confiance de la Chambre, les ministres doivent être unis et parler d'une seule voix, ce qui ne peut être atteint que s'ils disposent d'un forum protégé par la confidentialité où ils peuvent s'exprimer en toute franchise et dégager un consensus sur les initiatives proposées. Au demeurant, lorsqu'ils quittent leur poste, les ministres requièrent l'engagement que les documents du Cabinet créés durant leur mandat ne seront pas mis à la disposition de leurs adversaires et que ces derniers ne pourront pas en tirer profit, à défaut de quoi ces documents seraient détruits, ce qui compromettrait la continuité de la gestion des affaires publiques et ferait disparaître des archives à caractère historique. Ces conventions ne peuvent être écartées sans que notre système de gouvernement en soit fondamentalement modifié.

S'il existe un consensus parmi les acteurs politiques, les juges et les constitutionnalistes quant à l'existence des conventions sur le secret ministériel, la portée de ces conventions n'a pas encore été circonscrite avec précision. Pour que ces conventions conservent leur légitimité, leur portée ne doit pas excéder ce qui est nécessaire pour assurer le bon fonctionnement du système de gouvernement responsable de type Westminster; autrement dit, elle doit rester proportionnelle à l'objet des conventions.

La convention sur le secret vise à protéger le processus décisionnel collectif ainsi que les opinions personnelles exprimées par les ministres lorsqu'ils débattent des politiques et des actions du gouvernement. Elle s'applique quelle que soit la teneur du sujet étudié par le Cabinet, puisqu'il s'agit d'une forme de confidentialité qui ne porte pas sur le fond. Il importe d'établir une distinction entre deux périodes du processus décisionnel : celle qui précède le moment où une décision est rendue publique et celle qui lui succède. La première requiert un degré supérieur de confidentialité pour protéger l'efficacité du processus décisionnel des pressions et des critiques indues. C'est ce qui justifie la protection provisoire des renseignements factuels et contextuels, ou des secrets périphériques, liés aux politiques ou aux actions du gouvernement avant qu'une décision finale ne soit prise et rendue publique. Au cours de la seconde période, un degré moindre de confidentialité suffit. En effet, une fois qu'une décision a été prise et rendue publique, il n'est plus nécessaire de protéger ces secrets périphériques à la base de la décision. À compter de ce moment, seules les opinions personnelles exprimées par les ministres, ou les secrets fondamentaux, doivent rester confidentiels afin de protéger la solidarité ministérielle, de même que la franchise des discussions entre les ministres.

La convention sur l'accès, qui intervient lors d'un changement de gouvernement, vise à empêcher qu'un nouveau gouvernement puisse prendre connaissance des secrets fondamentaux consignés dans les documents des Cabinets des gouvernements précédents. Le nouveau gouvernement peut toutefois être mis au courant des secrets périphériques que contiennent ces documents pour faciliter la continuité de la gestion des affaires publiques. C'est pourquoi la pratique en vigueur qui consiste à appliquer la convention sur l'accès à tous les documents du Cabinet, qu'ils soient officiels ou non et qu'ils contiennent des secrets fondamentaux ou périphériques, semble excessive. De plus, puisque la convention sur l'accès a été conçue pour empêcher que les opinions personnelles exprimées par les ministres au cours des délibérations du Cabinet ne fassent l'objet d'une exploitation indue ou partisane par les autres partis politiques, elle ne devrait pas s'appliquer, comme c'est le cas actuellement au Canada, lors d'un changement à la tête d'un même parti politique.

La portée des conventions sur le secret ministériel diminue, et s'estompe progressivement avec le passage du temps, lorsque les renseignements visés ne recèlent plus qu'un intérêt historique. Le droit législatif permet au gouvernement de protéger ces renseignements pour une période de 20 ans. La confidentialité peut toutefois être levée plus tôt dans deux circonstances. Premièrement, un ministre peut divulguer les renseignements après avoir quitté ses fonctions. D'une part, un ministre démissionnaire peut révéler la teneur des délibérations du Cabinet pour expliquer la nature de son désaccord avec ses collègues. D'autre part, un ancien ministre peut faire part de ses souvenirs des délibérations du Cabinet dans des mémoires politiques pour expliquer et justifier les décisions prises durant son mandat. L'ampleur des révélations relève du discernement de chacun.

Deuxièmement, le gouvernement peut, dans l'intérêt public, divulguer des secrets du Cabinet. Des institutions exécutives, telles les commissions d'enquête et la GRC, ont obtenu un vaste accès aux documents du Cabinet pour enquêter sur des allégations crédibles de conduites répréhensibles, de mauvaise gestion et d'actes criminels par des officiers publics. Pour leur part, les institutions législatives ont obtenu un accès plus limité aux documents du Cabinet. Ainsi, le vérificateur général s'est vu octroyer un accès confidentiel aux secrets périphériques contenus dans certains documents du Cabinet relatifs aux dépenses publiques. Cependant, le gouvernement a généralement refusé de renoncer au secret ministériel à la demande de la Chambre des communes, sauf dans le contexte du scandale des commandites et de l'affaire SNC-Lavalin. Ce refus est légitime en ce qui a trait aux secrets fondamentaux, mais il ne l'est pas lorsqu'il est question de divulguer des secrets périphériques, surtout lorsque les renseignements en cause sont nécessaires pour que la Chambre des communes s'acquitte de son rôle constitutionnel. La divulgation de secrets périphériques après qu'une décision a été rendue publique ne met en danger ni la solidarité ministérielle, ni la franchise des discussions entre les ministres, ni l'efficacité du processus décisionnel.

S'il est vrai que les conventions lient les acteurs politiques, leur violation ne peut être sanctionnée par les tribunaux. Ceux qui y contreviennent s'exposent à des sanctions politiques par opposition à des sanctions juridiques. Ainsi, le gouvernement ne peut se fonder sur les conventions constitutionnelles pour empêcher la divulgation de secrets du Cabinet dans le cadre de litiges ou d'une demande d'accès à l'information. Les tribunaux et le Parlement ont donc dû concevoir des règles de droit positif pour réglementer la protection de la teneur des délibérations et des documents du Cabinet dans ces circonstances. Les conventions sur le secret ministériel ont fourni l'assise conceptuelle à l'application de la doctrine de l'immunité d'intérêt public aux secrets du Cabinet par les tribunaux en common law. Elles constituent, en outre, le fondement de l'adoption des articles 39 de la *LPC* et 69 de la *LAI* par le Parlement. Les règles de common law et les dispositions législatives doivent être interprétées et appliquées à la lumière du fondement et de la portée des conventions sur le secret ministériel, puisqu'elles en tirent leur légitimité. Cela suppose que les règles relatives au secret ministériel doivent être appliquées avec discernement. La question de savoir si les secrets du Cabinet doivent être protégés ou divulgués dépend du contexte et des exigences de l'intérêt public. Même si le gouvernement est l'ultime arbitre de l'intérêt public aux termes des conventions, il ne saurait être l'ultime arbitre de l'intérêt public d'un point de vue juridique puisque, dans un système où prévaut la primauté du droit, ce rôle revient aux tribunaux.

CHAPITRE 2

LE SECRET MINISTÉRIEL
ET L'IMMUNITÉ D'INTÉRÊT PUBLIC
EN COMMON LAW

INTRODUCTION

Selon les conventions constitutionnelles, le secret ministériel est fondamental au bon fonctionnement du système de gouvernement responsable, puisqu'il permet aux ministres de s'exprimer en toute franchise durant les délibérations du Cabinet, favorise l'existence d'un processus décisionnel collectif efficace et permet aux ministres de rester unis en public, quels que soient leurs désaccords en privé[1]. Cela dit, vu leur nature politique, on ne peut se fonder sur les conventions constitutionnelles pour empêcher la divulgation des secrets du Cabinet dans le cadre de litiges. En effet, les tribunaux sont responsables d'appliquer les règles juridiques, par opposition aux règles politiques. Cela ne les empêche toutefois pas de se fonder sur la logique qui sous-tend une convention pour étendre la portée d'une doctrine juridique de common law. C'est ce qu'il s'est produit lorsqu'ils ont étendu la portée de la doctrine de l'immunité d'intérêt public (ci-après « IIP »), ou du privilège de la Couronne, aux secrets du Cabinet.

Conformément à la doctrine de l'IIP, le gouvernement peut s'opposer à la production de secrets gouvernementaux dans le cadre de litiges, lorsqu'elle serait préjudiciable à l'intérêt public. Une revendication d'IIP crée une tension entre deux aspects divergents de l'intérêt public au maintien de la paix et de l'ordre social : l'intérêt public dans la saine administration de la justice et celui

---

1. Ces trois raisons fondées sur l'intérêt public sont connues comme les arguments de la franchise, de l'efficacité et de la solidarité. Voir le chapitre 1, *supra*, section 1.1.2.

dans la saine administration du gouvernement. L'«intérêt de la justice» requiert que les tribunaux aient accès à tous les renseignements pertinents aux causes dont ils sont saisis afin de favoriser la recherche de la vérité. Si les juges n'ont pas accès aux éléments de preuve pertinents, les plaideurs ne peuvent bénéficier d'un véritable accès à la justice. En effet, un plaideur qui est privé d'éléments de preuve pertinents en raison d'une revendication d'IIP peut perdre une cause valide et être victime d'un déni de justice. En revanche, l'«intérêt du bon gouvernement» exige que l'exécutif protège la confidentialité des secrets dont la publication serait préjudiciable à l'ensemble de la communauté. L'intérêt du bon gouvernement vise un grand nombre de préoccupations dont les relations internationales, la défense nationale et la sécurité nationale, de même que le bon fonctionnement du système de gouvernement responsable.

La tension créée par une revendication d'IIP soulève des questions [TRADUCTION] « d'une grande importance sur le plan constitutionnel» quant à la relation entre les attributions respectives des pouvoirs judiciaire et exécutif dans une société libre et démocratique régie par la primauté du droit[2]. En effet, si le gouvernement peut refuser arbitrairement de produire des documents, le pouvoir des tribunaux de rendre justice est miné. Les questions soulevées par la tension entre le gouvernement et les tribunaux peuvent être circonscrites de la façon suivante : est-ce le pouvoir exécutif ou le pouvoir judiciaire qui devrait avoir le dernier mot lorsqu'il s'agit de décider quels secrets gouvernementaux peuvent être produits en preuve dans le cadre de litiges ? et, quel processus devrait être suivi pour prendre cette décision ? La première question porte sur l'existence ou non du pouvoir des tribunaux d'examiner et de rejeter une objection par un ministre à la production de secrets gouvernementaux. La seconde soulève l'enjeu de la façon dont il faut soupeser et mettre en balance les aspects divergents de l'intérêt public. L'IIP a, par ailleurs, été décrite comme un principe de droit

---

2.   *Duncan v. Cammell, Laird & Co.*, [1942] UKHL 3, [1942] A.C. 624 à la p. 629 [*Duncan*].

constitutionnel lié à l'administration de la justice, par opposition à une simple règle de preuve ou de communication de la preuve[3].

Le présent chapitre vise à examiner d'un œil critique comment les tribunaux ont géré les revendications d'IIP, notamment celles fondées sur l'immunité du Cabinet[4], dans les ressorts de common law que sont le Royaume-Uni, l'Australie, la Nouvelle-Zélande et le Canada (à l'ordre provincial)[5]. Ce chapitre est divisé en deux sections. La première section passera en revue l'évolution historique de la doctrine de l'IIP. Elle démontrera que des considérations relatives à la primauté du droit ont mené les tribunaux à affirmer et à exercer leur pouvoir de contrôle ainsi qu'à rejeter certaines revendications d'IIP. En dépit de cette évolution positive, le degré de déférence dont font preuve les tribunaux à l'endroit des revendications d'immunité du Cabinet ainsi que la façon dont ces revendications sont soupesées et mises en balance ne sont pas uniformes dans les ressorts étudiés. En effet, certains d'entre eux (le Royaume-Uni et l'Australie) ont adopté une « approche non interventionniste » à l'endroit des revendications d'immunité du Cabinet. D'autres (la Nouvelle-Zélande et le Canada) préconisent plutôt une « approche interventionniste ». La deuxième section proposera l'adoption d'une nouvelle « approche rationnelle » ou « pondérée » visant à favoriser la prévisibilité, la certitude et la transparence dans l'évaluation judiciaire des revendications d'immunité du Cabinet. L'approche proposée se fonde sur les quatre piliers suivants, qui seront décrits en détail dans la deuxième section : une norme étroite pour juger de l'opportunité

---

3. *Re Grosvenor Hotel, London (No. 2)*, [1965] 1 Ch. 1210 à la p. 1243 (C.A.) [*Grosvenor Hotel*] ; T.G. Cooper, *Crown Privilege*, Aurora (Ontario), Canada Law Book, 1990 aux p. 5-8 ; Alan W. Mewett, « State Secrets in Canada » (1985) 63:2 *R. du B. can.* 358 ; James Mackay, « The Development of the Law on Public Interest Immunity » (1983) 2 *C.J.Q.* 337 à la p. 337.

4. Les revendications d'immunité du Cabinet sont un type d'IIP dont l'objet consiste à protéger spécifiquement les secrets du Cabinet.

5. La doctrine de l'immunité du Cabinet reconnue par la common law a été remplacée, à l'ordre fédéral au Canada, par l'article 39 de la *Loi sur la preuve au Canada*, L.R.C. 1985, c. C-5, reproduit en annexe. Voir aussi l'article 69 de la *Loi sur l'accès à l'information*, L.R.C. 1985, c. A-1, reproduit en annexe, qui exclut les secrets du Cabinet de la portée du régime d'accès à l'information gouvernementale. Pour une analyse détaillée de ces dispositions, voir le chapitre 3, *infra*, section 2.

de la communication de la preuve; un fardeau qui incombe au pouvoir exécutif de justifier la nécessité de restreindre l'accès aux documents; une analyse coûts-bénéfices des conséquences de la production de documents; et une obligation pour le pouvoir judiciaire de minimiser le préjudice qui pourrait en découler.

1.   LE CONTRÔLE JUDICIAIRE DES REVENDICATIONS D'IMMUNITÉ D'INTÉRÊT PUBLIC

1.1   Les principes généraux

1.1.1   Deux positions irréconciliables

Le débat relatif à la branche de l'État qui devrait avoir le dernier mot sur l'admissibilité en preuve de documents dont on prétend que la publication serait préjudiciable à l'intérêt public remonte aux affaires *Robinson v. State of South Australia (No. 2)*[6] et *Duncan v. Cammell, Laird & Co.* Il est difficile d'imaginer deux causes dont les fondements factuels soient plus différents. Dans les deux cas, il s'agissait de poursuites civiles pour négligence à l'égard desquelles les tribunaux d'instance inférieure ont accueilli les revendications du privilège de la Couronne relativement à des documents qui semblaient véritablement pertinents pour le règlement équitable des litiges. Pour le reste, ces causes étaient à l'extrême opposé l'une de l'autre: dans l'affaire *Robinson*, le recours civil avait été intenté contre l'État de l'Australie méridionale concernant la mauvaise gestion d'un régime de mise en marché du blé. C'est dans ce contexte que le gouvernement s'est opposé à la production de 1 892 documents relatifs à la gestion menée par la Commission du blé[7]. En comparaison, dans l'affaire *Duncan*, il s'agissait d'un recours civil intenté contre les constructeurs du *Thetis*, un sous-marin ultrasecret qui a coulé en 1939 durant le premier test de submersion auquel il a été soumis, un événement durant lequel 99 membres d'équipage ont péri. Cette fois,

---

6.   *Robinson v. State of South Australia (No. 2)*, [1931] UKPC 55, [1931] A.C. 704 [*Robinson*].

7.   *Ibid.* aux p. 704-706.

le gouvernement s'est opposé à la production de 13 documents, y compris les plans du sous-marin[8].

Les revendications du privilège de la Couronne n'ont pas été traitées de la même façon par le Comité judiciaire du Conseil privé dans l'affaire *Robinson* que par le Comité d'appel de la Chambre des lords dans l'affaire *Duncan*. Cela n'est guère surprenant, compte tenu de leurs contextes différents : dans le premier cas, il était question de la production de documents commerciaux d'un ministère dissout en temps de paix, tandis que dans le second, il s'agissait de la production de documents touchant à la sécurité nationale qui auraient pu être utiles pour l'ennemi en temps de guerre. Si ces deux causes avaient été distinguées sur ce fondement, il est probable qu'elles n'auraient suscité aucun débat. Or, le Conseil privé a conclu que les tribunaux avaient le pouvoir inhérent d'examiner les secrets gouvernementaux et d'en ordonner la production, tandis que la Chambre des lords a nié l'existence de ce pouvoir. Autrement dit, l'affaire *Robinson* a affirmé la suprématie du pouvoir judiciaire, et l'affaire *Duncan*, celle du pouvoir exécutif.

1.1.1.1 L'affirmation de la suprématie du pouvoir judiciaire

Dans l'affaire *Robinson*, le problème découlait du fait que le gouvernement a clairement invoqué le privilège pour de mauvaises raisons. En s'opposant à la production de documents pertinents, il tentait d'échapper à sa responsabilité juridique. Lord Blanesburgh, qui a rédigé les motifs du Conseil privé, a insisté sur le fait que le privilège est [TRADUCTION] « restreint, [qu'il] doit être invoqué avec parcimonie[9] », et qu'il faut se garder de lui donner une portée qui va au-delà de ce qui est nécessaire pour protéger l'intérêt public. Compte tenu de « l'expansion croissante des activités de l'État en matière d'échanges et de commerce[10] », le privilège ne doit pas servir à éviter la responsabilité juridique qui découle de telles activités. En temps de paix, les revendications du privilège

---

8. *Duncan, supra* note 2 aux p. 625-627.

9. *Robinson, supra* note 6 à la p. 714.

10. *Ibid.* à la p. 715.

la «sécurité nationale» définie par lord Blanesburgh dans l'arrêt *Robinson*[18].

Dans l'arrêt *Duncan*, lord Simon, qui a rédigé les motifs de la Chambre des lords, a tenté de clarifier la doctrine du privilège de la Couronne. Selon la règle de base, [TRADUCTION] «les documents autrement pertinents et susceptibles d'être produits en preuve ne doivent pas l'être si l'intérêt public exige qu'ils demeurent confidentiels[19]». Il existait deux moyens de démontrer que la production de documents serait préjudiciable à l'intérêt public «en fonction du contenu du document en l'espèce, ou [...] du fait que le document appartienne à une catégorie de documents qui [...] doit [...] être soustraite à la production[20]». Les «revendications fondées sur le contenu» découlent de l'argument selon lequel la teneur des documents est sensible. Elles sont présentées lorsque la production des documents causerait un préjudice, par exemple, aux relations internationales, à la défense nationale ou à la sécurité nationale. En comparaison, les «revendications fondées sur la catégorie de documents» découlent de l'argument selon lequel les documents font partie d'une catégorie de documents sensibles, sans égard à leur teneur. Ce type de revendications est présenté lorsque la production des documents en cause nuirait au bon fonctionnement de l'administration publique, dans le sens où elle aurait pour effet de réduire la franchise des communications si celles-ci ne demeuraient pas confidentielles[21]. Les documents du Cabinet ainsi que d'autres documents émanant des hautes sphères de l'État et relatifs à l'élaboration des politiques ou à la prise de décisions sont des exemples de catégories de documents qui ont été protégées sur ce fondement. Bien que, dans l'affaire *Duncan*, il fût question d'une revendication fondée sur le contenu visant à protéger la sécurité nationale et que, dans l'affaire *Robinson*, il s'agisse d'une revendication fondée sur la catégorie de documents visant à préserver la

---

18.   *Robinson, supra* note 6 à la p. 716.

19.   *Duncan, supra* note 2 à la p. 636.

20.   *Ibid.*

21.   *Ibid.* à la p. 635. L'argument de la franchise avait été formulé, à l'origine, dans l'affaire *Smith v. The East India Company* (1841), 1 Ph. 50.

franchise des communications, ces causes n'ont pas été distinguées sur ce fondement.

Le désaccord portait sur la question de savoir si les tribunaux avaient le pouvoir inhérent de rejeter une revendication du privilège de la Couronne. Lord Simon jugeait que non. Son approche était formaliste : si une revendication avait été présentée conformément aux exigences de forme, les tribunaux étaient tenus d'y faire droit. Cela signifiait que la sanction pour abus de privilège serait politique, plutôt que juridique, puisque le ministre pouvait être tenu responsable devant l'une des chambres du Parlement, mais non devant les tribunaux. Pour étayer sa position, lord Simon a invoqué des motifs sur le plan de la substance et de la procédure. Sur le plan de la substance, il s'est fondé sur des précédents anglais[22] et écossais[23] triés sur le volet qui, selon lui, confirmaient que les ministres devraient avoir le dernier mot sur la production de documents gouvernementaux dans le cadre de litiges, compte tenu de leur plus grande expertise pour évaluer le préjudice qui pourrait être causé à l'intérêt du bon gouvernement. Sur le plan procédural, lord Simon a recensé deux motifs supplémentaires qui militent contre la suprématie du pouvoir judiciaire : le juge ne peut pas examiner les documents à huis clos, et il ne devrait pas communiquer *ex parte* avec le gouvernement. Ces motifs de nature procédurale n'étaient pas fondés à l'époque[24], et les tribunaux ont subséquemment confirmé que les examens à huis clos et ceux menés *ex parte* étaient adéquats sur le plan procédural pour évaluer la validité des revendications d'IIP.

---

22. *Beatson v. Skene* (1860), 157 E.R. 1415.

23. *Earl v. Vass* (1822), 1 Sh. App. 229 (H.L.) ; *Admiralty Commissioners v. Aberdeen Steam Trawling and Fishing Co. Limited*, [1909] S.C. 335.

24. Avant l'arrêt *Duncan*, *supra* note 2, les tribunaux avaient reconnu qu'ils pouvaient examiner les documents gouvernementaux à huis clos : voir *Hennessy*, *supra* note 15 ; *Asiatic Petroleum*, *supra* note 15 ; *Spigelman v. Hocken* (1933), 150 Law Times Reports 256 (K.B.) ; *Robinson*, *supra* note 6. Quant aux examens *ex parte*, bien qu'ils ne soient pas idéals d'un point de vue théorique, on pouvait penser que les plaideurs les préféreraient tout de même à l'absence d'examen. Voir : H.G. Hanbury, « Equality and Privilege in English Law » (1952) 68:2 *Law Q. Rev.* 173 à la p. 181.

Lord Simon était disposé à conférer un très large pouvoir discrétionnaire au gouvernement quant aux revendications de privilège. Tentant de maintenir l'apparence de légalité, il a toutefois affirmé avec insistance que la décision de refuser la production des documents relève du tribunal, puisque [TRADUCTION] « c'est le juge qui dirige le procès et non le pouvoir exécutif[25] ». Il a également énoncé certains principes pour limiter la portée du privilège. À son avis, il ne conviendrait pas que le gouvernement se fonde sur le privilège de la Couronne pour dissimuler une conduite répréhensible, éviter la critique du public ou encore se soustraire à toute responsabilité juridique. Le privilège de la Couronne ne doit être revendiqué que lorsque [TRADUCTION] « un préjudice serait autrement causé à l'intérêt public[26] », c'est-à-dire : lorsque la production des documents serait préjudiciable aux relations internationales, à la défense nationale ou à la sécurité nationale (les revendications fondées sur le contenu) ; ou lorsqu'une catégorie de documents doit rester confidentielle pour assurer le bon fonctionnement de l'administration publique (les revendications fondées sur la catégorie de documents). La plupart des propos tenus par lord Simon concernant la portée du privilège étaient compatibles avec l'arrêt *Robinson*, mis à part le fait qu'il n'a pas donné aux tribunaux les outils nécessaires pour véritablement contrôler l'exercice du privilège par le gouvernement.

1.1.2   *Le rétablissement du principe du contrôle judiciaire*

Affirmer que l'arrêt *Duncan* a fait l'objet de controverses serait un euphémisme. Pour certains, cette décision était l'illustration du [TRADUCTION] « point culminant de l'indulgence excessive du pouvoir judiciaire à l'endroit du pouvoir discrétionnaire de l'exécutif[27] » en matière de privilège de la Couronne. S'il est vrai que la publication des plans d'un sous-marin en temps de guerre – lorsque la survie de l'État est en jeu – aurait vraisemblablement été

---

25.   *Duncan, supra* note 2 à la p. 642.

26.   *Ibid.*

27.   D.C. Hodgson, « Recent Developments in the Law of Public Interest Immunity: Cabinet Papers » (1987) 17:2 *V.U.W.L.R.* 153 à la p. 155.

préjudiciable à l'intérêt public[28], il n'est pas évident que ce soit réellement la sécurité nationale qui ait motivé l'objection du gouvernement. En effet, certains des documents visés par la revendication de privilège avaient déjà été fournis à une commission d'enquête, qui y avait fait référence dans son rapport. De plus, un an après la décision de la Chambre des lords, après avoir fait volte-face, le gouvernement a produit certains des documents visés par le privilège à la demande des constructeurs navals. Cela donne à penser que l'affaire *Duncan* pourrait bien être un exemple supplémentaire de cas où le gouvernement a invoqué le privilège de la Couronne, non pour protéger des renseignements sensibles, mais bien pour miner une poursuite civile[29].

1.1.2.1 La critique de la suprématie du pouvoir exécutif

Sur le plan de la primauté du droit, l'arrêt *Duncan* a soulevé trois problèmes. Premièrement, il a privé les tribunaux du pouvoir de décider quels éléments de preuve devraient être admissibles dans le cadre de litiges, ce qui contrevient au principe de la séparation des pouvoirs entre l'exécutif et le judiciaire. Ainsi, le privilège de la Couronne pourrait conférer à l'exécutif le contrôle de l'admissibilité de la preuve dans le cadre de litiges et lui permettre d'interférer dans une cause pour favoriser son intérêt[30]. Or, s'ils n'ont pas accès à la preuve pertinente, les plaideurs ne peuvent jouir de leur droit à un procès équitable. La prétention de lord Simon, selon laquelle la décision de ne pas admettre les éléments de preuve était celle du juge, n'était que de la poudre aux yeux, puisque le juge ne disposait d'aucune marge de manœuvre sur la question. Comment un juge peut-il contrôler une instance s'il doit obtempérer aux ordres du ministre[31]? Le doyen Cecil Wright a décrit

---

28. William Wade et Christopher Forsyth, *Administrative Law*, 11ᵉ éd., Oxford, Oxford University Press, 2014 à la p. 712.

29. Maureen Spencer, «Bureaucracy, National Security and Access to Justice: New Light on *Duncan v. Cammell Laird*» (2004) 55:3 *N. Ir. Leg. Q.* 277 à la p. 296.

30. Stephen G. Linstead, «The Law of Crown Privilege in Canada and Elsewhere: Part 2» (1969) 3:2 *R.D. Ottawa* 449 à la p. 462.

31. À ce sujet, voir la forte dissidence du juge Mondelet dans l'arrêt *Gugy v. Maguire* (1863), 13 L.C.R. 33 (Q.B.). Le professeur Allen, *supra* note 17 à la p. 336, a fait remarquer que, selon l'approche adoptée par lord Simon, [TRADUCTION] «le juge

faisant valoir que son assaillant souffrait de troubles mentaux et que les autorités carcérales n'avaient pas pris les mesures appropriées pour prévenir l'agression. Pour avoir gain de cause, M. Ellis devait prouver que les autorités carcérales étaient au courant du danger que posait le détenu qui l'avait agressé. Or, le gouvernement s'est opposé à la production des dossiers policiers et médicaux pertinents en présentant une revendication fondée sur la catégorie. Compte tenu de l'arrêt *Duncan*, la cour de première instance s'est estimée tenue de faire droit à l'objection. Elle a toutefois reconnu [TRADUCTION] « [son] malaise du fait que justice puisse ne pas avoir été rendue[41] ». Pour sa part, la Cour d'appel a souligné qu'une [TRADUCTION] « facette de l'intérêt public requiert que justice soit toujours rendue et ait toujours l'apparence d'avoir été rendue[42] »; elle était malgré tout également liée par le principe du *stare decisis*. Dans l'affaire *Ellis*, il n'y a pas eu apparence que justice ait été rendue : l'État fut perçu comme une partie intéressée qui s'était fondée sur le privilège pour éviter d'être tenue juridiquement responsable, et ce, au détriment de l'intérêt de la justice. Cette décision a été décrite comme une [TRADUCTION] « parodie de justice[43] », et elle ne fut qu'un exemple parmi d'autres du phénomène[44].

La doctrine de la suprématie de l'exécutif a été particulièrement insidieuse dans le cas des revendications fondées sur la catégorie, qui ont proliféré à la suite de l'arrêt *Duncan*. Ces revendications ont pu facilement être utilisées à mauvais escient, puisque le gouvernement disposait du pouvoir discrétionnaire absolu de protéger toute catégorie de documents jugés nécessaires au bon fonctionnement de l'administration publique, sans égard à leur teneur. Le flou et la portée de la doctrine pouvaient donner lieu à des abus de pouvoir. Le professeur Carleton Allen a écrit que [TRADUCTION]

---

41.   *Ibid.* à la p. 137.

42.   *Ibid.* à la p. 147.

43.   Theo Ruoff, « Links with London » (1957) 30 *Austl. L.J.* 456 à la p. 457.

44.   Le gouvernement a également tenté de faire exclure des éléments de preuve [TRADUCTION] « parce qu'ils étaient favorables à la cause [du demandeur] » dans l'affaire *Odlum v. Stratton* (1946), Wiltshire Gazette (H.C.), cité dans Allen, *supra* note 17 à la p. 338, n. 56. Voir aussi : *Broome v. Broome*, [1955] 2 W.L.R. 401; *Gain v. Gain*, [1961] 1 W.L.R. 1469.

« "l'abus de pouvoir" ne consiste pas exclusivement en un abus flagrant et sans scrupule de pouvoir, mais aussi en une extension graduelle et souvent bien intentionnée du pouvoir en question, en faisant preuve d'une attitude timorée plutôt qu'agressive[45] ». Le danger ne résidait pas tant dans le risque que les ministres agissent de manière oppressive, « mais plutôt qu'ils agissent sous l'influence de cet instinct exagéré, pour ne pas dire morbide, de vouloir préserver le secret, une maladie professionnelle de la bureaucratie[46] ». Poussées à l'extrême, les revendications fondées sur la catégorie pouvaient être utilisées pour protéger n'importe quel document du gouvernement, quelle que soit sa nature. Les seules limites à l'exercice du privilège de la Couronne étaient celles que le gouvernement voulait bien lui donner[47].

1.1.2.2 La négation de la suprématie du pouvoir exécutif

Comme certains universitaires l'ont souligné, [TRADUCTION] « [il] n'y a probablement aucune règle moderne de droit anglais qui ait suscité autant de critiques[48] ». Compte tenu des lacunes relatives à la primauté du droit dont souffrait l'arrêt *Duncan*, il n'est pas surprenant que ce précédent n'ait pas été suivi par les plus hauts tribunaux ailleurs dans le Commonwealth. En 1956, dans l'arrêt *Glasgow Corporation v. Central Land Board*[49], la Chambre des lords, agissant à titre de plus haut tribunal d'Écosse, a jugé que lord Simon avait mal interprété les précédents écossais dans l'arrêt *Duncan*. En effet, il appert que les tribunaux écossais

---

45. Allen, *supra* note 17 à la p. 332.

46. *Ibid.* à la p. 337.

47. À la suite de l'arrêt *Ellis*, *supra* note 40, le gouvernement a promis que les revendications fondées sur la catégorie de documents ne seraient pas utilisées afin de protéger : les documents de nature factuelle (tels que les rapports d'accident, les rapports médicaux et les rapports techniques) dans les procédures civiles ; les déclarations faites à la police lorsque l'auteur de la déclaration a consenti à sa production ou est décédé ; et les documents requis pour la défense d'une personne accusée d'un acte criminel sous réserve du privilège relatif aux indicateurs. Bien que ces concessions aient été importantes, les tribunaux n'étaient pas en mesure d'assurer leur respect. Voir R.-U., H.L., *Parliamentary Debates*, 5ᵉ sér., vol. 197, col. 741-748 (6 juin 1956) [*Débats de la Chambre des lords*].

48. Stanley de Smith et Rodney Brazier, *Constitutional and Administrative Law*, 8ᵉ éd., Londres, Penguin Books, 1998 à la p. 609.

49. *Glasgow Corporation v. Central Land Board* (1955), [1956] Sess. Cas. 1.

avaient toujours eu, en droit, le pouvoir de rejeter une objection ministérielle; même si, en pratique, ils l'avaient rarement exercé. L'admission que l'arrêt *Duncan* avait été décidé par incurie a créé un schisme entre le droit anglais et le droit écossais quant à cette question constitutionnelle centrale. De même, la Cour suprême du Canada[50], la Cour d'appel de la Nouvelle-Zélande[51] et la Cour suprême de Victoria[52] en Australie ont affirmé le pouvoir des tribunaux de rejeter les objections ministérielles. Le juge Rand, dans *R. v. Snider*, est celui qui a le mieux exprimé pourquoi les revendications de privilège de la Couronne ne sauraient être décisives: [TRADUCTION] « Enlever aux tribunaux une fonction dont la common law les a traditionnellement investis pour les assujettir à l'opinion, fût-elle rationnelle ou irrationnelle, d'un membre de l'exécutif, à l'éventuel détriment des vies de particuliers, va à l'encontre des principes les plus fondamentaux reconnus dans notre société[53]. »

Cette évolution de la situation n'est pas passée inaperçue à Londres. Assurément, il était regrettable que cette question constitutionnelle centrale ne fasse pas l'unanimité dans les divers ressorts de type Westminster. En 1963, le professeur Arthur Goodhart a soutenu que l'application de l'arrêt *Duncan* devrait être restreinte aux faits dont avait été saisie la Chambre des lords[54]. Dans cette cause, lord Simon avait accueilli une revendication de privilège de la Couronne relativement aux plans d'un sous-marin, parce que leur production aurait été préjudiciable à la sécurité nationale en temps de guerre. Ainsi, l'arrêt *Duncan* ne pouvait faire autorité que dans les cas où il est question de revendications fondées sur le contenu dans lesquelles le gouvernement invoque la sécurité nationale. Les déclarations de lord Simon quant à la nature décisive des objections ministérielles, notamment quant aux revendications

---

50. *R. v. Snider*, [1954] S.C.R. 479 [*Snider*]; *Gagnon c. Commission des valeurs mobilières du Québec*, [1965] R.C.S. 73.

51. *Corbett v. Social Security Commission*, [1962] N.Z.L.R. 878.

52. *Bruce v. Waldron*, [1963] V.R. 3 [*Waldron*].

53. *Snider*, *supra* note 50 à la p. 485.

54. Arthur L. Goodhart, « The Authority of Duncan v. Cammell Laird & Co. » (1963) 79:2 *Law Q. Rev.* 153.

fondées sur la catégorie visant à assurer la franchise des communications, pouvaient être considérées comme des *obiter dicta*. Les
conséquences de cette thèse étaient considérables, puisque les
revendications fondées sur le contenu étaient rares[55]. Interprété de
cette façon, le droit anglais serait davantage compatible avec ceux
de l'Écosse, du Canada, de la Nouvelle-Zélande et de l'Australie.

L'interprétation préconisée par le professeur Goodhart a été
adoptée par la Cour d'appel de l'Angleterre dans l'arrêt *Grosvenor
Hotel*[56]. Ce dernier découlait d'un litige entre Gordon Hotels et
l'autorité ferroviaire quant au renouvellement du bail du Grosvenor
Hotel. Lorsque l'autorité ferroviaire a refusé de renouveler le bail
en invoquant qu'elle souhaitait utiliser l'édifice à ses propres fins,
Gordon Hotels a contesté sa décision devant la Haute Cour. Le gouvernement s'est opposé à la production des documents relatifs à la
décision contestée en faisant valoir une revendication fondée sur la
catégorie. Pour la première fois depuis l'arrêt *Duncan*, un tribunal
anglais a refusé de traiter une objection ministérielle comme un
facteur décisif. Lord Denning a réaffirmé la suprématie judiciaire :

> [TRADUCTION] L'objection d'un ministre [...] ne saurait être
> décisive. [...] Après tout, dans ce pays, ce sont les juges qui
> sont les gardiens de la justice et, afin de pouvoir dûment
> accomplir leur fonction, ils doivent être en mesure d'exiger
> d'un ministre qu'il expose les raisons de son objection dans
> le but d'évaluer si ces dernières l'emportent sur les intérêts
> de la justice[57].

En 1968, la Chambre des lords a eu l'occasion de réexaminer
l'arrêt *Duncan*. Cela s'est produit seulement deux ans après que
la Chambre a affirmé son pouvoir d'infirmer ses propres décisions[58]. C'est dans l'arrêt *Conway v. Rimmer*[59] que la Chambre des

---

55. À cette époque, il n'y avait que deux exemples de revendications fondées sur le
     contenu dans les recueils de jurisprudence : *Asiatic Petroleum*, *supra* note 15 ; *R. v.
     Governor of Brixton Prison, Ex parte Soblen*, [1963] 2 Q.B. 243 (C.A.).

56. *Grosvenor Hotel*, *supra* note 3. Voir aussi : *Merricks v. Nott-Bower* (1964), [1965]
     1 Q.B. 57 (C.A.) ; *Wednesbury Corporation v. Ministry of Housing and Local
     Government* (1964), [1965] 1 W.L.R. 261 (C.A.).

57. *Grosvenor Hotel*, *supra* note 3 aux p. 1245-1246.

58. *Practice Statement (Judicial Precedent)*, [1966] 1 W.L.R. 1234.

59. *Conway v. Rimmer*, [1968] UKHL 2, [1968] A.C. 910 [*Conway*].

lords allait pour la première fois effectivement exercer ce pouvoir. Monsieur Conway était un policier en probation, poursuivi pour le vol d'une lampe de poche. Bien qu'il ait été acquitté au terme de son procès, il a été congédié du corps policier. Par la suite, il a intenté contre M. Rimmer, son ancien superviseur, un recours civil en dommages-intérêts pour poursuite abusive. Durant le processus de communication de la preuve, M. Conway a demandé à avoir accès à quatre rapports faisant état de sa performance à titre de policier, ainsi qu'à un rapport rédigé à l'intention du directeur des poursuites pénales relativement à l'allégation de vol. Les rapports semblaient hautement pertinents et les deux parties souhaitaient qu'ils soient déposés en preuve. Le gouvernement s'est toutefois opposé à leur production en invoquant une revendication fondée sur la catégorie. La Chambre des lords était saisie de deux questions : les tribunaux ont-ils le pouvoir de rejeter des objections ministérielles ? et, si oui, comment et quand ce pouvoir devrait-il être exercé[60] ?

Quant à la première question, la Chambre des lords a infirmé la règle générale énoncée dans l'arrêt *Duncan* au sujet de la nature décisive d'une objection ministérielle et rétabli l'approche préconisée dans l'arrêt *Robinson*. Ce faisant, la Chambre des lords a noté les failles de l'analyse de lord Simon ainsi que les problèmes sur le plan de la primauté du droit créés par sa décision. La Chambre des lords a réaffirmé le pouvoir inhérent des tribunaux anglais de rejeter une objection ministérielle à la production de documents dans le cadre de litiges. Les tribunaux ont alors repris [TRADUCTION] « le contrôle de l'ensemble de ce domaine du droit[61] » et l'unité de la common law dans le Commonwealth a été rétablie. La suprématie du pouvoir exécutif ne pouvait se justifier, notamment à la lumière de la portée grandissante des activités de l'État et de la prolifération massive de la documentation.

Quant à la deuxième question, la Chambre des lords a affirmé que le rôle des tribunaux consistait à soupeser et à mettre en balance les aspects divergents de l'intérêt public. Les juges auraient

---

60.   *Ibid.* aux p. 910-916.
61.   *Ibid.* à la p. 994.

donc à poser le type de jugement de valeur délicat que l'arrêt *Duncan* avait laissé à la discrétion des ministres. Certes, les juges feraient preuve de déférence à l'égard des raisons invoquées par les ministres quant au degré de préjudice susceptible d'être causé, mais ces raisons auraient plus de poids si l'objection se fondait sur le contenu des documents plutôt que sur leur catégorie. En effet, les juges n'avaient pas moins d'expertise qu'un ministre pour décider si la protection d'une catégorie de documents était nécessaire au bon fonctionnement de l'administration publique. De plus, les juges étaient mieux placés pour déterminer le degré de pertinence des documents. Après avoir soupesé et mis en balance les inté-rêts divergents dans l'abstrait et estimé que l'exercice militerait en faveur de la production des documents, les juges les examineraient à huis clos et *ex parte*. Enfin, ils n'ordonneraient la production des documents que lorsque leur degré de pertinence l'emporterait sur le degré de préjudice susceptible d'en découler.

L'arrêt *Conway* a été [TRADUCTION] «le point culminant d'une histoire classique d'indulgence indue dont ont fait preuve les tri-bunaux à l'endroit du pouvoir discrétionnaire de l'exécutif, suivi d'abus par ce dernier, qui a mené en définitive à une réforme radi-cale du droit par les tribunaux[62]». En l'espèce, l'évaluation de l'in-térêt public par la Chambre des lords a mené à une conclusion sans équivoque. Eu égard à l'intérêt du bon gouvernement, les rapports quant à la conduite des policiers, en tant que catégorie de docu-ments, ont été qualifiés de [TRADUCTION] «documents routiniers». Il était improbable que ce type de documents soient rédigés avec moins de franchise dans le futur s'ils devaient être produits. Le préjudice potentiel à l'intérêt du bon gouvernement résultant de leur production était donc faible. Eu égard à l'intérêt de la justice, la Chambre des lords a estimé que les rapports constituaient des éléments de preuve cruciaux pour juger des questions de malice et de motifs probables. Le degré de leur pertinence semblait par conséquent élevé. Les juges ont donc examiné les documents et ultérieurement ordonné leur production, puisque l'intérêt de la justice l'emportait sur l'intérêt du bon gouvernement. En statuant

---

62.   Wade et Forsyth, *supra* note 28 à la p. 711.

de la sorte, ils ont rapatrié [TRADUCTION] «entre les mains de la justice un dangereux pouvoir de l'exécutif[63]».

Après le prononcé de l'arrêt *Conway*, l'expression «privilège de la Couronne» a été remplacée par l'expression «immunité d'intérêt public», et ce, pour trois raisons. Premièrement, le terme «privilège» suppose que son titulaire détient le pouvoir discrétionnaire de revendiquer la protection que lui accorde la loi ou d'y renoncer, comme dans le cas du secret professionnel de l'avocat. Or, l'État a le devoir, auquel il ne peut renoncer, de protéger les secrets gouvernementaux si l'intérêt public le requiert[64]. Pour cette raison, il est préférable de décrire cette règle comme une immunité plutôt que comme un privilège. Deuxièmement, la protection n'appartient pas à la «Couronne» en tant que telle; en fait, cette dernière en assure le respect au nom du public. D'ailleurs, la question de savoir si la production de secrets du gouvernement serait ou non préjudiciable à l'intérêt public peut être soulevée par toute partie intéressée, voire par le tribunal lui-même[65]. Troisièmement, l'expression «immunité d'intérêt public» évoque mieux l'obligation qui incombe aux tribunaux de soupeser et de mettre en balance les aspects divergents de l'«intérêt public».

---

63. *Ibid.* à la p. 714. Les fonctionnaires n'ont pas apprécié cette [TRADUCTION] «intrusion judiciaire inopportune» dans leur sphère de compétence professionnelle occasionnée par l'arrêt *Conway*, *supra* note 59 (Maureen Spencer et John Spencer, «Coping With *Conway* v. *Rimmer* [1968] AC 910: How Civil Servants Control Access to Justice» (2010) 37:3 *J.L. & Soc'y* 387 à la p. 391).

64. *Makanjuola v. Commissioner of Police of the Metropolis*, [1992] 3 All E.R. 617 à la p. 623 (C.A.).

65. Bien qu'une revendication d'IIP puisse être présentée par quiconque, il est improbable qu'elle soit maintenue par un tribunal sans le soutien du gouvernement. Voir *R. v. Chief Constable of West Midlands Police, Ex parte Wiley*, [1994] UKHL 8, [1995] 1 A.C. 274 aux p. 296-298 [*Ex parte Wiley*].

1.2   Le contrôle judiciaire des revendications d'immunité du Cabinet

1.2.1   L'affirmation et la négation de l'immunité absolue du Cabinet

1.2.1.1   L'affirmation de l'immunité absolue du Cabinet

Avant la fin des années 1970, on considérait que les documents du Cabinet, en tant que catégorie, jouissaient d'une immunité absolue dans le cadre de litiges. Cette position a été formulée en *obiter dictum* dans deux décisions anglaises qui ont été à l'origine du virage de la suprématie du pouvoir exécutif vers celle du pouvoir judiciaire. Lord Denning a été le premier à reconnaître le caractère sacré des documents du Cabinet dans l'arrêt *Grosvenor Hotel*[66]. Quelques années plus tard, lord Reid a confirmé le consensus judiciaire à cet égard dans l'arrêt *Conway* :

> [TRADUCTION] Je ne doute pas de l'existence de certaines catégories de documents qui ne doivent pas être divulguées quel que soit leur contenu. Pratiquement tout le monde convient que les procès-verbaux des réunions du Cabinet et les documents du même type ne doivent pas être divulgués, jusqu'à ce qu'ils n'aient plus qu'un intérêt historique[67].

Les « procès-verbaux des réunions du Cabinet et les autres documents de ce type » semblaient donc soustraits à l'exercice établi dans l'arrêt *Conway,* qui consiste à soupeser et à mettre en balance les intérêts divergents[68]. La référence à l'exception relative à l'« intérêt historique » ne visait pas à permettre aux tribunaux d'ordonner la production de documents du Cabinet dont le contenu n'était plus jugé sensible par ces derniers ; elle visait plutôt à reconnaître que, aux termes du *Public Records Act 1967,* les documents de cette catégorie pouvaient être rendus publics après

---

66.   *Grosvenor Hotel, supra* note 3 à la p. 1246.

67.   *Conway, supra* note 59 à la p. 952.

68.   I.G. Eagles, « Cabinet Secrets as Evidence » [1980] *P.L.* 263 à la p. 263 ; Henrik G Tonning, « Crown Privilege in Regard to Upper Echelon Government Documentation » (1981) 30 *R.D. U.N.-B.* 121 à la p. 124 ; Hodgson, *supra* note 27 aux p. 154-156.

une période de 30 ans[69]. Le Parlement avait décidé que le préjudice associé à la publication des documents du Cabinet était nul après ce délai. Outre cette exception, les secrets du Cabinet restaient intouchables.

1.2.1.2 La négation de l'immunité absolue du Cabinet

Lorsque l'arrêt *Conway* a été rendu, les tribunaux n'avaient pas clairement établi le lien entre la protection du secret ministériel selon les conventions constitutionnelles, d'une part, et la common law, d'autre part. Ce lien a été établi pour la première fois dans l'affaire *Crossman*[70]. Il s'agissait de décider si le tribunal devait empêcher la publication de mémoires politiques qui révélaient la teneur des [TRADUCTION] « délibérations du Cabinet ». La preuve révélait que le secret ministériel était l'une des composantes de la responsabilité ministérielle collective. Par conséquent, le tribunal a jugé qu'il était essentiel au bon fonctionnement du système de gouvernement responsable de type Westminster. Il était donc dans l'intérêt public d'empêcher la divulgation des délibérations du Cabinet, notamment des opinions personnelles exprimées par les ministres. Cette justification a servi de fondement pour étendre aux secrets de l'État la portée de la doctrine de l'abus de confiance applicable aux secrets des personnes privées. Voilà un exemple de circonstances où la portée d'une règle de droit (l'abus de confiance) a été étendue sur le fondement d'une règle politique (la convention sur le secret).

La justification de la convention sur le secret a également servi à limiter la portée de cette doctrine. En effet, il devait y avoir un moment dans le temps où la publication des mémoires politiques ne causerait plus de préjudice au bon fonctionnement du système de gouvernement responsable. Dans l'affaire *Crossman*, puisque les mémoires de l'ancien ministre décrivaient des événements qui

---

69.   *Public Records Act 1967* (R.-U.), c. 44, art. 1, qui modifiait la *Public Records Act 1958* (R.-U.), 6 & 7 Eliz. II, c. 51, art. 5(1), afin de réduire la période pendant laquelle les dossiers gouvernementaux ne pouvaient être consultés par le public de 50 ans à 30 ans. En 2010, cette période a été réduite à 20 ans: voir la *Constitutional Reform and Governance Act 2010* (R.-U.), c. 25, art. 45(1)(a).

70.   *Attorney-General v. Jonathan Cape Ltd.*, [1976] 1 Q.B. 752 [*Jonathan Cape*].

étaient survenus 10 ans plus tôt (une période durant laquelle trois élections générales avaient eu lieu), lord Widgery a conclu que leur publication ne serait pas préjudiciable à l'intérêt public. La reconnaissance que le passage du temps pouvait limiter la portée du secret ministériel ne pouvait être conciliée avec la reconnaissance du caractère absolu de l'immunité du Cabinet. Outre le fait que l'affaire *Crossman* ait clarifié la raison pour laquelle les secrets du Cabinet devraient être protégés, elle a donné des munitions aux plaideurs qui cherchaient à contester ce dernier bastion de la suprématie du pouvoir de l'exécutif[71]. Or, à l'époque, il était manifeste [TRADUCTION] « qu'aucun tribunal n'ordonnerait la production de documents du Cabinet dans le cadre de la communication de la preuve en contexte judiciaire[72] ».

Lanyon Pty. Ltd. v. The Commonwealth[73] – une décision de la Haute Cour d'Australie – a été la première cause civile importante durant laquelle une partie a directement sollicité la production de documents du Cabinet. Dans cette cause, le gouvernement australien avait refusé d'accorder à une compagnie la permission d'exploiter un terrain situé sur le territoire de la capitale nationale et avait décidé de l'acquérir par expropriation. Cette décision, fondée sur des considérations de politique publique, avait été prise à la suite de discussions entre les membres du Cabinet. La compagnie a signifié des assignations à comparaître au ministre responsable ainsi qu'au secrétaire du Cabinet afin d'obtenir [TRADUCTION] « tous les procès-verbaux des réunions du Cabinet » liés à la décision contestée, ainsi que d'autres documents de la Commission de développement de la capitale nationale relatifs au projet d'aménagement en cause[74]. Le gouvernement s'est opposé à cette production en invoquant l'immunité du Cabinet. Le juge Menzies a fait droit à la revendication, sans examen des documents. À son avis, les documents du Cabinet en tant que catégorie ne devaient pas faire l'objet d'un examen ou être produits, « sauf [...] dans des circonstances

---

71. Dennis Pearce, « The Courts and Government Information » (1976) 50 *Austl. L.J.* 513 à la p. 520.

72. *Jonathan Cape, supra* note 70 à la p. 764.

73. *Lanyon Pty. Ltd. v. The Commonwealth*, [1974] H.C.A. 11, 129 C.L.R. 650 [*Lanyon*].

74. *Ibid.* aux p. 652-653.

très spéciales[75] ». Ainsi, l'immunité envisagée par le juge Menzies était moins absolue que celle décrite par lord Reid dans l'arrêt *Conway*. Même si l'on ne sait pas précisément ce qu'avait le juge Menzies en tête lorsqu'il a affirmé que les documents du Cabinet pouvaient être examinés et produits dans « des circonstances très spéciales », sa déclaration suggérait que l'exception à l'immunité du Cabinet fondée sur « l'intérêt historique » n'était pas la seule.

L'affaire *Sankey v. Whitlam*[76] donne un exemple des [TRA-DUCTION] « circonstances très spéciales » envisagées dans l'arrêt *Lanyon*. C'est dans cette décision de la Haute Cour d'Australie que, pour la première fois dans une cause importante issue d'un ressort de type Westminster, des juges ont ordonné la production de documents du Cabinet, mettant ainsi fin à la théorie selon laquelle ces documents jouissaient d'une immunité absolue. Le contexte inhabituel de la cause a créé une tempête parfaite en ce qui a trait à la production des documents du Cabinet. La cause avait découlé d'une poursuite pénale intentée contre l'ancien premier ministre Gough Whitlam et trois membres de son Cabinet en lien avec leur conduite dans l'exercice de leurs fonctions. Les accusations avaient été portées par M. Sankey, un poursuivant qui agissait à titre privé, plutôt que par le ministère public. Monsieur Sankey soutenait que les accusés avaient comploté afin d'emprunter 4 milliards de dollars américains pour le développement de sources d'énergie nationales, et ce, sans respecter la procédure établie par la Constitution. Le Conseil exécutif avait approuvé le prêt sans obtenir le consentement du Conseil responsable de l'endettement, un organisme composé de représentants des deux ordres de gouvernement, dont le mandat consiste à gérer l'accumulation de dettes dans la fédération australienne. Bref, le premier ministre Whitlam et ses collègues étaient accusés de faute dans l'exercice d'une charge publique[77].

Le poursuivant a fait signifier des assignations à comparaître à des hauts fonctionnaires pour qu'ils produisent des documents

---

75.   *Ibid.* à la p. 653.

76.   *Sankey v. Whitlam*, [1978] H.C.A. 43, 142 C.L.R. 1 [*Whitlam*].

77.   *Ibid.* aux p. 16-17.

relatifs aux infractions reprochées. Il était notamment question de documents émanant du Conseil exécutif et du Conseil responsable de l'endettement, ainsi que d'autres documents gouvernementaux de haut niveau. Seuls les premiers pourraient être décrits comme des « documents du Cabinet » parce qu'ils révélaient la teneur de [TRADUCTION] « délibérations entre ministres du Cabinet » au sein d'un même ordre de gouvernement[78]. L'État a présenté une revendication d'immunité du Cabinet en ce qui a trait aux documents du Conseil exécutif, sauf ceux qui avaient déjà été déposés à l'une ou l'autre des chambres du Parlement. L'ancien premier ministre Whitlam a plutôt fait valoir que tous les documents étaient protégés par l'immunité du Cabinet.

Avant que la décision soit rendue dans l'affaire *Whitlam*, on tenait pour acquis que [TRADUCTION] « les documents importants de l'État portant sur des décisions de politique publique de haut niveau, tout particulièrement les décisions et les documents du Cabinet, ne [pouvaient] être produits[79] ». La Haute Cour a rejeté cette hypothèse : les documents du gouvernement ne devraient être à l'abri de la production que si, de l'avis du tribunal, cela est nécessaire dans l'intérêt public. L'*obiter dictum* de lord Reid dans l'arrêt *Conway* sur le caractère absolu de l'immunité du Cabinet contredisait cette règle de base[80]. Rien ne justifiait de ne pas assujettir les documents du Cabinet au processus qui consiste à soupeser et à mettre en balance les aspects divergents de l'intérêt public : « [les] décisions du Cabinet et les documents de ce dernier sont aussi assujettis à la règle générale selon laquelle le tribunal détermine si l'intérêt public commande ou non la production des documents. Ils appartiennent nettement au domaine d'application de cette règle[81] ». La Haute Cour a identifié les trois raisons fondées sur

---

78.   *Ibid.* aux p. 51, 62, 99.

79.   *Ibid.* à la p. 95. Voir aussi : *Australian National Airlines Commission v. The Commonwealth*, [1975] H.C.A. 33, 132 C.L.R. 582 à la p. 591 (faisant référence aux procès-verbaux du Cabinet comme une catégorie de documents qui devrait demeurer confidentielle).

80.   *Whitlam, supra* note 76 à la p. 41.

81.   *Ibid.* à la p. 96. Voir aussi : *ibid.* aux p. 41-42, 63.

l'intérêt public justifiant l'existence du secret ministériel[82], soit la franchise[83], l'efficacité[84] et la solidarité[85]. Les motifs pour refuser la reconnaissance du caractère absolu de l'immunité du Cabinet étaient doubles : le passage du temps et la nature des procédures.

Premièrement, à partir du moment où l'on a reconnu que la justification de l'existence du secret ministériel faiblit avec le passage du temps, il a fallu en déduire que les documents du Cabinet ne pouvaient jouir d'une immunité éternelle contre toute production. Cette déduction a découlé de l'exception relative à l'« intérêt historique », mais pas uniquement. La Cour était appelée à décider si la publication de documents du Cabinet à un certain moment dans le temps serait préjudiciable au bon fonctionnement du système de gouvernement responsable de type Westminster. Or, la réponse n'était pas tributaire de l'écoulement d'une période de temps arbitraire fixée par la loi. En effet, la question devait être tranchée au cas par cas[86]. Dans l'affaire *Crossman*, les détails de délibérations du Cabinet avaient été publiés après 10 ans. Dans l'affaire *Whitlam*, les documents visés avaient été créés trois à cinq ans auparavant. S'ils n'avaient pas encore un intérêt purement historique, leur contenu n'était plus [TRADUCTION] d'« actualité[87] » ou controversé, puisque la proposition de prêt n'avait pas abouti et que les accusés n'évoluaient plus dans le monde politique. La production des documents en question ne pouvait causer qu'un préjudice insignifiant. Ainsi, durant la décennie qui s'est écoulée entre les arrêts *Conway* et *Whitlam*, la [TRADUCTION] « vie d'un secret du Cabinet[88] » a été considérablement écourtée.

---

82. Pour une discussion des raisons qui justifient le secret ministériel, voir le chapitre 1, *supra*, section 1.1.2.

83. *Whitlam*, *supra* note 76 à la p. 40 (juge en chef adjoint Gibbs). *Contra : ibid.* à la p. 63 (juge Stephen) ; *ibid.* à la p. 97 (juge Mason).

84. *Ibid.* aux p. 40, 63, 97.

85. *Ibid.* aux p. 97-98.

86. *Jonathan Cape*, *supra* note 70 à la p. 767 : [TRADUCTION] « le niveau de protection qui doit être accordé aux documents et aux discussions du Cabinet ne peut être déterminé sur la base d'une règle unique. Certains secrets requièrent un haut niveau de protection pour une courte période de temps. D'autres doivent être protégés jusqu'à ce qu'une nouvelle génération de politiciens prenne le relais ».

87. *Whitlam*, *supra* note 76 à la p. 98.

88. Eagles, *supra* note 68 à la p. 278.

Deuxièmement, le facteur le plus important dans l'affaire *Whitlam* était la nature des procédures, soit une poursuite pénale contre des ministres pour faute dans l'exercice d'une charge publique. Le système de justice pénale vise un double objectif : que les coupables ne puissent échapper aux conséquences de leurs actes et que les innocents ne souffrent pas. Or, ces objectifs ne peuvent être atteints si l'accusé, le poursuivant et le juge n'ont pas accès à tous les faits admissibles selon le droit de la preuve. L'intégrité du système de justice pénale ainsi que la confiance du public à son endroit en dépendent. Même dans l'arrêt *Duncan*, lord Simon a convenu que le gouvernement ne doit pas priver l'accusé, dans le cadre d'une poursuite pénale, de la preuve pertinente pour sa défense[89]. L'inverse est tout aussi vrai : le gouvernement ne doit pas priver le poursuivant des éléments de preuve pertinents à la poursuite d'un accusé, surtout s'il s'agit d'un ministre. Cela reviendrait à immuniser les ministres contre leur responsabilité pénale, les plaçant de ce fait au-dessus des lois, ce qui serait incompatible avec l'objet de la doctrine de l'IIP. En effet, [TRADUCTION] « une règle [...] conçue pour servir l'intérêt public [ne devrait pas] pouvoir servir de moyen de défense pour des ministres accusés de faute dans l'exercice de leurs fonctions[90] ».

C'est la décision de la Cour suprême des États-Unis dans l'affaire *United States v. Nixon*[91] qui avait inspiré le raisonnement de la Haute Cour. Durant le scandale du Watergate, sept personnes ont été inculpées par un grand jury de diverses infractions criminelles, dont celle de complot en vue d'entraver la justice. Le président Richard Nixon a été nommé à titre de participant au complot. Le procureur spécial a délivré une assignation à comparaître par laquelle il exigeait la production d'enregistrements audio et de documents qui révélaient des communications sensibles entre le président et ses conseillers. Dans ce qui semblait être une tentative désespérée de se soustraire à toute responsabilité

---

89. *Duncan, supra* note 2 aux p. 633-634. Voir aussi : *Snider, supra* note 50 ; *Waldron, supra* note 52 ; *Débats de la Chambre des lords, supra* note 47.

90. *Whitlam, supra* note 76 à la p. 47.

91. *United States v. Nixon*, 418 U.S. 683 (1974) [*Nixon*].

pénale, le président Nixon a revendiqué une immunité absolue pour éviter la production de ces renseignements. Il se fondait sur le principe de la séparation des pouvoirs consacré par la Constitution américaine[92]. La revendication a été rejetée par la Cour suprême des États-Unis qui a conclu que l'immunité était relative, et non absolue, et qu'elle pouvait être écartée dans l'intérêt public. La Cour a également précisé qu'il incombait au pouvoir judiciaire, à titre d'interprète ultime de la Constitution, de définir quelle devait être la portée de cette immunité[93]. Dans cette cause, la Cour a jugé qu'il fallait donner préséance à l'intérêt public à ce que les infractions fassent l'objet de poursuites plutôt qu'à l'intérêt concurrent voulant que les secrets présidentiels soient protégés. La revendication générale de l'immunité par le président a donc été rejetée compte tenu du [TRADUCTION] « besoin précis et bien établi que le tribunal dispose des éléments de preuve visés dans le cadre d'un procès criminel en cours[94] ».

En dépit des différences entre le système présidentiel américain et le système parlementaire de type Westminster, cette affirmation s'appliquait par analogie dans l'affaire *Whitlam*. Dans les deux causes, il s'agissait d'allégations selon lesquelles les plus hauts dirigeants de pays avaient participé à la commission d'un crime dans l'exercice de leurs fonctions. Les éléments de preuve qui pouvaient fonder les allégations étaient contenus dans des documents dont la branche exécutive de l'État avait le contrôle et divers membres de cet exécutif faisaient l'objet d'enquêtes. L'objection de l'exécutif à la production des éléments de preuve en question était fondée sur une revendication relative à la catégorie de documents par opposition à une revendication relative à leur contenu. La nécessité de préserver les secrets du Cabinet et du président ne semblait pas l'emporter sur le besoin spécifique des éléments de preuve pour les poursuites pénales. Accueillir l'objection aurait privé le poursuivant d'éléments dont il avait besoin pour faire sa preuve et ainsi miné la fonction principale des tribunaux, dans un

---

92.   *Ibid.* aux p. 706-707.
93.   *Ibid.*
94.   *Ibid.* à la p. 713.

système où prévaut la primauté du droit. La confiance du public dans la saine administration de la justice exige que la preuve soit présentée au tribunal de telle sorte que les accusations criminelles puissent être traitées. La décision d'autoriser ou non la production des éléments de preuve ne pouvait être confiée à ceux qu'on accusait d'avoir commis l'infraction. Elle ne pouvait pas non plus être confiée à leurs alliés ou à leurs adversaires politiques.

Cela dit, ces deux causes étaient similaires, sans être identiques. Un élément distinctif concernait la preuve préliminaire de la faute présentée par les procureurs au soutien des accusations qu'ils avaient portées. Dans l'affaire *Nixon*, c'est un grand jury qui avait porté les accusations sur la base d'éléments de preuve préliminaires, présentés par le procureur spécial, qui étayaient les allégations contre les accusés. De plus, l'assignation à comparaître délivrée par le procureur spécial exigeait la production d'enregistrements audio et de documents relatifs à des réunions précises auxquelles avait participé le président. Le procureur spécial avait été en mesure de préciser le moment et l'endroit où les réunions avaient eu lieu ainsi que l'identité des personnes présentes, et ce, grâce à d'autres éléments de preuve. Les accusations étaient donc étayées par une certaine preuve et la demande de production était précise. À l'inverse, dans l'affaire *Whitlam*, le poursuivant n'était pas tenu de présenter une preuve préliminaire contre les accusés avant de déposer des accusations. Il comptait plutôt sur la production des documents pour obtenir la preuve dont il avait besoin pour étayer ses allégations.

Un autre élément distinctif concernait le traitement des documents par les tribunaux. Après avoir conclu que l'immunité était relative et que l'exercice qui consistait à soupeser et à mettre en balance les différents intérêts en jeu semblait militer pour la production, la Cour suprême des États-Unis a décidé que les enregistrements audio et les documents devraient être examinés par un juge à huis clos et *ex parte*. L'examen viserait à recenser les extraits pertinents et admissibles qui pourraient ensuite être remis au procureur spécial. À l'inverse, la Haute Cour d'Australie a levé sans examen le secret qui protégeait les documents du Conseil exécutif[95]. Cette approche était justifiée pour les documents qui avaient déjà été déposés à l'une ou l'autre des chambres du Parlement, puisque cette publication antérieure avait réduit l'immunité qui les visait à néant[96]. Elle n'était toutefois pas justifiée pour les autres documents, puisqu'il n'y avait aucun moyen de savoir s'ils contenaient des éléments susceptibles de prouver la commission d'un crime.

Deux conclusions peuvent être tirées de l'arrêt *Whitlam*. D'abord, la Haute Cour a eu raison de décider que l'immunité du Cabinet est relative et qu'elle peut être écartée. La justification qui sous-tend la règle ne soutient pas l'existence d'une immunité absolue sans égard au passage du temps et à la nature des procédures. La portée de la doctrine de l'immunité du Cabinet reconnue par la common law est donc compatible avec la portée des conventions sur le secret ministériel[97]. Ensuite, la Haute Cour a commis une erreur en ordonnant la production des documents du Conseil exécutif sans les examiner au préalable pour évaluer leur degré de pertinence. Peu après, le juge du procès a libéré les accusés des chefs d'accusation parce que le poursuivant [TRADUCTION] «n'avait présenté aucune preuve préliminaire convaincante de leur culpabilité[98]». Cela donne à penser que les documents dont la production avait été requise ne contenaient aucune preuve de la commission d'un crime. Il est déraisonnable d'ordonner la production de documents si la demande à cet égard est fondée sur des allégations non étayées: [TRADUCTION] «En n'exigeant pas l'examen préliminaire des documents, le tribunal a peut-être ouvert la voie à des actions ou à des poursuites qui ne sont en fait que des parties de pêche menées par des adversaires politiques du gouvernement en place[99]». Le risque est moins grand en matière pénale, puisqu'il

---

95. Les documents du Conseil exécutif, contrairement à ceux du Conseil de prêt, n'ont pas fait l'objet d'un examen.
96. C'est pourquoi le gouvernement ne s'est pas opposé à leur production. Voir: *Whitlam*, *supra* note 76 aux p. 44-45, 64, 100-101. Voir aussi: *Robinson*, *supra* note 6 à la p. 718.
97. Les limites conventionnelles au secret ministériel sont discutées au chapitre 1, *supra*, section 2.
98. Susan Campbell, «Recent Cases» (1979) 53 *Austl. L.J.* 212 à la p. 212.
99. Eagles, *supra* noté 68 à la p. 276.

est rare que des citoyens prennent l'initiative, à titre privé, de poursuivre de hauts dirigeants au criminel. Le risque est toutefois beaucoup plus grand dans le contexte de poursuites civiles, qui peuvent être intentées plus facilement contre le gouvernement.

1.2.2   La portée de l'immunité du Cabinet dans les ressorts de type Westminster

Si l'arrêt *Conway* a réaffirmé le principe du contrôle judiciaire pour les revendications d'IIP, l'arrêt *Whitlam* a clairement étendu le principe aux revendications d'immunité du Cabinet. L'arrêt *Whitlam* a constitué [TRADUCTION] « la dernière étape de l'établissement du concept fondamental selon lequel l'action de l'administration est susceptible de contrôle judiciaire[100] ». La phase suivante dans l'évolution du concept d'« immunité du Cabinet » a consisté à juger du degré de déférence dont les tribunaux devraient faire preuve en présence de revendications d'immunité du Cabinet. La présente sous-section offre une analyse comparée de la portée de l'immunité du Cabinet après le prononcé de l'arrêt *Whitlam* en mettant l'accent sur les décisions des tribunaux de dernière instance du Royaume-Uni, de l'Australie, de la Nouvelle-Zélande et du Canada. On peut déceler deux approches. Le Royaume-Uni et l'Australie ont préconisé une approche non interventionniste, selon laquelle les documents du Cabinet sont présumés protégés par l'immunité, et il incombe au plaideur de démontrer pourquoi ils devraient être produits. La Nouvelle-Zélande et le Canada ont préconisé une approche interventionniste selon laquelle les documents du Cabinet ne sont pas présumés protégés par l'immunité, et il incombe au gouvernement de démontrer pourquoi ils ne devraient pas être produits. La première approche favorise l'intérêt du bon gouvernement, tandis que la seconde favorise l'intérêt de la justice.

---

100.   Dennis Pearce, « Of Ministers, Referees and Informers—Evidence Inadmissible in the Public Interest » (1980) 54 *Austl. L.J.* 127 à la p. 133.

1.2.2.1 L'approche non interventionniste

Les arrêts *Burmah Oil Co. v. Bank of England*[101] et *Air Canada v. Secretary of State for Trade (No. 2)*[102] sont les deux décisions les plus pertinentes du droit anglais. Il n'y a pas été question de [TRADUCTION] «circonstances très spéciales» comme dans les arrêts *Nixon* et *Whitlam*; il s'agissait plutôt de procédures civiles dans le cadre desquelles on a allégué que le gouvernement avait agi de manière répréhensible, mais non criminelle.

Dans l'affaire *Burmah Oil*, le gouvernement a été accusé de conduite abusive. Burmah Oil avait vendu ses actions de British Petroleum au gouvernement à un très bas prix pour éviter la faillite. Peu après la conclusion de l'entente, le prix des actions a considérablement augmenté. Burmah Oil a cherché à faire annuler la vente en faisant valoir que le gouvernement avait tiré un avantage indu de ses difficultés financières. À l'étape de la communication de la preuve, Burmah Oil a demandé à avoir accès à des documents émanant des hautes sphères de l'État afin de prouver que certains officiers publics avaient jugé l'entente inéquitable[103].

Dans l'affaire *Air Canada*, le gouvernement était accusé de conduite illégale. Il avait décidé d'augmenter les redevances d'atterrissage à l'aéroport d'Heathrow pour financer de nouvelles infrastructures. Un groupe de compagnies aériennes a contesté la décision en invoquant que l'augmentation était illégale au regard de la loi applicable, parce qu'elle était imposée pour réduire les emprunts du secteur public, un motif qui n'était pas reconnu par la loi. À l'étape de la communication de la preuve, les compagnies aériennes ont cherché à avoir accès à des documents pour faire la preuve de ce qui avait motivé la décision du gouvernement[104].

Dans les deux cas, l'État a communiqué de nombreux documents liés aux questions en litige, mais il s'est opposé à la production de certains d'entre eux en faisant valoir une revendication

---

101.   *Burmah Oil Co. v. Bank of England*, [1979] UKHL 4, [1980] A.C. 1090 [*Burmah Oil*].

102.   *Air Canada v. Secretary of State for Trade (No. 2)*, [1983] 2 A.C. 394 [*Air Canada*].

103.   *Burmah Oil, supra* note 101 aux p. 1090-1091.

104.   *Air Canada, supra* note 102 aux p. 394-395.

fondée sur la catégorie. La question à trancher était celle de savoir si la production de documents à première vue pertinents était nécessaire au règlement équitable des litiges. Cela soulevait la question préliminaire de savoir quand les tribunaux devraient exercer leur pouvoir d'examiner des documents visés par une revendication d'immunité. La Chambre des lords a affirmé qu'un tribunal ne devrait pas examiner les documents, à moins que la partie qui sollicite leur production ne l'ait convaincue qu'ils contiennent très probablement des renseignements qui étayeraient considérablement ses allégations. Dans l'affaire *Burmah Oil*, les juges majoritaires de la Chambre des lords ont conclu, à 4 contre 1, que Burmah Oil s'était acquitté de son fardeau. En revanche, dans l'affaire *Air Canada*, elle a conclu à l'unanimité que les compagnies aériennes n'y étaient pas parvenues. En définitive, après avoir examiné les documents dans l'affaire *Burmah Oil*, la Chambre des lords a conclu que leur production n'était pas nécessaire.

Dans ni l'une ni l'autre de ces causes la Chambre des lords n'a-t-elle pris la position que les documents du Cabinet jouissaient d'une immunité absolue qui les soustrayait au contrôle judiciaire, surtout considérant que le gouvernement [TRADUCTION] « n'était pas un observateur indifférent d'événements auxquels il ne prenait aucunement part[105] ». Dans l'arrêt *Burmah Oil*, lord Keith a affirmé que « ce serait aller trop loin que d'affirmer qu'il ne faudrait [jamais] ordonner la production de quelque document [du Cabinet] […] que ce soit[106] ». Lord Scarman, pour sa part, n'a pas « accepté qu'il existe certaines catégories de documents qui, aussi inoffensif que soit leur contenu et aussi fort que soit l'impératif de justice, ne peuvent être communiqués sous aucun prétexte jusqu'à ce qu'ils ne présentent plus qu'un intérêt historique[107] ». Sans être totalement à l'abri d'une production, les documents du Cabinet devraient, aux dires de lord Wilberforce, bénéficier d'un degré de protection élevé en raison de justifications liées à la franchise et à l'efficacité. En effet, selon lui, il n'appartient pas « aux tribunaux

---

105. *Burmah Oil, supra* note 101 à la p. 1128.
106. *Ibid.* à la p. 1134.
107. *Ibid.* à la p. 1144.

de faire la promotion d'un gouvernement ouvert[108] ». Lord Fraser a subséquemment confirmé cette approche dans l'arrêt *Air Canada* : [TRADUCTION] « Je ne crois pas que même les procès-verbaux des réunions du Cabinet soient totalement à l'abri de la divulgation [...] [cela dit], il faut leur accorder un degré élevé de protection contre la divulgation[109] ». En somme, en décidant que les documents du Cabinet étaient présumés protégés sur le fondement des raisons liées à la franchise et à l'efficacité, et en imposant le fardeau de la justification à la partie qui sollicite la production, la Chambre des lords a adopté une approche non interventionniste.

En Australie, les tribunaux ont également fait preuve d'un degré élevé de déférence à l'égard des secrets du Cabinet. En fait, l'approche australienne quant à l'immunité du Cabinet tire son origine d'une interprétation conjointe des arrêts *Lanyon* et *Whitlam* : le premier a établi que les documents du Cabinet ne devraient pas être produits, sauf dans des « circonstances très spéciales » ; le second a donné un exemple de circonstances de ce type. Dans l'affaire ultérieure *Whitlam v. Australian Consolidated Press Ltd.*[110], où le tribunal a fait droit à la demande de l'ancien premier ministre qui cherchait à ne pas répondre à certaines questions sur la teneur des délibérations durant les réunions du Cabinet, le juge en chef Blackburn a adopté une approche non interventionniste. Ce dernier a insisté sur le fait que [TRADUCTION] « le secret ministériel est un élément essentiel de la structure du gouvernement façonné par plusieurs siècles d'expérience politique. Porter atteinte à ce secret sans justification solide constituerait du vandalisme, le rejet insoucieux des fruits de la civilisation[111] ».

La plus importante décision postérieure à l'arrêt *Whitlam* a été celle de la Haute Cour dans l'arrêt *The Commonwealth v. Northern Land Council*[112]. Le Northern Land Council, un groupe de défense

---

108. *Ibid.* à la p. 1112 (lord Wilberforce). *Contra ibid.* aux p. 1134-1135 (lord Keith).

109. *Air Canada*, *supra* note 102 à la p. 432.

110. *Whitlam v. Australian Consolidated Press Ltd.* (1985), 73 F.L.R. 414 [*Australian Consolidated Press*].

111. *Ibid.* à la p. 422.

112. *The Commonwealth v. Northern Land Council*, [1993] H.C.A. 24, 176 C.L.R. 604 [*Northern Land Council*].

des droits des Autochtones, sollicitait la résiliation d'une entente conclue avec le gouvernement relativement à l'exploitation minière d'uranium sur certaines terres. Il soutenait que les ministres ayant participé aux négociations avaient agi de manière abusive, en violation de leurs obligations fiduciales. À l'étape de la communication de la preuve, le gouvernement a donné au demandeur accès aux comptes rendus officiels des décisions du Cabinet, mais pas aux documents faisant état des délibérations préalables à la prise de ces décisions. Les délibérations avaient été consignées dans 126 cahiers de notes totalisant des milliers de pages. Le demandeur a sollicité l'accès aux cahiers de notes pour trouver des éléments de preuve qui étayeraient sa cause. Dans une décision à 6 contre 1, les juges majoritaires de la Haute Cour ont accueilli la revendication d'immunité sans même examiner les documents[113].

La Haute Cour a reconnu la justification conventionnelle du secret ministériel. Elle a conclu que le principe de la responsabilité ministérielle collective [TRADUCTION] « ne pourrait survivre, en pratique, si les délibérations du Cabinet ne restaient pas confidentielles » et elle a incorporé aux règles de droit relatives à l'immunité du Cabinet la justification politique de la convention sur le secret : « il est dans l'intérêt public que les délibérations du Cabinet restent confidentielles de manière à ce que les membres du Cabinet puissent échanger des opinions divergentes tout en maintenant le principe de la responsabilité collective quant à toute décision pouvant être prise[114] ».

Le demandeur voulait avoir accès à [TRADUCTION] « des documents qui consignaient les délibérations mêmes du Cabinet » (secrets fondamentaux) par opposition à « des documents préparés en prévision d'une réunion du Cabinet [...] pour aider aux travaux qui s'y dérouleraient » (secrets périphériques)[115]. Les renseignements consignés dans les cahiers de notes du Cabinet avaient servi à la rédaction des comptes rendus officiels des décisions du

---

113. *Ibid.* aux p. 604-612.
114. *Ibid.* à la p. 615.
115. *Ibid.* à la p. 614. On discute de la distinction entre les « secrets fondamentaux » et les « secrets périphériques » au chapitre 1, *supra*, section 1.1.1.2.

Cabinet ; ils ne constituaient toutefois pas une transcription exacte des paroles prononcées durant les discussions. Ils pouvaient donc donner au lecteur un portrait incomplet ou inexact de ce qui s'était dit dans la salle du Cabinet. Même si les événements s'étaient déroulés plus d'une décennie auparavant, le sujet était encore considéré comme d'actualité ou controversé. Ainsi, les cahiers de notes étaient [TRADUCTION] « [des] documents qui consignaient les délibérations du Cabinet relativement à des questions d'actualité ou controversées[116] ». Il s'agit de la catégorie la plus sensible de documents du Cabinet.

Se fondant sur l'arrêt *Lanyon*, la Haute Cour a décidé qu'il faudrait des [TRADUCTION] « circonstances très spéciales » pour passer outre l'immunité et a exprimé des doutes quant au fait que la production de tels documents « puisse un jour être justifiée dans le cadre de procédures civiles »[117]. Le degré de préjudice que pourrait causer la publication de secrets fondamentaux toujours d'actualité ou controversés est tel qu'il est improbable que l'immunité puisse être repoussée, sauf lorsqu'il est nécessaire de faire la lumière sur des allégations crédibles d'actes criminels. Les allégations formulées contre le gouvernement dans l'affaire *Northern Land Council* n'avaient pas ce degré de gravité. De plus, la Haute Cour était d'avis que le demandeur ne pouvait pas, logiquement, dépendre des cahiers de notes du Cabinet pour prouver des actions ou des omissions qui auraient eu lieu « hors de la salle du Cabinet[118] ». Même si les cahiers de notes étaient liés aux questions en litige, il était improbable qu'ils contiennent des éléments de preuve « cruciaux ». En conséquence, le demandeur ne s'était pas acquitté du fardeau qui lui incombait de convaincre la Haute Cour d'examiner les documents.

Dans l'arrêt *Northern Land Council*, la Haute Cour a adopté une approche non interventionniste relativement à des documents qui consignaient des secrets fondamentaux. Aurait-elle adopté la même approche advenant le cas où le demandeur avait sollicité

---

116. *Northern Land Council*, *supra* note 112 à la p. 617.
117. *Ibid.* à la p. 618.
118. *Ibid.* à la p. 620.

l'accès à des documents faisant état de secrets périphériques? On l'ignore. Avant cet arrêt, certains tribunaux d'instance inférieure avaient choisi une approche interventionniste lorsqu'il avait été question de secrets périphériques[119]. Or, ces causes étaient incompatibles avec l'arrêt *Lanyon*, où la Haute Cour avait refusé d'ordonner la production de secrets de ce type en l'absence de « circonstances très spéciales ». Tant que cette décision ne sera pas infirmée par la Haute Cour, il est raisonnable d'anticiper que les tribunaux adopteront une approche non interventionniste à l'égard des revendications d'immunité du Cabinet, et ce, que les documents en cause révèlent des secrets fondamentaux ou périphériques[120].

1.2.2.2 L'approche interventionniste

En Nouvelle-Zélande, durant une période de huit ans, soit de 1977 à 1985, les tribunaux ont adopté des approches qui sont allées d'un extrême à l'autre. Comme dans les autres ressorts que nous avons étudiés, avant l'arrêt *Whitlam*, la Cour d'appel de la Nouvelle-Zélande accordait un caractère absolu à l'immunité du Cabinet[121]. C'était à l'époque où la suprématie de l'exécutif était encore la règle eu égard aux secrets du Cabinet. Par la suite, soit après l'arrêt *Whitlam*, elle a d'abord adopté une approche non interventionniste[122], pour ensuite préconiser l'approche interventionniste[123]. Ce changement d'attitude était le résultat direct d'un mouvement plus large vers une plus grande transparence du gouvernement en Nouvelle-Zélande à la suite de l'adoption de l'*Official*

---

119. Voir: *Harbours Corporation of Queensland v. Vessey Chemicals Pty. Ltd.*, [1986] F.C.A. 292; *Hooker Corporation Ltd. v. Darling Harbour Authority* (1987), 9 N.S.W.L.R. 538 (S.C.).

120. Voir: *Spencer v. Commonwealth of Australia*, [2012] FCAFC 169; *State of New South Wales v. Ryan* (1998), 101 LGERA 246 (F.C.A.). Voir aussi: *Kamasaee v. Commonwealth of Australia (No. 3)*, [2016] VSC 438; *Kamasaee v. Commonwealth of Australia (No. 5)*, [2016] VSC 595; *Victoria v. Seal Rocks Victoria (Australia) Pty. Ltd. (No. 2)*, [2001] VSC 249.

121. *Tipene v. Apperley*, [1978] 1 N.Z.L.R. 761 aux p. 764-765 (C.A.).

122. *Environmental Defence Society Inc. v. South Pacific Aluminium Ltd. (No. 2)*, [1981] 1 N.Z.L.R. 153 (C.A.).

123. *Fletcher Timber Ltd. v. Attorney-General*, [1984] 1 N.Z.L.R. 290 (C.A.) [*Fletcher Timber*].

Information Act 1982[124]. Auparavant, la confidentialité officielle avait été la règle, et l'accès public aux renseignements, l'exception. L'adoption de la loi a inversé l'essence du droit à cet égard. Ce facteur, conjugué à la croissance de l'étendue des activités étatiques dans la sphère commerciale (dont les effets ont été profondément ressentis dans un petit État comme la Nouvelle-Zélande), se profilait en arrière-plan.

Dans *Fletcher Timber*, l'arrêt qui fait autorité, une compagnie avait poursuivi le gouvernement pour violation d'un accord sur la coupe de bois et pour déclarations inexactes faites par négligence après l'adoption par le gouvernement d'une nouvelle politique qui limitait le droit de récolter du bois. Durant le processus de communication de la preuve, le gouvernement a admis que certains documents du Cabinet [TRADUCTION] « étaient liés » aux questions en litige, mais il s'est opposé à leur production en invoquant l'immunité du Cabinet. Comme dans les arrêts *Burmah Oil* et *Air Canada*, il s'agissait de décider quand un tribunal devrait exercer son pouvoir d'examiner les documents afin de déterminer si leur production devait être ordonnée[125].

La Cour d'appel de la Nouvelle-Zélande a conclu que lorsque les documents visés par une revendication d'immunité sont « liés » aux questions en litige, le tribunal devrait normalement les examiner pour évaluer les aspects divergents de l'intérêt public. La partie qui sollicite la production n'a pas le fardeau de démontrer que les documents contiennent très probablement des renseignements qui étayeraient considérablement ses allégations. Il incombe plutôt au gouvernement de convaincre le tribunal de ne pas examiner les documents. Pour s'acquitter de ce fardeau, le gouvernement doit fournir une attestation ministérielle expliquant « suffisamment en détail » pourquoi le degré de préjudice est supérieur au degré de pertinence dans les circonstances de la cause[126]. Bien que le tribunal doive faire preuve de déférence envers l'attestation ministérielle, [TRADUCTION] « l'influence de la courtoisie ne

---

124. *Official Information Act 1982* (N.Z.), 1982/156.

125. *Fletcher Timber, supra* note 123 aux p. 290-291.

126. *Ibid.* à la p. 295.

doit pas permettre qu'une conclusion ministérielle se substitue à la décision éclairée d'un tribunal[127]». Si, après avoir lu l'attestation, le tribunal a un «doute» ou est «incertain» lorsque vient le temps de situer l'intérêt public, il devrait examiner les documents[128].

Dans l'affaire *Fletcher Timber*, l'attestation ministérielle ne contenait pas suffisamment de renseignements pour convaincre la Cour d'appel de ne pas examiner les documents. Elle a donc procédé à cet examen et ordonné la production des documents en question. La nécessité de la production des documents du Cabinet dans ce cas n'allait toutefois pas de soi. Il n'était pas clair que les documents en cause étaient susceptibles d'étayer les allégations de violation de contrat et de déclarations inexactes faites par négligence. Les faits reprochés, en les tenant pour avérés, seraient en effet survenus hors de la salle du Cabinet. En ordonnant la production des documents du Cabinet dans ce contexte, la Cour d'appel a fait preuve de fort peu de déférence envers la position du gouvernement. Ce manque de déférence peut s'expliquer par le fait que la Cour d'appel n'a pas pleinement reconnu les raisons justifiant l'existence du secret ministériel. Quoi qu'il en soit, cet arrêt a eu une influence considérable sur la Cour suprême du Canada.

Au Canada, à l'ordre provincial, l'évolution de la doctrine de l'immunité du Cabinet peut se décliner en trois phases : la période où le droit n'était pas arrêté (avant 1986), l'adoption d'une approche interventionniste dans l'arrêt *Carey c. Ontario*[129], et le déclin de l'immunité du Cabinet (après 1986). Durant la première période, les tribunaux ont suivi différentes approches relativement à l'immunité du Cabinet. Certains la traitaient comme une immunité absolue[130], d'autres comme une immunité relative. Parmi ceux qui ont adopté la seconde de ces approches, certains ont choisi l'approche non interventionniste[131], d'autres l'approche

---

127. *Ibid.* à la p. 296.

128. *Ibid.* aux p. 295, 297, 302, 308.

129. *Carey c. Ontario*, [1986] 2 R.C.S. 637 [*Carey*].

130. Voir : *R. in Right of Saskatchewan v. Vanguard Hutterian Brethren Inc.*, [1979] 4 W.W.R. 173 (Sask. C.A.).

131. Voir : *Mannix v. The Queen in Right of Alberta* (1981), 126 D.L.R. (3ᵉ) 155 (Alta. C.A.) ; *Somerville Belkin Industries Limited v. Government of Manitoba*, [1985]

interventionniste[132]. L'affaire *Smallwood c. Sparling*[133] est la plus pertinente de cette période. Joseph Roberts Smallwood, un ancien premier ministre de Terre-Neuve, avait été sommé de comparaître pour témoigner dans le cadre d'une commission d'enquête sur la compagnie Canadian Javelin Limited. Monsieur Smallwood a contesté l'assignation à comparaître, faisant valoir que tout renseignement qu'il pouvait détenir relativement à la compagnie avait été porté à sa connaissance en sa qualité officielle et était donc protégé par l'immunité du Cabinet. La Cour suprême du Canada a jugé que la revendication d'immunité présentée par M. Smallwood était trop large et prématurée, puisqu'à ce moment, on ne savait pas quelles questions seraient posées et qu'on ne pouvait tenir pour acquis que les renseignements en cause devraient être protégés, de manière préventive, dans l'intérêt public. La juge Wilson a reconnu que l'immunité du Cabinet était relative, et non absolue, et elle a souligné que « M. Smallwood ne peut décider de sa propre immunité », puisque cette tâche incombe aux tribunaux[134]. En l'occurrence, la juge Wilson n'a pas eu à décider si certains secrets spécifiques du Cabinet devaient ou non être divulgués. Bien qu'il soit important, l'arrêt *Smallwood* n'a toutefois pas clarifié si la Cour suprême adopterait l'approche non interventionniste ou l'approche interventionniste à l'égard des revendications d'immunité du Cabinet. Cette question a été tranchée par la suite dans l'arrêt *Carey*.

Monsieur Carey réclamait 6 millions de dollars canadiens au gouvernement de l'Ontario en lien avec l'exploitation et la vente du Minaki Lodge, un centre de villégiature situé au nord-ouest de l'Ontario. Le centre avait été fermé en 1970 après la découverte de

---

5 W.W.R. 316 (Man. Q.B.) ; *New Brunswick Telephone Company Ltd. v. New Brunswick (Minister of Municipal Affairs)* (1981), 33 N.B.R. (2ᵉ) 238 (Q.B.) ; *British Columbia Medical Association v. The Queen in Right of British Columbia* (1983), 144 D.L.R. (3ᵉ) 374 (B.C.S.C.) ; *MacMillan Bloedel Ltd. v. The Queen in Right of British Columbia* (1984), 16 D.L.R. (4ᵉ) 151 (B.C.S.C.).

132. *Manitoba Development Corp. v. Columbia Forest Products Ltd.* (1973), 43 D.L.R. (3ᵉ) 107 (Man. C.A.) ; *Gloucester Properties Ltd. v. The Queen in Right of British Columbia* (1982), 129 D.L.R. (3ᵉ) 275 (B.C.C.A.).

133. *Smallwood c. Sparling*, [1982] 2 R.C.S. 686.

134. *Ibid.* à la p. 708.

la contamination au mercure des rivières adjacentes. Un an plus tard, pour stimuler l'économie régionale, un ministre a convaincu M. Carey d'acheter, de réparer et de rouvrir le centre. À cette fin, M. Carey a obtenu un prêt de 550 000 dollars canadiens de la Société de développement de l'Ontario (ci-après « SDO »). Après deux ans à subir des pertes d'exploitation considérables, M. Carey a été informé qu'il avait deux options : la cession de son intérêt dans le Minaki Lodge à la SDO ou la faillite. Il a choisi la première option, puis il a intenté un recours dans lequel il a fait valoir, d'une part, que le gouvernement avait violé un contrat verbal selon lequel il devait être dédommagé pour ses pertes d'exploitation et, d'autre part, que la cession avait été abusive. L'avocat de M. Carey a assigné le secrétaire du Cabinet à comparaître au procès et à produire tous les documents du Cabinet se rapportant aux procédures. L'État a invoqué l'immunité du Cabinet pour s'opposer à l'assignation à comparaître[135].

Cette objection a donné lieu à quatre ans de procédures durant lesquels tous les niveaux de tribunaux ont émis des commentaires sur la doctrine de l'immunité du Cabinet. L'éventail des interprétations était vaste. Le juge Catzman de la Haute Cour de justice de l'Ontario a noté que le droit n'était pas arrêté sur la question et a annulé l'assignation à comparaître sans examiner les documents. Il a ainsi traité l'immunité comme si elle était absolue[136]. En Cour divisionnaire de l'Ontario, le juge White a rejeté le caractère absolu de l'immunité et a préconisé l'approche non interventionniste appliquée dans l'arrêt *Lanyon*. Cela dit, selon lui, les « circonstances très spéciales » requises pour faire échec à l'immunité relative n'étaient pas limitées aux allégations d'actes criminels, comme ceux dont il avait été question dans les arrêts *Nixon* et *Whitlam* ; elles incluaient également les allégations [TRADUCTION] « de méfait, de mauvaise exécution, d'inaction, d'irrégularité ou de toute autre conduite irrégulière reprochée aux membres du Cabinet ou à des personnes relevant du Cabinet, conduite dont

---

135. *Carey, supra* note 129 aux p. 640-643.
136. *Carey v. The Queen in Right of Ontario* (1982), 38 O.R. (2ᵉ) 430 (Ont. H.C.).

mais il a affirmé qu'il était « facile d'en exagérer l'importance » et ne lui a reconnu qu'« un certain poids »[144]. Cependant, même si la justification fondée sur la franchise n'étaye pas l'existence d'une immunité absolue pour les documents de moindre importance qui révèlent les opinions de fonctionnaires, elle étaye bel et bien l'existence d'une immunité relative pour les documents émanant des hautes sphères de l'État qui révèlent les opinions des ministres. La confidentialité a toujours été reconnue par les tribunaux, sans qu'il soit nécessaire de la confirmer de manière empirique, comme une condition essentielle à la préservation de la franchise des discussions entre un avocat et son client, à celle entre jurés et à celle entre juges[145]. Pourquoi faudrait-il en douter pour les délibérations du Cabinet ? Il y aurait plutôt lieu de reconnaître à la justification fondée sur la franchise non seulement « un certain poids », mais tout le poids qui lui revient.

Troisièmement, le juge La Forest a donné aux plaideurs une clé maîtresse pour accéder à la salle du Cabinet. Il leur suffit d'alléguer une « conduite peu scrupuleuse de la part du gouvernement ». Les allégations de M. Carey de violation de contrat et de conduite abusive militaient pour la production, et d'autres décisions ont depuis étendu le sens de « conduite peu scrupuleuse de la part du gouvernement » aux allégations de conduite délictuelle[146]. Si cette approche était la bonne, les plaideurs pourraient avoir accès aux documents du Cabinet dans toutes les poursuites civiles où il est allégué que le gouvernement s'est mal comporté, même si son action ou son omission ne semble pas particulièrement grave. Il ne peut en être ainsi, puisque cette approche annihilerait l'immunité du Cabinet. Pour qu'elles aient une incidence sur l'issue du processus d'examen, les allégations de « conduite peu scrupuleuse de

---

144. *Carey, supra* note 129 à la p. 657.

145. Pour les discussions entre un avocat et son client, voir : *Blank c. Canada (Ministre de la Justice)*, 2006 CSC 39, [2006] 2 R.C.S. 319 au para. 26. Pour les délibérations des jurys, voir : *R c. Pan ; R c. Sawyer*, 2001 CSC 42, [2001] 2 R.C.S. 344 au para. 50. Finalement, pour les délibérations judiciaires, voir : *Ontario (Sûreté et Sécurité publique) c. Criminal Lawyers' Association*, 2010 CSC 23, [2010] 1 R.C.S. 815 au para. 40.

146. Voir : *Leeds v. Alberta (Minister of the Environment)* (1990), 69 D.L.R. (4e) 681 (Alta. Q.B.) [*Leeds*].

la part du gouvernement» devraient être étayées par une preuve préliminaire convaincante. De plus, les tribunaux devraient établir une distinction entre les divers types de conduite peu scrupuleuse selon leur degré de gravité (de la violation d'un contrat ou d'une conduite délictuelle à une conduite illégale ou un acte criminel). Il ne devrait pas suffire qu'un plaideur formule une allégation non étayée de violation de contrat contre le gouvernement pour qu'il obtienne libre accès aux documents du Cabinet.

En raison de ces faiblesses, l'intérêt public n'a pas été adéquatement soupesé ni mis en balance. À la suite de la décision de la Cour suprême du Canada, les documents ont été renvoyés à la Haute Cour pour examen. Le juge Catzman a rejeté la revendication du gouvernement selon laquelle les documents n'étaient pas pertinents et a ordonné leur production [TRADUCTION] «sans exception et sans caviardage[147]». Les documents du Cabinet ont été déposés au procès et les ministres ont témoigné; la teneur des délibérations du Cabinet a été publiée dans les journaux[148]. Dans ses motifs, le juge Holland a cité des extraits des documents du Cabinet, y compris des notes relatives à une réunion qui relataient des discussions et des débats entre les ministres sur l'opportunité pour le gouvernement de reprendre le contrôle du Minaki Lodge. Les documents contenaient-ils des renseignements qui étayaient les allégations de M. Carey de violation de contrat et de conduite abusive? Il faut déduire du rejet des allégations sur le fond par le juge Holland que tel n'était pas le cas[149]. S'il est vrai que les documents avaient un lien avec la cause, ils ne contenaient aucun élément de preuve probant ou important. Cela donne à penser que la Haute Cour a possiblement mal évalué le degré de pertinence des

---

147. Harold Levy, «How one man beat government secrecy», *Toronto Star* (10 juillet 1987) A21.

148. Rick Haliechuk, «Cabinet notes on Minaki lodge presented in lawsuit», *Toronto Star* (13 janvier 1988) A19; Rick Haliechuk, «Secret cabinet files stall Minaki hearing», *Toronto Star* (20 janvier 1988) A18; Rick Haliechuk, «Judge orders Tory's papers produced for Minaki suit», *Toronto Star* (10 mai 1988) A22; Susan Reid, «Ex-cabinet minister says Minaki "perks" insult his integrity», *Toronto Star* (18 mai 1988) A31; Susan Reid, «Taking over Minaki in 1974 called only option for province», *Toronto Star* (19 mai 1988) A22.

149. *Carey v. Ontario*, [1988] O.J. No. 1252 (Q.L.) (H. Ct. J.), confirmée par [1991] O.J. No. 1819 (Q.L.) (C.A.).

documents avant d'en ordonner la production pour que M. Carey puisse en prendre connaissance. En conséquence, des secrets du Cabinet ont possiblement été divulgués inutilement dans cet arrêt de principe.

Compte tenu de la décision de la Cour suprême du Canada dans l'arrêt *Carey* de préconiser l'approche interventionniste à l'égard de l'immunité du Cabinet, les gouvernements provinciaux ont eu du mal à empêcher la production de secrets du Cabinet dans le cadre de litiges. Dans les causes postérieures à cet arrêt, où l'immunité du Cabinet était un enjeu, les tribunaux ont presque systématiquement ordonné la production de secrets du Cabinet[150]. Depuis l'arrêt *Carey*, c'est la pertinence des renseignements qui est devenue le critère principal: s'ils satisfont à la norme de pertinence applicable à l'étape de la communication de la preuve, la production est ordonnée. Il est toutefois loin d'être clair que la production

---

150. Alberta: *Leeds, supra* note 146; *Pocklington Foods Inc. v. Alberta (Provincial Treasurer)* (1993), 110 D.L.R. (4ᵉ) 279 (Q.B.), mettant en œuvre *Alberta (Provincial Treasurer) v. Pocklington Foods Inc.*, [1993] 5 W.W.R. 710 (C.A.) [*Pocklington Foods*]. Colombie-Britannique: *Health Services and Support-Facilities Subsector Bargaining Association v. British Columbia*, 2002 BCSC 1509 [*Health Services*]; *British Columbia Teachers' Federation v. British Columbia*, 2010 BCSC 961; *Provincial Court Judges' Association of British Columbia v. British Columbia (Attorney General)*, 2012 BCSC 244, confirmée par 2012 BCCA 157; *British Columbia Teachers' Federation v. British Columbia*, 2013 BCSC 1216 [*BC Teachers' Federation*]; *Provincial Court Judges' Association of British Columbia v. British Columbia (Attorney General)*, 2018 BCSC 1193, confirmée par 2018 BCSC 1390, 2018 BCCA 394, autorisation de pourvoi à la Cour suprême du Canada accordée, 38381 (28 mars 2019) [*BC Provincial Judges*, 2018]. Île-du-Prince-Édouard: *Johnston v. Prince Edward Island* (1988), 73 Nfld. & P.E.I.R. 228 (S.C. (T.D.)) [*Johnston*], confirmée par (1989), 73 Nfld. & P.E.I.R. 222 (C.A.). Nouveau-Brunswick: *Enbridge Gas New Brunswick Limited Partnership v. Province of New Brunswick*, 2015 NBQB 136, infirmée par 2016 NBCA 17. Nouvelle-Écosse: *Nouvelle-Écosse (Procureur général) c. Nouvelle-Écosse (Royal Commission into Marshall Prosecution)*, [1989] 2 R.C.S. 788 [*Marshall*]; *Nova Scotia (Attorney General) v. Royal & Sun Alliance Insurance Co. of Canada* (2000), 189 N.S.R. (2ᵉ) 290 (S.C.); *Nova Scotia Provincial Judges' Association v. Nova Scotia (Attorney General)*, 2018 NSSC 13, confirmée par 2018 NSCA 83, autorisation de pourvoi à la Cour suprême du Canada accordée, 38459 (28 mars 2019) [*NS Provincial Judges*]. Nunavut: *Nunavut (Department of Community and Government Services) v. Northern Transportation Company Limited*, 2011 NUCJ 4 [*Northern Transportation*]. Terre-Neuve-et-Labrador: *Can Am Simulation Ltd. v. Newfoundland* (1994), 118 Nfld. & P.E.I.R. 35 (S.C. (T.D.)) [*Can Am Simulation*]; *Winter v. Newfoundland* (2000), 187 Nfld. & P.E.I.R. 124 (S.C. (T.D.)).

de secrets du Cabinet était nécessaire au règlement équitable de l'une ou l'autre de ces causes[151].

Même si l'arrêt *Carey* a affaibli l'immunité du Cabinet à l'ordre provincial, la doctrine demeure pertinente. Cette conclusion est fondée sur deux considérations. D'abord, durant la période postérieure à l'arrêt *Carey*, il semble que les tribunaux aient principalement ordonné la production de documents du Cabinet qui consignaient des secrets périphériques (soit des renseignements factuels et contextuels fournis au Cabinet durant le processus décisionnel), après que la décision sous-jacente ait été rendue publique par le gouvernement. Les tribunaux semblent donc avoir résisté à l'envie d'ordonner la production de secrets fondamentaux (soit ceux relatifs aux discussions et aux délibérations du Cabinet):

> [TRADUCTION] [Les] documents qui seront divulgués en application de mon ordonnance ne révèlent pas la teneur des discussions du Cabinet. Ils relatent plutôt les renseignements dont disposait le Cabinet lorsqu'il a pris des décisions. En conséquence, la divulgation de ces documents ne devrait d'aucune façon entraver les débats vigoureux qu'on s'attendrait à entendre à la table du Cabinet[152].

Cette position est compatible avec les conventions constitutionnelles et avec l'approche non interventionniste adoptée par la Haute Cour d'Australie dans l'arrêt *Northern Land Council* relativement aux secrets fondamentaux. Il est donc possible que les tribunaux décident de limiter l'approche interventionniste aux secrets périphériques, même si cette distinction n'a pas été faite explicitement dans l'arrêt *Carey*.

---

151. Il n'y a pas suffisamment de données sur l'utilisation des documents du Cabinet en tant qu'éléments de preuve dans ces causes pour tirer des conclusions solides. Toutefois, dans au moins deux causes à la suite de l'arrêt *Carey, supra* note 129, les demandeurs ont perdu sur le fond. On peut en déduire que les documents du Cabinet n'étayaient pas les allégations des demandeurs et qu'ils ont peut-être été produits inutilement. Voir: *Johnston v. Prince Edward Island* (1995), 128 Nfld. & P.E.I.R. 1 (P.E.I. S.C. (T.D.)); *Winter v. H.M.T.Q.*, 2004 NLSCTD 110.

152. *Health Services, supra* note 150 au para. 39. Voir aussi: *Johnston, supra* note 150; *BC Teachers' Federation, supra* note 150; *Anderson v. Nova Scotia (Attorney General)*, 2014 NSSC 71. Même la Commission Marshall n'a pas voulu porter atteinte au caractère confidentiel des opinions personnelles exprimées par les ministres lors des réunions du Cabinet. Voir: *Marshall, supra* note 150.

et impartial. D'autres facteurs, comme le passage du temps et la nature des procédures, militent contre la reconnaissance du caractère absolu de l'immunité du Cabinet. Cela dit, il faut reconnaître que le pouvoir exécutif détient une plus grande expertise pour évaluer le degré de préjudice que pourrait causer la production des documents à l'intérêt du bon gouvernement[157]. Si sa position mérite déférence, il n'existe toutefois pas de consensus quant au degré de déférence qui lui est dû. Les tribunaux anglais et australiens tendent à faire preuve de déférence, contrairement à ceux de la Nouvelle-Zélande et du Canada. L'approche interventionniste mène presque systématiquement à la production des documents des Cabinets provinciaux au Canada, même s'il existe une série de décisions dans lesquelles les juges ont cherché à atténuer ses conséquences. La question de la déférence est liée à la façon dont les revendications d'IIP devraient être évaluées par les tribunaux.

2.   L'ÉVALUATION JUDICIAIRE DES REVENDICATIONS D'IMMUNITÉ D'INTÉRÊT PUBLIC

Une fois ce principe accepté – soit que le pouvoir judiciaire, plutôt que le pouvoir exécutif, devrait avoir le dernier mot quant à la validité des revendications d'IIP –, il reste à déterminer comment les tribunaux devraient évaluer ces revendications, en particulier celles relatives à l'immunité du Cabinet. Cette question sera abordée dans la présente section en examinant successivement les facettes abstraites et concrètes de l'évaluation des revendications d'IIP. L'« évaluation abstraite » réfère aux étapes de la communication de la preuve et de l'objection, soit les étapes qui se déroulent avant que le juge ait vu les documents visés par l'IIP. L'« évaluation concrète » réfère aux étapes de l'examen et de la production, soit les étapes qui se déroulent après que le juge ait vu les documents visés par l'IIP. Chaque étape donne lieu à un questionnement spécifique : quelle norme de pertinence devrait régir la divulgation des documents à l'étape de la communication

---

157.   Ronald M. Lieberman, « Executive Privilege » (1975) 33:2 *U.T. Fac. L. Rev.* 181 aux p. 182-185.

de la preuve ? dans quelles circonstances les tribunaux devraient-ils examiner les documents visés par l'IIP ? quelle approche les tribunaux devraient-ils adopter pour soupeser et mettre en balance les aspects divergents de l'intérêt public ? et quand les tribunaux devraient-ils ordonner la production des documents et de quelles conditions devraient-ils assortir leurs ordonnances ? Ces questions seront étudiées sur la base d'une approche rationnelle de l'IIP qui repose sur quatre piliers : une norme étroite pour juger de l'opportunité de la communication de la preuve ; un fardeau qui incombe au pouvoir exécutif de justifier la nécessité de restreindre l'accès aux documents ; une analyse coûts-bénéfices des conséquences de la production de documents ; et une obligation pour le pouvoir judiciaire de minimiser le préjudice qui pourrait en découler.

2.1 L'évaluation abstraite des revendications d'immunité d'intérêt public

2.1.1 L'étape de la communication de la preuve : identifier les documents pertinents

Le droit substantiel relatif à l'IIP se distingue sur le plan conceptuel du droit procédural applicable à la communication de la preuve, auquel il est néanmoins lié. Les litiges portant sur l'accès à des documents du gouvernement peuvent survenir uniquement si les parties sont au courant de l'existence des documents. C'est pourquoi, suivant les règles de droit, dans le contexte de procédures civiles, chaque partie doit communiquer à l'autre, après le dépôt des actes de procédures (c'est-à-dire la requête introductive d'instance ou la défense), le fondement de ses allégations ainsi que tous les documents pertinents au litige dont elle a le contrôle. Une liste des documents doit être dressée dans un affidavit de documents, et ces derniers peuvent être examinés par la partie adverse, à moins que le détenteur des documents ne s'oppose validement à leur production. Certes, l'obligation de divulguer demeure continue durant l'instance, mais les parties s'en acquittent généralement à l'étape de la communication de la preuve. Cette étape est conçue pour favoriser le respect du droit à un procès équitable ainsi que pour ménager les ressources judiciaires, et ce, de trois façons : (1) elle permet à chaque partie de connaître la thèse de la partie adverse ainsi que la preuve que cette dernière prévoit présenter (chaque partie peut ainsi en jauger les forces et les faiblesses et préparer une réponse solide) ; (2) elle réduit le nombre de questions en litige en permettant aux parties d'obtenir l'une de l'autre des admissions de fait ; et (3) elle facilite les règlements hors cour[158].

Conformément au principe de l'accès à la preuve, les tribunaux doivent disposer pour leur recherche de la vérité de tous les éléments de preuve pertinents. Or, la pertinence ne peut être évaluée qu'en fonction des allégations formulées par les parties dans leurs actes de procédure. Le concept de « pertinence » comporte deux volets : la pertinence factuelle et la pertinence juridique. La « pertinence factuelle » réfère à la valeur probante des éléments de preuve : autrement dit, suivant la logique et l'expérience, aident-ils à prouver ou à réfuter un fait en particulier[159] ? Un élément de preuve a une valeur probante s'il rend l'existence d'un fait plus ou moins probable, ou plus ou moins susceptible d'être vrai[160]. La « pertinence juridique » réfère à l'importance des éléments de preuve : autrement dit, aident-ils à prouver ou à réfuter un fait important et à l'égard duquel les parties ne s'entendent pas[161] ? Un élément de preuve est important s'il a un lien avec un élément contesté de la cause d'action ou de la défense[162]. Seuls les éléments de preuve qui

---

158. Todd L. Archibald, James C. Morton et Corey D. Steinberg, *Discovery: Principles and Practice in Canadian Common Law*, 2ᵉ éd., Toronto, CCH, 2009 aux p. 11-12.

159. *Black's Law Dictionary*, 9ᵉ éd., *sub verbo* « relevant ».

160. Afin d'identifier un élément de preuve qui est pertinent d'un point de vue factuel, il faut se poser la question suivante : [TRADUCTION] « l'élément de preuve tend-il à prouver ou à nier l'existence du fait que l'on tente de démontrer ? » Voir : Hamish Stewart, dir., *Evidence: A Canadian Casebook*, 3ᵉ éd., Toronto, Emond Montgomery, 2012 à la p. 7 [Stewart, *Evidence*].

161. Daphne A. Dukelow, *The Dictionary of Canadian Law*, 4ᵉ éd., Toronto, Carswell, 2011, *sub verbo* « material ».

162. Afin d'identifier un fait qui est pertinent d'un point de vue juridique, il faut se poser la question suivante : [TRADUCTION] « le fait que l'élément de preuve tend à démontrer ou à nier est-il important pour établir un élément de la cause d'action, de l'infraction ou de la défense en cour ? » Voir : Stewart, *Evidence*, *supra* note 160 à la p. 7.

satisfont à ces critères de pertinence factuelle et juridique peuvent être admis au procès[163].

Compte tenu du caractère exploratoire du processus, la norme de pertinence pour la communication de la preuve ne se limite pas nécessairement à la pertinence factuelle et juridique. Deux normes peuvent être recensées : celle de l'apparence de pertinence et celle de la simple pertinence. La « norme de l'apparence de pertinence » confère la portée la plus vaste à la communication de la preuve. Selon cette norme, chaque partie doit communiquer à l'autre tout document [TRADUCTION] « lié à toute question en litige dans l'action[164] ». Les documents doivent donc être communiqués s'ils « semblent » pertinents, en ce sens qu'ils ont un lien quelconque avec les questions en litige. Les documents devant être communiqués selon cette norme appartiennent à quatre catégories : (1) les documents sur lesquels une partie entend se fonder pour prouver sa cause ; (2) les documents qui sont préjudiciables à la cause d'une partie ou qui étayent celle d'une autre partie ; (3) les documents qui ont trait à l'histoire ou au contexte de la cause, mais qui n'appartiennent pas aux catégories 1 et 2 ; et (4) les documents qui [TRADUCTION] « peuvent vraisemblablement déclencher une enquête » susceptible de mettre en lumière des documents appartenant aux catégories 1 et 2[165]. Les deux premières catégories entraînent généralement la communication d'un nombre limité de documents pertinents sur les plans tant factuel que juridique. En revanche, les deux dernières catégories entraînent habituellement la communication d'un grand nombre de documents qui ne sont pas

---

163. Edward W. Cleary, dir., *McCormick on Evidence*, 3ᵉ éd., St-Paul (Minnesota), West, 1984 à la p. 544 : [TRADUCTION] « En résumé, l'élément de preuve pertinent est un élément qui permet, dans une certaine mesure, de faire avancer l'enquête. Il est à la fois important et probant. Par conséquent, il est à première vue admissible. »

164. L'expression « ayant trait à » peut être substituée par « touchant à » ou « relatif à », le terme « quelque » par « toute » et le terme « question » par « différend » ou « problème ». Peu importe la combinaison de ces termes employés dans un ressort particulier, le critère de l'« apparence de pertinence » demeure aussi large.

165. La tristement célèbre norme des documents qui « peuvent vraisemblablement déclencher une enquête » provient de l'affaire anglaise *Compagnie Financière du Pacifique v. Peruvian Guano Co.* (1882), 11 Q.B.D. 55 à la p. 63. Pour une discussion de ce critère, voir : Harry Woolf, *Access to Justice: Interim Report to the Lord Chancellor on the Civil Justice System in England and Wales*, London, Woolf Inquiry Team, 1995, ch. 21.

pertinents sur les plans factuel et juridique, surtout dans les procès complexes où les parties ne coopèrent pas. À l'ère de l'information, où le volume de documents est plus élevé que jamais, les parties courent le risque d'être submergées par une [TRADUCTION] « pléthore d'éléments non pertinents[166] », ce qui augmente, à la fois, la durée et le coût des procès. La norme de l'apparence de pertinence, qui a été conçue pour éviter les « procès par embuscade », donne maintenant lieu à des « procès par avalanche ». Cette situation est inefficace, en plus de miner le principe de l'accès à la justice[167].

Même si l'apparence de pertinence a été la norme classique adoptée dans les ressorts de type Westminster pour fixer l'étendue de la communication de la preuve, depuis deux décennies, un mouvement vers une norme plus étroite a pris de l'importance dans certains ressorts : il s'agit de la norme de la simple pertinence. Selon la « norme de la simple pertinence », les parties en litige doivent divulguer les documents dont elles ont le contrôle, et sur lesquels elles entendent se fonder (catégorie 1), ou qui sont préjudiciables à leur cause (catégorie 2). Les documents qui fournissent un contexte (catégorie 3) et ceux qui peuvent déclencher une enquête (catégorie 4) n'ont pas à être divulgués[168]. La norme de la simple pertinence a été adoptée au Royaume-Uni, en Australie, en Nouvelle-Zélande et au Canada (à l'ordre fédéral et dans les provinces de l'Alberta, de la Nouvelle-Écosse, de l'Ontario et de la Saskatchewan), même si le libellé des diverses lois applicables n'est pas uniforme[169]. En dépit de cette évolution, il appert que

---

166. Archibald, Morton et Steinberg, *supra* note 158 à la p. 1. Voir aussi : Linda S. Abrams et Kevin P. McGuinness, *Canadian Civil Procedure Law*, 2ᵉ éd., Markham (Ontario), LexisNexis, 2010, § 13.14.

167. Woolf, *supra* note 165, ch. 21 : [TRADUCTION] « L'affaire *Peruvian Guano* a eu pour conséquence de rendre virtuellement sans limite le nombre de documents potentiellement pertinents [...] que les parties en litige et leurs avocats sont obligés de réviser et de divulguer, et que l'autre partie est obligée de lire tout en sachant que seule une infime partie de ces documents aura une incidence sur l'issue du litige. En ce sens, il s'agit d'une approche considérablement inefficace, en particulier dans les plus grands litiges. Plus ce processus est appliqué de manière consciencieuse, plus il est inefficace. »

168. *Ibid.* Voir aussi : Megan Marrie, « From a "Semblance of Relevance" to "Relevance" : Is It Really a New Scope of Discovery for Ontario ? » (2011) 37:4 *Adv. Q.* 520.

169. Royaume-Uni, *Civil Procedure Rules 1998* (R.-U.), r. 31.6 ; Australie, *Federal Court Rules 2011* (Cth.), r. 20.14(1)-20.14(2) ; Nouvelle-Zélande, *High Court Rules 2016*

les tribunaux, habitués à la norme de l'apparence de pertinence, demeurent réticents à appliquer la norme plus étroite de la simple pertinence[170]. La norme de l'apparence de pertinence est encore appliquée dans huit ressorts canadiens : la Colombie-Britannique, le Manitoba, Terre-Neuve-et-Labrador, le Nouveau-Brunswick, les Territoires du Nord-Ouest, le Nunavut, l'Île-du-Prince-Édouard et le Yukon[171]. Quelle que soit la norme de pertinence appliquée, les obligations exigées des parties durant le processus de communication de la preuve devraient rester proportionnelles à l'importance de la cause.

Le passage à la norme de la simple pertinence, dans la mesure où les tribunaux ne réinstaurent pas la norme de l'apparence de pertinence par interprétation judiciaire, constitue une évolution positive, puisqu'elle a le potentiel de réduire considérablement le nombre de litiges relatifs à l'accès aux documents du Cabinet. Selon la norme de l'apparence de pertinence, lorsque le gouvernement est

---

(N.Z.), r. 8.7 ; Canada, *Federal Courts Rules*, SOR/98-106, r. 222-223 ; Alberta, *Rules of Court*, Alta. Reg. 124/2010, r. 5.2, 5.5-5.6 ; Nouvelle-Écosse, *Civil Procedure Rules*, r. 15.02 ; Ontario, *Règles de procédure civile*, R.R.O. 1990, Règl. 194, r. 30.02(1) ; Saskatchewan, *The Queen's Bench Rules*, r. 5-6(1)(b). Pour une analyse comparée des normes de pertinence dans les ressorts de type Westminster, voir Ontario, Cour supérieure de justice et Ministère du Procureur général, *Rapport du groupe d'étude sur les enquêtes préalables en Ontario* (novembre 2003) à la partie III, annexe H, en ligne : <http://www.ontla.on.ca/library/repository/mon/7000/10319013.pdf>. Voir aussi : Ontario, Ministère du Procureur général, *Projet de réforme du système de justice civile*, par Coulter A. Osborne (novembre 2007), en ligne : <http://www. ontla.on.ca/library/repository/mon/20000/276577.pdf>.

170. Marrie, *supra* note 168. Sur la base d'une analyse des précédents pertinents, Me Marrie soutient que le changement en faveur de la norme de la simple pertinence au Canada n'a peut-être pas eu l'effet attendu de réduire la portée de l'enquête préalable, puisque les tribunaux ont tendance à retourner à la norme classique de l'apparence de pertinence par voie d'interprétation judiciaire. Seuls les tribunaux de l'Alberta semblent avoir appliqué de manière appropriée la norme de la simple pertinence. Selon Me Marrie, le principe de proportionnalité, enchâssée dans les règles de procédure civile, plutôt que la norme de la simple pertinence, est l'outil qui permettrait aux tribunaux de réduire la portée de l'enquête préalable.

171. Colombie-Britannique, *Supreme Court Civil Rules*, B.C. Reg. 168/2009, r. 7.1(1), 7.1(11) ; Manitoba, *Court of Queen's Bench Rules*, Man. Reg. 553/88, r. 30.01(1), 30.02(1) ; Terre-Neuve-et-Labrador, *Rules of the Supreme Court, 1986*, S.N.L.1986, c. 42, Sch. D, r. 32.01(1) ; Nouveau-Brunswick, *Règles de procédure*, N.B. Règl. 82-73, r. 31.02(1) ; Territoires du Nord-Ouest et Nunavut, *Rules of the Supreme Court of the Northwest Territories*, N.W.T. Reg. 010-96, r. 219 ; Île-du-Prince-Édouard, *Rules of Civil Procedure*, r. 30.02(1) ; Yukon, *Rules of Court for the Supreme Court of Yukon*, r. 25(3).

partie à un litige, il doit révéler l'existence de tous les documents du Cabinet qui semblent avoir un lien avec les questions à trancher. Les causes passées en revue dans le présent chapitre donnent à penser que les documents du Cabinet ne tombent généralement pas dans les catégories 1 ou 2, puisque le gouvernement ne prévoit pas se fonder sur eux pour démontrer le bien-fondé de sa thèse, mais aussi parce qu'ils ne nuisent pas à sa cause. Ils font plutôt partie du contexte de la cause (catégorie 3). Autrement dit, même s'ils ont un lien avec la cause, ils ne contiennent pas d'éléments de preuve pertinents sur les plans factuel et juridique. C'était le cas, par exemple, dans les affaires *Burmah Oil*, *Air Canada* et *Carey*, où les documents ne contenaient pas l'élément de «preuve irréfutable» que les plaideurs s'attendaient à y trouver. Si une norme de pertinence plus étroite avait été appliquée dans ces causes, il est probable qu'aucun débat n'aurait eu lieu quant à l'accès aux documents du Cabinet.

Jusqu'à maintenant, l'accent a été mis sur les obligations de communication de la preuve en matière civile plutôt qu'en matière pénale. Dans ce dernier type de procédures, seule la poursuite est tenue de communiquer la preuve pertinente, dont elle a le contrôle, à l'accusé avant le procès, sous réserve des privilèges et immunités applicables[172]. La pertinence est évaluée en fonction des procédures (la dénonciation ou l'acte d'accusation) ainsi que des éléments de l'infraction et des moyens de défense. La communication de la preuve vise à garantir que l'accusé sait ce qu'on lui reproche et bénéficie d'une défense pleine et entière[173]. Un élément de preuve satisfait à la norme de pertinence s'il [TRADUCTION] «existe une possibilité raisonnable qu'il puisse être utilisé par l'accusé pour répondre pleinement aux accusations portées contre lui, pour préparer sa défense ou encore pour décider de son approche quant à la cause[174]». La norme de pertinence vise notamment tout élément

---

172. Stewart, *Evidence*, *supra* note 160 à la p. 12; Archibald, Morton et Steinberg, *supra* note 158 à la p. 11. Pour un survol des privilèges et des immunités applicables, voir: David M. Paciocco et Lee Stuesser, *The Law of Evidence*, 7ᵉ éd., Toronto, Irwin Law, 2015, ch. 7.

173. Voir: *R. c. Stinchcombe*, [1991] 3 R.C.S. 326

174. Hamish Stewart, *Fundamental Justice: Section 7 of the Canadian Charter of Rights and Freedoms*, Toronto, Irwin Law, 2012 à la p. 250.

de preuve qui tend à affaiblir la cause de la poursuite ou à renforcer celle de la défense ; elle n'est toutefois pas large au point de permettre les « recherches à l'aveuglette ». Compte tenu de la nature de l'enjeu en cause (le droit à la liberté) ainsi que du fardeau de la preuve (hors de tout doute raisonnable), le caractère large de cette norme de pertinence est approprié.

2.1.2   L'étape de l'objection : évaluer la force de l'objection

Selon les règles régissant la communication de la preuve, l'État, comme toute autre partie, doit révéler à son adversaire l'existence des documents qui satisfont à la norme applicable de pertinence. Le gouvernement peut toutefois s'opposer à la production des documents en invoquant l'IIP, en plus de faire valoir tout privilège prévu par le droit de la preuve. Le droit régissant la communication de la preuve et le droit de la preuve sont des branches du droit privé et, à ce titre, leurs règles peuvent varier d'un ressort à l'autre. C'est ce qui explique que la norme de pertinence appliquée durant le processus de communication de la preuve n'est pas uniforme dans les ressorts de type Westminster. Contrairement à ces deux droits, l'IIP est un principe de droit constitutionnel, en lien avec l'administration de la justice, puisqu'il circonscrit les pouvoirs et les devoirs respectifs des branches exécutive et judiciaire quant à l'admissibilité en preuve des secrets gouvernementaux dans le cadre de litiges[175]. Compte tenu de sa nature constitutionnelle, il serait opportun que les règles de common law relatives à l'IIP soient uniformes dans les ressorts de type Westminster, sans égard aux divergences régionales dans le droit régissant la communication de la preuve et le droit de la preuve. Deux questions seront maintenant abordées : comment une revendication d'IIP devrait-elle être présentée ? et dans quelles circonstances les tribunaux devraient-ils

---

175. Dans l'arrêt *Duncan*, *supra* note 2 à la p. 629, lord Simon a affirmé que [TRADUC-TION] « [la question de l'IIP] est d'une grande importance sur le plan constitutionnel puisque qu'elle implique une revendication de l'exécutif de limiter les éléments de preuve auxquels le tribunal aurait autrement accès ». De plus, dans l'arrêt *Grosvenor Hotel*, *supra* note 3 à la p. 1243, lord Denning a décrit l'IIP comme un « principe de notre droit constitutionnel qui doit être respecté dans l'administration de la justice ». Voir aussi : Cooper, *supra* note 3 aux p. 5-8, 38.

examiner les documents avant de se prononcer sur la validité de la revendication d'IIP?

2.1.2.1 Comment une revendication d'IIP devrait-elle être présentée?

Que l'accès aux documents du Cabinet soit sollicité avant le début du procès (dans le contexte de la communication de la preuve) ou durant le procès (au moyen d'une assignation à comparaître), la façon de s'opposer à leur production est la même. Certes, en principe, n'importe qui (même le juge) peut soulever la question de l'IIP dans le cadre d'un litige; la revendication ne sera toutefois accueillie que si le gouvernement soutient la démarche[176]. Ce dernier ne peut présenter une revendication d'IIP que s'il en est arrivé à la conclusion, après avoir mis en balance des aspects divergents de l'intérêt public, que l'intérêt du bon gouvernement l'emporte sur l'intérêt de la justice. Le degré de formalisme requis pour qu'une revendication d'IIP soit valide a diminué au fil du temps. Avant l'arrêt *Conway*, des exigences de forme assez strictes avaient été mises en place pour contrôler l'utilisation de l'IIP. Afin de garantir que la responsabilité de la décision avait été assumée par les acteurs politiques, les tribunaux exigeaient que la revendication soit faite sous serment, au moyen d'un affidavit signé par un ministre qui, après avoir lu chaque document, avait jugé que sa production serait préjudiciable[177]. Après l'arrêt *Conway*, ces exigences sont devenues superflues pour assurer l'équité procédurale, puisque la responsabilité de la décision de soustraire la preuve à l'obligation de la communiquer incombait désormais au pouvoir judiciaire plutôt qu'au pouvoir exécutif[178]. Les revendications d'IIP peuvent désormais être présentées par des fonctionnaires au moyen d'une attestation, sans que son signataire doive prêter serment[179].

Qui devrait s'opposer à la production des documents du Cabinet lorsqu'on en demande l'accès dans le cadre d'un litige?

---

176. *Ex parte Wiley, supra* note 65 aux p. 296-298.
177. *Robinson, supra* note 6 aux p. 718-719; *Duncan, supra* note 2 aux p. 637-639.
178. Cooper, *supra* note 3 à la p. 108.
179. Voir, par exemple: *Carey, supra* note 129.

Bien qu'une attestation présentant une objection à la production des documents du Cabinet puisse être signée par n'importe quel ministre ou sous-ministre, au nom du gouvernement, il est préférable qu'elle soit signée par le secrétaire du Cabinet. En effet, en tant que gardien des documents du Cabinet de tous les gouvernements, il est le fonctionnaire ayant le plus d'expertise pour évaluer le degré de préjudice que leur production pourrait causer à l'intérêt du bon gouvernement[180]. À titre de plus haut fonctionnaire, il est censé prendre la décision en fonction de l'intérêt public, plutôt que par opportunisme politique. En outre, un processus centralisé favorise l'uniformité dans la manière de revendiquer l'immunité du Cabinet. Pour évaluer adéquatement les aspects divergents de l'intérêt public, le secrétaire devrait solliciter et obtenir les conseils juridiques d'un avocat qui ne participe pas au fond du litige, de manière à minimiser le risque que son opinion juridique soit biaisée par des considérations tactiques inacceptables en lien avec le litige[181].

Quels renseignements l'attestation devrait-elle contenir pour permettre au gouvernement de s'acquitter du fardeau de la justification ? Lorsqu'il s'avère que des documents du Cabinet sont à première vue pertinents, il incombe au gouvernement d'expliquer pourquoi ils devraient rester confidentiels. Le succès de l'objection dépendra de la force des raisons données pour la justifier. La position du gouvernement est communiquée au tribunal au moyen d'une attestation qui devrait contenir une description suffisante des documents, une évaluation du degré de leur pertinence, et une évaluation du degré de préjudice que pourrait causer leur production[182].

---

180. Le rôle du secrétaire du Cabinet en tant que gardien des documents du Cabinet est discuté au chapitre 1, *supra*, section 1.2.2.2.

181. Cooper, *supra* note 3 à la p. 61.

182. Les attestations sont utilisées dans le cadre de litiges afin de communiquer la position de l'État aux tribunaux, alors que les affidavits sont utilisés afin de communiquer le témoignage d'un individu. Contrairement à un affidavit, une attestation n'expose pas la personne qui la signe à un contre-interrogatoire. Voir : Uniform Law Conference of Canada, *Report of the Federal/Provincial Task Force on Uniform Rules of Evidence*, Toronto, Carswell, 1982 aux p. 448, 460.

Premièrement, l'attestation devrait contenir une description suffisamment détaillée des documents pour établir qu'ils sont effectivement des documents du Cabinet. Cela implique que l'attestation devrait normalement préciser la nature de chaque document[183], les noms de son auteur et de son destinataire, le sujet dont il traite et la date à laquelle il a été rédigé[184]. De plus, pour aider le tribunal à juger du bien-fondé de la revendication, l'attestation devrait énoncer, pour chaque document: s'il s'agit ou non d'un document préjudiciable à la cause du gouvernement; s'il contient ou non des secrets fondamentaux; et s'il concerne ou non une politique qui a fait l'objet d'une décision finale ayant été rendue publique.

Deuxièmement, l'attestation devrait fournir une évaluation du degré de pertinence de chaque document, qui dépend de sa pertinence factuelle et juridique[185]. Cette évaluation est cruciale dans les ressorts où les tribunaux appliquent la norme de l'apparence de pertinence pour distinguer les documents qui sont préjudiciables à la cause du gouvernement de ceux qui concernent le contexte ou le «lancement d'une enquête». Là où les tribunaux ont adopté la norme de la simple pertinence, on peut présumer que les documents énumérés dans l'attestation sont préjudiciables à la cause du gouvernement. Les plaideurs doivent disposer de faits pour étayer leurs prétentions et ils sont susceptibles de consacrer des ressources pour obtenir accès aux documents qui nuisent à la cause de leur adversaire ou qui soutiennent la leur: il s'agit des documents ayant un degré élevé de pertinence[186]. Le gouvernement doit faire valoir des raisons très solides pour convaincre le tribunal de les soustraire à l'obligation de communiquer, puisque leur

---

183. Le document est-il un document officiel du Cabinet ou un document non officiel du Cabinet? S'agit-il d'un mémorandum, d'une soumission, d'un procès-verbal, d'un compte rendu de décision, d'une note de breffage, d'une lettre, d'une présentation PowerPoint, d'un courriel ou d'un avant-projet de loi ou de règlement?

184. *Babcock c. Canada (Procureur général)*, 2002 CSC 57, [2002] 3 R.C.S. 3 au para. 28 (par analogie).

185. Cooper, *supra* note 3 aux p. 39-40, n. 73.

186. S.I. Bushnell, «Crown Privilege» (1973) 51:4 *R. du B. can.* 551 à la p. 581; Christopher Berzins, «Crown Privilege: A Troubled Exclusionary Rule of Evidence» (1984) 10:1 *Queen's L.J.* 135 à la p. 136.

production est vraisemblablement nécessaire au règlement équitable du litige. En revanche, les plaideurs sont moins susceptibles de consacrer des ressources pour obtenir l'accès à des documents relatifs au contexte ou au « lancement d'une enquête », puisque leur degré de pertinence est moindre. Le gouvernement devrait donc avoir moins de mal à persuader les tribunaux de les soustraire à l'obligation de communiquer, puisque leur production n'est vraisemblablement pas nécessaire au règlement équitable du litige. Une évaluation rationnelle du degré de pertinence des documents aidera les plaideurs de même que le tribunal à concentrer le débat sur les documents les plus pertinents.

Troisièmement, l'attestation devrait contenir une évaluation, pour chaque document, du degré de préjudice que pourrait causer sa production[187]. Au départ, l'évaluation devrait rappeler les justifications du secret ministériel (la franchise, l'efficacité et la solidarité), puisqu'elles expliquent pourquoi l'accès aux documents du Cabinet est restreint. Cela dit, ces justifications ne suffiront pas à priver le tribunal d'éléments de preuve à première vue pertinents[188]. Pour atteindre cet objectif, le gouvernement doit expliquer pourquoi, dans les circonstances particulières de la cause, la production des documents du Cabinet serait préjudiciable à l'intérêt public. Le degré de préjudice dépend du contenu des documents ainsi que du moment de leur production. La dichotomie entre les secrets fondamentaux et les secrets périphériques est cruciale. Les documents qui contiennent des secrets fondamentaux sont considérablement plus sensibles que ceux qui contiennent des secrets périphériques, parce qu'ils révèlent les opinions personnelles exprimées par les ministres durant les délibérations du Cabinet. De plus, compte tenu de leur nature anecdotique, ces documents sont moins pertinents que ceux qui contiennent des secrets périphériques. À l'inverse, les documents qui contiennent des secrets périphériques sont

---

187. *Fletcher Timber, supra* note 123 à la p. 295.

188. En Nouvelle-Zélande et au Canada, les tribunaux n'ont, en général, pas été convaincus par les revendications d'immunité fondées sur des formules standard qui réitèrent les raisons justifiant le secret ministériel, sans toutefois tenir compte des circonstances particulières du litige. Voir : *Fletcher Timber, ibid.* ; *Carey, supra* note 129.

considérablement moins sensibles que ceux qui contiennent des secrets fondamentaux, parce qu'ils révèlent des renseignements de nature factuelle. De ce fait, ces documents sont plus pertinents que ceux qui contiennent des secrets fondamentaux. En ce qui a trait au moment de la production, les documents ne recelant que des secrets périphériques perdent leur sensibilité dès que les ministres ont pris une décision finale sur une politique ou une action donnée, et qu'ils en ont fait l'annonce. En comparaison, les documents qui font état de secrets fondamentaux restent sensibles tant et aussi longtemps que les ministres continuent à œuvrer dans la vie politique[189]. Une évaluation rationnelle du degré de préjudice que pourrait causer la production de documents aidera les parties en litige et le tribunal à concentrer le débat sur les documents qui sont moins sensibles.

Une attestation comprenant une description suffisante des documents ainsi qu'une évaluation pour chacun d'entre eux de son degré de pertinence et du degré de préjudice que pourrait causer sa production aidera le tribunal à décider s'il doit retenir ou non une objection. Elle fera la démonstration que le gouvernement s'est penché sur les facteurs pertinents et qu'il a mis en balance, avant de présenter son objection, les aspects divergents de l'intérêt public. Si l'attestation ne fournit pas suffisamment de renseignements, autrement dit, si le gouvernement ne se décharge pas du fardeau de la justification, il court le risque de ne pas convaincre le tribunal de retenir son objection[190].

2.1.2.2 Dans quelles circonstances le tribunal doit-il examiner les documents?

Une fois que le gouvernement s'est, à première vue, valablement opposé à la production de documents du Cabinet, le tribunal doit décider s'il doit ou non les examiner. Cela soulève

---

189.   *Whitlam*, *supra* note 76; *Australian Consolidated Press*, *supra* note 110 à la p. 423.

190.   Par exemple, dans l'arrêt *Carey*, *supra* note 129, la revendication d'immunité du Cabinet contenait plusieurs défauts: la description des documents était incomplète, le degré de pertinence des documents n'avait pas fait l'objet d'une évaluation et l'évaluation du degré de préjudice ne tenait pas compte des circonstances particulières du litige. En définitive, le gouvernement n'a pas été en mesure de convaincre le tribunal de maintenir la revendication et il a été contraint de produire plusieurs documents du Cabinet.

deux questions : l'examen devrait-il être la règle ou l'exception ? et sur qui repose le fardeau de convaincre le tribunal qu'il devrait examiner les documents ? Si l'examen est l'exception, les documents sont présumés protégés et il incombe à la partie qui sollicite leur production, soit le plaideur, de convaincre le tribunal qu'il doit les examiner (il s'agit de l'approche non interventionniste). Cependant, si l'examen est la règle, les documents ne sont pas présumés protégés et le fardeau de démontrer au tribunal qu'il ne doit pas les examiner repose sur la partie qui s'oppose à la production, soit le gouvernement (il s'agit de l'approche interventionniste).

L'approche non interventionniste tire son origine de la crainte que les parties en litige lancent des « recherches à l'aveuglette » et d'un souci d'économie des ressources judiciaires. Lorsque la norme de l'apparence de pertinence était appliquée au Royaume-Uni, l'approche non interventionniste garantissait que le tribunal n'examinerait que les documents ayant une pertinence réelle plutôt qu'apparente[191]. Dans l'arrêt *Burmah Oil*, lord Edmund-Davies a affirmé que le tribunal pouvait [TRADUCTION] « jeter un coup d'œil » si les « documents étaient "susceptibles" de contenir de l'information réellement utile pour la partie qui sollicite » la production[192]. De même, lord Keith a écrit que l'examen serait justifié s'il existait une « probabilité raisonnable » que les documents contiennent des éléments de preuve qui « aideraient considérablement » la cause de la partie qui sollicite leur production[193]. Le choix de cette approche a été confirmé par lord Fraser dans l'arrêt *Air Canada* :

> [TRADUCTION] [Pour] convaincre le tribunal de même examiner les documents visés par une revendication d'immunité d'intérêt public, la partie qui sollicite leur production doit à tout le moins persuader le tribunal que les documents

---

191. Voir l'arrêt *Burmah Oil*, *supra* note 101 à la p. 1117, où lord Wilberforce affirme que les tribunaux devraient uniquement examiner les documents [TRADUCTION] « dans les rares cas où les allégations se fondent sur des éléments de preuve solides, et certainement pas sur la base d'allégations sans fondement de la part de la partie qui sollicite la production à l'effet que les documents pourraient contenir des renseignements susceptibles de l'aider ».

192. *Ibid.* à la p. 1129.

193. *Ibid.* aux p. 1135-1136.

contiennent très probablement des renseignements qui étayeraient considérablement sa prétention sur une question en litige, et que, sans ces renseignements, elle pourrait être «privée des moyens [...] de présenter adéquatement» sa cause[194].

L'approche non interventionniste pose trois problèmes. Premièrement, le tribunal ne peut pas soupeser et mettre en balance comme il se doit les aspects divergents de l'intérêt public sans examiner les documents. Ainsi, un refus d'examiner des documents à première vue pertinents devrait être perçu comme l'abdication par le pouvoir judiciaire de sa fonction fondamentale de contrôler l'admissibilité de la preuve et comme un recul vers une forme de suprématie du pouvoir exécutif. Deuxièmement, le fardeau qui pèse sur la partie qui sollicite la production n'est pas compatible avec le principe de l'accès à la preuve. Il devrait incomber à la partie qui s'oppose à la production de convaincre le tribunal que les documents à première vue pertinents doivent être soustraits à la production sans examen. Troisièmement, le fardeau qui pèse sur la partie qui sollicite la production est inéquitable, et il est pratiquement impossible qu'elle s'en acquitte, puisqu'elle n'a pas accès aux documents visés par la revendication d'immunité du Cabinet:

> Ce qui me gêne dans cette façon de voir est qu'elle impose à un demandeur l'obligation de prouver en quoi des documents, reconnus pertinents, peuvent l'aider. Mais comment peut-il s'y prendre? Il ne les a jamais vus; ils sont confidentiels et ne peuvent être consultés. Dans une certaine mesure donc la teneur des documents doit relever de la conjecture[195].

Il s'agit d'une situation sans issue puisque, en pratique, il n'est pas possible de s'acquitter de ce fardeau sans avoir accès aux documents[196]. Dans la plupart des cas, tout ce que la partie qui sollicite

---

194. *Air Canada, supra* note 102 à la p. 435. Lord Edmund-Davies et lord Wilberforce étaient d'accord avec lord Fraser.

195. *Carey, supra* note 129 à la p. 678.

196. Adam Tomkins, *The Constitution After Scott: Government Unwrapped*, Oxford, Clarendon Press, 1998 à la p. 176. La seule cause importante dans laquelle la partie qui sollicitait la production a réussi à s'acquitter du fardeau est l'arrêt *Burmah Oil, supra* note 101. Toutefois, après examen, les juges ont décidé qu'il n'était pas

la production saura avec certitude, c'est que les documents sont à première vue pertinents, en ce sens qu'ils satisfont à la norme de pertinence applicable. Dans les ressorts où l'on applique la norme de l'apparence de pertinence, leur degré véritable de pertinence relèvera du domaine de la spéculation. La partie qui sollicite la production des documents devrait donc uniquement avoir à établir qu'elle a une cause a priori valide et que les documents sont à première vue pertinents. La partie qui s'oppose à la production devrait ensuite avoir le fardeau de déposer une objection valide et de convaincre le tribunal de l'accueillir.

Pour convaincre le tribunal d'accueillir une objection sans qu'il ait examiné les documents, la partie qui s'oppose à la production doit établir clairement que celle-ci n'est pas nécessaire au règlement équitable du litige. Deux scénarios peuvent se présenter. D'abord, les documents sollicités n'ont pas de pertinence factuelle et juridique significative (comme les documents contextuels et ceux donnant ouverture au lancement d'une enquête). Ainsi, le gouvernement peut raisonnablement soutenir que le maintien de son objection ne porterait atteinte ni à l'intérêt privé de la partie adverse ni à l'intérêt public dans la saine administration de la justice. Ensuite, les documents dont on demande la production ont une pertinence factuelle et juridique significative (comme les documents préjudiciables à la cause du gouvernement), mais leur production est inutile soit parce qu'ils sont autrement inadmissibles[197], soit parce que le gouvernement a admis le fait que prouverait les documents[198], soit parce que la partie qui en sollicite la production dispose d'un autre moyen de preuve[199]. Dans de tels cas, le tribunal peut accueillir l'objection sans créer un risque de déni de justice. Les préoccupations quant aux « recherches à l'aveuglette » et à l'économie des ressources judiciaires sont ainsi apaisées de manière raisonnée et équitable. La décision du tribunal de passer outre l'examen des documents devrait dépendre

---

nécessaire que les documents soient produits pour assurer un règlement équitable du litige.

197. Stewart, *Evidence, supra* note 160 aux p. 5-7.

198. *Ibid.* aux p. 14-15.

199. Voir, par exemple: *Air Canada, supra* note 102.

de l'importance de la cause, qui peut être évaluée en fonction des intérêts du plaideur et du gouvernement.

En ce qui a trait à l'intérêt du plaideur, on peut établir une distinction entre trois types de procédures. Premièrement, dans le cadre de procédures civiles de nature privée, l'intérêt du plaideur peut être soupesé en termes de valeur économique ou relative à sa réputation. Si le plaideur est privé des moyens adéquats pour présenter sa cause, il y a un risque d'expropriation sans indemnisation[200]. Dans de tels cas, on peut associer une valeur à l'intérêt en jeu (faible, moyen ou élevé) en lien avec la somme d'argent réclamée. Deuxièmement, dans le cadre de procédures civiles de nature publique, il sera question non seulement de l'intérêt du plaideur, mais également de l'intérêt public dans le maintien de la primauté du droit. Si le plaideur est privé des moyens adéquats pour présenter sa cause, il y a un risque d'abus de procédure ou d'action illégale[201]. Dans de tels cas, l'intérêt en jeu variera de modéré à élevé. Troisièmement, dans le cadre de procédures pénales, l'intérêt du plaideur, c'est-à-dire l'accusé, peut être évalué en termes de stigmatisation sociale et de perte de liberté. Si l'accusé est privé des moyens adéquats pour présenter sa cause, on risque qu'un innocent soit condamné. Dans de tels cas, l'intérêt en jeu sera élevé. Bref, plus l'intérêt du plaideur est élevé, plus les tribunaux devraient être réticents à passer outre l'examen des documents. Si l'intérêt en jeu est de modéré à élevé, en règle générale, les tribunaux devraient examiner les documents pour préserver la confiance du public dans l'administration de la justice.

En ce qui a trait à l'intérêt du gouvernement, il faut également distinguer trois situations. Premièrement, dans les cas où le gouvernement n'a pas d'intérêt dans l'issue du litige, la crainte raisonnable de partialité et le risque qu'il pourrait tenter de dissimuler des éléments de preuve à des fins tactiques seront faibles[202].

---

200. Wade et Forsyth, *supra* note 28 à la p. 711.

201. T.R.S. Allan, «Abuse of Power and Public Interest Immunity: Justice, Rights and Truth» (1985) 101:2 *Law Q. Rev.* 200 aux p. 205-206.

202. Ce type de situations n'est pas susceptible de se produire, puisque les plaideurs cherchent normalement à avoir accès aux documents du Cabinet pour démontrer

Deuxièmement, dans les cas où le gouvernement a un intérêt dans l'issue du litige, la crainte raisonnable de partialité et le risque qu'il pourrait tenter de dissimuler des éléments de preuve à des fins tactiques seront de modérés à élevés[203]. Troisièmement, dans les cas où le gouvernement a un intérêt dans l'issue du litige et que des allégations crédibles d'actes criminels ont été formulées contre des officiers publics, la crainte raisonnable de partialité et le risque que le gouvernement tente de dissimuler des éléments de preuve à des fins tactiques seront élevés[204]. En somme, plus la crainte raisonnable de partialité est élevée, plus les tribunaux devraient être réticents à passer outre l'examen des documents. Si l'intérêt du gouvernement est de modéré à élevé, les tribunaux devraient, en règle générale, examiner les documents afin de préserver l'apparence de justice[205].

L'étape de l'objection peut mener à trois issues : le fardeau de la justification peut avoir été satisfait en totalité, en partie ou pas du tout. Le gouvernement aura totalement satisfait au fardeau de la justification s'il présente une objection a priori valide et convainc le tribunal que l'examen des documents est inutile dans les circonstances. Pour atteindre ce résultat, le gouvernement doit clairement établir l'un ou l'autre des éléments suivants : les documents ne sont pas pertinents sur les plans factuel et juridique ; les documents sont inadmissibles pour une autre raison ; les faits que

---

une action gouvernementale fautive ou illégale. Le gouvernement a toujours un intérêt dans l'issue de telles procédures.

203. Il s'agit du type de situations dans lequel l'accès aux documents du Cabinet est généralement demandé. Les plaideurs allèguent soit une violation du droit privé par le gouvernement dans le cadre de ses activités commerciales, soit une violation du droit public. Voir : *Burmah Oil, supra* note 101 ; *Air Canada, supra* note 102 ; *Fletcher Timber, supra* note 123 ; *Carey, supra* note 129 ; *Northern Land Council, supra* note 112.

204. Ce type de situations est rare, mais non sans précédent. Voir : *Nixon, supra* note 91 ; *Whitlam, supra* note 76.

205. Selon le professeur T.R.S. Allan, « [il] est profondément contraire à la primauté du droit qu'un gouvernement central puisse refuser de produire des documents à l'étape de la communication de la preuve, et ce, sans évaluation judiciaire de la revendication d'immunité, lorsqu'il est lui-même impliqué dans le litige ». Voir : T.R.S. Allan, « Before the High Court : Discovery of Cabinet Documents : The *Northern Land Council* Case » (1992) 14:2 *Sydney L. Rev.* 230 à la p. 238 [Allan, « Discovery of Cabinet Documents »].

prouveraient les documents ont été admis; ou il existe d'autres moyens de faire la preuve des faits en question. S'il y parvient, le tribunal peut faire droit à l'objection, et ce, sans examiner les documents, dans la mesure où les intérêts du plaideur et du gouvernement dans la cause sont, par ailleurs, faibles.

Le gouvernement aura partiellement satisfait au fardeau de la justification s'il présente une objection a priori valide, mais qu'il ne convainc pas le tribunal que l'examen des documents est inutile dans les circonstances. Tel sera le cas si les documents semblent pertinents sur les plans factuel et juridique, s'ils sont admissibles et s'ils ne peuvent être remplacés par d'autres éléments de preuve. Dans ce contexte, le tribunal devrait examiner les documents avant de se prononcer sur l'objection, compte tenu du déni de justice que son maintien pourrait provoquer. Il en va de même si les intérêts du plaideur et du gouvernement dans la cause sont de modérés à élevés.

Enfin, le gouvernement n'aura pas satisfait au fardeau de la justification s'il ne présente pas une objection a priori valide, c'est-à-dire s'il omet de fournir une description suffisante des documents, une évaluation de leur degré de pertinence ou une évaluation du degré de préjudice que pourrait entraîner leur production. Sans ces renseignements de base, le tribunal ne disposera d'aucun fondement solide pour maintenir l'objection. Dans de telles circonstances, il devrait néanmoins donner au gouvernement l'occasion de déposer une nouvelle attestation avant de rejeter l'objection. En effet, même si cette dernière est invalide, la production des documents pourrait néanmoins être préjudiciable à l'intérêt public que le tribunal a l'obligation de protéger. Le fond devrait l'emporter sur la forme. Cela dit, si le gouvernement persiste à refuser de fournir les renseignements de base requis, le tribunal serait justifié de rejeter l'objection.

2.2 L'évaluation concrète des revendications d'immunité d'intérêt public

2.2.1 *L'étape de l'examen : évaluer les aspects divergents de l'intérêt public*

L'examen judiciaire des documents sujets à une revendication d'immunité a priori valide devrait être la règle, à moins que le gouvernement ne puisse convaincre le tribunal qu'un tel examen est inutile. Quant au fond, il reste à se demander comment l'examen des documents devrait être mené et quand la production devrait en être ordonnée. Autrement dit, quelle approche devrait être adoptée pour « soupeser » les aspects divergents de l'intérêt public et pour décider de quel côté la « balance » doit ultimement pencher ? Pour répondre à cette question, l'approche rationnelle s'appuie sur une analyse coûts-bénéfices, qui cherche à normaliser la méthode par laquelle l'intérêt de la justice et celui du bon gouvernement sont soupesés et mis en balance l'un par rapport à l'autre. Son objectif consiste à favoriser la transparence du processus intellectuel judiciaire quant à l'évaluation des revendications d'IIP. Avant de traiter des questions de fond, certaines questions procédurales relatives à la confidentialité des examens judiciaires doivent être abordées.

2.2.1.1 *Les questions procédurales : les procédures à huis clos et* ex parte

Afin de préserver la confidentialité des documents durant l'évaluation d'une revendication d'IIP, leur examen se déroule généralement à huis clos et *ex parte*, par un juge qui ne participera pas à la décision sur le fond de la cause[206]. L'exigence de la tenue de l'examen à huis clos fait consensus, puisque sa tenue dans le cadre d'une audience publique compromettrait la confidentialité des documents et minerait l'objet même de l'exercice. Cependant, l'exigence de la tenue *ex parte* de l'examen ne fait pas l'unanimité.

---

206. Pour des raisons d'équité et pour renforcer l'apparence de justice, le juge appelé à trancher un litige sur le fond ne devrait pas avoir connaissance d'éléments de preuve n'ayant pas été présentés aux deux parties.

Certains ont fait valoir que l'avocat de la partie qui sollicite la production des documents (soit le plaideur) devrait pouvoir les examiner et présenter des observations, sous réserve d'obtenir l'habilitation de sécurité voulue et de signer une promesse de préserver la confidentialité des renseignements dont il prendra connaissance[207].

D'un point de vue théorique, il serait compatible avec la nature du processus contradictoire de permettre à l'avocat du plaideur de participer à l'examen de la revendication d'IIP, en lui donnant l'occasion de soulever des questions, de présenter de la preuve et de faire valoir des arguments[208]. D'un point de vue pratique, l'étape de l'examen des documents pourrait être menée plus efficacement si l'avocat pouvait examiner les documents et choisir ceux sur lesquels il entend se fonder. Le débat porterait ainsi sur les documents ciblés par l'avocat, plutôt que sur tous ceux qui sont visés par la revendication d'IIP. Cela aurait l'avantage de préserver les ressources judiciaires limitées. Le tribunal tirerait vraisemblablement avantage des observations éclairées de l'avocat quant au degré de pertinence des documents, et il serait ainsi mieux placé pour évaluer le bien-fondé de la revendication d'IIP.

Il existe deux précédents dignes de mention dans le cadre desquels les tribunaux inférieurs ont ordonné la production de documents sensibles pour que l'avocat du plaideur les examine avant qu'ils ne se prononcent sur le bien-fondé des revendications d'IIP. Dans le premier cas, l'ordonnance était fondée sur le volume élevé de documents (126 cahiers de notes du Cabinet contenant des milliers de pages), ainsi que sur la complexité des questions en litige[209]. Dans le second cas, l'ordonnance a découlé de l'incapacité du juge du procès à évaluer la pertinence de 41 documents sans l'aide des observations de l'avocat du plaideur[210]. Dans les deux

---

207. Mewett, *supra* note 3 à la p. 377 ; Lieberman, *supra* note 157 aux p. 191-192.

208. Lon L. Fuller, « The Forms and Limits of Adjudication » (1978) 92:2 *Harv. L. Rev.* 353.

209. *Commonwealth v. Northern Land Council*, [1990] F.C.A. 382, confirmée par (1991), 30 F.C.R. 1.

210. *Pocklington Foods Inc. v. Alberta (Provincial Treasurer)* (1992), 132 A.R. 176 (Q.B.).

cas, les tribunaux ont exigé que les avocats s'engagent à préserver la confidentialité des documents : ceux-ci se sont ainsi engagés à ne pas révéler le contenu des documents examinés à qui que ce soit, pas même à leurs propres clients. Une rupture de cet engagement aurait constitué un outrage au tribunal, de même qu'une faute professionnelle. Cela dit, en définitive, ces deux décisions ont été infirmées en appel[211].

Trois facteurs militent contre l'autorisation donnée à l'avocat du plaideur d'examiner les documents du Cabinet. Tout d'abord, elle viole la confidentialité des documents et pourrait donc ultimement miner l'immunité du Cabinet. S'il suffisait d'intenter une poursuite contre le gouvernement pour accéder aux secrets du Cabinet, le bon fonctionnement de notre système de gouvernement serait en péril. L'avocat du plaideur, surtout s'il est motivé par des considérations politiques, est précisément le type de personne contre qui l'immunité du Cabinet est censée protéger les acteurs politiques. Après tout, [TRADUCTION] « les membres du Cabinet s'exprimeraient-ils librement ou conserveraient-ils des procès-verbaux complets et fidèles aux paroles prononcées s'ils savaient que seuls les avocats qui poursuivent le gouvernement relativement aux questions dont ils ont discuté, liraient ces documents[212] ? » Dans l'arrêt *Northern Land Council,* la Haute Cour a reconnu que l'examen judiciaire sans le concours de l'avocat du plaideur [TRADUCTION] « peut dans certaines circonstances faire peser un lourd fardeau sur le tribunal, mais cela reste inévitable s'il faut maintenir la confidentialité des documents jusqu'à ce qu'une décision soit prise sur la revendication d'immunité[213] ».

Ensuite, en s'engageant à préserver la confidentialité des documents, l'avocat du plaideur se retrouve dans une situation délicate sur le plan déontologique, dans la mesure où son devoir envers le tribunal peut être contraire à l'intérêt de son client[214]. Pour assurer

---

211. *Northern Land Council, supra* note 112 ; *Pocklington Foods, supra* note 150.

212. *Pocklington Foods, supra* note 150 au para. 20.

213. *Northern Land Council, supra* note 112 à la p. 620.

214. Dans l'arrêt *R. c. Basi,* 2009 CSC 52, [2009] 3 R.C.S. 389 au para. 46, le juge Fish a noté que les avocats des plaideurs « pourraient se sentir obligés de se retirer du

la meilleure issue possible à son client, l'avocat pourrait être tenté d'utiliser les renseignements dont il a pris connaissance durant l'examen des documents, violant de ce fait sa promesse au tribunal, si, en définitive, la revendication est accueillie. Contrairement aux tribunaux ou au gouvernement lorsqu'ils traitent de revendications d'IIP, l'avocat du plaideur n'a pas l'obligation formelle de protéger l'intérêt public : il représente principalement des intérêts privés ou partisans. Certains pourraient aussi mettre en doute la fiabilité de l'engagement de l'avocat de ne pas révéler les renseignements à son client. Compte tenu du paravent que procure le secret professionnel de l'avocat, comment serait-il possible de prouver la violation de l'engagement ?

Enfin, sur le plan de l'expertise, un tribunal est bien placé pour examiner le degré de pertinence des documents. En effet, juger de la pertinence factuelle et juridique de la preuve figure au cœur de l'expertise des juges. Pour qu'ils s'acquittent de cette fonction, il faut que, au préalable, l'avocat du plaideur ait suffisamment bien défini la cause d'action, circonscrit les questions en litige et précisé le type d'éléments de preuve qui étayerait sa position. Dans la mesure où cette condition est satisfaite, le tribunal devrait pouvoir évaluer le degré de pertinence des documents sans aide supplémentaire de l'avocat. Comme l'a affirmé Mᵉ T.G. Cooper, [TRADUCTION] « l'aide de l'avocat à l'étape de l'examen est la plus utile dans le domaine où elle est la moins sollicitée, c'est-à-dire pour discerner la pertinence et l'importance du contenu des documents sensibles[215] ».

En principe, l'examen judiciaire des documents devrait donc être effectué sans l'aide des observations de l'avocat du plaideur. Cela dit, dans des circonstances exceptionnelles, le tribunal devrait pouvoir nommer un avocat indépendant qui formulerait des observations au nom du plaideur relativement à la validité des revendications d'IIP. Le rôle de l'avocat indépendant devrait

---

dossier, pris dans le conflit entre leur devoir de défendre au mieux les intérêts de leur client et leur devoir envers la cour de ne pas divulguer les renseignements entendus à huis clos ou de s'abstenir d'agir sur la base de ceux-ci ».

215. Cooper, *supra* note 3 aux p. 94-95.

se limiter à la question de la production des documents : il ne devrait pas participer au débat sur le fond de la cause une fois que la revendication d'IIP aura été tranchée. Considérant que l'avocat indépendant serait nommé par le tribunal, qu'il serait tenu par un serment au devoir de confidentialité et que son choix serait approuvé par le gouvernement, le risque de coulage et d'utilisation inappropriée de renseignements sensibles serait faible. De plus, aucun dilemme déontologique ne se poserait. Pour assumer son rôle, l'avocat indépendant devrait être renseigné par l'avocat du plaideur sur les éléments de la cause d'action, sur les questions en litige et sur le type d'éléments de preuve qui appuierait la thèse de son client. Vu son incidence possible sur la durée et sur le coût des procédures juridiques, la nomination d'un avocat indépendant devrait être réservée aux litiges dont l'importance le justifie et aux cas où, sans elle, le tribunal, privé de l'éclairage que lui procureraient les observations formulées au nom du plaideur, serait incapable d'évaluer adéquatement la revendication d'IIP.

2.2.1.2 Les questions de fond : les bénéfices et les coûts de la production

L'élément fondamental de la doctrine de l'IIP réside dans le processus qui consiste à soupeser et à mettre en balance les aspects divergents de l'intérêt public. Ce processus fut d'abord énoncé dans l'arrêt *Conway* et ensuite appliqué aux documents du Cabinet dans l'arrêt *Whitlam*. La règle de base est claire : les documents doivent être produits si l'intérêt public dans la saine administration de la justice l'emporte sur l'intérêt public dans la saine administration du gouvernement. Les professeurs Stanley de Smith et Rodney Brazier ont fait valoir que l'arrêt *Conway* [TRADUCTION] « avait substitué le pouvoir discrétionnaire absolu des tribunaux à celui de l'exécutif », et ils se sont demandé pourquoi « la sagesse et l'expérience des juges devraient être des guides plus sûrs pour évaluer l'intérêt public sur ces questions que l'opinion que s'en fait l'exécutif »[216]. Comme il s'applique au cas par cas, le processus adopté dans l'arrêt *Conway* rend la doctrine de l'IIP moins prévisible et

---

216. de Smith et Brazier, *supra* note 48 à la p. 611.

certaine que celui privilégié dans l'arrêt *Duncan*. Il ne fait malgré tout aucun doute que le processus qui consiste à soupeser et à mettre en balance les aspects divergents de l'intérêt public est plus compatible avec la primauté du droit. Il serait possible d'accroître la prévisibilité et la certitude du processus en clarifiant la méthode qui devrait être suivie pour évaluer les revendications d'IIP. Chaque revendication d'IIP [TRADUCTION] « suppose de répondre à trois questions : (1) Quel préjudice la communication des éléments de preuve causerait-elle à l'intérêt du [bon] gouvernement ? (2) Quel préjudice l'absence de communication d'éléments de preuve causerait-elle à l'intérêt de la justice ? (3) Quel intérêt devrait l'emporter[217] ? »

Les deux premières questions établissent les variables fondamentales, la troisième, la conclusion à tirer de leur interaction. Selon la règle de base, il faut procéder à une analyse coûts-bénéfices, où l'intérêt de la justice représente les bénéfices de la production et l'intérêt du bon gouvernement les coûts qui en découleraient. La production devrait être ordonnée lorsque les bénéfices sont jugés supérieurs aux coûts. Dans ces situations, la production favorise l'intérêt public au maintien de la paix et de l'ordre social. Quels facteurs faudrait-il examiner pour évaluer les poids respectifs de l'intérêt de la justice et de celui du bon gouvernement ?

2.2.1.2.1 Soupeser les bénéfices de la production : le degré de pertinence

Sous l'angle de l'intérêt de la justice, le facteur prédominant est l'utilité des documents, compte tenu de leur pertinence factuelle (leur valeur probante) et de leur pertinence juridique (leur importance)[218]. Le tribunal devrait se demander si la production des documents est nécessaire au règlement équitable du litige, c'est-à-dire si le plaideur a besoin d'y avoir accès pour établir les

---

217. Peter W. Hogg, Patrick J. Monahan et Wade K. Wright, *Liability of the Crown*, 4ᵉ éd., Toronto, Carswell, 2011 à la p. 122.

218. Cooper, *supra* note 3 aux p. 80-82. Voir aussi : *Ex parte Wiley*, *supra* note 65 aux p. 280-282 ; *Carey*, *supra* note 129 à la p. 671.

éléments de sa cause d'action. À cette étape, c'est le degré de pertinence des documents qui est primordial, indépendamment de la nature des procédures, civile ou pénale. Si des éléments de preuve probants et importants sont écartés, le plaideur subira un déni de justice et l'intérêt de la justice sera miné. Cependant, si des éléments de preuve non probants et sans importance sont écartés, il n'y aura ni déni de justice ni atteinte à l'intérêt de la justice. L'intérêt de la justice est étroitement lié au droit substantiel ; il est favorisé quand les plaideurs peuvent véritablement faire valoir leurs droits[219].

La pertinence factuelle de chaque document peut être soupesée en lui assignant une valeur de 0 à 3, où 0 signifie que le document n'a aucune pertinence factuelle, 1 veut dire que le document n'a qu'une faible pertinence factuelle, 2 s'applique au document ayant une pertinence factuelle moyenne et 3 désigne le document doté d'une pertinence factuelle élevée. La pertinence juridique de chaque document peut être soupesée de la même façon. En multipliant la valeur accordée à la pertinence factuelle d'un document par la valeur accordée à sa pertinence juridique, on obtient son degré de pertinence. Celui-ci peut se situer sur une échelle de 0 à 9, 0 signifiant que le document est sans pertinence, 1 et 2 que le document est peu pertinent, 3 et 4 que le document est moyennement pertinent et 6 à 9 que le document est hautement pertinent. Ce degré de pertinence peut servir à soupeser l'intérêt de la justice ou les bénéfices de la production. En principe, le tribunal devrait uniquement ordonner la production de documents lorsque le degré de pertinence est significatif[220], c'est-à-dire de moyen à élevé selon le modèle proposé, qui peut être illustré au moyen de la matrice suivante :

---

219. Allan, « Discovery of Cabinet Documents », *supra* note 205 à la p. 234.
220. *Ex parte Wiley*, *supra* note 65 aux p. 280-281.

TABLEAU 1

PERTINENCE – NULLE	MATRICE RELATIVE		
PERTINENCE – FAIBLE	AU DEGRÉ DE PERTINENCE		
PERTINENCE – MOYENNE	PERTINENCE FACTUELLE		
PERTINENCE – ÉLEVÉE	NULLE (0)	FAIBLE (1)	MOYENNE (2)	ÉLEVÉE (3)
PERTINENCE JURIDIQUE NULLE (0)	0	0	0	0
FAIBLE (1)	0	1	2	3
MOYENNE (2)	0	2	4	6
ÉLEVÉE (3)	0	3	6	9

À une extrémité du spectre, un document aurait un degré de pertinence élevé s'il peut être utilisé pour établir un élément de la cause d'action. Par exemple, si le plaideur allègue que les clauses d'un contrat conclu avec le gouvernement sont abusives et que certains des documents examinés par le tribunal prouvent que les officiers publics ont déraisonnablement cherché à exploiter sa vulnérabilité lorsqu'ils se sont entendus sur les termes du contrat, ces documents auraient un degré de pertinence élevé, puisqu'ils tendent à établir la véracité d'un fait dont il importe de faire la preuve dans le cadre du litige. À l'autre extrémité du spectre, si les documents ont un lien quelconque avec le contrat sans étayer les allégations de conduite abusive formulées par le plaideur, leur degré de pertinence serait faible. Selon le modèle proposé, les documents préjudiciables pour le gouvernement auraient un degré de pertinence de moyen à élevé, tandis que les documents relatifs au contexte ou ceux qui « lanceraient une enquête » auraient un faible degré de pertinence. Ce degré est nul lorsque les documents ne satisfont pas à la norme de l'apparence de pertinence, lorsqu'ils sont inadmissibles pour une autre raison, lorsque les faits que prouveraient les documents ne sont pas en litige ou lorsqu'il existe d'autres moyens de les établir. La production de tels documents ne favoriserait pas l'intérêt de la justice.

2.2.1.2.2 Soupeser les coûts de la production : le degré de préjudice

Sous l'angle de l'intérêt du bon gouvernement, le facteur prédominant est celui de la sensibilité des documents en fonction de leur contenu et du moment de leur production[221]. Quant au premier élément, soit la sensibilité, il convient d'examiner trois facteurs : le niveau hiérarchique du décideur, la nature de la politique et la nature des renseignements. Premièrement, [TRADUCTION] « [le] poids de l'intérêt public contre la [production] […] sera généralement plus élevé lorsque les documents émanent du Cabinet que lorsqu'ils proviennent d'un échelon inférieur de l'appareil gouvernemental[222] ». Il en est ainsi parce que le Cabinet est l'instance décisionnelle la plus élevée du gouvernement. Deuxièmement, le poids de l'intérêt public contre la production sera plus élevé lorsque les documents traitent d'un sujet comme les relations internationales, la défense nationale ou la sécurité nationale plutôt que lorsqu'il y est question des activités commerciales ou contractuelles du gouvernement[223]. Il sera également plus élevé quand les documents font état de la formulation de politiques plutôt que de leur mise en œuvre[224]. Troisièmement, le poids de l'intérêt public contre la production sera plus élevé si les documents révèlent des opinions et des recommandations ministérielles (des secrets fondamentaux) plutôt que des renseignements factuels et contextuels (des secrets périphériques)[225].

---

221. *Carey, supra* note 129 aux p. 670-673 ; Hodgson, *supra* note 27 aux p. 172-173, 175-176.

222. *Air Canada, supra* note 102 à la p. 435. Voir aussi : *Jonathan Cape, supra* note 70 aux p. 769-770.

223. *Robinson, supra* note 6 aux p. 715-716 ; *Burmah Oil, supra* note 101 aux p. 1121-1122, 1128.

224. *Carey, supra* note 129 aux p. 671-672.

225. *Northern Land Council, supra* note 112 aux p. 614-615. Voir aussi : Bushnell, *supra* note 186 à la p. 552 ([TRADUCTION] « plus le contenu d'un document est de nature factuelle et moins il est de la nature d'une opinion, plus on devrait avoir tendance à le divulguer »).

Quant au second facteur, soit la sensibilité en lien avec le moment de la production, il faut avant tout savoir si l'élaboration de la politique contestée est encore en cours ou si une décision a déjà été prise et rendue publique. Le poids de l'intérêt public contre la production sera plus élevé lorsque les documents ont trait à la planification et à l'élaboration d'une politique[226]. De tels documents sont antérieurs à la décision et font états des délibé- rations; ils illustrent le va-et-vient des opinions dans le cadre du processus décisionnel, qui aboutira ensuite à la décision finale du Cabinet[227]. Leur production avant que cette décision soit prise et rendue publique, à un moment où le sujet en cause suscite beau- coup d'intérêt, pourrait vraisemblablement porter préjudice au processus décisionnel ainsi qu'à l'intérêt du bon gouvernement[228]. Ce raisonnement s'applique tant aux secrets fondamentaux qu'aux secrets périphériques. Une fois franchie l'étape de la planifica- tion et de l'élaboration d'une politique et que la décision finale a été prise et rendue publique ou après l'abandon d'une initia- tive particulière, le poids de l'intérêt public contre la production sera plus élevé lorsque les documents révèlent des secrets fonda- mentaux plutôt que périphériques. À compter de ce moment, la publication de renseignements factuels et contextuels ne portera vraisemblablement plus atteinte à l'intérêt du bon gouvernement. Toutefois, celle d'opinions ou de recommandations formulées par les ministres au cours du processus décisionnel collectif y portera vraisemblablement atteinte, tant et aussi longtemps que les acteurs politiques en cause continueront à œuvrer dans la vie politique[229]. Le préjudice causé décroîtra avec le passage du temps, lorsque la politique visée ne sera plus d'actualité ou controversée[230], après la tenue d'un certain nombre d'élections générales[231] et après des

---

226.   *Carey, supra* note 129 aux p. 670-671.

227.   *Whitlam, supra* note 76 à la p. 97 ; Cooper, *supra* note 3 à la p. 45, n. 87.

228.   *Carey, supra* note 129 aux p. 670-671.

229.   *Australian Consolidated Press, supra* note 110 à la p. 423.

230.   *Whitlam, supra* note 76 aux p. 46, 98.

231.   *Jonathan Cape, supra* note 70 à la p. 771 ; *Carey, supra* note 129 aux p. 672-673.

changements de gouvernement[232], ou jusqu'à ce que les documents ne revêtent plus qu'un intérêt historique[233].

Puisque les documents du Cabinet ne constituent pas une catégorie homogène de documents, on ne peut pas tenir pour acquis qu'ils sont tous également sensibles[234]. Il est donc essentiel d'examiner le niveau de sensibilité de chaque document individuellement en fonction de son contenu et du moment de sa production[235]. Le niveau de sensibilité peut être soupesé, à l'égard du contenu de chaque document, en lui assignant une valeur de 0 à 3, où 0 signifie que le contenu du document n'est pas sensible, 1 veut dire que le contenu du document est peu sensible, 2 s'applique au contenu du document moyennement sensible et 3 désigne le contenu du document qui est très sensible. Le niveau de sensibilité peut être soupesé, de la même façon, à l'égard du moment de la production de chaque document. En multipliant la valeur accordée au contenu d'un document par la valeur accordée au moment de la production, on obtient son degré de préjudice. Celui-ci peut se situer sur une échelle de 0 à 9, 0 signifiant que la production du document n'est pas préjudiciable, 1 et 2 que la production du document est peu préjudiciable, 3 et 4 que la production du document est moyennement préjudiciable et 6 à 9 que la production du document est hautement préjudiciable. Ce degré de préjudice peut servir à soupeser les coûts de la production. En principe, le tribunal devrait uniquement refuser la production de documents lorsque le degré de préjudice est significatif[236], c'est-à-dire de moyen à élevé selon le modèle proposé, qui peut être illustré au moyen de la matrice suivante:

---

232. *Whitlam, supra* note 76 aux p. 99-100; *Carey, supra* note 129 aux p. 672-673.

233. *Conway, supra* note 59 à la p. 952.

234. *Jonathan Cape, supra* note 70 à la p. 767; *Whitlam, supra* note 76 aux p. 41-42.

235. Les documents du Cabinet ne sont plus évalués seulement sur la base de la catégorie à laquelle ils appartiennent. Comme l'immunité du Cabinet est relative, et non absolue, il est nécessaire de prendre en considération le contenu spécifique de chaque document. Voir: Allan, «Discovery of Cabinet Documents», *supra* note 205 à la p. 232.

236. *Ex parte Wiley, supra* note 65 aux p. 281-282.

TABLEAU 2

PRÉJUDICE – NUL PRÉJUDICE – FAIBLE	MATRICE RELATIVE AU DEGRÉ DE PRÉJUDICE			
PRÉJUDICE – MOYEN	SENSIBILITÉ EN LIEN AVEC LE CONTENU			
PRÉJUDICE – ÉLEVÉ	NULLE (0)	FAIBLE (1)	MOYENNE (2)	ÉLEVÉE (3)
SENSIBILITÉ EN LIEN AVEC LE MOMENT DE LA PRODUCTION — NULLE (0)	0	0	0	0
FAIBLE (1)	0	1	2	3
MOYENNE (2)	0	2	4	6
ÉLEVÉE (3)	0	3	6	9

À une extrémité du spectre, la production d'un document entraîne un degré de préjudice élevé s'il révèle les opinions des ministres quant à la formulation d'une politique importante, avant qu'une décision soit prise et rendue publique. Il en serait ainsi, par exemple, dans le cas où un plaideur chercherait à avoir accès aux documents du Cabinet relatifs à une décision d'entrer en guerre à un moment où les ministres sont encore très divisés sur la question. À l'autre extrémité du spectre, le degré de préjudice est faible si le document fait état de renseignements factuels sur la mise en œuvre d'une politique de moindre importance ou de l'exécution d'obligations contractuelles, après qu'une décision a été prise et rendue publique. Il en serait ainsi, par exemple, dans le cas où un plaideur chercherait à obtenir l'accès à des documents relatifs à une décision prise il y a dix ans à l'effet de consacrer des deniers publics au développement économique d'une région ou d'octroyer un contrat public[237]. Le degré de préjudice serait nul dans deux cas de figure: d'une part, le contenu d'un document n'est plus sensible

---

237. Plusieurs scénarios peuvent être envisagés entre ces deux extrêmes, telle que la situation où un plaideur cherche à obtenir accès aux opinions exprimées par des ministres sur la formulation d'une politique après qu'une décision a été prise et rendue publique, et la situation où un plaideur cherche à obtenir des renseignements de nature factuelle sur la formulation d'une politique publique avant qu'une décision finale n'ait été prise et rendue publique. Dans ces situations, le degré de préjudice serait de moyen à élevé.

lorsque le gouvernement l'a volontairement publié[238] et, d'autre part, le moment de la production n'est plus sensible lorsque le document a été créé il y a si longtemps qu'il ne possède plus qu'un intérêt historique[239].

2.2.1.2.3 La mise en balance dans le cadre de procédures civiles

Le processus de mise en balance doit être mené pour chaque document individuellement. L'intérêt de la justice (les bénéfices de la production) est déterminé en fonction du degré de pertinence de chaque document et l'intérêt du bon gouvernement (les coûts de la production) en fonction du degré de préjudice que peut causer la production de chaque document. En principe, si le degré de pertinence est jugé plus élevé que le degré de préjudice, il faudrait ordonner la production ; inversement, si le degré de préjudice est jugé plus élevé que le degré de pertinence, il faudrait refuser la production. Que faut-il faire si les degrés de pertinence et de préjudice sont jugés égaux ? Me Cooper soutient que, dans un tel cas, le tribunal devrait s'en remettre à l'expertise du gouvernement et refuser la production des documents[240]. Cette position n'est pas conforme à l'approche rationnelle proposée. S'il est vrai que le gouvernement a une plus grande expertise que les tribunaux pour évaluer le degré de préjudice des documents (et, à ce titre, il a droit à la déférence à cet égard), il n'a pas une plus grande expertise pour juger du degré de pertinence (et il n'a donc pas droit à la déférence à cet égard). Puisque l'IIP constitue une exception au principe de l'accès à la preuve[241], si le gouvernement ne réussit pas à convaincre le tribunal que le degré de préjudice l'emporte sur le degré de pertinence, la revendication devrait échouer.

---

238. *Robinson, supra* note 6 à la p. 718 ; *Whitlam, supra* note 76 aux p. 44-45, 64, 100.

239. *Conway, supra* note 59 à la p. 952.

240. Cooper, *supra* note 3 à la p. 118.

241. Edward Koroway, « Confidentiality in the Law of Evidence » (1978) 16:2 *Osgoode Hall L.J.* 361 à la p. 363.

2.2.1.2.4 La mise en balance dans le cadre de procédures pénales

Il faut maintenant se demander si les tribunaux devraient appliquer le même processus de mise en balance dans les procédures pénales que dans les procédures civiles. Les tribunaux peuvent-ils refuser la production de documents susceptibles d'aider la défense dans des procédures pénales en se fondant sur la doctrine de l'IIP? Ils ne le peuvent pas[242]. Compte tenu de la stigmatisation sociale qui découle d'une déclaration de culpabilité et de la perte de liberté que celle-ci peut entraîner, les documents susceptibles d'établir l'innocence de l'accusé doivent être produits[243]. Par conséquent, [TRADUCTION] « [l'application] de la doctrine de l'IIP dans le cadre de procédures pénales [...] donne lieu à un exercice de mise en balance différent de celui auquel il faut s'adonner dans le cadre de procédures civiles[244] ». Dans ce contexte, si un document peut contribuer à la cause de la défense (c'est-à-dire si son degré de pertinence est de moyen à élevé), sa production devrait être ordonnée, quel que soit le degré de préjudice qui y est rattaché; inversement, si un document ne peut pas contribuer à la cause de la défense (c'est-à-dire si son degré de pertinence est de nul à faible), le tribunal devrait refuser d'en ordonner la production. En fait, le tribunal ne procède pas à une mise en balance en matière pénale: si un document est pertinent, la balance penche pour la production. Le poursuivant n'a alors que deux options: produire les documents ou abandonner la poursuite[245].

L'affaire *Matrix Churchill* et la Commission Scott au Royaume-Uni ont confirmé l'approche décrite précédemment[246]. Cette cause renvoie à la poursuite pénale des dirigeants de Matrix

---

242. *Duncan, supra* note 2 aux p. 633-634.

243. Au sujet du critère de la « démonstration de l'innocence de l'accusé », voir: *R. c. McClure*, 2001 CSC 14, [2001] 1 R.C.S. 445; *R. c. Brown*, 2002 CSC 32, [2002] 2 R.C.S. 185.

244. Alan W. Bryant, Sidney N. Lederman et Michelle K. Fuerst, *The Law of Evidence in Canada*, 3ᵉ éd., Toronto, LexisNexis, 2009, § 15.37.

245. *Malek, supra* note 36 à la p. 794.

246. Pour un survol de l'affaire *Matrix Churchill*, voir: Tomkins, *supra* note 196 aux p. 167-200.

Churchill pour exportation illégale d'armes en Iraq. Selon la défense, le gouvernement avait été informé des exportations et les avait encouragées. Pour prouver la véracité de ces allégations, elle a demandé à avoir accès à certains documents gouvernementaux. Le gouvernement a répliqué en déposant diverses revendications d'IIP, créant de ce fait un risque que la défense soit privée d'éléments de preuve pertinents sur les plans factuel et juridique. Après avoir examiné les documents, le juge du procès a ordonné la production de plusieurs documents et le gouvernement s'est conformé à l'ordonnance. Les documents ont été utilisés par la défense durant son contre-interrogatoire de témoins, ce qui a mené à l'admission que les armes avaient été exportées avec le soutien ministériel. Dès que cette admission a été faite, les poursuites ont été abandonnées. Dans un contexte où fusaient des accusations de dissimulation et d'abus de pouvoir, Richard Scott a été nommé pour faire la lumière sur la situation. Dans son rapport, il a critiqué l'utilisation à mauvais escient par le gouvernement d'une revendication d'IIP fondée sur la catégorie de documents afin de soustraire des éléments de preuve pertinents à la production dans le cadre de poursuites pénales[247]. Dans la foulée de l'enquête, le gouvernement a reconnu que le processus de mise en balance est différent dans le contexte de poursuites pénales, et il a cessé d'utiliser les revendications fondées sur la catégorie de documents[248].

Voyons maintenant ce qu'il en est lorsqu'il s'avère nécessaire d'avoir accès aux documents du gouvernement dans le cadre de poursuites pénales dirigées contre des officiers publics. Il est possible que le gouvernement s'oppose à la production de documents dans ce contexte, comme cela s'est produit dans les affaires *Nixon* et *Whitlam*. Comme l'IIP vise à favoriser la saine administration du gouvernement, il ne serait pas approprié d'utiliser la doctrine de l'IIP pour dissimuler la preuve d'un crime. En conséquence, si un document pouvait aider la cause de la poursuite (c'est-à-dire

---

247. Richard Scott, *Report of the Inquiry into the Export of Defence Equipment and Dual-Use Goods to Iraq and Related Prosecutions*, vol. 4, Londres, HMSO, 1996 aux p. 1781-1793.

248. R.-U., H.C., *Official Report*, 6ᵉ sér., vol. 287, col. 949-958 (18 décembre 1996) ; R.-U., H.L., *Parliamentary Debates*, 5ᵉ sér., vol. 576, col. 1507-1517 (18 décembre 1996).

le tribunal refuserait-il la production de l'ensemble d'une note de breffage si seules quelques pages contiennent des renseignements sensibles ? Dans les deux cas, si les renseignements pertinents sont compréhensibles sans le contexte que procurerait la version complète du document, ils peuvent en être extraits et produits. Cette solution est conforme à l'approche adoptée dans l'arrêt *Nixon*[251]. Si les renseignements pertinents ne sont pas compréhensibles sans le contexte de l'ensemble du document, le gouvernement pourrait en rédiger un résumé (que le tribunal examinerait et approuverait) ou admettre les faits sous-jacents. Le processus de révision pourrait être utilisé pour séparer les secrets périphériques des secrets fondamentaux qui figurent dans des documents du Cabinet. Les secrets périphériques ont généralement un degré de pertinence plus élevé et un degré de préjudice plus faible que les secrets fondamentaux, puisqu'ils révèlent des faits (de nature objective) plutôt que des opinions (de nature subjective). Ce processus pourrait servir à dégager et à produire les secrets périphériques, tout en protégeant les secrets fondamentaux.

Deuxièmement, le tribunal peut imposer des conditions à l'utilisation des documents sensibles. En effet, les documents sont produits à l'intention du plaideur pour un usage précis et limité, et non pour que le monde entier puisse en prendre connaissance. Il devrait donc être exprimé clairement que les documents ne peuvent être publiés sans le consentement du tribunal. À cette fin, ces derniers pourraient être désignés « confidentiels », et l'accès à leur contenu être conditionnel à ce que les plaideurs et leurs avocats s'engagent à signer une promesse d'en préserver la confidentialité[252]. Cet engagement prendrait la forme d'une promesse explicite faite au tribunal que la confidentialité des documents ne sera pas enfreinte par leur communication à des personnes qui ne

---

251. Dans l'arrêt *Nixon*, *supra* note 91 aux p. 715-716, la Cour suprême des États-Unis a ordonné au tribunal inférieur d'écouter les enregistrements audio et d'en extraire les renseignements pertinents. Le procureur spécial a uniquement eu accès aux renseignements pertinents ; les autres renseignements ont été retournés à leur gardien légal sous le sceau de la confidentialité.

252. J.E.S. Simon, « Evidence Excluded by Considerations of State Interest » (1955) 13:1 *Cambridge L.J.* 62 à la p. 76. L'engagement explicite de confidentialité pourra renforcer l'engagement implicite de confidentialité dans les ressorts où un tel engagement existe, comme au Canada, ou pourra servir une fin identique dans les ressorts où un tel engagement n'existe pas.

sont pas autorisées à en prendre connaissance. La violation d'une telle promesse constituerait un outrage au tribunal et entraînerait de sérieuses conséquences. En outre, si le gouvernement en fait la demande, le tribunal pourrait ordonner que les parties de l'audience durant lesquelles les documents sont versés au dossier ou des témoignages sont rendus sur leur contenu se déroulent à huis clos[253]. En conséquence, les portions correspondantes de la transcription de l'audience, de même que tous les documents sensibles déposés en preuve, seraient scellés par le tribunal. Au terme du litige, les documents de ce type que le tribunal, les plaideurs ou leurs avocats auraient en leur possession seraient renvoyés au gouvernement. Même si ces conditions ne pourraient pas totalement éliminer le risque de préjudice, elles pourraient le réduire à un niveau tolérable[254].

En résumé, la présente section a proposé une approche rationnelle pour examiner les revendications d'immunité du Cabinet dans le contexte de procédures judiciaires. Elle a divisé le processus d'évaluation en deux phases (les phases abstraite et concrète) et en quatre étapes (les étapes de la communication, de l'objection, de l'examen et de la production). En premier lieu, à l'étape de la communication, dans le but d'accroître l'efficacité du processus, la norme de pertinence devrait être restreinte de l'apparence de pertinence à la simple pertinence. En second lieu, à l'étape de l'objection, pour des motifs d'équité, le tribunal devrait, en principe, examiner les documents à première vue pertinents, à moins que le gouvernement n'établisse clairement qu'un tel examen serait inutile dans les circonstances. En troisième lieu, à l'étape de l'examen, pour accroître la prévisibilité, la certitude et la transparence de l'examen des revendications d'IIP, le tribunal devrait adopter une analyse coûts-bénéfices dont l'objectif consisterait à maximiser l'intérêt public en soupesant et en mettant en balance l'intérêt de

---

253. *Ibid.* aux p. 76-78. Voir aussi: Molnar, *supra* note 250 à la p. 188.

254. Voir, par exemple: *Can Am Simulation, supra* note 150 au para. 55; *Health Services, supra* note 150, annexe 1; *Northern Transportation, supra* note 150, annexe 1. L'intégrité du processus judiciaire requiert que l'engagement de confidentialité soit respecté. Par conséquent, les tribunaux devraient refuser de modifier les ordonnances de confidentialité relatives aux documents du Cabinet, à moins qu'un changement important de circonstances n'ait eu lieu (*British Columbia Teachers' Federation v. British Columbia*, 2015 BCCA 185, infirmant 2014 BCSC 121).

la justice et celui du bon gouvernement. Le premier devrait être soupesé en fonction du degré de pertinence (factuelle et juridique) et le second en fonction du degré de préjudice (sensibilité en lien avec le contenu et le moment de la production). La production devrait être ordonnée si le degré de pertinence est jugé équivalent ou supérieur au degré de préjudice. Enfin, en quatrième lieu, à l'étape de la production, le tribunal devrait minimiser le degré de préjudice en révisant les documents et en fixant les conditions de leur utilisation.

CONCLUSION

Le présent chapitre visait à présenter un examen critique de la façon dont le pouvoir judiciaire a traité les revendications d'IIP, notamment les revendications d'immunité du Cabinet, en common law, dans les ressorts de type Westminster. Deux questions ont été examinées : quelle branche de l'État – le pouvoir exécutif ou le pouvoir judiciaire – devrait avoir le dernier mot lorsqu'il s'agit de décider quels secrets gouvernementaux, y compris les secrets du Cabinet, peuvent être produits dans le cadre de litiges ? et quel processus les tribunaux devraient-ils suivre pour soupeser et mettre en balance les aspects divergents de l'intérêt public lorsqu'ils évaluent des revendications d'IIP ?

Premièrement, le débat quant à la suprématie du pouvoir judiciaire (*Robinson*) ou du pouvoir exécutif (*Duncan*) est clos. Il est désormais clairement établi que les tribunaux devraient avoir le dernier mot en common law (*Conway*), et ce, pour deux raisons : d'abord, parce qu'il est foncièrement du ressort des tribunaux et non du gouvernement de contrôler l'admissibilité de la preuve durant les procédures judiciaires ; ensuite, parce que l'équité procédurale exige qu'il soit décidé des revendications d'IIP par un juge indépendant et impartial, plutôt que par un officier public en apparence partial. Il est également clairement établi que les revendications d'immunité du Cabinet peuvent faire l'objet d'un contrôle judiciaire : cette immunité est relative et non absolue (*Whitlam*). Cela ne veut pas dire que les tribunaux devraient automatiquement ordonner la production des secrets du Cabinet durant les procédures judiciaires ; cela signifie plutôt que ces revendications devraient être évaluées d'une manière qui tienne compte de la justification de l'immunité et des circonstances de la cause. À cet égard, l'interprétation de la portée du secret ministériel selon les conventions constitutionnelles et la common law est cohérente : les tribunaux ont accepté que la justification du secret ministériel s'estompe avec le passage du temps (*Crossman*), et que l'immunité du Cabinet ne peut mettre les officiers publics à l'abri de poursuites pénales (*Whitlam*). Il y a consensus relativement à ces principes.

Cela dit, il n'y a pas de consensus quant au degré de déférence qu'il faudrait accorder aux revendications d'immunité du Cabinet. Au Royaume-Uni (*Burmah Oil* et *Air Canada*) et en Australie (*Northern Land Council*), les tribunaux ont préconisé l'approche non interventionniste, tandis qu'en Nouvelle-Zélande (*Fletcher Timber*) et au Canada (*Carey*), ils ont adopté l'approche interventionniste. Selon la première approche, les documents du Cabinet sont présumés protégés. Le tribunal ne les examinera pas, à moins que la partie qui sollicite leur production ne démontre qu'ils contiennent très probablement des renseignements qui étayeraient considérablement ses allégations. Cette approche favorise l'intérêt du bon gouvernement. Selon la seconde approche, les documents du Cabinet ne sont pas présumés protégés. Le tribunal les examinera, à moins que la partie qui s'oppose à leur production n'établisse clairement que celle-ci n'est pas nécessaire au règlement équitable du litige. Cette approche favorise l'intérêt de la justice. La faille dans l'approche non interventionniste réside dans le fait que le fardeau applicable n'est pas compatible avec le principe de l'accès à la preuve, en plus d'être inéquitable envers la partie qui sollicite la production, ce qui a pour conséquence d'écarter des documents à première vue pertinents. La faille dans l'approche interventionniste réside dans le fait qu'elle accorde un poids insuffisant aux justifications qui sous-tendent le secret ministériel, ce qui entraîne la production de documents sensibles qui n'étayent pas forcément les allégations des parties (*Carey*). À la lumière de ces failles, il était nécessaire d'envisager une nouvelle approche pour évaluer les revendications d'immunité du Cabinet.

Deuxièmement, l'approche rationnelle proposée vise à incorporer les forces des approches interventionniste et non interventionniste. Une des forces de cette dernière est qu'elle met l'accent sur l'efficacité. De nombreux litiges sur l'accès à des documents du Cabinet pourraient être évités si une norme de pertinence plus étroite était adoptée. Les litiges devraient se concentrer sur les documents qui semblent réellement pertinents et non sur les documents qui ont simplement un lien avec la cause. L'approche non interventionniste a aussi l'avantage de mettre l'accent sur l'expertise. Le respect pour celle du gouvernement suppose que les tribunaux devraient examiner les documents avant d'en ordonner la production, faire preuve de déférence à l'égard de l'évaluation du degré de préjudice par le gouvernement et minimiser le degré de préjudice quand la production est ordonnée. La force de l'approche interventionniste est qu'elle met l'accent sur l'équité. Ainsi, le gouvernement devrait porter le fardeau de justifier pourquoi les documents ne devraient pas être produits. Les tribunaux ne devraient accueillir une objection à la production qu'après avoir examiné les documents, à moins qu'un tel examen ne soit clairement inutile dans les circonstances. De plus, les tribunaux ne devraient pas s'en remettre à l'évaluation du gouvernement quant au degré de pertinence des documents en cause, puisqu'ils jouissent d'une plus grande expertise sur la question et qu'il existe un risque de partialité du gouvernement. L'approche rationnelle proposée vise à atteindre le bon équilibre entre l'efficacité, l'expertise et l'équité.

L'examen est l'étape principale de l'évaluation des revendications d'IIP. C'est alors que le juge soupèse et met en balance les aspects divergents de l'intérêt public. L'approche rationnelle favorise l'adoption d'une analyse coûts-bénéfices des revendications d'IIP dans le but de maximiser l'intérêt public. Comment l'intérêt de la justice (les bénéfices de la production) et l'intérêt du bon gouvernement (les coûts de la production) devraient-ils être soupesés ? L'intérêt de la justice devrait être soupesé en fonction du degré de pertinence calculé en multipliant les valeurs données à la pertinence factuelle et juridique de chaque document[255]. L'intérêt du bon gouvernement devrait être soupesé en fonction du degré de préjudice calculé en multipliant les valeurs données à la sensibilité découlant du contenu et celle découlant du moment de la

---

255. Voir le Tableau 1, *supra*, section 2.2.1.2.1.

production pour chaque document[256]. Comment faudrait-il mettre les intérêts de la justice et du bon gouvernement en balance ? Un document devrait être produit si son degré de pertinence est jugé supérieur ou égal à son degré de préjudice. Exceptionnellement, dans les cas où des allégations crédibles d'actes criminels sont formulées, un document devrait être produit si son degré de pertinence est jugé de moyen à élevé. En exigeant des tribunaux qu'ils minimisent le degré de préjudice causé lorsqu'ils ordonnent la production, l'approche rationnelle fait respecter l'intérêt de la justice, sans pour autant porter indûment atteinte à l'intérêt du bon gouvernement.

L'adoption par les tribunaux de l'approche rationnelle en common law donnerait une plus grande prévisibilité, certitude et transparence à l'évaluation des revendications d'immunité du Cabinet. Elle garantirait que les renseignements qui doivent demeurer confidentiels seront protégés d'une manière qui ne serait pas indûment préjudiciable aux droits des plaideurs, de même qu'à la confiance du public envers l'administration de la justice. L'approche rationnelle, comparée aux approches non interventionniste et interventionniste, permettrait aux tribunaux d'atteindre un meilleur équilibre entre l'intérêt du bon gouvernement et celui de la justice. Les principes qui sous-tendent la logique de l'approche rationnelle peuvent facilement être appliqués à l'ordre provincial au Canada ; toutefois, ils ne peuvent pas l'être à l'ordre fédéral, puisque les articles 39 de la *Loi sur la preuve au Canada* et 69 de la *Loi sur l'accès à l'information* empêchent à l'heure actuelle toute véritable évaluation par les tribunaux des revendications d'immunité du Cabinet[257]. Ces dispositions législatives dépassées devraient être remaniées, puisqu'elles ne sont pas compatibles avec le principe de la primauté du droit, qui exige que les actes de l'exécutif soient susceptibles d'un véritable contrôle judiciaire, et sont donc incompatibles avec l'approche rationnelle proposée dans le présent chapitre.

256. Voir le Tableau 2, *supra*, section 2.2.1.2.2.
257. Voir *supra* note 5.

CHAPITRE 3

LE SECRET MINISTÉRIEL ET L'IMMUNITÉ D'INTÉRÊT PUBLIC EN DROIT LÉGISLATIF

INTRODUCTION

Le secret ministériel est une pierre angulaire du système de gouvernement responsable de type Westminster. La confidentialité des délibérations du Cabinet est protégée à la fois par des conventions constitutionnelles et par le droit. La doctrine de l'immunité du Cabinet reconnue par la common law permet au gouvernement d'empêcher la divulgation des secrets du Cabinet dans le cadre de litiges. En common law, l'immunité du Cabinet est de nature relative plutôt qu'absolue. Au nom de la primauté du droit, les tribunaux ont affirmé et exercé le pouvoir d'examiner les secrets du Cabinet et d'ordonner leur production lorsque l'intérêt de la justice l'emporte sur l'intérêt du bon gouvernement. Ils ont reconnu que les secrets du Cabinet n'ont pas tous le même degré de sensibilité : les opinions et les recommandations formulées par les ministres lors du processus décisionnel collectif, c'est-à-dire les secrets fondamentaux, sont plus sensibles que les renseignements factuels et contextuels connexes, c'est-à-dire les secrets périphériques. En outre, ils ont confirmé que la sensibilité des renseignements diminue avec le passage du temps, jusqu'à ce qu'ils finissent par ne plus avoir qu'un intérêt historique.

La common law s'applique dans l'ensemble des ressorts de type Westminster sous étude, sauf un. À l'ordre fédéral au Canada, le Parlement a adopté un régime législatif particulier qui supplante la common law. Ce régime permet au gouvernement de revendiquer une immunité quasi absolue pour une catégorie de renseignements appelés « renseignements confidentiels du Conseil privé de la Reine pour le Canada » (ci-après « renseignements confidentiels du Cabinet »). Compte tenu de l'existence de cette immunité quasi absolue, les tribunaux n'ont ni le pouvoir d'examiner les renseignements confidentiels du Cabinet ni le pouvoir d'en ordonner la production. L'intérêt du bon gouvernement prime donc systématiquement l'intérêt de la justice. De plus, il existe un risque constant d'abus de pouvoir, puisque les actes de l'exécutif ne sont pas assujettis à un véritable contrôle judiciaire. Il s'agit d'une forme d'exceptionnalisme canadien relativement à l'immunité du Cabinet.

L'expression « renseignements confidentiels du Cabinet » est propre au Canada. Elle est censée avoir la même signification que l'expression « secrets du Cabinet » au sens des conventions et de la common law. Toutefois, puisque cette expression est d'origine législative, et compte tenu de la façon dont elle a été interprétée et appliquée, elle vise des renseignements qui ne sont pas nécessairement protégés par les conventions et la common law. Le régime législatif protège indistinctement tant les secrets fondamentaux que les secrets périphériques pour une période de 20 ans. Il s'agit d'une conséquence découlant du fait que les dispositions législatives sont établies par des acteurs politiques agissant parfois dans leur propre intérêt, par opposition aux principes de common law qui sont élaborés au cas par cas par des juges indépendants et impartiaux. Dans le présent chapitre, l'expression « renseignements confidentiels du Cabinet » renvoie explicitement au type de renseignements qui est protégé par le régime législatif fédéral au Canada.

Ce régime législatif est composé d'un ensemble de règles. La première était énoncée au paragraphe 41(2) de la *Loi sur la Cour fédérale* (ci-après « *LCF* ») adoptée en 1970[1]. Cette disposition autorisait les ministres à protéger, de manière décisive, dans le cadre de litiges, certaines catégories de documents particulièrement sensibles, y compris les documents contenant des renseignements confidentiels du Cabinet. En 1982, le paragraphe 41(2) a été remplacé par l'article 39 de la *Loi sur la preuve au Canada* (ci-après

---

1. *Loi sur la Cour fédérale*, S.R.C. 1970, 2ᵉ supp., c. 10, art. 41 [*LCF*], reproduit en annexe.

« *LPC* »)[2], qui permet toujours au gouvernement d'empêcher la production de renseignements confidentiels du Cabinet fédéral dans le cadre de litiges. Au même moment, le Parlement a adopté la *Loi sur l'accès à l'information* (ci-après « *LAI* »)[3]. Bien que cette dernière confère un droit d'accès aux renseignements détenus par le gouvernement, son article 69 exclut de la portée de la *LAI* les renseignements confidentiels du Cabinet. Dans les faits, cet ensemble de règles empêche les tribunaux d'examiner les renseignements confidentiels du Cabinet et d'en ordonner la production.

Le présent chapitre vise à présenter un examen critique de la portée des articles 39 et 69 à la lumière des conventions, de la common law et de l'intention du législateur au moment où il a adopté ces dispositions. Il examine la manière dont les articles 39 et 69 ont été élaborés, interprétés et appliqués par le Parlement, le gouvernement et les tribunaux. Ce chapitre est divisé en deux sections portant respectivement sur l'origine du régime législatif fédéral et sur son interprétation. La première section fera valoir que les tribunaux ont été privés du pouvoir d'évaluer les revendications d'immunité du Cabinet parce que le premier ministre Pierre Elliott Trudeau ne faisait pas confiance aux juges pour protéger adéquatement les renseignements confidentiels du Cabinet. La deuxième section démontrera que la portée de l'immunité du Cabinet suivant le régime législatif est trop vaste et ne permet qu'un contrôle judiciaire minime des revendications d'immunité du Cabinet.

1. L'ORIGINE DU RÉGIME LÉGISLATIF FÉDÉRAL

La section 1 expliquera pourquoi le Parlement a affirmé la suprématie du pouvoir exécutif à l'égard des renseignements confidentiels du Cabinet en 1970 et en 1982. Cette section est divisée en deux sous-sections. La première sous-section soutiendra que, en adoptant le paragraphe 41(2) de la *LCF* en 1970, le législateur

---

2. *Loi sur la preuve au Canada*, L.R.C. 1985, c. C-5, art. 39 [*LPC*], reproduit en annexe.
3. *Loi sur l'accès à l'information*, L.R.C. 1985, c. A-1, art. 69 [*LAI*], reproduit en annexe.

avait l'intention d'empêcher les tribunaux d'examiner certains documents sensibles du gouvernement fédéral et d'en ordonner la production dans le cadre de litiges. La deuxième sous-section établira qu'une proposition de réforme législative ambitieuse, élaborée dans la foulée du mouvement en faveur d'une plus grande transparence gouvernementale, qui aurait assujetti les revendications d'immunité du Cabinet au contrôle judiciaire, a été écartée à la dernière minute à la demande du premier ministre Pierre Elliott Trudeau. Bien qu'en 1982 le Parlement ait libéralisé l'immunité d'intérêt public (ci-après « IIP ») en conférant aux tribunaux le pouvoir d'examiner tous les documents du gouvernement fédéral et d'en ordonner la production, il a maintenu la suprématie du pouvoir exécutif à l'égard des renseignements confidentiels du Cabinet en adoptant les articles 39 de la *LPC* et 69 de la *LAI*.

1.1   L'enchâssement législatif de la suprématie du pouvoir exécutif

Peu de temps après que le principe du contrôle judiciaire des revendications d'IIP ait été rétabli dans l'arrêt *Conway v. Rimmer*[4], mais avant qu'il soit clairement étendu aux documents du Cabinet par l'arrêt *Sankey v. Witham*[5], le Parlement a légiféré pour mettre un frein à la tendance croissante de la common law à favoriser la transparence gouvernementale. Ce faisant, il a réagi exagérément à l'arrêt *Conway*. Parmi les ressorts étudiés, aucun autre ressort de type Westminster, aussi indisposé qu'il ait pu être par la décision du Comité d'appel de la Chambre des lords[6], n'a rejeté la common law de manière aussi draconienne. En 1970, une

---

4.   *Conway v. Rimmer*, [1968] UKHL 2, [1968] A.C. 910 [*Conway*]. Le comité d'appel de la Chambre des lords a réaffirmé et exercé le pouvoir d'examiner les secrets gouvernementaux et d'ordonner leur production dans le cadre de litiges lorsque l'intérêt de la justice l'emporte sur l'intérêt du bon gouvernement.

5.   *Sankey v. Whitlam*, [1978] H.C.A. 43, 142 C.L.R. 1 [*Whitlam*]. Pour la première fois, dans les ressorts de type Westminster, un tribunal a ordonné la production de documents du Cabinet dans le contexte d'une poursuite pénale contre d'anciens ministres.

6.   Voir, par exemple, la réaction des fonctionnaires britanniques à l'arrêt *Conway*, *supra* note 4 : Maureen Spencer et John Spencer, « Coping with *Conway* v. *Rimmer* [1968] AC 910 : How Civil Servants Control Access to Justice » (2010) 37:3 *J.L. & Soc'y* 387 à la p. 391.

nouvelle disposition, l'article 41, a été intégrée à la *LCF* pour régir les revendications d'IIP relativement à des documents du gouvernement fédéral dans le cadre de litiges[7]. Le paragraphe 41(1) énonçait la règle, et le paragraphe 41(2) l'exception. En principe, les tribunaux étaient autorisés à évaluer les revendications d'IIP présentées par un ministre. Ils pouvaient examiner les documents, soupeser et mettre en balance les aspects divergents de l'intérêt public et ordonner la production des documents en cause lorsque l'intérêt de la justice l'emportait sur l'intérêt du bon gouvernement. Toutefois, suivant l'exception, les tribunaux ne pouvaient pas évaluer une revendication d'IIP si un ministre affirmait sous serment que la production des documents aurait pour effet : soit de nuire aux relations internationales, à la défense nationale, à la sécurité nationale ou aux relations fédérales-provinciales ; soit de divulguer un renseignement confidentiel du Cabinet. Dans ces cas, la production devait être refusée sans examen judiciaire. En somme, le paragraphe 41(1) établissait une immunité relative, sauf pour les catégories de documents énumérés au paragraphe 41(2), qui jouissaient d'une immunité absolue[8].

1.1.1   La portée de l'immunité absolue

La portion de la disposition qui posait problème était son paragraphe 41(2), qui codifiait le principe adopté par la Chambre des lords dans l'arrêt *Duncan v. Cammell, Laird & Co.*[9], un principe qui a donné lieu à des cas manifestes d'abus de pouvoir au Royaume-Uni[10]. En 1970, aucun juge n'aurait rejeté une revendication d'IIP à l'égard de laquelle un ministre avait attesté, conformément aux exigences de forme, que la production des documents nuirait à la sécurité nationale ou divulguerait un renseignement

---

7.   La *LCF, supra* note 1, a reçu la sanction royale le 3 décembre 1970 et est entrée en vigueur le 1er juin 1971. Voir : *Loi sur la Cour fédérale*, DORS/71-241.

8.   René Dussault et Louis Borgeat, *Administrative Law*, vol. 3, 2e éd., Toronto, Carswell, 1989 aux p. 212-213.

9.   *Duncan v. Cammell, Laird & Co.*, [1942] UKHL 3, [1942] A.C. 624 [*Duncan*]. La Chambre des lords a affirmé qu'une objection ministérielle visant à prévenir la production de secrets gouvernementaux dans le cadre d'un litige avait un caractère décisif et que, par conséquent, les juges étaient tenus de la respecter.

10.   Voir le chapitre 2, *supra*, section 1.1.2.1.

confidentiel du Cabinet. Lorsqu'il a réaffirmé le pouvoir des tribunaux de contrôler les revendications d'IIP dans l'arrêt *Conway*, lord Reid a maintenu fermement que [TRADUCTION] « les procès-verbaux des réunions du Cabinet et les documents du même type ne doivent pas être divulgués, jusqu'à ce qu'ils n'aient plus qu'un intérêt historique[11] ». Cependant, après l'arrêt *Conway*, le pouvoir de décider si de tels documents devaient être protégés dans un cas donné relevait des tribunaux et non du gouvernement. Dans une cause qui s'y prêterait, comme dans l'arrêt *Whitlam*, les juges auraient le pouvoir d'ordonner la production des documents. Dans l'arrêt *Conway*, lord Morris a déclaré que le Parlement pouvait, par voie législative, retirer ce pouvoir aux tribunaux et le conférer exclusivement au gouvernement, bien que cela fût [TRADUCTION] « incompatible avec [...] l'administration de la justice[12] ». Il s'agissait d'une confirmation des valeurs consacrées par la primauté du droit en common law, même si, dans un système régi par la souveraineté parlementaire, ces valeurs peuvent être supplantées par le législateur. C'est ce qu'a fait le Parlement en adoptant le paragraphe 41(2): au moyen d'une loi, il a figé les règles de common law relatives à l'IIP, telles qu'elles étaient interprétées en 1970, et a empêché leur évolution naturelle, fondée sur une analyse au cas par cas.

Lorsque la *LCF* a fait l'objet de débats à la Chambre des communes, dans le contexte de la crise d'octobre à l'automne 1970, le ministre de la Justice, John Turner, a reconnu le bien-fondé de l'approche adoptée deux ans plus tôt dans l'arrêt *Conway* pour trancher les revendications d'IIP en common law[13]. Il a toutefois soutenu, sans opposition, qu'il serait raisonnable de préserver l'immunité absolue, adoptée dans l'arrêt *Duncan*, pour

---

11.   *Conway*, *supra* note 4 à la p. 952.

12.   *Ibid.* à la p. 955.

13.   *Débats de la Chambre des communes*, 28ᵉ parl., 2ᵉ sess., vol. 5 (25 mars 1970) à la p. 5479 (hon. John Turner) [*Débats de la Chambre des communes*, mars 1970]. Pour un survol des débats pertinents, voir aussi: Chambre des communes, Comité permanent de la justice et des questions juridiques, *Procès-verbaux*, n° 33 (9 juin 1970) aux p. 33:89-33:92; *Débats de la Chambre des communes*, 28ᵉ parl., 3ᵉ sess., vol. 1 (29 octobre 1970) aux p. 696-702 [*Débats de la Chambre des communes*, octobre 1970].

des catégories précises de documents dont la liste était dressée au paragraphe 41(2). Le seul désaccord exprimé concernait l'inclusion dans cette liste des documents dont la publication nuirait aux relations fédérales-provinciales. Les néo-démocrates ont soutenu que la nouvelle disposition conférait un fondement « vague » et « général » pour justifier la protection des documents, un fondement dont il pourrait être trop facile d'abuser[14]. Les progressistes-conservateurs ont affirmé que l'immunité absolue empêcherait un plaideur de présenter « un plaidoyer intégral au juge » et donnerait lieu à une apparence de partialité, ce qui minerait la saine administration de la justice[15]. S'il est vrai que ces critiques visaient l'inclusion des documents relatifs aux relations fédérales-provinciales dans la liste de ceux sujets à une immunité absolue, elles s'appliquaient tout autant aux autres catégories de documents identifiées au paragraphe 41(2). Le ministre Turner n'a pas répondu directement à ces critiques. À son avis, les documents relatifs aux relations fédérales-provinciales, en tant que catégorie, étaient très sensibles, surtout à une époque où l'unité nationale était en danger, et les ministres étaient mieux placés que les juges pour évaluer ce qui pourrait nuire à ces relations[16].

En définitive, le paragraphe 41(2) a été adopté par le Parlement sans grande controverse. Le professeur David Mullan a soutenu que l'absence de controverse quant à cette disposition découlait du fait que les juristes canadiens s'étaient de tout temps peu intéressés à l'un des domaines fondamentaux du droit constitutionnel anglais : [TRADUCTION] « le rôle que les tribunaux devraient assumer relativement au pouvoir exécutif[17] ». L'adoption du paragraphe 41(2) constituait une tentative de limiter la portée de l'arrêt *Conway* et représentait ainsi « une régression du privilège de la Couronne

---

14. *Débats de la Chambre des communes*, mars 1970, *supra* note 13 à la p. 5479 (Andrew Brewin).

15. *Débats de la Chambre des communes*, octobre 1970, *supra* note 13 à la p. 700 (Robert McCleave).

16. *Ibid.* aux p. 698-699 (hon. John Turner).

17. David Mullan, « Not in the Public Interest: Crown Privilege Defined » (1971) 19:9 *Chitty's L.J.* 289 à la p. 291. Sur cette question, voir aussi l'opinion du juge Rand dans *R. v. Snider*, [1954] S.C.R. 476 aux p. 485-486 [*Snider*].

au Canada[18]». L'incorporation de cette disposition à une loi qui accroissait, par ailleurs, le pouvoir des tribunaux, la rendait encore plus troublante. L'adoption du paragraphe 41(2) supposait que le Parlement n'avait pas foi en l'intégrité et en la sagesse des juges pour traiter de questions relatives aux renseignements confidentiels du Cabinet[19]. Comment un plaideur pourrait-il convaincre un juge qu'une revendication d'IIP n'est pas fondée si le juge ne peut examiner les documents en cause ? Selon le professeur Mullan, le paragraphe 41(2) « a totalement abrogé le droit des plaideurs de contester une revendication[20]». Peut-être a-t-il un peu exagéré à cet égard. En dépit du libellé très ferme du paragraphe 41(2), il est peu probable qu'un juge aurait accueilli une revendication d'IIP si un plaideur avait été en mesure de prouver la mauvaise foi du ministre en présentant des éléments de preuve extrinsèques[21]. Cela dit, en l'absence de tels éléments de preuve, qui sont difficiles à obtenir, les revendications d'IIP étaient soustraites à tout véritable contrôle judiciaire. Il est donc juste de dire que le paragraphe 41(2) a considérablement limité les droits des plaideurs et qu'il était incompatible avec les règles de common law énoncées dans l'arrêt *Conway*.

Il existe deux décisions dans lesquelles des plaideurs ont contesté l'utilisation du paragraphe 41(2) par le gouvernement pour protéger des documents contenant des renseignements confidentiels du Cabinet. Dans l'affaire *Landreville c. Canada*, un ancien juge sollicitait l'accès à des procès-verbaux de réunions du Cabinet, à des mémoires au Cabinet et à une note adressée au premier ministre pour prouver que le gouvernement n'avait pas tenu sa promesse de lui payer une partie de sa pension en échange de sa démission, après que son intégrité avait été sérieusement mise en

---

18.   Mullan, *supra* note 17 à la p. 290. Voir aussi : *Snider, supra* note 17 ; *Gagnon c. Commission des valeurs mobilières du Québec*, [1965] R.C.S. 73.

19.   Mullan, *supra* note 17 à la p. 290. Le professeur Mullan souligne que [TRADUCTION] « c'est l'une des étranges contradictions de la *Loi sur la Cour fédérale* qu'une loi, qui donne généralement aux tribunaux une autorité accrue sur la branche exécutive du gouvernement, témoigne par la même occasion d'un manque de confiance dans l'intégrité des tribunaux de décider de manière responsable les revendications du privilège de la Couronne et de protéger le véritable intérêt public dans la sécurité de l'État ».

20.   *Ibid.* à la p. 292.

21.   *Roncarelli v. Duplessis*, [1959] S.C.R. 121 [*Roncarelli*].

doute. Compte tenu du libellé limpide du paragraphe 41(2), la Cour fédérale était tenue de refuser la production des documents, même si ceux-ci étaient pertinents pour trancher la question en litige. La Cour n'était toutefois pas naïve quant à l'intention à l'origine de l'adoption de cette disposition :

> [Il] est évident que le Parlement a codifié [la] common law tel qu'énoncé dans *Duncan* [...] afin de prévenir l'application de l'arrêt *Conway* [...] au Canada.
>
> [...]
>
> Cet article exclut l'évolution au Canada d'un privilège de la Couronne en vertu duquel la décision finale relativement à la production dans un procès de documents pertinents relèverait d'un pouvoir judiciaire indépendant, plutôt que d'un pouvoir exécutif intéressé[22].

L'affaire *Wilfrid Nadeau Inc. c. Canada* a illustré encore davantage cet état de fait. Il était question d'un constructeur qui avait perdu, au profit d'un compétiteur, un contrat public pour la construction d'une route dans le comté de Jean Chrétien, et ce, même s'il était le plus bas soumissionnaire. Le contrat avait été octroyé par M. Chrétien, à titre de ministre des Affaires indiennes et du Développement du Nord, avec l'approbation du Conseil du Trésor. Le constructeur souhaitait avoir accès à certains documents du Conseil du Trésor pour prouver que la décision avait été prise sur la base de pressions politiques indues et de népotisme. Le gouvernement s'est toutefois opposé à sa demande. La Cour fédérale a refusé à contrecœur d'ordonner la production des documents, même si ceux-ci semblaient pertinents pour trancher la question en litige. Le constructeur n'a donc pas pu faire la preuve de ce qu'il alléguait et il a perdu sa cause[23].

Même s'il n'est pas certain que les documents en cause dans l'affaire *Wilfrid Nadeau* contenaient [TRADUCTION] «les preuves irréfutables» que le constructeur espérait y trouver, il a désormais été démontré que les documents en cause dans l'affaire *Landreville*

---

22. *Landreville c. Canada*, [1977] 1 C.F. 419 à la p. 422.
23. *Wilfrid Nadeau Inc. c. Canada*, [1977] 1 C.F. 541.

étayaient les allégations de l'ancien magistrat[24]. Il ne fait aucun doute que le recours au paragraphe 41(2) créait un risque d'abus de pouvoir, c'est-à-dire un risque que le gouvernement puisse retenir des éléments de preuve qui lui étaient défavorables pour entraver une enquête publique ou pour obtenir un avantage tactique dans un litige. Ce risque était-il suffisamment important pour rendre le paragraphe 41(2) inconstitutionnel? Pas selon la Cour suprême du Canada. En effet, dans l'arrêt *Commission des droits de la personne c. Canada (Procureur général)*, elle a confirmé que, conformément à la Constitution, le Parlement avait le pouvoir de légiférer relativement à l'IIP en ce qui a trait aux documents du gouvernement fédéral et que, compte tenu du principe de la souveraineté parlementaire, il pouvait donner à l'immunité un caractère absolu. En ce qui a trait au risque d'abus de pouvoir, la Cour a souligné que « le risque que l'Exécutif applique à mauvais escient ou même de façon arbitraire une législation validement adoptée par le Parlement n'a pas pour effet de faire perdre à celui-ci son pouvoir de légiférer[25] ». Bref, elle a confirmé que les juges n'appliqueraient pas le paragraphe 41(2) s'il était démontré que le gouvernement avait agi abusivement dans un cas particulier; en revanche, elle a jugé que la disposition n'était pas inconstitutionnelle en raison de son objet. Ce raisonnement n'est pas convaincant, puisqu'il est pratiquement impossible pour les juges de conclure qu'une revendication d'IIP a été présentée abusivement s'ils ne peuvent, au préalable, examiner les documents en cause.

1.1.2   Le sens de l'expression « renseignements confidentiels du Cabinet »

En adoptant le paragraphe 41(2) de la *LCF*, le Parlement a introduit pour la première fois dans le droit fédéral l'expression « renseignements confidentiels du Cabinet » (qui, au moment de l'adoption de cette disposition, avait été traduite en français par

---

24.   William Kaplan, *Bad Judgment: The Case of Mr Justice Léo A Landreville*, Toronto, University of Toronto Press, 1996 aux p. 175-176. Me Kaplan a tiré cette conclusion après avoir examiné les documents pertinents près de 30 ans plus tard.

25.   *Commission des droits de la personne c. Procureur général du Canada*, [1982] 1 R.C.S. 215 à la p. 228 [*Commission des droits de la personne*].

l'expression « communication confidentielle du Conseil privé de la Reine pour le Canada »). Cette dernière n'a toutefois pas été définie, ce qui a engendré une certaine incertitude quant à sa signification. Les libéraux ont tenté d'y donner un sens dans le Livre vert de 1977 intitulé *La législation sur l'accès aux documents du gouvernement*, qui énonçait le principe de « l'accès libre sous réserve de certaines [exceptions] » comme fondement du futur régime d'accès à l'information[26]. Une des exceptions que le gouvernement proposait d'adopter était conçue pour protéger les renseignements confidentiels du Cabinet. Sa justification était fondée sur le lien entre le secret ministériel et la solidarité, et sur la contribution de ces conventions au bon fonctionnement de notre système de gouvernement. Le Livre vert décrivait la nature des renseignements devant être protégés comme « les opinions que les ministres ont exprimées devant le Cabinet sur certaines questions » par opposition aux « renseignements de base et [aux] travaux de recherche » sous-jacents aux décisions du Cabinet[27]. Il établissait donc déjà une distinction entre les opinions (de nature subjective) et les faits (de nature objective)[28].

Malheureusement, cette interprétation de l'expression « renseignements confidentiels du Cabinet » n'a pas été retenue après la création en 1978 de la « Commission d'enquête sur certaines activités de la Gendarmerie royale du Canada », également connue comme la « Commission McDonald ». Il s'agit du premier organisme d'enquête qui a eu accès à des documents du Cabinet et à d'autres documents de haut niveau. Plutôt que d'invoquer le paragraphe 41(2) pour empêcher la Commission d'avoir accès aux documents pertinents, le gouvernement a conçu un processus

---

26. Secrétaire d'État, *Livre vert: La législation sur l'accès aux documents du gouvernement*, Ottawa, Ministre des Approvisionnements et Services Canada, 1977 à la p. 9 (hon. John Roberts). Les exceptions furent tirées de l'article 41 de la *LCF*, *supra* note 1, et de lignes directrices approuvées par le Cabinet et déposées à la Chambre des communes en 1973, qui reconnaissaient le droit des députés d'avoir accès aux documents gouvernementaux sous réserve des certaines exceptions (*ibid.* à la p. 10).

27. *Ibid.* à la p. 12.

28. La définition mise de l'avant dans le Livre vert est donc compatible avec la distinction entre les « secrets fondamentaux » et les « secrets périphériques » introduite au chapitre 1, *supra*, section 1.1.1.2.

particulier qui permettait de les partager avec les commissaires[29]. Il a été jugé qu'il était dans l'intérêt public de faire la lumière sur les allégations d'activités illégales du Service de sécurité de la Gendarmerie royale du Canada (ci-après «GRC») et d'examiner si des ministres avaient autorisé ces activités. Durant l'enquête, les avocats du gouvernement ont dressé une liste des divers types de documents susceptibles de contenir des renseignements confidentiels du Cabinet, comme les «[ordres] du jour et procès-verbaux des réunions du Cabinet, mémoires au Cabinet, décisions de celui-ci», les «[dossiers] d'information utiles aux ministres lors des réunions du Cabinet» et les «documents […] qui décrivent les discussions […] entre ministres»[30]. Cette liste constituait une première tentative de définir l'expression «renseignements confidentiels du Cabinet». Cette expression a donc pris un sens précis, en lien avec [TRADUCTION] «les types de documents susceptibles de contenir des "renseignements confidentiels"[31]», qui a eu une influence considérable sur la façon dont le régime juridique actuel a été conçu, interprété et appliqué.

1.2   L'immunité du Cabinet : le dernier vestige de la suprématie du pouvoir exécutif

À la fin des années 1970, au Canada, l'air du temps était très favorable à la reconnaissance d'un droit d'accès à l'information et à l'abrogation du paragraphe 41(2) de la *LCF*. C'est ce qui a mené à l'adoption du projet de loi C-43 en 1982. Ce projet de loi comportait trois annexes : l'annexe 1 visait l'adoption de la *LAI* ; l'annexe 2 concernait l'adoption de la *Loi sur la protection des renseignements personnels* ; et l'annexe 3 allait modifier la *LPC*[32]. Le présent cha-

---

29.   Décret en conseil, C.P. 1979-887 (22 mars 1979) ; Décret en conseil, C.P. 1979-1616 (2 juin 1979).

30.   Commission d'enquête sur certaines activités de la Gendarmerie royale du Canada, *Deuxième rapport : La liberté et la sécurité devant la loi*, vol. 2, annexe F, «Motif de la décision de la Commission, le 13 octobre 1978», Ottawa, Ministre des Approvisionnements et Services Canada, 1981 à la p. 1242.

31.   Nicholas d'Ombrain, «Cabinet Secrecy» (2004) 47:3 *Administration publique du Canada* 332 à la p. 343.

32.   *Loi édictant la Loi sur l'accès à l'information et la Loi sur la protection des renseignements personnels, modifiant la Loi sur la preuve du Canada et la Loi sur*

pitre s'intéresse plus particulièrement au cadre légal établi par la
LAI et la *LPC*. Le projet de loi C-43 a éliminé l'immunité absolue
pour la quasi-totalité des documents du gouvernement fédéral.
Même ceux dont la divulgation nuirait aux relations internationales, à la défense nationale, à la sécurité nationale et aux affaires
fédérales-provinciales sont désormais assujettis au contrôle judiciaire en application de la *LAI* et de la *LPC*. Ils sont protégés par
une immunité relative. Il en aurait été de même pour les documents révélant des renseignements confidentiels du Cabinet, n'eût
été d'une modification de dernière minute apportée au projet de
loi C-43. Une analyse des dossiers du Cabinet et des débats parlementaires fera ressortir les raisons pour lesquelles les libéraux ont
préservé, en 1982, la suprématie du pouvoir exécutif à l'égard des
renseignements confidentiels du Cabinet, tout en acceptant que le
pouvoir judiciaire jouisse de la suprématie quant à toutes les autres
catégories de renseignements.

1.2.1   *La première version du projet de loi C-43*

Sous la direction du premier ministre Pierre Elliott Trudeau,
les libéraux étaient réticents à permettre aux tribunaux de rejeter
les revendications d'IIP qui visaient des catégories de documents
sensibles du gouvernement fédéral, surtout s'ils révélaient des
renseignements confidentiels du Cabinet. Ils soutenaient que le
contrôle judiciaire minerait la responsabilité ministérielle. À leur
avis, les ministres étaient mieux placés que les juges pour évaluer les exigences de l'intérêt public. C'est pourquoi les libéraux
ont travaillé à l'adoption du paragraphe 41(2) en 1970. C'est aussi
pourquoi ils s'opposaient à un régime de droit d'accès à l'information, où tout autre qu'un ministre aurait le dernier mot sur la
divulgation de documents[33]. L'Association du Barreau canadien
s'opposait à cette position. Tout en reconnaissant l'importance de
protéger les documents gouvernementaux, elle a fait valoir qu'un

---

la Cour fédérale et apportant des modifications corrélatives à d'autres lois,
L.C. 1980-81-82-83, c. 111. Le projet de loi C-43 a été déposé le 17 juillet 1980 et a
reçu la sanction royale le 7 juillet 1982. Les annexes 1 et 2 sont entrées en vigueur
le 1er juillet 1983 alors que l'annexe 3 est entrée en vigueur le 23 novembre 1982.

33.   Roberts, *supra* note 26 aux p. 16-20.

régime de droit d'accès à l'information sans contrôle judiciaire deviendrait [TRADUCTION] « insignifiant et intéressé ». Le contrôle judiciaire était essentiel, puisque les « décisions qui pourraient sembler arbitraires si elles étaient prises par [l'exécutif] étaient moins susceptibles d'être attaquées si elles étaient prises par le pouvoir judiciaire »[34].

Les progressistes-conservateurs étaient d'accord. Après avoir gagné les élections générales de 1979, ils ont déposé le projet de loi C-15, qui visait l'adoption de la *Loi sur l'accès à l'information*. Conformément à la position de l'Association du Barreau canadien, le projet de loi C-15 aurait assujetti au contrôle judiciaire toutes les décisions de protéger des documents, même les documents du Cabinet, et le paragraphe 41(2) aurait été abrogé[35]. Même si les progressistes-conservateurs ont perdu le pouvoir avant l'adoption du projet de loi C-15, leur initiative a donné l'élan à un mouvement favorable envers l'accès à l'information. Lorsque les libéraux ont repris le pouvoir en 1980, ils semblaient enfin disposés à abandonner le contrôle absolu par l'exécutif de la divulgation des documents gouvernementaux. Le discours du Trône prononcé en avril 1980 contenait deux promesses importantes à cet égard :

> Une mesure législative sur la liberté d'information sera déposée afin de donner un vaste accès aux documents gouvernementaux. Le droit d'un ministre de ne pas remettre aux tribunaux certains documents gouvernementaux, en vertu du paragraphe 41(2) de la Loi sur la Cour fédérale, sera supprimé[36].

Les libéraux ont pris des mesures pour tenir ces deux promesses lorsqu'ils ont déposé le projet de loi C-43 en juillet 1980, un texte à bien des égards inspiré du projet de loi C-15 des progressistes-conservateurs. Premièrement, le projet de loi C-43 créait

---

34. T. Murray Rankin, *Freedom of Information in Canada: Will the Doors Stay Shut?*, Ottawa, Association du Barreau canadien, 1977 aux p. 127-128.

35. Association du Barreau canadien, Comité spécial sur la liberté d'information, *La liberté d'information au Canada : un projet de loi type*, Ottawa, Association du Barreau canadien, 1979 aux p. 7-8, 21-22, 42-43.

36. Sénat, *Journaux du Sénat*, 32e parl., 1re sess., vol. 126, partie 1 (14 avril 1980) à la p. 16.

un droit d'accès à tous les documents détenus par le gouvernement, sous réserve d'exceptions précises. La première version du projet de loi contenait une exception obligatoire pour la catégorie de documents formée des documents du Cabinet (article 21). Les décisions de refuser la divulgation de documents sur la base d'une exception étaient assujetties à un contrôle indépendant de l'exécutif. Le premier niveau de contrôle relevait du commissaire à l'information du Canada, qui se voyait conférer le pouvoir d'examiner tout document gouvernemental, même les documents du Cabinet, afin de déterminer s'il était justifié d'appliquer une exception. Le deuxième niveau de contrôle était confié à la Cour fédérale, qui pouvait prendre la mesure additionnelle d'ordonner la divulgation des documents si elle concluait que l'exception ne s'appliquait pas. Comme l'a affirmé Francis Fox, alors ministre des Communications, « dans tous les cas, le commissaire et la Cour auront le droit d'examiner n'importe quel document du gouvernement[37] ».

Deuxièmement, le projet de loi C-43 abrogeait l'article 41 de la *LCF* et le remplaçait par une nouvelle disposition de la *LPC* (l'article 36.1). Cette dernière rétablirait le pouvoir des tribunaux d'évaluer toutes les revendications d'IIP, y compris les revendications d'immunité du Cabinet, à l'ordre fédéral. À l'époque, les libéraux avaient fini par accepter que l'immunité absolue consacrée par le paragraphe 41(2) était incompatible avec la doctrine de l'IIP appliquée dans les autres ressorts de type Westminster. En outre, le régime d'IIP devait être harmonisé avec le nouveau régime d'accès à l'information. Il aurait été incohérent de conférer au commissaire à l'information et à la Cour fédérale le pouvoir d'évaluer la validité des revendications d'immunité du Cabinet aux termes de la *LAI*, mais de nier le même pouvoir aux tribunaux dans le contexte judiciaire aux termes de la *LPC*. Les intérêts en jeu dans les actions civiles et pénales (la liberté, la réputation ou l'argent) étaient jugés plus importants que l'intérêt en jeu lorsqu'il était question de la *LAI* (la transparence gouvernementale). Le

---

37. *Débats de la Chambre des communes*, 32ᵉ parl., 1ʳᵉ sess., vol. 6 (29 janvier 1981) à la p. 6691.

ministre Fox a affirmé que ce changement « [créera] des conditions plus favorables à la bonne administration de la justice[38] ».

Le projet de loi C-43 a été présenté en deuxième lecture à la Chambre des communes en janvier 1981 et a ensuite été renvoyé au Comité permanent de la justice et des questions juridiques. L'étude du projet de loi en comité s'est étirée sur plusieurs mois, en raison du zèle de députés de l'opposition qui cherchaient à élaborer le meilleur régime possible d'accès à l'information[39]. En novembre 1981, le comité n'avait toujours pas fini son travail. Craignant que le projet de loi ne protège pas adéquatement les procès-verbaux des réunions du Cabinet, le premier ministre Trudeau a alors demandé au ministre Fox de retarder son adoption. Quelle était la source de ses craintes? À peine cinq jours après le dépôt du projet de loi, le premier ministre avait été appelé à témoigner à huis clos devant la Commission McDonald. Il avait été interrogé sur la teneur de discussions du Cabinet relatives aux activités illégales du Service de sécurité de la GRC. Il s'est même retrouvé à devoir contester l'exactitude d'un procès-verbal du Cabinet, qu'il n'avait pas vérifié, puisqu'il était incompatible avec les notes manuscrites prises par un des secrétaires durant la réunion en cause. Le procès-verbal attribuait au premier ministre des commentaires qui avaient apparemment été formulés par quelqu'un d'autre. Le premier ministre Trudeau avait été contrarié: [TRADUCTION] « Je ne voudrais certainement pas que ces [procès-verbaux] soient utilisés comme preuve contre moi[40]. » Plus tard, durant son témoignage, lorsqu'il avait été interrogé sur le contenu d'un autre procès-verbal d'une réunion du Cabinet que la GRC avait omis de retourner au Bureau du Conseil privé, il avait ajouté: « Voilà qui prouve que j'avais raison de dire: *ne faites pas circuler ces foutus procès-verbaux partout* [...] ces

---

38. *Ibid.* à la p. 6689.

39. Chambre des communes, Comité permanent de la justice et des questions juridiques, *Procès-verbaux et témoignages*, nos 49-50 (8-9 juillet 1981) [*Témoignages devant le Comité permanent*, juillet 1981].

40. Commission d'enquête sur certaines activités de la Gendarmerie royale du Canada, *Preuve*, vol. no 334 (25 août 1981) à la p. 303052.

discussions entre [ministres sont privilégiées], et qu'est-ce qu'elles foutent dans les dossiers de la GRC[41]? »

Les directives qu'a données le premier ministre Trudeau au ministre Fox en novembre 1981 coïncidaient avec le prononcé de deux décisions judiciaires rendues dans les provinces de l'Ouest en application des règles de common law. Dans l'arrêt *Mannix v. Alberta*, pour la première fois au Canada, la Cour d'appel de l'Alberta a refusé de reconnaître le caractère absolu de l'immunité du Cabinet et a ordonné la production de documents du Cabinet[42]. Dans l'arrêt *Gloucester Properties v. British Columbia*, la Cour d'appel de la Colombie-Britannique a contraint un ministre à témoigner publiquement sur la teneur de discussions du Cabinet[43]. Jamais un tribunal n'était allé aussi loin. Dans ces causes, où il n'était pas question d'allégations crédibles d'actes criminels, les tribunaux ont fait preuve de peu de déférence à l'égard de l'immunité du Cabinet. Il y avait un risque que ces précédents s'infiltrent dans le droit fédéral si rien n'était fait. Le premier ministre Trudeau était d'avis que les individus qui n'avaient pas prêté serment à titre de membres du Conseil privé ne devaient pas pouvoir prendre connaissance des renseignements confidentiels du Cabinet pour décider s'ils devaient ou non être divulgués. Selon lui, les deux décisions judiciaires avaient donné lieu à un dilemme, « [ou] bien nous ne mettons rien par écrit et nous détruisons [tous les procès-verbaux] qui se sont [accumulés] […]; l'autre possibilité serait d'empêcher les tribunaux d'y avoir accès[44] ». Comme il estimait qu'il était important de préserver les procès-verbaux à des fins historiques, la seule véritable option était la seconde. La position du premier ministre Trudeau était soutenue par les provinces, qui avaient pressé Ottawa de maintenir l'immunité absolue pour les

---

41. *Ibid.* à la p. 303067. Voir aussi: James Rusk, « Restricted access troubled commissioners », *The Globe and Mail* (29 août 1981) à la p. 11.

42. *Mannix v. Alberta*, [1981] 5 W.W.R. 343 (C.A.).

43. *Gloucester Properties Ltd. v. British Columbia (Environment and Land Use Committee)*, [1982] 1 W.W.R. 449 (C.A.).

44. Chambre des communes, Comité permanent des prévisions budgétaires en général, *Procès-verbaux et témoignages*, n° 79 (28 avril 1982) à la p. 79:12 (très hon. Pierre Elliott Trudeau). Voir aussi: Ottawa Bureau, « Bothered by "Dilemma" of Access Bill, PM Says », *The Globe and Mail* (1er mai 1982) à la p. 12.

documents du Cabinet dans le cadre de litiges et de prévoir dans la *LAI* des dispositions pour les soustraire à la compétence du commissaire à l'information et de la Cour fédérale[45].

1.2.2   La dernière version du projet de loi C-43

Le premier ministre Trudeau a demandé au ministre Fox de trouver une solution pour apaiser sa préoccupation et faire en sorte [TRADUCTION] «que les procès-verbaux des réunions du Cabinet fassent l'objet d'une protection absolue[46]». Un groupe spécial de ministres a été formé en avril 1982. Il avait le mandat de revoir le projet de loi C-43 et de présenter des recommandations au Cabinet[47]. En mai, le ministre Fox a demandé aux membres du groupe spécial: [TRADUCTION] «Dans quelle mesure le projet de loi C-43 devrait-il être amendé pour répondre à la préoccupation que les procès-verbaux des réunions du Cabinet devraient faire l'objet d'une protection absolue[48]?» Il a présenté trois options: (1) laisser le projet de loi C-43 intact; (2) soustraire les procès-verbaux des réunions du Cabinet à l'application du projet de loi C-43; ou (3) conserver l'article 41 de la *LCF*. Il préconisait la première option. Il s'agissait de celle qui était la plus compatible avec la promesse faite dans le discours du Trône, avec l'importance de la transparence gouvernementale et avec la common law. À son avis, le projet de loi C-43 protégeait suffisamment les procès-verbaux du Cabinet. La *LAI* prévoyait que ces documents faisaient l'objet d'une exception à la divulgation. S'il était vrai que le commissaire à

---

45.   Lettre de Roy McMurtry à Francis Fox sur la *Loi sur l'accès à l'information* et la *Loi sur la protection des renseignements personnels* proposées (10 juin 1981). Cette lettre ainsi que la position des provinces furent rendues publiques: Robert Sheppard, «Provincial leaders hold up passage of access bill: Fox», *The Globe and Mail* (3 février 1982) à la p. 8; Robert Sheppard, «Delay of access bill is criticized by legal group», *The Globe and Mail* (27 avril 1982) à la p. 8.

46.   Note de service d'A.J. Darling à Michael Pitfield intitulée «Access to Information: Mr Fox's Review» (8 avril 1982). Ce document a été divulgué par le Bureau du Conseil privé conformément à la *LAI*, *supra* note 3 (A-2016-00758).

47.   Rapport de décision du Cabinet intitulé «Accès à l'information», n° 5059-82RD (NSD) (29 avril 1982) à la p. 2. Ce document a été divulgué par le Bureau du Conseil privé conformément à la *LAI*, *supra* note 3 (A-2016-00758).

48.   Aide-mémoire intitulé «Bill C-43: Access to Information, Privacy and Crown Privilege» (6 mai 1982) à la p. 1 [Aide-mémoire]. Ce document a été divulgué par le Bureau du Conseil privé conformément à la *LAI*, *supra* note 3 (A-2016-00758).

l'information et la Cour fédérale y auraient accès, ils seraient tenus de refuser la divulgation si, après examen, il s'avérait que le document en cause appartenait à la catégorie protégée. Aux termes de la *LPC*, les litiges où des plaideurs auraient besoin de consulter les procès-verbaux de réunions du Cabinet seraient rares et la production de ces documents ne serait ordonnée que si la Cour suprême du Canada concluait que l'intérêt de la justice l'emportait sur l'intérêt du bon gouvernement. Le premier ministre Trudeau n'était toutefois pas convaincu. La première option a donc été écartée. Il en a été de même pour la troisième option, puisqu'elle allait au-delà de ce qui était nécessaire pour apaiser ses préoccupations, en plus d'être contraire au discours du Trône.

La deuxième option était donc la plus prometteuse : soustraire les procès-verbaux des réunions du Cabinet de l'application du projet de loi C-43. Les leçons apprises durant le témoignage du premier ministre Trudeau devant la Commission McDonald n'avaient pas été oubliées. Durant les discussions du Cabinet relatives au projet de loi C-43, un ministre a insisté sur le fait que les procès-verbaux des réunions du Cabinet [TRADUCTION] « attribuaient souvent des opinions à des ministres dont ils n'étaient pas en mesure par la suite de vérifier l'exactitude[49] ». Pour maintenir l'intégrité du processus décisionnel collectif, il était non seulement nécessaire de protéger les procès-verbaux des réunions du Cabinet, mais il fallait également protéger tout document qui consignait les opinions des ministres sur les politiques ou les actions gouvernementales. Les opinions personnelles exprimées par les ministres dans la salle du Cabinet devraient être protégées, qu'elles soient consignées dans les procès-verbaux des réunions du Cabinet ou dans d'autres documents, puisqu'elles constituent des secrets fondamentaux. Le groupe spécial a donc recommandé, en définitive, que le projet de loi C-43 soit amendé pour que soient soustraits à l'application de la *LAI* [TRADUCTION] « les procès-verbaux des

---

49. Procès-verbal du Cabinet intitulé « Projet de loi C-43 : Accès à l'information, protection des renseignements personnels et immunité de la Couronne en matière de preuve », n° 17-82CBM (13 mai 1982) à la p. 8 [Procès-verbal du Cabinet sur le projet de loi C-43]. Ce document a été divulgué par le Bureau du Conseil privé conformément à la *LAI*, *supra* note 3 (A-2016-00758).

réunions du Cabinet et les autres documents faisant état de discussions ou de communications entre les ministres», et pour conférer une immunité absolue à ces documents en application de la *LPC*, de telle sorte qu'aucune personne de l'extérieur ne puisse les examiner ou en ordonner la divulgation[50].

Les ministres comprenaient que les préoccupations du premier ministre Trudeau concernaient tout particulièrement les procès-verbaux du Cabinet et les autres documents qui relataient des discussions ou des communications entre des ministres. Ils ont tenté de restreindre la protection absolue à ces documents. Les mémoires au Cabinet, les ordres du jour et les comptes rendus des décisions resteraient donc assujettis au régime général d'accès à l'information. Il n'était toutefois pas clair si le premier ministre Trudeau voulait protéger (1) uniquement les procès-verbaux du Cabinet et documents du même type ou (2) l'ensemble des renseignements confidentiels du Cabinet[51]. En février 1982, la Cour suprême du Canada avait confirmé la constitutionnalité du paragraphe 41(2), même si elle avait affirmé qu'elle interviendrait si l'immunité était revendiquée de façon abusive[52]. Sous réserve de cette limite, il était encore possible de maintenir l'immunité absolue des renseignements confidentiels du Cabinet. Parallèlement, la pression pour libéraliser l'accès aux documents du Cabinet s'intensifiait. En mars de la même année, après la fin des travaux de la Commission McDonald, le vérificateur général du Canada a demandé l'accès à des documents du Cabinet pour effectuer la

---

50.   Groupe spécial de ministres sur le projet de loi C-43, n° 1-82CMAHGMB (10 mai 1982); Rapport de décision du Comité du Cabinet intitulé «Projet de loi C-43: Accès à l'information, protection des renseignements personnels et immunité de la Couronne en matière de preuve», n° 248-82 CR (11 mai 1982); Procès-verbal du Cabinet sur le projet de loi C-43, *supra* note 49 à la p. 9; Rapport de décision du Cabinet intitulé «Projet de loi C-43: Accès à l'information, protection des renseignements personnels et immunité de la Couronne en matière de preuve», n° 248-82RD (13 mai 1982). Ces documents ont été divulgués par le Bureau du Conseil privé conformément à la *LAI*, *supra* note 3 (A-2016-00758).

51.   Note de service de D.B. Dewar à Michael Pitfield intitulée «Access to Information» (12 mai 1982). Ce document a été divulgué par le Bureau du Conseil privé conformément à la *LAI*, *supra* note 3 (A-2016-00758).

52.   *Commission des droits de la personne*, *supra* note 25 à la p. 228.

vérification de l'achat de Petrofina par Petro-Canada. La réponse du premier ministre Trudeau a été catégorique :

> [TRADUCTION] Vous ne réclamez pas, assurément, le droit de prendre librement connaissance des renseignements confidentiels du Conseil privé de la Reine pour le Canada. Vous n'êtes pas sans savoir qu'en vertu de notre système de gouvernement, les renseignements confidentiels du Conseil privé de la Reine pour le Canada doivent, au nom du principe de la responsabilité ministérielle, demeurer confidentiels[53].

En fin de compte, le premier ministre Trudeau a exprimé en termes non équivoques qu'il voulait conférer le plus haut degré de protection à l'ensemble des renseignements confidentiels du Cabinet, et non uniquement aux procès-verbaux des réunions et aux autres documents de ce type. Durant une réunion du Cabinet, il a précisé que, [TRADUCTION] « bien entendu, les mémoires au Cabinet [devront] être considérés comme étant exclus et comme constituant des communications entre ministres protégées[54] ». Le terme « communications » était interprété aussi largement que possible. En effet, le procès-verbal de cette réunion a rapporté que [TRADUCTION] « tous les types de communications entre ministres devraient être totalement protégés[55] ». L'intention du premier ministre Trudeau a été confirmée dans le compte rendu de la décision : [TRADUCTION] « Le libellé [des nouvelles dispositions] devrait préciser que les [renseignements confidentiels] du Conseil privé de la Reine pour le Canada sont [exclus] de l'application de la loi [sur l'accès à l'information] [...] et préserver l'immunité absolue relativement [à ces renseignements][56] ». S'il avait souhaité

---

53. Reproduit dans *Canada (Vérificateur général) c. Canada (Ministre de l'Énergie, des Mines et des Ressources)*, [1989] 2 R.C.S. 49 à la p. 70 [*Vérificateur général*].

54. Note de service de Robert Auger à Michael Pitfield intitulée « Access to Information: Cabinet Discussion », (20 mai 1982) [Note de service d'Auger à Pitfield]. Ce document a été divulgué par le Bureau du Conseil privé conformément à la *LAI*, *supra* note 3 (A-2016-00758).

55. Procès-verbal du Cabinet intitulé « Projet de loi C-43 : Accès à l'information, protection des renseignements personnels et immunité de la Couronne », n° 18-82CBM (20 mai 1982) à la p. 9. Ce document a été divulgué par le Bureau du Conseil privé conformément à la *LAI*, *supra* note 3 (A-2016-00758).

56. Rapport de décision du Cabinet intitulé « Projet de loi C-43 : Accès à l'information, protection des renseignements personnels et immunité de la Couronne »,

conférer un degré de protection plus élevé uniquement aux documents qui faisaient état d'opinions des ministres (c'est-à-dire aux secrets fondamentaux), il aurait suffi de protéger les mémoires au Cabinet, les procès-verbaux des réunions de ce dernier ainsi que les communications entre les ministres. Il n'était pas nécessaire d'étendre la protection absolue aux ordres du jour des réunions du Cabinet, à ses décisions, aux documents de travail ainsi qu'aux avant-projets de loi et aux projets de règlement (c'est-à-dire aux secrets périphériques), puisqu'ils ne consignent pas les opinions des ministres.

Les articles 68 (maintenant l'article 69 de la *LAI*) et 36.3 (maintenant l'article 39 de la *LPC*) ont été rédigés pour répondre aux préoccupations du premier ministre Trudeau. Ils ont été conçus pour protéger les renseignements confidentiels du Cabinet. Pour devancer l'interprétation de cette expression par les tribunaux, les dispositions dressaient une liste non exhaustive des documents réputés contenir de tels renseignements[57]. Cette liste était à l'image de la structure du système formel de dossiers du Cabinet et de la liste des documents du Cabinet qui avait été dressée durant la Commission McDonald. Elle comprenait les mémoires au Cabinet, les ordres du jour, les procès-verbaux, les comptes rendus des décisions, les communications entre les ministres et les notes de breffage sur les travaux du Cabinet. Elle incluait également les documents de travail, les avant-projets de loi, les projets de règlement et tout autre document connexe contenant des renseignements confidentiels du Cabinet. En vertu de l'article 68, les documents du Cabinet faisaient l'objet d'une « exclusion » plutôt que d'une « exception » pour 20 ans. Par ailleurs, les dispositions relatives à la compétence du commissaire à l'information et de la Cour fédérale ont été modifiées, de sorte de leur conférer uniquement le pouvoir d'examiner les [TRADUCTION] « documents [...] auxquels la [...] loi s'applique[58] ». Les documents du Cabinet étaient donc dès lors hors de leur portée.

---

n° 274-82RD (20 mai 1982) à la p. 2. Ce document a été divulgué par le Bureau du Conseil privé conformément à la *LAI*, *supra* note 3 (A-2016-00758).

57.   Note de service d'Auger à Pitfield, *supra* note 54.

58.   Note au Cabinet intitulée « Projet de loi C-43 : Accès à l'information, protection des renseignements personnels et immunité de la Couronne », n° 274-82MC

La disposition qui régissait, à l'origine, les revendications d'IIP aux termes de la *LPC* (l'article 36.1) fut subdivisée en trois : les articles 36.1, 36.2 et 36.3. Ces nouvelles dispositions visaient à remplacer l'article 41 de la *LCF* et à établir un régime complet quant à la production des documents du gouvernement fédéral dans le cadre de litiges. L'article 36.1 (maintenant l'article 37) confirmait la règle de base énoncée dans l'arrêt *Conway*. Il conférait aux cours supérieures provinciales le pouvoir d'évaluer les revendications d'IIP, sauf celles portant sur : les relations internationales, la défense nationale, la sécurité nationale et les renseignements confidentiels du Cabinet. L'article 36.2 (maintenant l'article 38) traitait de la production de documents relatifs aux relations internationales, à la défense nationale ou à la sécurité nationale. Pour des motifs en lien avec l'expertise et la sécurité, seul le juge en chef de la Cour fédérale (ou un juge désigné) pouvait évaluer les revendications d'IIP relatives à ces documents. L'immunité pour ce type de documents n'était toutefois plus absolue : certains juges pouvaient les examiner et en ordonner la production, après avoir soupesé et mis en balance les aspects divergents de l'intérêt public. L'article 36.3 (maintenant l'article 39), le dernier vestige de la suprématie du pouvoir exécutif, préservait une immunité quasi absolue pour les renseignements confidentiels du Cabinet en leur conférant un degré de protection plus élevé que celui dont ils jouissaient en application de la common law, et plus élevé que toute autre catégorie de documents aux termes de la loi. Il était prévu qu'aucun tribunal ne pourrait examiner les renseignements confidentiels du Cabinet ni en ordonner la production. Cela dit, l'article 36.3 accordait une immunité moindre que le paragraphe 41(2) puisqu'il : dressait une liste non exhaustive des documents réputés contenir des renseignements confidentiels du Cabinet (en substance, la même liste que celle se trouvant à l'article 68) ; et limitait à 20 ans la durée de l'immunité.

Le premier ministre Trudeau était satisfait de ces amendements et le ministre Fox fut autorisé à présenter cette nouvelle version du projet de loi C-43 au Comité permanent de la justice et

---

(18 mai 1982) à la p. 8. Ce document a été divulgué par le Bureau du Conseil privé conformément à la *LAI, supra* note 3 (A-2016-00758).

des affaires juridiques. Manifestement, l'opposition parlementaire n'allait pas accueillir ces changements favorablement. Dans une note au ministre Fox, Robert Auger, un haut dirigeant du Bureau du Conseil privé, a affirmé qu'il [TRADUCTION] « sera crucial de justifier de manière crédible le privilège absolu accordé aux renseignements confidentiels du Cabinet. On se fera talonner sur ce coup-là ». Monsieur Auger recommandait que les réunions du Comité permanent se tiennent sur une période restreinte d'une ou deux journées et que les partis d'opposition ne reçoivent le texte des amendements que la veille afin qu'ils n'aient pas la chance de « faire monter la pression (avec l'aide des médias) contre les [...] amendements »[59]. Le plan était simple : le ministre Fox présenterait les amendements en précisant qu'ils étaient à prendre ou à laisser. En définitive, les partis d'opposition auraient à choisir entre le projet de loi C-43, dans sa version amendée, ou rien du tout[60]. À tort ou à raison, advenant la mort au feuilleton du projet de loi C-43, certains craignaient qu'il faille beaucoup de temps avant que ne se présente une autre occasion de légiférer pour adopter un régime d'accès à l'information.

Les débats devant le Comité et la Chambre des communes ont été animés[61]. Le ministre Fox a tenté de minimiser l'incidence des amendements en faisant valoir que les renseignements confidentiels du Cabinet resteraient inaccessibles, et ce, qu'ils fassent l'objet d'une exception ou d'une exclusion[62]. Les partis d'opposition n'étaient pas dupes. Comme l'application des nouvelles dispositions ne pourrait être contestée devant un organisme indépendant de l'exécutif, les amendements proposés portaient « un coup grave »

---

59.   Note de service de Robert Auger à Francis Fox intitulée « Access to Information: Committee Hearings » (26 mai 1982). Ce document a été divulgué par le Bureau du Conseil privé conformément à la *LAI*, *supra* note 3 (A-2016-00758).

60.   Note de service d'A.J. Darling à Michael Pitfield intitulée « Access to Information: Bill C-43 » (23 avril 1982). Ce document a été divulgué par le Bureau du Conseil privé conformément à la *LAI*, *supra* note 3 (A-2016-00758).

61.   Chambre des communes, Comité permanent de la justice et des questions juridiques, *Procès-verbaux et témoignages*, n° 94 (8 juin 1982) [*Témoignages devant le Comité permanent*, juin 1982] ; *Débats de la Chambre des communes*, 32ᵉ parl., 1ʳᵉ sess., vol. 16 (28 juin 1982) aux p. 18850-18876 [*Débats de la Chambre des communes*, juin 1982].

62.   *Témoignages devant le Comité permanent*, juin 1982, *supra* note 61 aux p. 94:133, 94:136, 94:140, 94:143.

au principe du contrôle judiciaire, une pierre angulaire du projet de loi C-43[63]. Les néo-démocrates ont souligné que les amendements créaient une « énorme lacune » dans le projet de loi[64]. Les libéraux avaient accepté le principe d'un contrôle judiciaire, sauf à un égard : en ce qui concerne les renseignements confidentiels du Cabinet, ils ne faisaient pas confiance au jugement de « personnes de l'extérieur, non élues[65] ». Les progressistes-conservateurs se sont engagés à assujettir toutes les revendications d'immunité du Cabinet au contrôle judiciaire lorsqu'ils reprendraient le pouvoir[66]. Bien que le ministre Fox ait eu la responsabilité de défendre ces amendements de dernière minute, des documents internes relatant les délibérations du Cabinet attestent clairement son désaccord[67]. N'eussent été des préoccupations du premier ministre Trudeau, ces changements n'auraient pas eu lieu :

> [TRADUCTION] Les commentaires formulés par le premier ministre [...] à l'égard du contrôle judiciaire démontrent que ses sentiments personnels sont à l'origine des changements à la loi en 1982. Francis Fox a affirmé que si l'opposition n'avait pas fait d'obstruction lors des audiences du Comité, le projet de loi aurait eu force de loi avant que les décisions judiciaires dans les provinces de l'Ouest ne deviennent un problème[68].

En conférant une protection quasi absolue aux renseignements confidentiels du Cabinet, les libéraux ont considérablement battu en retraite par rapport à la promesse qu'ils avaient faite dans le discours du Trône et à l'esprit du projet de loi C-43, tel qu'il avait été rédigé au départ. Dès leur adoption, les articles 39 de la *LPC* et

---

63. *Ibid.* aux p. 94:134 (Svend Robinson), 94:138 (hon. Walter Baker). Ces amendements ont grandement affaibli le projet de loi : *ibid.* aux p. 94:135 (Svend Robinson), 94:140 (hon. Walter Baker). Les partis d'opposition furent contraints de boire « un petit verre de ciguë » pour sauver le projet de loi C-43 : *ibid.* à la p. 94:142 (David Kilgour).

64. *Débats de la Chambre des communes*, juin 1982, *supra* note 61 aux p. 18859-18860 (Svend Robinson).

65. *Témoignages devant le Comité permanent*, juin 1982, *supra* note 61 à la p. 94:151 (hon. Francis Fox).

66. *Débats de la Chambre des communes*, juin 1982, *supra* note 61 à la p. 18856 (hon. Walter Baker). Cette promesse n'a pas été tenue.

67. Aide-mémoire, *supra* note 48 à la p. 4 ; *Débats de la Chambre des communes*, juin 1982, *supra* note 61 à la p. 18857 (hon. Walter Baker).

68. S.J. Brand, « The Prime Minister and Cabinet » dans Donald C. Rowat, dir., *The Making of the Federal Access Act: A Case Study of Policy-Making in Canada*, Ottawa, Carleton University, 1985 à la p. 98.

69 de la *LAI* ont été critiqués. Ces dispositions comportaient deux failles inhérentes : le caractère indéterminé de la protection qu'elles conféraient et leur nature décisive. Premièrement, l'expression « renseignements confidentiels du Cabinet » restait substantiellement indéfinie. Il était donc possible de recourir aux dispositions de la loi pour protéger des documents qui n'avaient qu'un lien ténu avec les travaux du Cabinet. Le professeur Murray Rankin a laissé entendre qu'il y avait un risque que le Cabinet conçoive un processus de [TRADUCTION] « blanchiment » des documents. Il craignait que des officiers publics dissimulent des documents gênants en les annexant à des documents du Cabinet[69]. De même, le professeur John McCamus a soutenu que les nouvelles dispositions étaient le reflet [TRADUCTION] « du désir du cercle intime des membres du gouvernement de s'immuniser complètement contre les inconvénients et l'embarras que pourrait causer la divulgation de certains renseignements[70] ».

Deuxièmement, les actes de l'exécutif pris en application de ces dispositions se retrouvaient hors de portée du pouvoir judiciaire. Étrangement, tout en facilitant l'accès à l'information, les libéraux venaient de créer l'une des immunités les plus impénétrables des ressorts de type Westminster. Ils ont demandé aux Canadiens de faire un acte de foi, soit de tenir pour acquis que le gouvernement ne se prévaudrait pas abusivement de son droit de garder des documents secrets. Pourquoi le premier ministre Trudeau faisait-il confiance aux tribunaux pour rendre des décisions cruciales en application de la *Charte canadienne des droits et libertés* et pour contrôler les revendications d'IIP relatives à des questions de sécurité nationale, mais non pour contrôler les revendications d'immunité du Cabinet[71] ? Ce n'était certes pas parce que ce type de revendications était moins susceptible

---

69. Murray Rankin, « The New *Access to Information and Privacy Act*: A Critical Annotation » (1983) 15:1 *R.D. Ottawa* 1 à la p. 26. Voir aussi : Tom Onyshko, « The Federal Court and the *Access to Information Act* » (1993-1994) 22 *Man. L.J.* 73 aux p. 81-82.

70. John D. McCamus, « Freedom of Information in Canada » (1983) 10 *Government Publications Review* 51 à la p. 56.

71. *Charte canadienne des droits et libertés*, partie I de la *Loi constitutionnelle de 1982*, constituant l'annexe B de la *Loi de 1982 sur le Canada* (R.-U.), 1982, c. 11 [*Charte*]. Voir aussi : Rankin, *supra* note 69 à la p. 33.

de faire l'objet d'exagérations et d'abus que les autres revendications d'IIP. Peut-être était-ce plutôt parce que le secret ministériel est une question de survie politique : la divulgation prématurée des opinions exprimées par les ministres durant les réunions du Cabinet (des secrets fondamentaux) affaiblirait la solidarité ministérielle et la capacité du gouvernement de maintenir la confiance de la Chambre des communes[72]. Voilà sans doute pourquoi le premier ministre Trudeau a refusé de remettre entre les mains des tribunaux le contrôle des renseignements confidentiels du Cabinet. Cela dit, la question de savoir si les revendications d'immunité du Cabinet devraient échapper à tout véritable contrôle judiciaire était fort controversée[73].

En résumé, lorsqu'ils ont enchâssé dans la loi, en 1970, la suprématie du pouvoir exécutif à l'égard des renseignements confidentiels du Cabinet, les libéraux ont rétabli la tristement célèbre règle énoncée dans l'arrêt *Duncan*, qui avait mené à des cas manifestes d'abus de pouvoir. Ce faisant, ils ont rejeté l'approche préconisée dans l'arrêt *Conway*, qui avait été louée pour sa conformité à la primauté du droit. L'ordre fédéral au Canada est ainsi devenu le seul ressort de type Westminster – parmi les ressorts étudiés – où les tribunaux ne pouvaient ni examiner les renseignements confidentiels du Cabinet, ni en ordonner la production dans le cadre de litiges. Les libéraux ont presque réparé cette anomalie durant les années 1980, lorsqu'ils ont proposé d'abolir l'immunité absolue. Toutefois, la réticence du premier ministre Trudeau à abandonner le contrôle des renseignements confidentiels du Cabinet, nourrie par son expérience devant la Commission McDonald et par le peu de déférence dont certains tribunaux ont fait preuve à l'égard de l'immunité du Cabinet en common law, l'a convaincu de conserver une immunité quasi absolue, non seulement pour les documents faisant état de secrets fondamentaux, mais également pour ceux faisant état de secrets périphériques.

---

72.   Voir le chapitre 1, *supra*, section 1.1.2.3.
73.   Allan W. Mewett, « Cabinet Secrets » (1982-1983) 25:3 *Crim. L.Q.* 257 à la p. 258.

2. L'INTERPRÉTATION DU RÉGIME LÉGISLATIF FÉDÉRAL

La section 2 expliquera comment les articles 39 de la *LPC* et 69 de la *LAI* ont été interprétés et appliqués par le gouvernement et par les tribunaux depuis 1982. Cette section est divisée en deux sous-sections. La première sous-section délimitera la portée et les limites de l'immunité du Cabinet. Elle soutiendra que le gouvernement a interprété l'expression « renseignements confidentiels du Cabinet » trop largement et a tenté de limiter indûment les exceptions à l'immunité du Cabinet prévues par la loi. Pour leur part, les tribunaux ont tenté de limiter la portée de l'immunité en contraignant le gouvernement à évaluer les aspects divergents de l'intérêt public et en appliquant pleinement les exceptions prévues par la loi. La deuxième sous-section examinera le processus par lequel le gouvernement peut revendiquer l'immunité du Cabinet et les circonstances dans lesquelles ce type de revendications peut être contesté. Elle démontrera que le Parlement a restreint le pouvoir des tribunaux de contrôler la légalité des revendications d'immunité du Cabinet en les empêchant d'examiner les renseignements confidentiels du Cabinet. En conséquence, à l'heure actuelle, seul un contrôle judiciaire minime peut être exercé contre de telles revendications.

2.1   La portée et les limites de l'immunité du Cabinet

La portée de l'immunité du Cabinet visée par les articles 39 de la *LPC* et 69 de la *LAI* est la même. Les différences structurelles entre les régimes que créent ces dispositions découlent des situations respectives auxquelles elles s'appliquent. L'article 39 s'applique dans le cadre de litiges, lorsqu'un plaideur sollicite l'accès à des renseignements gouvernementaux pour faire valoir ses droits. Il confère au gouvernement le pouvoir d'empêcher la production de renseignements (qui satisfont à la norme de la pertinence applicable à l'étape de la communication de la preuve) en se fondant sur l'immunité du Cabinet. Lorsqu'une attestation préparée suivant les exigences de forme est délivrée, aucun tribunal ne peut examiner les documents contenant des renseignements confidentiels du Cabinet ni en ordonner la production ; aucun tribunal ne peut non plus contraindre un officier public à répondre à des questions si cela révélait de tels renseignements. En comparaison, l'article 69 s'applique lorsque quelqu'un sollicite l'accès à des documents détenus par le gouvernement, pour quelque raison que ce soit. La *LAI* confère le droit d'accès aux renseignements détenus par le gouvernement qui figurent dans des documents existants ; elle n'entraîne toutefois pas pour le gouvernement l'obligation de répondre aux questions qui pourraient lui être posées. C'est pourquoi le paragraphe 69(1) exclut les « documents » révélant des renseignements confidentiels du Cabinet, plutôt que les « renseignements » comme le fait le paragraphe 39(1).

2.1.1   *La portée de l'immunité du Cabinet*

Pour évaluer la portée des articles 39 de la *LPC* et 69 de la *LAI*, il faut répondre à deux questions : qu'est-ce que le « Conseil privé de la Reine pour le Canada » ? et quels sont les renseignements dits « confidentiels » ? Pour répondre à la première question, il convient de préciser que le Conseil privé a été créé par la Constitution pour conseiller le gouverneur général sur l'administration du Canada. Suivant les conventions, le gouverneur général doit agir selon l'avis d'un comité restreint de membres du Conseil privé constitué des ministres en poste. Le Conseil du Trésor est un comité du Conseil privé. Manifestement, la portée des articles 39 et 69 n'est pas limitée au Conseil privé et à ses comités. En effet, en vertu des paragraphes 39(3) et 69(2), le terme « Conseil » s'entend également du Cabinet et de ses comités. Ils visent donc à la fois l'exécutif juridique et l'exécutif politique. Les articles 39 et 69 protègent le processus décisionnel collectif, quel que soit le forum où il se déroule, puisque la justification du secret ministériel est la même que les ministres délibèrent au Conseil privé ou au Cabinet. Il convient maintenant de se pencher sur la deuxième question, soit celle de connaître les renseignements dits « confidentiels », en examinant les diverses catégories de documents réputés contenir des renseignements confidentiels du Cabinet.

2.1.1.1   Les catégories de documents identifiées par le législateur

Trois approches furent envisagées pour protéger les renseignements confidentiels du Cabinet au moyen de textes législatifs. La première consistait à protéger les renseignements confidentiels du Cabinet sans définir cette expression, comme le faisait le paragraphe 41(2) de la *LCF*. La deuxième consistait à protéger des catégories précises de documents plutôt que les renseignements confidentiels du Cabinet de façon générale. Enfin, la troisième consistait à définir la nature des renseignements devant être protégés et à préciser la justification de cette protection, sans toutefois faire référence à des catégories précises de documents. Par exemple, on aurait pu définir les renseignements confidentiels du Cabinet comme tout renseignement qui «dévoilerait les délibérations ministérielles [...] en rapport avec l'exercice de [la] responsabilité collective [des ministres][74]». Le régime législatif fédéral combine les deux premières approches. Les articles 39 et 69 protègent les renseignements confidentiels du Cabinet, sans définir cette expression, et dressent une liste non exhaustive de documents réputés contenir de tels renseignements. Ces documents, dont la liste figure aux alinéas a) à f) des paragraphes 39(2) et 69(1), sont protégés sans égard à leur teneur réelle. En outre, le gouvernement dispose d'un vaste pouvoir discrétionnaire pour protéger tout autre document connexe, comme le prévoit le passage introductif du paragraphe 39(2) et l'alinéa 69(1)g). Ces dispositions ont été conçues pour donner la protection la plus vaste possible aux renseignements confidentiels du Cabinet. Quelles sont les catégories de documents explicitement énumérés aux paragraphes 39(2) et 69(1)?

L'alinéa a) réfère aux «notes destinées à soumettre des propositions ou recommandations au Conseil». Les mémoires au Cabinet, les présentations au Conseil du Trésor et les présentations au gouverneur en conseil sont les principaux exemples de documents préparés par les ministres pour obtenir une décision collective sur

---

74.   Bureau du Conseil privé, *Loi sur le droit d'accès à l'information: Document de travail*, Ottawa, Président du Conseil privé, 1979 à la p. 18 (hon. Walter Baker).

les politiques et les actions du gouvernement. Comme il s'agit de documents officiels du Cabinet qui consignent des secrets fondamentaux, leur degré de sensibilité est élevé. L'alinéa a) vise également les documents annexés aux mémoires et aux présentations. Toutefois, le fait qu'un document soit annexé à un mémoire ou à une présentation ne transforme pas tous les autres exemplaires de ce texte en document du Cabinet. Par exemple, si un document a été annexé uniquement à titre informatif, toutes les copies de ce document rangées dans les dossiers d'un ministère, dissociées du mémoire ou de la présentation, ne seraient pas visées par l'alinéa a)[75]. En conséquence, si une coupure de journal est annexée à un mémoire au Cabinet, le fait de cette annexion et les discussions qui ont porté sur la teneur de ce document sont protégés par l'immunité du Cabinet, mais pas la coupure de journal elle-même. Il en est de même pour la plupart des documents annexés aux mémoires et aux présentations, comme les opinions juridiques, les tableaux de statistiques, les rapports de consultants ainsi que les plans d'affaires des sociétés d'État. La version originale de ces documents échappe à la portée de l'immunité du Cabinet. S'il suffisait de joindre un document à un mémoire ou à une présentation pour rendre confidentiels tous les autres exemplaires de ce document, les risques d'abus seraient infinis. Or, il est arrivé, dans le passé, que le gouvernement ait tenté de protéger des rapports de consultants[76] ainsi que des plans d'affaires de sociétés d'État[77] sur ce fondement.

L'alinéa b) réfère aux « documents de travail destinés à présenter des problèmes, des analyses ou des options politiques à

---

75. Pour l'interprétation administrative de l'expression « renseignements confidentiels du Cabinet », voir : Secrétariat du Conseil du Trésor du Canada, *Manuel de l'accès à l'information*, c. 13.4, en ligne : <https://www.canada.ca/fr/secretariat-conseil-tresor/services/acces-information-protection-reseignements-personnels/acces-information/manuel-acces-information.html#cha13_4> [SCT, *Lignes directrices*].

76. Commissaire à l'information du Canada, *Rapport annuel: 1996-1997* aux p. 57-60, en ligne : <http://publications.gc.ca/site/fra/9.502367/publication.html> [CIC, *Rapport annuel 1996-1997*].

77. Commissaire à l'information du Canada, *Rapport annuel: 1999-2000* aux p. 79-80, en ligne : <http://publications.gc.ca/site/fra/9.502367/publication.html> [CIC, *Rapport annuel 1999-2000*].

l'examen du Conseil». Les documents de travail constituaient une catégorie particulière de documents utilisée de 1977 à 1984. Les ministres les préparaient afin d'attirer l'attention du Cabinet sur certaines questions précises. Les documents de travail fournissaient une analyse neutre et factuelle d'un problème en particulier et proposaient des solutions pour y remédier. Contrairement aux mémoires au Cabinet, ils n'étaient pas «destinés» à soumettre des «propositions ou recommandations» au Cabinet. Les documents de travail étaient des documents non officiels du Cabinet, qui ne révélaient pas les opinions des ministres. Comme ils ne révélaient pas de secrets fondamentaux, leur degré de sensibilité était faible. En fait, les documents de travail étaient destinés à être publiés une fois que le Cabinet avait pris une décision finale quant à l'initiative sous-jacente et en avait fait l'annonce. Cette règle portait le nom d'«exception relative aux documents de travail». En consacrant cette exception par voie législative, le Parlement a voulu distinguer les faits des opinions et, ce faisant, il a clairement reconnu que les secrets périphériques étaient moins sensibles que les secrets fondamentaux.

L'alinéa c) réfère aux «ordres du jour du Conseil ou procès-verbaux de ses délibérations ou décisions». Les ordres du jour, les procès-verbaux et les comptes rendus des décisions relatifs aux réunions du Cabinet, du Conseil du Trésor et du gouverneur en conseil sont compris dans cette catégorie de documents. Si les ordres du jour, les procès-verbaux et les comptes rendus des décisions sont tous des documents officiels du Cabinet, seuls les procès-verbaux révèlent les opinions des ministres (des secrets fondamentaux). Le degré de sensibilité des procès-verbaux du Cabinet est donc élevé. Ils sont conservés à des fins historiques. Ils fournissent un résumé de la discussion qui a eu cours et non une transcription mot à mot des propos tenus. En principe, les procès-verbaux devraient être impersonnels et ne devraient pas «attribuer les points de vue qui ont été exprimés à leur auteur à moins que cela ne soit absolument nécessaire[78]». Il est nécessaire de le faire dans les situations sui-

---

78.   Bureau du Conseil privé, Service du Système des dossiers du Cabinet, *Guide sur la rédaction des procès-verbaux du Cabinet et de ses comités* (novembre 1998) à la p. 7.

vantes : lorsqu'un ministre communique une opinion dissidente ou demande que son opinion soit consignée ; lorsqu'un point de vue spécifiquement ministériel ou régional a été exprimé ou les intérêts d'un ministère ou d'une région sont en jeu ; ou lorsque les délibérations ont mis en lumière les divergences d'opinions entre deux ministres ou plus. Les procès-verbaux sont plus ou moins détaillés selon les directives du premier ministre ainsi que l'importance de la discussion[79].

Contrairement aux procès-verbaux, les ordres du jour et les comptes rendus des décisions ne révèlent pas d'opinions ou de recommandations ministérielles (des secrets fondamentaux). Les ordres du jour dressent la liste des sujets dont ont discuté les ministres à des dates précises[80] ; les comptes rendus des décisions consignent les consensus auxquels en sont venus les ministres sur ces sujets. Une fois qu'une décision a été prise relativement à une initiative et qu'elle a été rendue publique, la logique qui sous-tend la protection des ordres du jour et des comptes rendus des décisions ne tient plus. Or, le droit législatif permet au gouvernement de protéger ces deux types de documents pour une période de 20 ans. La portée temporelle de l'immunité du Cabinet est trop vaste, notamment en ce qui a trait aux décisions du Conseil. Certes, on pourrait soutenir que les comptes rendus des décisions du Cabinet devraient rester confidentiels même après que la substance de ces décisions a été rendue publique ; toutefois, rien ne justifie de protéger les comptes rendus des décisions du Conseil du Trésor et du gouverneur en conseil dans des circonstances similaires. Comme

---

Ce document a été divulgué par le Bureau du Conseil privé conformément à la *LAI*, *supra* note 3 (A-2016-00758).

79. Par exemple, les procès-verbaux du gouvernement Mulroney sur l'avortement et l'Accord du lac Meech sont très explicites, alors que d'autres procès-verbaux ne dévoilent pas les désaccords entre les ministres. Voir : La Presse canadienne, « Mulroney-era documents reveal struggle with abortion laws », *CBC News* (17 novembre 2013) ; La Presse canadienne, « Brian Mulroney, Pierre Trudeau Meech Lake drama unveiled in cabinet minutes », *CBC News* (23 mars 2014).

80. Contrairement à la recommandation du commissaire à l'information, le greffier du Conseil privé a invoqué l'alinéa 69(1)c) de la *LAI*, *supra* note 3, pour refuser la divulgation des dates, heures et lieux des rencontres du Cabinet. Voir : Commissaire à l'information du Canada, *Rapport annuel : 2015-2016* aux p. 23-25, en ligne : <http://publications.gc.ca/site/fra/9.502367/publication.html> [CIC, *Rapport annuel 2015-2016*].

ces institutions font partie de l'exécutif juridique, leurs décisions peuvent avoir une incidence directe sur les droits et les intérêts des individus. C'est pourquoi les décisions du gouverneur en conseil sont publiées sous la forme de décrets. Par analogie, il devrait en être de même pour les décisions du Conseil du Trésor, puisqu'il s'agit d'un comité du Conseil investi par la loi d'une autorité juridique directe. Il n'en demeure pas moins que le gouvernement protège les lettres de décisions du Conseil du Trésor durant 20 ans aux termes de l'alinéa c). Des individus dont les droits et intérêts sont touchés par les décisions du Conseil du Trésor peuvent donc être privés des moyens de contester ces décisions[81]. Il s'agit d'un problème grave qui n'a reçu que peu d'attention. Comme elles consignent des actions officielles du pouvoir exécutif, les lettres de décisions du Conseil du Trésor sont de même nature que les décrets et devraient, à ce titre, être publiées. Rien ne justifie que ces lettres restent confidentielles.

L'alinéa d) réfère aux «documents […] de communications […] entre ministres sur des questions liées à la prise des décisions du gouvernement ou à la formulation de sa politique». Les lettres que s'échangent les ministres ou les notes informelles prises lors de réunions entre ministres font partie de cette catégorie de documents[82]. Ces lettres et ces notes sont des documents non officiels du Cabinet qui peuvent révéler des renseignements sur le processus décisionnel collectif (des secrets périphériques) et, dans certains cas, les opinions des ministres (des secrets fondamentaux). Leur degré de sensibilité varie selon le type de secrets qu'ils recèlent. Pour qu'il soit visé par l'alinéa d), un «document» doit porter sur la prise de décisions par le gouvernement ou sur ses politiques. Autrement dit, il doit porter sur un sujet qui fera l'objet d'une décision prise par les ministres collectivement, par opposition à

---

81. Voir, par exemple: *Howe v. Canada (Attorney General)*, 2007 BCCA 314; *Appleby-Ostroff c. Canada (Procureur général)*, 2011 CAF 84 [*Appleby-Ostroff*]; Commissaire à l'information du Canada, *Rapport annuel: 2001-2002* aux p. 54-56, en ligne: <http://publications.gc.ca/site/fra/9.502367/publication.html>; Commissaire à l'information du Canada, *Rapport annuel: 2002-2003* aux p. 23-27, en ligne: <http://publications.gc.ca/site/fra/9.502367/publication.html> [CIC, *Rapport annuel 2002-2003*]. Voir aussi: d'Ombrain, *supra* note 31 à la p. 359, n. 90.

82. SCT, *Lignes directrices*, *supra* note 75, section 13.4.3d).

une décision prise par un ministre seul sans l'apport de ses collègues. De même, les communications entre les ministres à titre de
députés, entre ministres fédéraux et provinciaux ainsi que celles
relatives à des questions personnelles, sociales ou partisanes ne
sauraient être protégées aux termes de l'alinéa d)[83].

L'alinéa e) réfère aux « documents d'information à l'usage des
ministres sur des questions portées ou qu'il est prévu de porter
devant le Conseil ». Les notes de breffage, les notes d'allocution
ainsi que les présentations PowerPoint, préparées pour un ou plusieurs ministres[84], en lien avec les travaux du Cabinet, du Conseil
du Trésor et du gouverneur en conseil entrent dans cette catégorie. Il s'agit de documents non officiels du Cabinet qui peuvent
révéler des renseignements sur le processus décisionnel collectif
(des secrets périphériques) et, dans certains cas, les opinions des
ministres (des secrets fondamentaux). Leur degré de sensibilité
varie selon le type de secrets qu'ils recèlent. Ces documents sont
habituellement envoyés par les sous-ministres à leur ministre pour
faciliter la prise de décisions collectives à venir (c'est-à-dire des
décisions du Cabinet ou du Conseil au sens collégial du terme),
par opposition à la prise de décisions individuelles[85]. Ils traitent
de propositions mûres pour être présentées au Cabinet ou au
Conseil, et non de propositions embryonnaires encore à l'étape de
l'élaboration. Par ailleurs, les « documents sources », destinés aux
fonctionnaires pour l'élaboration de politiques ministérielles, ne
peuvent être protégés en application de l'alinéa e), à moins que les
renseignements qu'ils contiennent ne révèlent un lien clair avec les
travaux du Cabinet ou du Conseil[86].

L'alinéa f) réfère aux « avant-projets de loi ou projets de
règlement ». Les avant-projets de loi, les projets de règlement, les

---

83.   *Smith, Kline French Laboratories Ltd. c. Canada (Procureur général)*, [1983] 1 C.F.
      917 à la p. 931 (C.F.) [*Smith, Kline & French Laboratories*].

84.   *Ainsworth Lumber Co. v. Canada (Attorney General)*, 2001 BCSC 225 au para. 25
      [*Ainsworth Lumber*].

85.   *Canadian Association of Regulated Importers c. Canada (Procureur général)*, [1992]
      2 C.F. 130 à la p. 150 (C.A.) [*CARI*] ; *Alberta Wilderness Association c. Canada
      (Procureur général)*, 2013 CAF 190 aux para. 47-51.

86.   SCT, *Lignes directrices, supra* note 75, section 13.4.3e).

instructions de rédaction et les autres documents qui ont trait à la rédaction des textes législatifs font partie de cette catégorie de documents, et ce, que la loi soit ou non adoptée en définitive[87]. Les projets de loi restent confidentiels même après le dépôt de leur dernière version à la Chambre des communes ou au Sénat ou, dans le cas des règlements, après leur approbation par le gouverneur en conseil et leur publication dans la *Gazette du Canada*. Les avant-projets de loi et les projets de règlement sont des documents non officiels du Cabinet qui ne révèlent pas les opinions des ministres. Comme ils ne révèlent pas de secrets fondamentaux, leur degré de sensibilité est faible. En fait, ils sont souvent remis à des parties prenantes, pour fins de commentaires, durant leur élaboration. Une copie d'un projet de loi remise à un tiers ne peut pas être protégée en application de l'alinéa f), puisque le gouvernement a perdu le contrôle sur les renseignements qu'elle recèle.

L'alinéa g) réfère aux « documents contenant des renseignements relatifs à la teneur des documents visés aux alinéas a) à f) ». Il est question de cette catégorie de documents à l'article 69, mais pas à l'article 39. Cela s'explique par le fait que le premier s'applique aux « documents », tandis que le second concerne les « renseignements ». Il était inutile d'inclure l'alinéa g) au paragraphe 39(2), puisqu'il ressort clairement du passage introductif de cette disposition que la liste de documents qui y figure n'est pas exhaustive. En application du principe *ejusdem generis*, tout document dont les caractéristiques sont les mêmes que celles des documents énumérés aux alinéas a) à f) est protégé par l'immunité du Cabinet. Les documents des ministères, tels les notes et les courriels, qui divulguent la teneur de mémoires, de présentations, d'ordres du jour, de procès-verbaux, de comptes rendus des décisions, de lettres, de notes de breffage, d'avant-projets de loi ou de projets de règlement sont visés par l'alinéa g)[88]. Il s'agit de documents non officiels du Cabinet, et leur degré de sensibilité varie selon qu'ils contiennent des secrets fondamentaux ou périphériques. L'alinéa g) n'est pas

---

87. *Smith, Kline & French Laboratories*, *supra* note 83 à la p. 932 ; *Quinn c. Canada (Premier ministre)*, 2011 CF 379 au para. 32(iii) [*Quinn*].

88. SCT, *Lignes directrices*, *supra* note 75, section 13.4.3g).

fondé sur une définition substantielle de l'expression « renseigne-ments confidentiels du Cabinet » : il est invoqué pour protéger tout document d'un ministère qui relate des renseignements contenus dans les documents énumérés aux alinéas a) à f). Les extraits per-tinents sont prélevés et protégés. En 2017-2018, plus de 75 % des documents exclus en application de l'article 69 de la *LAI* étaient visés par l'alinéa g)[89]. À défaut d'une définition substantielle de ce que sont les « renseignements confidentiels du Cabinet » et d'un véritable contrôle judiciaire des revendications d'immunité du Cabinet, l'alinéa g) est une forme de « trou noir juridique » qui peut servir à prévenir la divulgation de tout renseignement ayant un lien, aussi ténu soit-il, avec le Cabinet ou le Conseil.

2.1.1.2 *L'évaluation des aspects divergents de l'intérêt public*

Si des renseignements sont visés par la définition de « rensei-gnements confidentiels du Cabinet », le gouvernement devrait-il soupeser et mettre en balance les aspects divergents de l'intérêt public avant de faire valoir à leur égard l'immunité du Cabinet en application du régime législatif fédéral ? En common law, il faut clairement répondre par l'affirmative à cette question[90]. Par contre, en droit législatif, les articles 39 et 69 ne requièrent pas explicitement que le gouvernement s'acquitte d'une telle obliga-tion. Il serait donc possible de plaider que le Parlement a fait pen-cher la balance en faveur du secret ministériel. Autrement dit, tout renseignement confidentiel du Cabinet au sens des articles 39 et 69 pourrait être protégé sans égard à l'intérêt public favorisant sa divulgation. Cette position pourrait possiblement se justifier eu égard à la *LAI*, puisque les aspects de l'intérêt public en cause sont de nature générale : le secret ministériel par opposition à la transparence du gouvernement. En effet, l'exclusion de documents

---

89. Secrétariat du Conseil du Trésor du Canada, *Rapport statistique sur l'accès à l'information et la protection des renseignements personnels, 2017-2018*, en ligne : <https://www.canada.ca/fr/secretariat-conseil-tresor/services/acces-information-protection-reseignements-personnels/statistiques-aiprp/rapport-statistique-acces-information-protection-renseignements-personnels-exercice-2017-2018.html>.

90. T.G. Cooper, *Crown Privilege*, Aurora (Ontario), Canada Law Book, 1990 aux p. 27-34 [Cooper, *Crown Privilege*].

du Cabinet en application de l'article 69 n'empêche personne de faire valoir ses droits devant les tribunaux. Cela dit, cette position pourrait-elle se justifier lorsque des renseignements confidentiels du Cabinet sont à première vue pertinents dans le cadre d'un litige et où la délivrance de l'attestation visée à l'article 39 pourrait donner lieu à un déni de justice?

Dans l'arrêt *Babcock c. Canada (Procureur général)*, la Cour suprême du Canada a répondu par la négative à cette question. Elle a affirmé que le gouvernement devait examiner deux questions avant de délivrer une attestation: « Premièrement, s'agit-il d'un renseignement confidentiel au sens [de l'article 39]? Deuxièmement, s'agit-il [d'un renseignement] que le gouvernement doit protéger compte tenu des intérêts opposés voulant, d'une part, qu'ils soient divulgués et, d'autre part, que la confidentialité soit préservée[91]? » L'obligation d'évaluer l'intérêt public ne tire pas son origine du libellé de l'article 39; elle la tire plutôt de la nature inhérente de l'immunité du Cabinet en tant qu'IIP. Dans le cadre de litiges, on ne peut pas tenir pour acquis que l'intérêt du bon gouvernement l'emportera toujours sur l'intérêt de la justice. Le gouvernement doit tenir compte de l'incidence qu'aurait la décision de préserver la confidentialité des renseignements en cause sur les droits du plaideur avant qu'une attestation soit délivrée. Il serait contraire à la nature inhérente de l'IIP de préserver la confidentialité des renseignements lorsque leur degré de pertinence l'emporte sur le degré de préjudice que causerait leur divulgation[92]. L'obligation qui incombe au gouvernement d'évaluer l'intérêt public avant de présenter une revendication d'IIP est la même en common law qu'en droit législatif. La principale différence est que, en common law et en vertu des articles 37 et 38 de la *LPC*, les tribunaux peuvent également évaluer, de manière indépendante, l'intérêt public, alors qu'ils ne peuvent le faire en vertu de l'article 39.

---

91. *Babcock c. Canada (Procureur général)*, 2002 CSC 57, [2002] 3 R.C.S. 3 au para. 22 [*Babcock*, CSC].

92. Cooper, *Crown Privilege, supra* note 90 à la p. 139; T.G. Cooper, « Auditor General of Canada v. Minister of Energy, Mines and Resources » (1990) 40 *Administrative Law Reports* 1 à la p. 7.

Le gouvernement est donc tenu légalement d'évaluer l'intérêt public avant de délivrer une attestation. Deux questions se posent alors : qui évalue l'intérêt public ? et comment faut-il procéder à cette évaluation ? Premièrement, aux termes du paragraphe 39(1), seul « un ministre ou le greffier du Conseil privé » peut s'opposer à la divulgation de renseignements confidentiels du Cabinet. En pratique, c'est le greffier qui assume ce rôle. À ce jour, aucun ministre n'a signé une attestation délivrée en application de l'article 39. À titre de secrétaire du Cabinet, le greffier est la personne qui détient la plus grande expertise institutionnelle pour évaluer si des renseignements sont visés par le champ d'application de l'article 39. En outre, le fait que toutes les attestations soient signées par le greffier assure l'uniformité du processus d'examen et la cohérence des résultats. Il serait impossible d'atteindre un tel degré de cohérence si chaque ministre délivrait les attestations pour les renseignements confidentiels du Cabinet relevant de son ministère. Enfin, compte tenu de la convention sur l'accès, le gouvernement au pouvoir ne peut pas avoir accès aux renseignements confidentiels des gouvernements antérieurs. Il est donc souvent impossible pour les ministres en poste de délivrer des attestations, puisqu'ils n'ont pas accès aux renseignements pertinents.

Deuxièmement, pour évaluer l'intérêt public, le greffier se fonde sur l'approche de common law[93]. Ainsi, ce dernier soupèse et met en balance le degré de pertinence des renseignements et le degré de préjudice que pourrait causer leur divulgation. Il décide ensuite si les renseignements devraient ou non être protégés. Les professeurs Hogg, Monahan et Wright soutiennent que cette obligation a été prescrite par la Cour suprême du Canada dans un effort bien intentionné de réduire l'avantage tactique conféré au gouvernement par l'article 39. Toutefois, à leur avis, le greffier n'a pas le degré d'expertise, d'impartialité et d'indépendance requis pour évaluer l'intérêt public. En effet, comment le greffier, qui s'acquitte de nombreuses autres fonctions et qui n'est généralement pas avocat, peut-il évaluer comme il se doit les aspects divergents de l'intérêt public ? Pour ce faire, [TRADUCTION] « il faudrait que

---

93.   Voir généralement : *Carey c. Ontario*, [1986] 2 R.C.S. 637.

[le greffier] comprenne parfaitement toutes les questions en litige de même que la pertinence de chaque document eu égard à ces questions[94]». Se familiariser ainsi avec un dossier demande beaucoup de temps, surtout lorsqu'il y a de nombreux documents à examiner[95]. Selon les auteurs, il serait «étrange» que le greffier, dont le devoir consiste à protéger le secret ministériel, autorise la divulgation de documents du Cabinet. Ils font également valoir qu'il n'existe aucun moyen de savoir si le greffier a évalué adéquatement l'intérêt public, puisqu'il ne peut être contre-interrogé. En conséquence, «une interprétation de l'article 39 qui impose [au greffier] le lourd fardeau de mettre en balance l'intérêt à ce que les renseignements soient divulgués, d'une part, et la politique de confidentialité du gouvernement, d'autre part, n'est pas plausible[96]».

Cette conclusion mérite d'être nuancée. Deux enjeux doivent être distingués. D'abord, le greffier devrait-il évaluer l'intérêt public avant de refuser la divulgation de renseignements en cour? Ensuite, son évaluation devrait-elle être décisive? Il incombe au gouvernement d'évaluer l'intérêt public avant de présenter une revendication d'IIP. Au sein du gouvernement, le greffier est celui qui détient l'expertise institutionnelle la plus vaste pour s'acquitter de cette fonction. Même si le titulaire du poste n'est pas avocat, il a le soutien d'une équipe d'avocats[97]. Ces derniers procèdent au premier examen des documents visés par l'article 39: ils évaluent si les documents contiennent des renseignements confidentiels du Cabinet et si l'intérêt public commande qu'ils soient protégés suivant l'approche de common law. Ce faisant, ils évaluent la sensibilité des documents ainsi que leur pertinence à la lumière des allégations formulées contre le gouvernement. Lorsqu'il procède

---

94. Peter W. Hogg, Patrick J. Monahan et Wade K. Wright, *Liability of the Crown*, 4e éd., Toronto, Carswell, 2011 à la p. 135.

95. *RJR-MacDonald Inc. c. Canada (Procureur général)*, [1995] 3 R.C.S. 199 [*RJR-MacDonald*]; *Nunavut Tunngavik Inc. v. Canada (Attorney General)*, 2014 NUCJ 1 [*Nunavut Tunngavik*].

96. Hogg, Monahan et Wright, *supra* note 94 à la p. 135.

97. Voir généralement: Yves Côté, «La protection des renseignements confidentiels du Cabinet au gouvernement fédéral: la perspective du Bureau du Conseil privé» (2006) 19:2 *Can. J. Admin. L. & Prac.* 219.

à l'ultime évaluation, le greffier dispose donc de l'opinion juridique d'experts sur la nature des documents ainsi que sur leur sensibilité et leur pertinence. Les professeurs Hogg, Monahan et Wright ont raison de souligner qu'il serait inhabituel que le greffier divulgue des renseignements confidentiels du Cabinet et qu'il n'existe aucun moyen de savoir si l'évaluation de l'intérêt public a été faite de manière adéquate. Par contre, il ne découle pas forcément de ces arguments que le greffier ne devrait pas évaluer l'intérêt public avant de délivrer une attestation. On en conclura plutôt, d'une part, que le greffier devrait expliquer pourquoi l'intérêt public exige que certains documents demeurent confidentiels dans les circonstances du litige et, d'autre part, que son évaluation ne devrait pas être décisive, compte tenu de son manque apparent d'impartialité et d'indépendance[98].

2.1.2   Les limites de l'immunité du Cabinet

La portée de l'immunité du Cabinet visée par les articles 39 de la *LCP* et 69 de la *LAI* n'est pas aussi absolue qu'elle l'était aux termes du paragraphe 41(2) de la *LCF*. Le Parlement a jugé que, dans deux circonstances, l'intérêt public ne requiert pas que les renseignements confidentiels du Cabinet restent inaccessibles : d'abord, dans le cas des documents dont l'existence remonte à plus de 20 ans, ensuite, dans le cas des documents de travail[99].

2.1.2.1 Les documents dont l'existence remonte à plus de 20 ans

En application des conventions constitutionnelles et de la common law, la portée du secret ministériel diminue, et finit par s'éteindre, avec le passage du temps. À un certain moment, la divulgation des secrets du Cabinet ne menace plus le bon fonctionnement du système de gouvernement responsable. Dans l'arrêt *Conway*, lord Reid a affirmé que [TRADUCTION] « les procès-verbaux des réunions du Cabinet et les documents du même

---

98.   Voir le chapitre 4, *infra*, section 2.1.

99.   Voir les alinéas 39(4)a) et b) de la *LPC*, *supra* note 2 et 69(3)a) et b) de la *LAI*, *supra* note 3.

type ne doivent pas être divulgués, jusqu'à ce qu'ils n'aient plus qu'un intérêt historique», soit après 30 ans, lorsqu'ils sont transférés aux archives publiques[100]. Dans l'affaire *Crossman*, lord Widgery a refusé d'interdire la publication des mémoires politiques d'un ministre qui révélaient la teneur de délibérations du Cabinet, même s'il ne s'était écoulé que 10 ans depuis que les événements s'étaient déroulés[101]. Dans l'arrêt *Whitlam*, la Haute Cour d'Australie a ordonné la production de documents du Cabinet qui avaient été créés trois à cinq ans plus tôt, puisque les sujets dont ils traitaient n'étaient plus [TRADUCTION] d'«actualité» ni controversés, et que les acteurs politiques en cause avaient pris leur retraite[102]. En l'espace d'une décennie, la [TRADUCTION] «vie d'un secret du Cabinet» a donc considérablement diminué[103].

En droit législatif, au Canada, le paragraphe 41(2) de la *LCF* ne fixait pas une limite précise dans le temps à compter de laquelle les renseignements confidentiels du Cabinet n'étaient plus protégés. Ils pouvaient donc rester éternellement secrets. Durant l'élaboration de la *LAI*, l'Association du Barreau canadien a proposé que les documents du Cabinet soient protégés durant 10 ans[104]. Les progressistes-conservateurs ont jugé cette période trop courte et ont plutôt proposé un moratoire de 20 ans, soit la durée attendue de la carrière politique d'un ministre[105]. Lorsque les libéraux ont repris le pouvoir, ils ont conservé la période de 20 ans comme point de référence pour la protection des renseignements confidentiels du Cabinet. Il s'agit d'un bon critère. Les opinions exprimées par un ministre durant les réunions du Cabinet devraient habituellement rester confidentielles jusqu'à ce qu'il se retire de la politique.

---

100. *Conway, supra* note 4 à la p. 952. En raison de l'adoption de la *Constitutional Reform and Governance Act 2010* (R.-U.), c. 25, art. 45(1)(a), les documents du Cabinet sont maintenant transférés aux archives publiques après 20 ans.

101. *Attorney-General v. Jonathan Cape Ltd.*, [1976] 1 Q.B. 752.

102. *Whitlam, supra* note 5 aux p. 46 (juge en chef associé Gibbs), 98 (juge Mason).

103. Ian G. Eagles, «Cabinet Secrets as Evidence» [1980] *P.L.* 263 à la p. 278.

104. Association du Barreau canadien, *supra* note 35 aux p. 42-43.

105. Baker, *supra* note 74 à la p. 18; Chambre des communes, Comité permanent de la justice et des questions juridiques, *Procès-verbaux et témoignages*, n° 14 (11 décembre 1979) à la p. 14:34 (hon. Walter Baker); *Whitlam v. Australian Consolidated Press* (1985), 60 A.C.T.R. 7 à la p. 16.

La limite de 20 ans, soit la durée maximale de quatre législatures selon la Constitution, semble raisonnable ; toutefois, des recherches empiriques seraient nécessaires pour confirmer qu'elle représente une bonne approximation de la durée attendue de la carrière politique d'un ministre. Si c'est bien le cas, il faudrait se demander si cette limite dans le temps devrait s'appliquer dans tous les cas et pour toutes les catégories de documents du Cabinet. Comme le reconnaissent les conventions constitutionnelles et la common law, les documents du Cabinet doivent parfois être divulgués dans l'intérêt public. En outre, ces documents ne sont pas tous également sensibles : les secrets fondamentaux sont plus sensibles que les secrets périphériques.

Bien que la limite de 20 ans puisse être justifiée pour les secrets fondamentaux, elle ne peut l'être pour les secrets périphériques. Les documents du Cabinet qui consignent des secrets fondamentaux, comme les mémoires, les présentations et les procès-verbaux, devraient recevoir un degré supérieur de protection. Le même degré de protection devrait s'appliquer aux extraits des communications entre ministres, aux notes de breffage ministérielles et aux autres documents, dans la mesure où ils font état de secrets fondamentaux. En revanche, les documents du Cabinet qui ne font état que de secrets périphériques, comme les ordres du jour, les comptes rendus des décisions, les avant-projets de loi et les projets de règlement, devraient recevoir un degré moindre de protection. Les secrets périphériques sont protégés de manière à garantir l'efficacité du processus décisionnel collectif, et la logique qui sous-tend cette protection s'estompe dès que la décision a été prise sur un sujet donné et qu'elle a été rendue publique[106]. Dans une certaine mesure, le Parlement a reconnu que toutes les catégories de renseignements confidentiels du Cabinet ne sont pas également sensibles, comme en témoignent les articles 39 et 69 qui

---

106. Le projet de loi C-15 et la version initiale du projet de loi C-43 tenaient compte de cette réalité. En effet, aux termes de leurs dispositions, les avant-projets de loi étaient protégés uniquement jusqu'au dépôt du projet de loi à la Chambre des communes ou au Sénat. Toutefois, au moment du vote sur la dernière version du projet de loi C-43, l'alinéa f) a été amendé afin de conférer une protection d'une durée de 20 ans aux avant-projets de loi et aux projets de règlement. Voir : *Témoignages devant le Comité permanent*, juillet 1981, *supra* note 39 à la p. 50:20.

confèrent à une catégorie de documents, les documents de travail, un degré moindre de protection.

2.1.2.2 Les documents de travail

Les renseignements confidentiels du Cabinet sont protégés durant 20 ans. La seule exception à cette règle est celle relative aux documents de travail. Ce type de documents était utilisé de 1977 à 1984. Ils ne révélaient pas d'opinions ou de recommandations ministérielles (des secrets fondamentaux). Ils contenaient plutôt des renseignements factuels et contextuels utiles (des secrets périphériques) qui pouvaient aider les ministres durant le processus décisionnel du Cabinet. Le Parlement a conféré un degré de protection moindre aux documents de travail qu'aux autres documents du Cabinet. Dans le projet de loi C-15 et dans la première version du projet de loi C-43, il était prévu que ces documents pourraient être divulgués dès lors que le Cabinet avait pris une décision sur l'initiative dont ils traitaient. En définitive, il a été décidé que les documents de travail pourraient être divulgués une fois que le Cabinet avait pris une décision et l'avait rendue publique. Si la décision n'avait pas été rendue publique, un document de travail pourrait être divulgué quatre ans plus tard. La période de quatre ans a été choisie parce qu'elle reflétait la «durée [normale] d'un gouvernement[107]». Ainsi, un document de travail resterait confidentiel durant 20 ans uniquement en l'absence d'une décision du Cabinet sur le sujet en cause.

Les documents de travail ont vu le jour en 1977 pour favoriser la transparence du gouvernement[108]. À cette fin, le premier ministre Pierre Elliott Trudeau avait décidé que les ministres recevraient deux documents pour chaque proposition au Cabinet: un document de travail et un mémoire au Cabinet. Le premier servirait à présenter une version neutre et factuelle des options envisa-

---

107. *Ibid.* à la p. 50:11 (hon. Francis Fox).

108. Note de service de Michael Pitfield à Pierre Elliott Trudeau intitulée «Release of Discussion Papers» (5 septembre 1978). Ce document est reproduit dans *Ministre de l'Environnement c. Commissaire à l'information du Canada*, Cour d'appel fédérale, Dossier n° A-233-01, «Dossier d'appel», vol. 8 (25 juillet 2001) à la p. 1555 [*Ethyl*, «Dossier d'appel»].

geables pour résoudre un problème en particulier[109]. Il servirait de point de départ pour les consultations internes et externes. Un document de travail précèderait ou accompagnerait la rédaction d'un mémoire au Cabinet que les ministres utiliseraient pour présenter des recommandations à leurs collègues. Un mémoire serait un document plus concis résumant les recommandations, les arguments et les considérations politiques. Le Cabinet a convenu que, « en règle générale, les documents de travail seront publiés par le ministre promoteur au moment de l'annonce de la décision connexe[110] ». L'exception relative aux documents de travail a alors été enchâssée dans les articles 39 et 69. Elle visait à faciliter la divulgation de données factuelles présentées au Cabinet[111]. On prévoyait qu'elle jetterait un nouvel éclairage sur les travaux du Cabinet. Les citoyens auraient le droit de connaître les renseignements factuels et contextuels sur lesquels s'étaient collectivement fondés les ministres pour prendre une décision précise. Cela les aiderait à mieux comprendre pourquoi certaines décisions avaient été prises et, dans une certaine mesure, à contribuer pleinement au débat public.

Quoi qu'il en soit, en pratique, l'objectif de l'exception relative aux documents de travail n'a jamais vraiment été atteint. Peu de temps après l'entrée en vigueur de la *LAI*, le gouvernement a entrepris un examen du système de dossiers du Cabinet. Le problème qu'on percevait peut se résumer ainsi : les ministres étaient trop occupés pour prendre connaissance des renseignements factuels

---

109. Bureau du Conseil privé, *Guidance Manual for the Preparation and Handling of Cabinet Papers* (1977) à la p. 8. Ce document est reproduit dans *Ethyl*, « Dossier d'appel », *supra* note 108, vol. 3 à la p. 177.

110. Rapport de décision du Cabinet intitulé « La publication des documents de travail », n° 306-80RD (1er mai 1980). Ce document est reproduit dans *Ethyl*, « Dossier d'appel », *supra* note 108, vol. 20 à la p. 3696.

111. *Témoignages devant le comité permanent*, juillet 1981, *supra* note 39 aux p. 50:18-50:19 (hon. Francis Fox) : « Pour ce qui est des documents de faits, il me semble que la plupart, sinon tous, seront inclus dans les documents de travail qui doivent être divulgués [...]. Il me semble que le principe général qui consiste à dire que les documents de travail seront rendus publics après la décision indique clairement qu'il est souhaitable que ces renseignements soient communiqués [...]. Il est donc certain que nous souhaitons que les documents de travail soient communiqués ; que les données de base en fonction desquelles sont prises les décisions soient rendues publiques. »

et contextuels inclus dans les documents de travail; ils ne lisaient donc que les mémoires au Cabinet plus succincts. Afin d'inciter les ministres à se familiariser avec les renseignements factuels et contextuels, les fonctionnaires se sont mis à les inclure dans les mémoires au Cabinet plutôt que dans les documents de travail. Cette initiative n'a pas réglé le problème. Les mémoires au Cabinet sont devenus trop longs et les ministres qui cherchaient un résumé de l'information se sont mis à les ignorer au profit des notes d'évaluation plus concises. En conséquence, ces notes d'évaluation sont devenues les mémoires au Cabinet, les mémoires au Cabinet sont devenus les documents de travail et les documents de travail sont devenus superflus[112]. Le nombre de documents de travail a sans cesse diminué au fil des ans, passant de 298 en 1977 à 23 en 1984. Un haut dirigeant du Conseil privé, Roberto Gualtieri, a été chargé de trouver une solution pour colmater les failles du système de dossiers du Cabinet. Dans son rapport au greffier, il a conclu que le concept de « document de travail » était défaillant parce que ce type de documents servait à deux fins contradictoires: d'une part, soutenir le processus décisionnel du Cabinet et, d'autre part, informer le public. En définitive, M. Gualtieri a fait trois importantes recommandations:

> [TRADUCTION] [1] Limiter la longueur des [mémoires au Cabinet] à trois pages [...]; [2] Placer les renseignements factuels et contextuels en annexe [...]; et [3] Préparer des documents de travail lorsqu'il est prévu qu'ils seront rendus publics dans le contexte d'un plan de communication[113].

Monsieur Gualtieri avait saisi que, une fois ces changements apportés, les renseignements factuels et contextuels annexés aux mémoires au Cabinet seraient visés par les alinéas 39(2)a) et 69(1) a) et demeureraient confidentiels durant 20 ans. Il avait clairement prévu l'incidence de ces changements: [TRADUCTION] « Les

---

112. Note de service de Gordon Osbaldeston à Pierre Elliott Trudeau intitulée « Reform of the Cabinet Paper System » (19 décembre 1983), annexe 1. Ce document est reproduit dans *Ethyl*, « Dossier d'appel », *supra* note 108, vol. 13 à la p. 2416.

113. Note de service (ébauche) de Roberto Gualtieri à Gordon Osbaldeston intitulée « Cabinet Paper System » (12 août 1983), annexe intitulée « Reform of the Cabinet Paper System » [Note de service de Gualtieri à Osbaldeston]. Ce document est reproduit dans *Ethyl*, « Dossier d'appel », *supra* note 108, vol. 6 à la p. 964.

recommandations relatives aux [documents de travail] seront interprétées comme un recul en ce qui a trait à l'accès à l'information et comme un pas vers un gouvernement moins transparent[114]». Il était conscient que «le fait de faire de ces documents d'information des renseignements confidentiels du Cabinet serait dépeint comme une tentative d'éviscérer la *LAI* et de contrecarrer la volonté du Parlement[115]». Il a donc proposé ce qui suit:

> [TRADUCTION] Aucune annonce des changements ne serait faite. Les personnes qui s'enquerront de l'incidence des changements sur l'accès à l'information devraient être informées que ces changements visent à améliorer le processus décisionnel [...]; les changements n'auront aucune incidence négative sur l'engagement du gouvernement envers l'accès à l'information et la publication des documents de travail[116].

Ces changements auraient, toutefois, une incidence considérable sur l'accès du public aux renseignements factuels et contextuels. Le premier ministre Trudeau a approuvé les recommandations et le dernier document de travail a été déposé en mai 1984. Les documents de ce type qui ont été rédigés depuis sont de nature différente et sont utilisés dans le cadre de plans de communication. À partir du milieu de 1984, les renseignements factuels et contextuels, qui figuraient auparavant dans les documents de travail, ont été intégrés dans les mémoires au Cabinet. Ces derniers ont alors été divisés en deux sections: la section «Recommandation ministérielle» (qui contenait des secrets fondamentaux) et la section «Analyse» (qui contenait des secrets périphériques). La première visait à présenter au Cabinet la recommandation du ministre; la seconde à lui présenter une analyse détaillée des faits pertinents et des options[117]. À compter de ce moment, le gouver-

---

114. *Ibid.*

115. Note de service de Roberto Gualtieri à Gordon Osbaldeston intitulée «Cabinet Paper System: Treatment of Discussion Papers» (22 septembre 1983). Ce document est reproduit dans *Ethyl*, «Dossier d'appel», *supra* note 108, vol. 10 à la p. 1727.

116. Note de service de Gualtieri à Osbaldeston, *supra* note 113.

117. Bureau du Conseil privé, *Guidance Handbook for the Preparation of the 3 Page Memorandum to Cabinet* (27 avril 1984). Ce document est reproduit dans *Ethyl*, «Dossier d'appel», *supra* note 108, vol. 6 à la p. 1057. Voir aussi: Bureau du Conseil privé, *Memoranda to Cabinet: A Drafter's Guide* (24 novembre 1997) à la p. A7. Ce

nement a pris la position que l'exception relative aux documents de travail prévue aux articles 39 et 69 n'était plus applicable.

La disparition des documents de travail serait vraisemblablement passée inaperçue, n'eût été le travail de Ken Rubin. Peu de temps après l'adoption de la *LAI*, M. Rubin, un chercheur et un militant pour l'accès à l'information, a présenté diverses demandes d'accès à l'information relativement à des documents de travail. Ses demandes se sont heurtées à la résistance de certains ministères. Au terme de trois ans de travail, M. Rubin a publié en 1986 son évaluation de la situation, dans laquelle il insistait sur le fait que la pratique de préparer des documents de travail n'avait pas duré : [TRADUCTION] « D'après tous les éléments de preuve portés à ma connaissance, il semble qu'aucun document de travail ministériel n'a été produit durant les mandats des premiers ministres Turner et Mulroney. Ce qui était inclus dans ces documents figure désormais dans les mémoires au Cabinet[118]. » La disparition des documents de travail a été soulignée par le commissaire à l'information en 1987, mais il a fallu près de 10 ans avant que la question ne fasse l'objet d'une enquête[119].

L'exception relative aux documents de travail est restée lettre morte du milieu de 1984 à 2001, et elle a été ravivée à la suite d'une longue bataille judiciaire qui a opposé le commissaire à l'information et le gouvernement. En 1996, le Parlement a adopté une loi pour interdire le commerce des additifs à base de manganèse qui pouvaient nuire à l'environnement et à la santé humaine[120].

---

document est reproduit dans *Ethyl*, « Dossier d'appel », *supra* note 108, vol. 4 à la p. 554.

118.   Ken Rubin, *Access to Cabinet Confidences: Some Experiences and Proposals to Restrict Cabinet Confidentiality Claims*, Ottawa, Ken Rubin, 1986 à la p. 14 [Rubin, *Access to Cabinet Confidences*]. Monsieur Rubin a également découvert une « pratique juridique scandaleuse, mais parfaitement légale, d'assurer que les documents de travail soient exclus ». Cette pratique consistait à ajouter une « recommandation ministérielle » à un « document de travail », ce qui avait pour conséquence de le transformer en « mémoire au Cabinet » (*ibid.* à la p. 36).

119.   Commissaire à l'information du Canada, *Rapport annuel : 1998-1999* aux p. 59-61, en ligne : <http://publications.gc.ca/site/fra/9.502367/publication.html>. Le problème relatif aux documents de travail a aussi été discuté dans les rapports annuels de 1999-2000, 2001-2002, 2002-2003, 2006-2007 et 2007-2008.

120.   *Loi sur les additifs à base de manganèse*, L.C. 1997, c. 11.

L'année suivante, Ethyl, un manufacturier de manganèse, a déposé une demande d'accès à l'information visant à obtenir les [TRADUC-TION] « [documents] de travail destinés à présenter des problèmes, des analyses ou des options politiques [au Cabinet] pour lui permettre de prendre des décisions concernant le [manganèse] ». Le ministère de l'Environnement a trouvé quatre documents visés par la demande, mais les a exclus en application des alinéas 69(1) a) et e). En 1998, Ethyl a déposé une plainte auprès du commissaire à l'information, John Reid, qui a déclenché une enquête approfondie sur les documents de travail. À titre d'ancien ministre libéral, M. Reid était à même de comprendre le fonctionnement du Cabinet et l'importance du secret ministériel. En se fondant sur un examen détaillé du système de dossiers du Cabinet depuis 1977 et sur l'évolution des documents de travail, il a conclu que la plainte était fondée[121].

Soulignant que les renseignements factuels et contextuels avaient été déplacés des documents de travail aux mémoires au Cabinet, dont l'alinéa 69(1)a) assure la confidentialité durant 20 ans, le commissaire a recommandé au gouvernement d'extraire la section « Analyse » du mémoire au Cabinet sur le manganèse et de la divulguer, puisque la décision sous-jacente avait été rendue publique. Le gouvernement n'a pas accepté sa recommandation. Il a plaidé que les documents de travail étaient désormais utilisés à des fins de communication uniquement et qu'aucun document de ce type n'avait été rédigé relativement à la décision d'interdire le manganèse. Même si les documents en cause contenaient des renseignements factuels et contextuels, ils ne portaient pas le titre de « documents de travail » et avaient été exclus à bon droit en application de l'article 69. Il faut souligner que cette position était incompatible avec les propres directives administratives du gouvernement sur les renseignements confidentiels du Cabinet selon lesquelles [TRADUCTION] « le titre d'un [...] document n'est pas [...] nécessairement un indicateur fiable de sa nature réelle[122] ». De

---

121. Lettre de John Reid à Christine Stewart et Jean Chrétien (30 mars 1999). Ce document est reproduit dans *Ethyl*, « Dossier d'appel », *supra* note 108, vol. 2 à la p. 119.

122. Secrétariat du Conseil du Trésor du Canada, *Manuel du Conseil du Trésor* (1er décembre 1993), c. 2-6 à la p. 6 [SCT, Lignes directrices de 1993].

plus, en 1985, le gouvernement avait donné au vérificateur général accès à la section « Analyse » des mémoires au Cabinet pour les fins de son mandat législatif, reconnaissant qu'environ 80 % des renseignements portés à la connaissance du Cabinet étaient de nature factuelle plutôt que politique[123]. Le gouvernement avait donc convenu que la section « Analyse » était de nature factuelle et qu'elle pouvait être extraite du reste des mémoires au Cabinet.

Le commissaire a présenté une demande de contrôle judiciaire en Cour fédérale. Cette dernière a conclu que la décision de protéger les documents avait été erronée. Le Parlement avait eu l'intention de rendre publics les renseignements factuels et contextuels figurant dans les documents de travail. Le gouvernement ne pouvait donc pas pervertir la volonté du Parlement en déplaçant ces renseignements d'un document qui peut être rendu public à un autre qui ne le peut pas, parce que cela enlèverait tout son sens à l'exception relative aux documents de travail. Le fond doit l'emporter sur la forme. Les actions du gouvernement ont été « [considérées] comme une tentative de faire fi de la volonté du législateur[124] ». La Cour d'appel fédérale a souscrit à l'opinion de la Cour fédérale et ordonné que le gouvernement examine les documents pour qu'il détermine « s'il y a, dans ou avec les documents, un ensemble organisé de mots qui, considérés isolément, satisfont à la définition [de l'expression "document de travail"][125] ».

À la suite de l'arrêt *Ethyl*, tout passage d'un document du Cabinet qui contenait des problèmes, des analyses ou des options politiques portées à l'attention du Cabinet pour éclairer sa prise de décisions et qui pouvait constituer, en soi, un document de travail, devait être extrait et divulgué lorsque la décision sous-jacente avait été rendue publique ou, si elle n'avait pas été rendue publique, lorsqu'une période d'au moins quatre ans s'était écoulée depuis. L'arrêt *Ethyl* a donc redonné vie à l'exception relative aux documents de

---

123. La Presse canadienne, « Ottawa to appeal cabinet-secrecy ruling: Crosbie », *The Gazette* (31 décembre 1985) B1.

124. *Canada (Commissaire à l'information) c. Canada (Ministre de l'Environnement)*, [2001] 3 C.F. 514 au para. 45 (juge Blanchard) [*Ethyl*, CF, 2001].

125. *Canada (Commissaire à l'information) c. Canada (Ministre de l'Environnement)*, 2003 CAF 68 au para. 26 (juge Noël) [*Ethyl*, CAF, 2003].

travail. En réaffirmant l'intention du législateur, les tribunaux ont réduit la portée du secret ministériel. Le gouvernement était légalement tenu d'appliquer l'exception à la section « Analyse » des mémoires au Cabinet, ainsi qu'aux notes de breffage destinées aux ministres. Dans son rapport annuel 2002-2003, le commissaire a affirmé que l'arrêt *Ethyl* jouerait un « rôle considérable dans la réduction de la zone de secret du Cabinet[126] ». Cette déclaration s'est révélée exacte pendant près de 10 ans, soit jusqu'à ce que le système de dossiers du Cabinet soit à nouveau modifié.

En juillet 2012, à la suite de changements approuvés par le premier ministre Stephen Harper, la section « Analyse » des mémoires au Cabinet a été supprimée pour alléger les travaux du Cabinet[127]. Souvent, la section « Analyse » semblait redondante par rapport à la section « Recommandation ministérielle ». C'est pourquoi le contenu de la première a été formellement déplacé dans la seconde et dans d'autres annexes. Bien que le premier ministre ait la prérogative d'organiser le système de dossiers du Cabinet comme il l'entend, le fait de supprimer la section « Analyse » a des conséquences sur l'exception relative aux documents de travail prévue aux articles 39 et 69, de même que sur l'accès dont dispose le vérificateur général aux documents du Cabinet[128]. Les renseignements factuels et contextuels qui figurent dans les mémoires au Cabinet et qui devraient être accessibles à tous une fois que la décision sous-jacente a été rendue publique, peuvent désormais demeurer confidentiels durant 20 ans. Jusqu'en juillet 2012, la section « Analyse » était la version moderne du défunt « document de travail ».

---

126. CIC, *Rapport annuel 2002-2003*, *supra* note 81 aux p. 17, 24.

127. Ken Rubin, « Harper's Cabinet need not have any background facts, reinforces greater Cabinet secrecy », *The Hill Times* (14 avril 2014) à la p. 15 : [TRADUCTION] « En éliminant la partie "analyse" des [mémoires au Cabinet], le premier ministre actuel a – avec le support des mandarins de la fonction publique – rendu les dossiers du Cabinet encore plus aseptisés, compromis et secrets. »

128. Voir : Décret en conseil, C.P. 2006-1289 (6 novembre 2006). En vertu de l'alinéa c) de ce décret, le vérificateur général peut avoir accès aux « explications, analyses des problèmes ou options politiques contenues dans un document présenté à l'examen du [Cabinet] ». Cette phrase avait notamment pour but de rendre accessible la partie « analyse » des mémoires au Cabinet. Voir aussi : Décret en conseil, C.P. 1985-3783 (27 décembre 1985) ; Décret en conseil, C.P. 2018-535 (11 mai 2018).

L'exception relative aux documents de travail est-elle toujours pertinente à la lumière de cette évolution ? En théorie, c'est le cas, dans le sens où le gouvernement reste lié par la loi, telle qu'elle a été interprétée dans l'arrêt *Ethyl*. Les documents du Cabinet continueront à être examinés pour savoir s'ils contiennent des « ensembles organisés de mots » qui correspondent à la définition de l'expression « document de travail ». Il est possible que des extraits de mémoires au Cabinet ou de notes de breffage destinées aux ministres correspondent à cette définition. Les notes de breffage qui satisfont aux critères de l'exception sont toutefois rares. De plus, le nouveau gabarit des mémoires au Cabinet complique la recherche de passages qui, en soi, pourraient équivaloir à des documents de travail. Les renseignements factuels et contextuels sont désormais entremêlés avec les mesures proposées dans la section « Recommandation ministérielle ». Le nouveau gabarit brouille la distinction entre les faits et les opinions (ou entre les secrets fondamentaux et périphériques), et rend plus complexe la tâche de séparer les premiers des seconds. Quelle qu'ait été l'intention à l'origine de ces changements, leur effet est manifeste : la portée de l'exception relative aux documents de travail a été restreinte et l'éclairage dont on dispose sur les travaux du Cabinet est désormais réduit. L'histoire semble se répéter. Plutôt que de réduire la portée de l'immunité du Cabinet en séparant clairement les « faits » des « opinions », le gouvernement l'a élargie en les entremêlant.

2.2   La revendication et la contestation de l'immunité du Cabinet

Maintenant que la portée du secret ministériel visé aux articles 39 de la *LPC* et 69 de la *LAI* a été circonscrite, il convient d'examiner les étapes que doit suivre le gouvernement lorsqu'il présente une revendication d'immunité du Cabinet et les circonstances permettant de contester les revendications de ce type. Le degré de formalisme à respecter pour présenter une revendication d'immunité du Cabinet valide est plus élevé aux termes de l'article 39 qu'aux termes de l'article 69. Cela s'explique du fait que l'intérêt public en cause lorsqu'il est question du premier (soit l'intérêt public dans la saine administration de la justice) est réputé plus important que l'intérêt public en cause lorsqu'il est question du second (soit l'intérêt public dans la transparence gouvernementale). Ainsi, les revendications d'immunité du Cabinet ont tendance à être préparées plus minutieusement en application de l'article 39 que de l'article 69. Dans les deux cas, les circonstances donnant ouverture à une contestation sont restreintes, puisqu'aucun tiers indépendant ne peut examiner les documents. C'est pourquoi les revendications d'immunité du Cabinet peuvent uniquement faire l'objet d'un contrôle judiciaire minime.

2.2.1   La revendication d'immunité du Cabinet

Il est question de l'immunité du Cabinet lorsque le gouvernement est légalement tenu de produire des documents sous son contrôle. Cela survient habituellement dans le cadre de procédures civiles lorsqu'une requête introductive d'instance est déposée contre le gouvernement pour, par exemple, violation de contrat, manquement à des obligations fiduciales ou négligence. Une des premières étapes du processus sera celle de la communication de la preuve, durant laquelle chaque partie doit déterminer tous les documents pertinents dont elle a le contrôle et les divulguer à la partie adverse[129]. L'obligation de produire des documents peut également découler de l'application du régime d'accès à l'information. Le gouvernement doit, en principe, remettre au requérant tous les documents visés par une demande d'accès à l'information. Dans un cas comme dans l'autre, les fonctionnaires chercheront les documents pertinents dans les dossiers du ministère, puis les examineront pour déterminer s'ils sont sujets à certaines immunités ou privilèges. Le processus est généralement le même dans le cadre de litiges (en application de la *LPC*) que dans le contexte du régime d'accès à l'information (en application de la *LAI*), sauf en ce qui a trait à la façon de présenter la revendication.

---

129. Un processus similaire s'applique en vertu de la règle 317 des *Règles des Cours fédérales*, DORS/98-106, lorsqu'une requête en contrôle judiciaire est introduite pour contester la légalité d'une décision ou d'une action de l'exécutif.

2.2.1.1 La revendication d'immunité du Cabinet en application de la LPC

Comment faut-il présenter une revendication d'immunité dans le cadre de litiges? La réponse à cette question découle du libellé du paragraphe 39(1) de la *LPC*, tel que l'a interprété la Cour suprême du Canada. Dans l'arrêt *Babcock*, les avocats du ministère de la Justice qui travaillaient à Vancouver ont poursuivi le gouvernement en dommages-intérêts parce que celui-ci aurait manqué à ses obligations contractuelles et fiduciales en leur versant une rémunération inférieure à celle de leurs collègues de Toronto. Durant le processus de la communication de la preuve, le gouvernement s'est opposé à la production de 51 documents que les demandeurs cherchaient à obtenir. La Cour a conclu que « [la] confidentialité des délibérations du Cabinet est essentielle au bon gouvernement[130] ». Selon elle, « [le] Canada a édicté l'art. 39 de la *Loi sur la preuve au Canada* pour répondre au besoin d'établir un mécanisme assurant l'exercice responsable du pouvoir d'invoquer la confidentialité des délibérations du Cabinet dans le contexte d'une instance judiciaire ou quasi judiciaire[131] ». L'article 39 va au-delà de la common law, parce que, dès lors que les renseignements font l'objet d'une attestation valide, le tribunal ne peut plus les examiner et évaluer l'intérêt public[132]. Une attestation est valide si elle satisfait à quatre conditions:

> (1) [Elle] émane du greffier ou d'un ministre; (2) elle vise des renseignements décrits au par. 39(2); (3) elle est délivrée dans l'exercice de bonne foi d'un pouvoir délégué; (4) elle vise à empêcher la divulgation de renseignements demeurés jusque-là confidentiels[133].

---

130. *Babcock*, CSC, *supra* note 91 aux para. 15-18. Voir aussi le chapitre 1, *supra*, section 1.1.

131. *Babcock*, CSC, *supra* note 91 au para. 21.

132. En l'absence d'une attestation soumise dans la forme appropriée, le simple fait de s'appuyer sur l'article 39 de la *LPC*, *supra* note 2, n'est pas suffisant pour justifier un refus de produire des renseignements confidentiels du Cabinet. Voir: *Appleby-Ostroff*, *supra* note 81 au para. 34; *Superior Plus Corp. c. La Reine*, 2016 CCI 217 au para. 51.

133. *Babcock*, CSC, *supra* note 91 au para. 27.

Premièrement, l'attestation doit être signée par un ministre ou par le greffier du Conseil privé. Seuls les officiers publics les plus haut placés détiennent le pouvoir discrétionnaire de revendiquer l'immunité du Cabinet. En pratique, c'est le greffier qui s'acquitte de cette fonction, à titre de secrétaire du Cabinet. Les ministres sont mal placés pour jouer ce rôle, puisqu'ils n'ont pas accès aux documents du Cabinet des gouvernements antérieurs. En outre, le fait qu'une seule personne soit responsable de réclamer l'immunité du Cabinet garantit une plus grande cohérence de l'interprétation et de l'application de l'article 39. La procédure menant à la signature d'une attestation est simple. Lorsqu'une action en justice est intentée contre le gouvernement, les fonctionnaires repèrent les documents visés par la norme de communication de la preuve. Ces documents sont ensuite examinés par des avocats du ministère de la Justice afin qu'ils décèlent les immunités ou les privilèges applicables, le cas échéant. Si certains documents sont visés par l'immunité du Cabinet, les avocats du ministère de la Justice préparent un tableau où sont consignées, à l'intention du Bureau du Conseil privé (ci-après « BCP »), une description et une évaluation des documents. Puisqu'ils sont responsables de la conduite du dossier, les avocats du ministère de la Justice ne participent pas à la décision de présenter ou non une revendication d'immunité du Cabinet. Des avocats du BCP revoient les documents afin de vérifier s'ils contiennent des renseignements confidentiels du Cabinet et si l'intérêt public requiert qu'ils demeurent confidentiels. Si oui, ces avocats préparent une attestation ainsi qu'une opinion juridique dans laquelle ils présentent leur analyse du litige en décrivant les documents et en évaluant l'intérêt public. Le greffier prend la décision ultime en se fondant sur l'ensemble de ces renseignements.

Deuxièmement, les documents visés par l'attestation doivent contenir des « renseignements confidentiels du Cabinet » au sens du paragraphe 39(2). Puisqu'aucun tribunal ne peut examiner les documents, l'attestation doit les décrire suffisamment en détail pour que le plaideur et le juge puissent évaluer s'ils sont visés par le paragraphe 39(2). La façon dont les documents ont été décrits dans les attestations a évolué selon qu'il s'agissait de l'« attestation initiale » (avant 1983), de l'« attestation générique » (1983-2002) ou de l'« attestation actuelle » (depuis 2002).

L'attestation initiale ne fournissait pas beaucoup d'information. Dans l'affaire *Smith, Kline and French Laboratories c. Canada (Procureur général)*, une compagnie contestait la constitutionnalité du régime de permis obligatoire applicable aux médicaments brevetés. Pour étayer ses allégations, elle a sollicité l'accès aux documents qui exposaient l'objet du régime. Une attestation a été déposée pour empêcher leur production. La validité de l'attestation a été attaquée au motif que les documents n'étaient pas suffisamment décrits. Voici, à titre d'exemple, le type de descriptions se trouvant dans l'attestation :

> [TRADUCTION] Le document nº 1 est la copie d'une note destinée à informer un ministre de la Couronne et est, par conséquent, visé par [l'alinéa 39(2)e) de la *LPC*][134].

La Cour fédérale a convenu que cette description était insuffisante et a affirmé que l'article 39, contrairement au paragraphe 41(2) de la *LCF*, visait à limiter la portée de l'immunité du Cabinet, en clarifiant le sens de l'expression « renseignements confidentiels du Cabinet » et en prévoyant des exceptions à l'immunité du Cabinet. La Cour était donc autorisée à décider si, à la lecture de l'attestation, les documents entraient dans le champ d'application de l'article 39. La Cour a décelé deux problèmes : d'une part, les descriptions ne reflétaient pas le libellé du paragraphe 39(2), puisque l'objet du document et son lien avec les travaux du Cabinet n'avaient pas été expressément précisés ; et, d'autre part, le greffier n'avait pas affirmé, dans l'attestation, que les exceptions à l'immunité du Cabinet prévues au paragraphe 39(4) – relatives aux documents dont l'existence remonte à plus de 20 ans et aux documents de travail – ne s'appliquaient pas. Ces exigences peuvent sembler « trop formalistes », mais « les plaideurs et les tribunaux ont droit au moins à l'assurance que le greffier [...] a dûment pris en considération ces critères et ces restrictions[135] ». La décision de la Cour dans l'affaire *Smith, Kline and French Laboratories* a été à l'origine

---

134. *Smith, Kline & French Laboratories, supra* note 83 à la p. 928.
135. *Ibid.* à la p. 933.

de l'attestation générique[136]. Ce modèle constituait un progrès par rapport à l'attestation initiale, même s'il ne fournissait pas de renseignements utiles relativement à la nature des documents. Voici un exemple de descriptions données dans les attestations génériques de 1983 à 2002 :

> [TRADUCTION] Le document n° 1 contient des renseignements tirés d'un mémoire au Conseil, un type de documents destiné à soumettre des propositions ou recommandations au Conseil et qui est donc visé par [l'alinéa 39(2)a) de la *LPC*][137].

Dans une opinion isolée, dans l'affaire *Canada (Procureur général) c. Central Cartage*, le juge de première instance a conclu qu'une description générique ne fournit pas [TRADUCTION] « suffisamment de renseignements pour permettre à un tribunal de déterminer si les [documents] décrits dans l'attestation sont adéquatement catégorisés[138] ». L'attestation « devrait préciser la date du document, son auteur, son destinataire ainsi que son objet[139] ». Bien que les motifs du juge de première instance fussent convaincants sur ce point, sa décision a été infirmée par la Cour d'appel fédérale. Tout en confirmant l'affaire *Smith, Kline and French Laboratories*, la Cour a souligné « [qu'il] n'y a tout simplement aucun élément de [l'article 39] qui permet d'exiger les renseignements supplémentaires que le juge de première instance a demandés dans l'ordonnance qu'il a rendue[140] ». En conséquence,

---

136. *Ouvrages de raffinage de métaux Dominion Ltée c. Énergie atomique du Canada Ltée*, [1988] J.Q. n° 2680 (C.S.) [*EACL*] ; *Canada (Procureur général) c. Central Cartage Co.*, [1990] 2 C.F. 641 (C.A.), permission d'en appeler rejetée : [1991] 1 R.C.S. vii [*Central Cartage*, CAF] ; *CARI*, *supra* note 85 ; *Bande indienne de Samson c. Canada*, [1997] A.C.F. n° 1328 (C.A.) [*Bande indienne de Samson*, CAF] ; *Donahue Inc. c. Canada (Ministre du Commerce extérieur)*, [1997] A.C.F. n° 473 (C.F.) [*Donahue*] ; *Babcock v. Canada (Attorney General)* (1999), 176 D.L.R. (4ᵉ) 417 (B.C.S.C.) [*Babcock*, BCSC] ; *Canada (Ministre de la Citoyenneté et de l'Immigration) c. Katriuk*, [1999] 3 C.F. 143 (C.F.) ; *Canadian Arctic Resources Committee Inc. c. Diavik Diamond Mines Inc.*, [2000] A.C.F. n° 910 (C.F.) ; *Society Promoting Environmental Conservation c. Canada*, [2000] A.C.F. n° 893 (C.F.).

137. *Canada (Attorney General) v. Central Cartage Co.*, [1988] F.C.J. n° 801 à la p. 4 (C.F.).

138. *Ibid.* à la p. 8.

139. *Ibid.*

140. *Central Cartage*, CAF, *supra* note 136 au para. 16.

il suffisait que l'attestation reflète le libellé des alinéas pertinents du paragraphe 39(2)[141].

Ce n'est pas avant 2001 que les tribunaux ont commencé à remettre sérieusement en question l'utilité des attestations génériques. La juge Southin de la Cour d'appel de la Colombie-Britannique a mené la charge. Dans l'arrêt *Babcock*, elle s'est demandé comment le plaideur et le juge pouvaient évaluer si le greffier avait agi conformément aux pouvoirs que lui conférait l'article 39 en se fondant sur les descriptions des documents fournies dans les attestations génériques : [TRADUCTION] « Exiger du greffier qu'il fournisse une description utile revient à donner au tribunal la capacité réelle, et non illusoire, de garantir qu'il a exercé son pouvoir en conformité avec la volonté du Parlement, et non sans en tenir compte[142]. » À défaut de telles descriptions, « le tribunal ne peut pas dire si le document est visé par [l'article 39][143] ». En appel, la Cour suprême du Canada a donné raison à la juge Southin à cet égard :

> [Le] greffier a l'obligation de donner des renseignements une description suffisante pour établir à la face même de l'attestation qu'il s'agit de renseignements confidentiels du Cabinet et qu'ils appartiennent aux catégories prévues au [paragraphe] 39(2) [...]. Il suffira généralement [...] de fournir une description semblable à celle [...] visant à protéger le secret professionnel de l'avocat. La date, le titre, l'auteur et le destinataire du document [...] devraient normalement être divulgués[144].

---

141. La Cour d'appel fédérale avait reconnu une exception limitée à cette règle. Lorsque les documents faisant l'objet d'une attestation avaient précédemment été décrits dans l'affidavit de documents du gouvernement, le greffier devait réconcilier les deux listes. Sinon, ni le plaideur ni le juge ne pouvait savoir lesquels parmi les documents décrits dans l'affidavit avaient finalement été protégés par l'attestation. Voir : *Puddister Trading Co. c. Canada*, [1996] A.C.F. n° 345 (C.A.) [*Puddister Trading*] ; *Bande indienne de Samson*, CAF, *supra* note 136. Dans ce dernier cas, le juge Stone avait affirmé qu'une description générique était suffisante lorsque les documents faisant l'objet d'une attestation n'avaient pas précédemment été décrits dans l'affidavit de documents du gouvernement.

142. *Babcock v. Canada (Attorney General)*, 2000 BCCA 348 au para. 46 [*Babcock*, BCCA].

143. *Ibid.* au para. 54. Voir aussi : *Ainsworth Lumber*, *supra* note 84 aux para. 15, 19.

144. *Babcock*, CSC, *supra* note 91 au para. 28.

Ainsi, la date, le titre, l'auteur et le destinataire du document font désormais partie intégrante des attestations dont il est question à l'article 39. Selon la Cour suprême du Canada, ces renseignements pourraient être omis si leur divulgation risquait de soulever des préoccupations sur le plan de la confidentialité[145]. Cela est possible en théorie, mais fort peu probable en pratique. En effet, une procédure judiciaire est habituellement intentée après qu'une décision a été prise et rendue publique, et les renseignements qui doivent être fournis ne révéleraient pas les opinions des ministres. Cet élément de l'arrêt *Babcock* constitue une évolution positive, puisqu'il a permis aux tribunaux de mieux évaluer si, à la lumière de la description fournie dans l'attestation, un document est visé par le champ d'application du paragraphe 39(2). Cela dit, le greffier n'est pas tenu d'affirmer qu'il a procédé à une évaluation de l'intérêt public ni d'expliquer pourquoi l'intérêt du bon gouvernement l'emporte sur l'intérêt de la justice. Ainsi, une partie de ce qui justifie la revendication d'immunité du Cabinet demeure inconnue. L'attestation actuelle serait plus convaincante si le plaideur et le juge pouvaient comprendre pourquoi l'intérêt public commande que les documents restent confidentiels. Pour que la revendication d'immunité du Cabinet soit conforme à la primauté du droit, le greffier devrait justifier tous les aspects de sa décision[146].

Troisièmement, l'attestation doit être délivrée de bonne foi : le greffier doit exercer le pouvoir que lui confère l'article 39 afin de protéger les renseignements confidentiels du Cabinet dans l'intérêt public, et non pour « entraver les enquêtes publiques » ni pour « obtenir des avantages tactiques dans un litige »[147]. Le greffier ne devrait pas revendiquer l'immunité du Cabinet pour dissimuler une action ou une omission qui serait illégale ou le fruit de négligence ou d'incompétence. Il ne devrait pas divulguer sélectivement des renseignements qui étayent la position du gouvernement et

---

145. *Ibid.* Voir aussi : *Tsleil-Waututh Nation c. Canada (Procureur général)*, 2017 CAF 128 aux para. 30-47.

146. Cooper, *Crown Privilege, supra* note 90 aux p. 167, 175. Sur l'importance pour le gouvernement de justifier adéquatement les revendications d'immunité du Cabinet, voir le chapitre 4, *infra*, section 2.1.2.

147. *Babcock*, CSC, *supra* note 91 au para. 25.

protéger ceux qui y nuisent[148]. Cela est conforme aux précédents. Dans l'arrêt *Duncan*, la Chambre des lords a affirmé que l'IIP ne doit pas servir à dissimuler une conduite répréhensible, à éviter la critique du public ou encore à se soustraire à toute responsabilité juridique; en outre, dans l'arrêt *Roncarelli*, la Cour suprême du Canada a conclu qu'un pouvoir discrétionnaire conféré par une loi ne doit pas être exercé à des fins illégitimes[149]. Comment un juge peut-il savoir si une revendication est présentée de bonne foi? Les professeurs Hogg, Monahan et Wright soutiennent que [TRADUC-TION] « s'ils ne disposent pas du pouvoir d'examiner les documents en cause, les juges n'ont en fait aucun moyen de déterminer si les documents ont été retenus pour des motifs valables de politique publique[150] ».

Conformément aux principes généraux de droit, les tribunaux doivent tenir pour acquis que le greffier agit de bonne foi lorsqu'il délivre une attestation, à moins que la partie adverse ne prouve le contraire. Cela dit, à ce jour, puisque le greffier n'est pas tenu d'expliquer pourquoi l'intérêt du bon gouvernement l'emporte sur l'intérêt de la justice, et puisque les juges n'ont pas le pouvoir d'examiner les documents protégés par l'immunité du Cabinet, il est très difficile de démontrer la mauvaise foi du décideur. En fait, celle-ci ne peut être prouvée que si le décideur révèle publique-ment ses motifs inappropriés[151], si un lanceur d'alerte met de tels motifs en lumière, ou si un organisme externe doté d'un pouvoir

---

148. *Ibid.* au para. 36. Le juge MacKenzie de la Cour d'appel de la Colombie-Britannique a affirmé que la divulgation sélective de documents du Cabinet constituerait [TRA-DUCTION] « un abus du processus judiciaire » : *Babcock*, BCCA, *supra* note 142 au para. 23. Voir aussi : *JTI MacDonald Corp c. Canada (Procureur général)*, 2004 CanLII 30110 (C.A.Q.).

149. *Duncan*, *supra* note 9 à la p. 642 ; *Roncarelli*, *supra* note 21 à la p. 140 (juge Rand).

150. Hogg, Monahan et Wright, *supra* note 94 à la p. 134.

151. Par exemple, dans l'arrêt *Roncarelli*, *supra* note 21 à la p. 141, le premier ministre du Québec, Maurice Duplessis, avait révélé publiquement qu'il avait résilié le permis d'alcool de Frank Roncarelli pour le punir du soutien qu'il avait offert aux Témoins de Jéhovah. Dans ses motifs, le juge Rand a reconnu qu'il pourrait être difficile, voire impossible, de démontrer la mauvaise foi puisque le décideur admi-nistratif n'était pas, à cette époque, tenu de justifier sa décision. Toutefois, dans l'arrêt *Roncarelli*, cette difficulté ne s'est pas présentée, puisque le premier ministre Duplessis a ouvertement avoué les raisons qui l'avaient poussé à résilier le permis d'alcool de M. Roncarelli.

de contrainte mène une enquête et découvre que le décideur a agi de manière inappropriée. À l'heure actuelle, il n'existe aucun autre moyen de démontrer la mauvaise foi.

Dans l'arrêt *Babcock*, la Cour suprême du Canada a déclaré que la délivrance d'une attestation «peut permettre à un tribunal de tirer une inférence défavorable» contre le gouvernement[152] et a fait référence à l'affaire *RJR-MacDonald Inc. c. Canada (Procureur général)* à titre d'exemple. Dans cette cause, le greffier avait délivré une attestation pour des centaines de documents relatifs à la décision du gouvernement de légiférer afin d'interdire toute forme de publicité sur le tabac. Les compagnies de tabac ont contesté la loi mettant en œuvre l'interdiction au motif qu'il s'agissait d'une atteinte injustifiable à la liberté d'expression protégée par l'alinéa 2b) de la *Charte*. Un des documents énumérés dans l'attestation a été décrit comme une étude sur des mesures moins attentatoires pour réduire la consommation de tabac. Une majorité de la Cour suprême du Canada a tiré une inférence défavorable du refus du gouvernement de divulguer cette étude, en affirmant qu'«il est difficile de ne pas inférer que les résultats de [cette étude] font échec à la prétention du gouvernement qu'une interdiction moins attentatoire n'aurait pas donné lieu à un résultat tout aussi valable[153]». Elle a conclu que certaines dispositions de la loi étaient inconstitutionnelles, puisque le gouvernement n'avait pas réussi à démontrer, comme l'exige l'article premier de la *Charte*, qu'une interdiction totale était le moyen le moins attentatoire pour atteindre son objectif. En fin de compte, la décision du gouvernement de revendiquer l'immunité du Cabinet l'a empêché de satisfaire au fardeau de la justification qui lui incombait aux termes de l'article premier. C'est le prix qu'il faut parfois payer pour protéger des renseignements confidentiels du Cabinet[154].

---

152. *Babcock*, CSC, *supra* note 91 au para. 36.

153. *RJR-MacDonald*, *supra* note 95 au para. 166.

154. De manière similaire, une revendication d'immunité du Cabinet en vertu de l'article 39 de la *LPC*, *supra* note 2, pourrait miner la capacité du gouvernement de défendre la légalité d'un décret. Voir: *Nation Gitxaala c. Canada*, 2016 CAF 187 aux para. 59, 298-299, 319, 356.

Quatrièmement, les renseignements contenus dans les documents doivent être confidentiels. Ainsi, l'article 39 ne peut pas servir à protéger des renseignements qui ont déjà été divulgués. Dans l'arrêt *Babcock*, la Cour suprême du Canada a annulé l'attestation pour 17 documents sur 51, parce qu'ils avaient perdu leur caractère confidentiel: 12 d'entre eux avaient été divulgués dans le cadre du litige et les 5 autres avaient été entre les mains des demandeurs avant que des procédures soient intentées[155]. Un des documents était l'affidavit d'un fonctionnaire qui avait été déposé par le gouvernement à l'occasion d'une tentative infructueuse de faire entendre l'affaire par la Cour fédérale. L'affidavit énonçait la logique qui sous-tendait la décision du Conseil du Trésor de payer un salaire plus élevé aux avocats du ministère de la Justice qui travaillent à Toronto. La Cour a statué que l'article 39 « n'empêche pas la divulgation volontaire de renseignements confidentiels[156] ». En effet, l'obligation de protéger les renseignements n'entre en jeu que lorsque l'intérêt public le commande. En outre, l'article 39 « ne peut s'appliquer rétroactivement à des documents déjà produits dans le cadre d'un litige[157] ». Cette affirmation est compatible avec plusieurs précédents importants, à la fois en common law[158] et en droit législatif[159]: la divulgation volontaire de renseignements confidentiels du Cabinet par le gouvernement empêche tout recours ultérieur de l'immunité du Cabinet à leur égard.

---

155. *Babcock*, CSC, *supra* note 91 aux para. 45-47. Le gouvernement a finalement produit les 51 documents que la partie adverse souhaitait obtenir. Voir: *Babcock v. Canada (Attorney General)*, 2003 BCSC 1385 au para. 16.

156. *Babcock*, CSC, *supra* note 91 au para. 22.

157. *Ibid.* au para. 33.

158. *Robinson v. State of South Australia (No. 2)*, [1931] UKPC 55, [1931] A.C. 704 à la p. 718; *Whitlam*, *supra* note 5 aux p. 44-45 (juge en chef associé Gibbs), 64 (juge Stephen), 100-101 (juge Mason); *Leeds v. Alberta (Minister of the Environment)* (1990), 69 D.L.R. (4ᵉ) 681 (Q.B.).

159. *Best Cleaners and Contractors Ltd. c. Canada*, [1985] 2 C.F. 293 (C.A.) [*Best Cleaners*]; *Delisle c. Canada (Gendarmerie royale du Canada)*, [1997] A.C.F. nᵒ 204 (C.F.); *Babcock*, BCCA, *supra* note 142. Les décisions suivantes ne font plus autorité sur cette question en raison de l'arrêt *Babcock*, CSC, *supra* note 91: *Energy Probe v. Canada (Attorney General)*, [1992] O.J. nᵒ 892 (C.J.); *Bande indienne de Samson c. Canada*, [1996] 2 C.F. 483 (C.F.) [*Bande indienne de Samson*, CF]; *Bourque, Pierre & Fils Ltée c. Canada*, [1999] A.C.F. nᵒ 58 (C.F.); *Babcock*, BCSC, *supra* note 136; *Canada (Commissaire à l'information) c. Canada (Ministre de l'Environnement)*, [1999] A.C.F. nᵒ 1760 (C.F.) [*Ethyl*, CF, 1999].

Dans l'arrêt *Babcock*, la Cour suprême du Canada a souligné que le concept de « renonciation » ne s'applique pas en matière d'immunité du Cabinet[160]. Strictement parlant, il n'est pas possible de renoncer à une immunité. Le gouvernement a le devoir de protéger les renseignements confidentiels du Cabinet lorsque l'intérêt du bon gouvernement l'emporte sur l'intérêt de la justice. Puisque les renseignements consignés dans les documents du Cabinet n'ont pas nécessairement tous le même degré de pertinence ni de préjudice, il faut s'attendre à ce que, à la suite de l'évaluation de l'intérêt public, certains documents soient divulgués et d'autres ne le soient pas. Une telle issue doit être distinguée de la divulgation sélective illégitime, qui vise à conférer au gouvernement un avantage tactique dans un litige. Par exemple, le fait que le gouvernement ait rendu publique une décision du Cabinet au moyen d'un communiqué de presse ne signifie pas que tous les documents du Cabinet sous-jacents devraient également être rendus publics. En outre, le fait que des renseignements factuels et contextuels consignés dans un document du Cabinet (des secrets périphériques) soient pertinents pour le règlement équitable d'un litige ne signifie pas que les opinions personnelles exprimées par les ministres durant les délibérations sur le sujet (des secrets fondamentaux) devraient également être révélées.

2.2.1.2 *La revendication d'immunité du Cabinet en application de la* LAI

Comme le prévoit le paragraphe 2(1) de la *LAI*, cette loi vise à favoriser la transparence gouvernementale en consacrant un droit d'« accès aux documents de l'administration fédérale ». Le droit d'accès à l'information est vital dans une société libre et démocratique, puisqu'il facilite l'exercice de la liberté d'expression et des droits démocratiques protégés par l'alinéa 2b) et l'article 3 de la *Charte*[161]. Il permet aux citoyens de consulter les renseignements

---

160. *Babcock*, CSC, *supra* note 91 aux para. 31-32. Sur cette question, la Cour suprême du Canada a infirmé la décision de la Cour d'appel de la Colombie-Britannique, qui avait jugé que la divulgation de certains documents du Cabinet constituait une renonciation à l'immunité pour les autres documents du Cabinet liés à ces derniers.

161. Voir généralement : Vincent Kazmierski, « Something to Talk About: Is There a *Charter* Right to Access Government Information? » (2008) 31:2 *Dal. L.J.* 351.

dont ils ont besoin pour exprimer des opinions sur le fonctionnement du gouvernement et leur permettre d'exercer leur droit de vote de manière éclairée. Or, aux termes du paragraphe 2(1) de la *LAI*, le droit d'accès à l'information n'est pas absolu : il est assujetti à des « exceptions […] précises et limitées ». Ces dernières visent à protéger divers aspects de l'intérêt public, comme les relations internationales, la défense nationale et la sécurité nationale. Compte tenu du risque que des officiers publics puissent mal appliquer ces exceptions, les décisions de retenir des documents font l'objet d'un examen indépendant par le commissaire à l'information et par la Cour fédérale. Tel n'est toutefois pas le cas lorsqu'il est question de renseignements confidentiels du Cabinet. Comme ils sont exclus du champ d'application de la *LAI*, ces renseignements ne sont pas assujettis au droit d'accès, la portée de l'exclusion n'est pas « précise et limitée », et les décisions de ne pas les divulguer ne font pas l'objet d'un examen indépendant.

La décision de revendiquer l'immunité du Cabinet en vertu de l'article 69 fait intervenir trois acteurs : le ministère à qui la demande d'accès a été présentée, le ministère de la Justice et le BCP. Depuis 1983, on a utilisé trois procédures pour traiter des renseignements confidentiels du Cabinet. La première a été dictée par les lignes directrices sur les renseignements confidentiels du Cabinet émises par le Secrétariat du Conseil du Trésor (ci-après « SCT ») en 1983[162]. Un haut fonctionnaire était désigné au sein de chaque ministère pour décider dans les « cas nettement définis » si un document contenait ou non des renseignements confidentiels du Cabinet. Cette personne disposait d'un vaste pouvoir discrétionnaire et n'était tenue de consulter les avocats du ministère de la Justice et du BCP que si elle avait des doutes quant à la nature d'un document. Cette procédure a entraîné une sur-identification de renseignements confidentiels du Cabinet[163]. Cela peut s'expliquer du fait que les hauts fonctionnaires n'avaient pas nécessairement l'expertise nécessaire pour repérer de façon adéquate les

---

162. Secrétariat du Conseil du Trésor du Canada, *Lignes directrices concernant les documents confidentiels du Conseil privé de la Reine pour le Canada – Loi sur l'accès à l'information*, Circulaire n° 1983-45 (30 août 1983) aux p. 28.8-28.9.

163. Rubin, *Access to Cabinet Confidences, supra* note 118 aux p. 59-64.

renseignements confidentiels du Cabinet. De plus, compte tenu de l'importance de ce type de renseignements, ils péchaient souvent par excès de prudence parce que « [le] fait de communiquer un document par erreur a des conséquences beaucoup plus graves que le fait de refuser, à tort, de communiquer un document[164] ».

En 1986, les lignes directrices du SCT ont été modifiées. Le gouvernement a reconnu que « [dans] un certain nombre de cas [...] des documents qui n'étaient pas des documents confidentiels ont été déclarés comme tels[165] », ce qui minait la légitimité de l'article 69. La deuxième procédure a donc été établie : les ministères seraient dorénavant tenus de consulter le BCP chaque fois qu'ils prévoyaient d'appliquer l'article 69[166]. En consultation avec l'avocat du ministère de la Justice, les fonctionnaires rempliraient un tableau détaillé où chaque document serait décrit et les motifs de son exclusion précisés. L'avocat du ministère de la Justice expédierait ensuite le tableau accompagné des documents à l'avocat du BCP. Après les avoir examinés, ce dernier communiquerait son évaluation au ministère qui avait reçu la demande d'accès. L'article 69 ne pouvait être appliqué que lorsque l'avocat du BCP avait conclu qu'un document contenait des renseignements confidentiels du Cabinet. Suivant ce régime, comme une équipe d'avocats du BCP examinait toutes les revendications d'immunité du Cabinet pour le gouvernement, l'application de l'article 69 était plus uniforme. Cela dit, avec l'avènement des ordinateurs et des courriels, le volume de documents à examiner a explosé, et le temps nécessaire pour mener la consultation auprès du BCP est devenu excessivement long[167].

---

164. Commissaire à l'information du Canada, *Rapport annuel : 1984-1985*, Ottawa, Ministre des Approvisionnements et Services Canada, 1985 à la p. 4 [CIC, *Rapport annuel 1984-1985*].

165. Secrétariat du Conseil du Trésor du Canada, *Documents confidentiels du Conseil privé de la Reine pour le Canada*, Circulaire n° 1986-23 (4 juin 1986) au para. 4.

166. *Ibid.* Ce processus fut réaffirmé dans : SCT, *Lignes directrices de 1993, supra* note 122 à la p. 2.

167. Secrétariat du Conseil du Trésor du Canada, *Réduction des retards de traitement des demandes d'accès à l'information* (mars 2012), section 2.3, en ligne : <https://www. canada.ca/fr/secretariat-conseil-tresor/services/acces-information-protection-renseignements-personnels/acces-information/reduction-retards-traitement-demandes-acces-information.html>.

La troisième procédure a été introduite en 2013. Suivant la politique actuelle, les ministères n'ont plus l'obligation de consulter systématiquement le BCP. Ils ne jouissent toutefois pas de la même liberté qu'ils avaient en 1983. Ils doivent obligatoirement solliciter l'opinion du ministère de la Justice avant de recourir à l'article 69. Comme le ministère de la Justice a des bureaux dans chaque ministère, il ne manque pas d'avocats pour faire le travail. Ceux-ci ne sont tenus de consulter le BCP que dans deux circonstances: premièrement, s'ils ont un doute quant à la nature d'un document; ou, deuxièmement, si le document en cause entre dans le champ d'application de l'exception relative aux documents de travail[168]. Le BCP reste le centre d'expertise en matière de secret ministériel[169]. Il a gardé le contrôle sur l'exception relative aux documents de travail parce qu'il s'agit d'une règle complexe qui peut entraîner la publication hâtive de mémoires au Cabinet et de notes de breffage destinées aux ministres. En appliquant la procédure en place actuellement, il faut moins de temps qu'auparavant pour répondre aux demandes d'accès[170], mais le risque d'un manque d'uniformité et de cohérence dans la mise en œuvre de l'article 69 a été ravivé[171]. En fait, immédiatement après l'adoption de cette procédure en 2013, le nombre total d'exclusions fondées sur l'article 69 a bondi de 49 %[172]. De plus, il a été rapporté que dans 2 200 cas,

---

168. SCT, *Lignes directrices, supra* note 75, section 13.4.5.

169. Secrétariat du Conseil du Trésor du Canada, *Politique sur l'accès à l'information* (20 août 2014), section 8.2, en ligne: <https://www.tbs-sct.gc.ca/pol/doc-fra.aspx?id=12453>.

170. Commissaire à l'information du Canada, *Rapport annuel: 2014-2015* à la p. 28, en ligne: <https://publications.gc.ca/site/fra/9.502367/publication.html> [CIC, *Rapport annuel 2014-2015*].

171. Commissaire à l'information du Canada, *Rapport annuel: 2013-2014* à la p. 20, en ligne: <https://publications.gc.ca/site/fra/9.502367/publication.html> [CIC, *Rapport annuel 2013-2014*]; CIC, *Rapport annuel 2014-2015, supra* note 170 à la p. 42; CIC, *Rapport annuel 2015-2016, supra* note 80 à la p. 25 (exemple d'une application incohérente de l'article 69).

172. Yan Campagnolo, «Cabinet documents should be under the scope of the ATIA», *The Hill Times* (6 juin 2016) à la p. 15. Les statistiques officielles démontrent que le nombre total d'exclusions a augmenté de 2 117 en 2012-2013 à 3 152 en 2013-2014, qu'il est demeuré stable les deux années suivantes (c'est-à-dire 3 089 en 2014-2015 et 3 279 en 2015-2016) et qu'il a de nouveau augmenté au cours des deux dernières années (c'est-à-dire 4 023 en 2016-2017 et 4 279 en 2017-2018). Voir Secrétariat du Conseil du Trésor du Canada, *Rapport statistique sur l'accès à l'information et la protection des renseignements personnels: 2012-2013, 2013-2014, 2014-2015,*

de 2013 à 2016, les demandeurs d'accès ont exprimé le souhait que les ministères ne tiennent pas compte des documents contenant des renseignements confidentiels du Cabinet lors du traitement de leurs demandes d'accès à l'information afin d'obtenir une réponse plus rapide des ministères[173]. N'eût été cette nouvelle tendance, le nombre total d'exclusions fondées sur l'article 69 aurait sans doute été encore plus considérable.

Deux éléments distinguent la façon de revendiquer l'immunité du Cabinet selon que la démarche émane de l'application de la *LPC* ou de la *LAI* : l'évaluation de l'intérêt public, d'une part, et la délivrance d'une attestation formelle, d'autre part. Ces différences découlent de l'hypothèse que l'intérêt de la justice (le droit d'accéder aux renseignements du gouvernement pour faire valoir ses droits devant les tribunaux) est plus important que l'intérêt dans la transparence gouvernementale (le droit d'accéder aux renseignements du gouvernement pour toute autre raison). Ainsi, aux termes de la *LAI*, les officiers publics n'ont pas à soupeser et à mettre en balance les aspects divergents de l'intérêt public avant d'exclure des documents. La seule question qu'ils doivent se poser est celle de savoir si les documents contiennent des renseignements confidentiels du Cabinet. Si oui, ils sont exclus, à moins qu'une des exceptions à l'immunité du Cabinet ne s'applique. De plus, en droit, il n'est pas nécessaire que le greffier délivre l'attestation prévue à l'article 39 pour que les documents soient exclus en application de l'article 69[174]. La question de savoir si ces distinctions peuvent se justifier dépend de l'importance que l'on accorde au droit à l'accès à l'information. Même si ce droit n'est pas expressément protégé par la *Charte*, la Cour suprême du Canada a statué qu'il peut l'être en tant que composante du droit à la liberté d'expression garanti

---

2015-2016, 2016-2017 et 2017-2018, en ligne : <https://www.canada.ca/fr/secretariat-conseil-tresor/services/acces-information-protection-reseignements-personnels/statistiques-aiprp.html>.

173.   CIC, *Rapport annuel 2014-2015, supra* note 170 à la p. 42 ; CIC, *Rapport annuel 2015-2016, supra* note 80 à la p. 23.

174.   *Quinn, supra* note 87 au para. 32(ii).

par l'alinéa 2b) ; toutefois, en *obiter dictum*, elle a suggéré que l'immunité du Cabinet ne violerait pas cette disposition[175].

En 1984, le commissaire à l'information a conclu une entente avec le gouvernement. Lorsqu'une plainte était déposée en lien avec l'article 69, le commissaire pourrait demander une confirmation écrite au ministre responsable ou au greffier que les documents exclus contenaient des renseignements confidentiels du Cabinet. La confirmation fournirait l'assurance que les documents avaient été examinés « au plus haut niveau possible », ce qui contribuait à dissiper tout doute quant à leur nature[176]. Les plaintes ont parfois donné lieu à l'annulation de la décision d'exclure les documents[177]. La confirmation prenait la forme d'une lettre adressée au commissaire[178], et comprenait une description des documents ainsi qu'une déclaration selon laquelle ils tombaient sous le coup de l'article 69[179]. Bien que la lettre fût signée par un ministre ou par le greffier, il ne s'agissait pas d'une attestation officielle au sens de l'article 39. Cette exigence existe toujours, mais les lettres de confirmation ne sont plus signées par un ministre ou par le greffier. Elles le sont plutôt par des fonctionnaires subalternes[180]. En raison de ce changement, l'assurance que les documents seraient

---

175. *Ontario (Sûreté et Sécurité publique) c. Criminal Lawyers' Association*, 2010 CSC 23, [2010] 1 R.C.S. 815.

176. Le commissaire à l'information a affirmé qu'il demanderait une confirmation écrite en cas de doute sur l'application de l'article 69. Le processus est décrit dans : Commissaire à l'information du Canada, *Rapport annuel : 1987-1988*, Ottawa, Ministre des Approvisionnements et Services Canada, 1988 à la p. 37. Voir aussi : CIC, *Rapport annuel : 1984-1985*, *supra* note 164 aux p. 17, 77.

177. Rubin, *Access to Cabinet Confidences*, *supra* note 118 aux p. 62-64 ; Commissaire à l'information du Canada, *Rapport annuel : 1992-1993* à la p. 49, en ligne : <http://publications.gc.ca/site/fra/9.502367/publication.html> [CIC, *Rapport annuel 1992-1993*] ; CIC, *Rapport annuel 1996-1997*, *supra* note 76 aux p. 57-60 ; CIC, *Rapport annuel 1999-2000*, *supra* note 77 aux p. 79-80 ; Commissaire à l'information du Canada, *Rapport annuel : 2000-2001* à la p. 52, en ligne : <http://publications.gc.ca/site/fra/9.502367/publication.html> [CIC, *Rapport annuel 2000-2001*].

178. Secrétariat du Conseil du Trésor du Canada, *Lignes directrices concernant la préparation d'une attestation pour le Commissaire à l'information*, Dossier n° 2022-08 (14 août 1984) ; SCT, *Lignes directrices de 1993*, *supra* note 122 aux p. 12-13.

179. Commissaire à l'information du Canada, *Rapport annuel : 1994-1995* à la p. 6, en ligne : <http://publications.gc.ca/site/fra/9.502367/publication.html> ; CIC, *Rapport annuel 2002-2003*, *supra* note 81 aux p. 23-24.

180. SCT, *Lignes directrices*, *supra* note 75, sections 13.4.6, 13.4.7 ; CIC, *Rapport annuel 2014-2015*, *supra* note 170 à la p. 42.

examinés «au plus haut niveau possible» de l'appareil gouvernemental a été perdue. La procédure actuelle n'atténue pas le risque
que les documents puissent être indûment exclus. Afin de garantir
l'intégrité du processus, il faudrait permettre à des organismes
indépendants d'examiner les documents assujettis à l'article 69.

Lorsque les libéraux ont révisé le projet de loi C-43 en 1982, ils
ont amendé les dispositions portant sur le pouvoir du commissaire
à l'information et de la Cour fédérale d'examiner des documents
pendant les enquêtes et les demandes de contrôle judiciaire. En
raison de ce changement, le commissaire et la Cour peuvent uniquement examiner «les documents [...] auxquels la présente loi
s'applique[181]». Ainsi, puisque la *LAI* ne s'applique pas aux renseignements confidentiels du Cabinet aux termes de l'article 69, le
commissaire et la Cour fédérale ne peuvent pas, en principe, les
examiner. En effet, depuis l'entrée en vigueur de la *LAI*, le commissaire a toujours, sauf dans un cas, été d'avis qu'il n'avait pas le pouvoir d'examiner les renseignements confidentiels du Cabinet[182].

Dans l'affaire *Société Radio-Canada c. Canada (Commissaire à
l'information)*, la question en litige portait sur le pouvoir du commissaire d'examiner des documents de la Société Radio-Canada
(ci-après «SRC»). L'article 68.1 soustrait à l'application de la *LAI* les
renseignements «qui se rapportent [aux] activités de journalisme,
de création ou de programmation» de la SRC. Cette exclusion est
assortie d'une exception pour les «renseignements qui ont trait à son
administration». Devant la Cour fédérale, la commissaire, Suzanne
Legault, a plaidé qu'elle avait le pouvoir d'examiner les documents
de la SRC pour juger du bien-fondé de l'application de l'exclusion.
La SRC a contesté cet argument en faisant valoir que la *LAI* ne
s'appliquait pas à ces documents[183]. La Cour a jugé que la commis-

---

181. Voir le paragraphe 36(2) et l'article 46 de la *LAI*, *supra* note 3. Ces dispositions
auraient eu priorité sur l'article 39 de la *LPC*, *supra* note 2, si les renseignements
confidentiels du Cabinet n'avaient pas été exclus de la *LAI*.

182. Voir notamment: CIC, *Rapport annuel 1984-1985*, *supra* note 164 aux p. 17, 77-79;
CIC, *Rapport annuel 1996-1997*, *supra* note 76 à la p. 36; CIC, *Rapport annuel
2000-2001*, *supra* note 177 à la p. 50; CIC, *Rapport annuel 2013-2014*, *supra* note 171
à la p. 20.

183. *Société Radio-Canada c. Canada (Commissaire à l'information)*, 2010 CF 954 au
para. 31.

saire avait le pouvoir d'examiner les documents pour dissocier les renseignements qui se rapportaient aux activités de journalisme de la SRC de ceux qui avaient trait à son administration générale. Comme les enquêtes menées par la commissaire étaient confidentielles, et que cette dernière ne pouvait alors ordonner la divulgation des documents, un tel examen ne porterait pas préjudice à la SRC[184].

En appel, la commissaire a tenté de pousser le raisonnement un cran plus loin. Compte tenu des similitudes de structure entre les articles 68.1 et 69 (une exclusion assortie d'une exception à cette exclusion), elle a soutenu qu'elle devrait également avoir le pouvoir d'examiner les renseignements confidentiels du Cabinet pour dissocier les renseignements exclus par le paragraphe 69(1) de ceux qui ne sont pas exclus aux termes du paragraphe 69(3), à moins que le greffier ne délivre une attestation en application de l'article 39[185]. Le paragraphe 69(3) prévoit deux exceptions : d'une part, pour les documents dont l'existence remonte à plus de 20 ans et, d'autre part, pour les documents de travail. Bien que la Cour d'appel fédérale ait confirmé la décision de la cour de première instance, elle a rejeté le nouvel argument de la commissaire, en soulignant que «la position officielle de [cette dernière] a toujours été que les documents et les renseignements exclus sous le titre "exclusion" ne lui sont pas accessibles[186]». La Cour d'appel fédérale a déclaré que la *LAI* n'autorise ni la commissaire ni la Cour fédérale à examiner les documents qui contiennent des renseignements confidentiels du Cabinet, qu'une attestation ait ou non été délivrée en application de l'article 39[187]. Selon le raisonnement de la Cour

---

184. *Ibid.* au para. 36.

185. *Société Radio-Canada c. Canada (Commissaire à l'information)*, 2011 CAF 326 au para. 37 [*SRC*, CAF].

186. *Ibid.* au para. 49.

187. La Cour fédérale ne peut pas ordonner la production de documents contenant des renseignements confidentiels du Cabinet afin de les examiner dans le contexte d'une requête en contrôle judiciaire aux termes de la *LAI, supra* note 3. Bien que, par le passé, le greffier ait délivré une attestation en vertu de l'article 39 de la *LPC, supra* note 2, dans ces circonstances, (voir *Ethyl*, CF, 2001, *supra* note 124 et *Canada (Commissaire à l'information) c. Canada (Ministre de la Défense nationale)*, 2008 CF 766 [*Agenda du premier ministre*]), une telle attestation n'est pas requise, comme cela a été confirmé dans *SRC*, CAF, *supra* note 185 aux para. 50-54. Cela dit, lorsque les documents sont produits de manière volontaire, le juge peut les examiner: voir *Agenda du premier ministre, supra* note 187 au para. 124.

d'appel, l'existence d'une exception visée au paragraphe 69(3), contrairement à l'existence d'une exception visée à l'article 68.1, peut être démontrée «à la face même du document, sans qu'il soit nécessaire d'en examiner le contenu[188]».

Ce raisonnement n'est pas entièrement convaincant. Il est vrai que la commissaire peut évaluer si un document existe depuis plus de 20 ans «à [sa] face même […]», sans en examiner le contenu; toutefois, la question de savoir si l'exception relative aux documents de travail s'applique ne peut pas être évaluée «à la face même du document»[189]. Le contenu d'un document doit être examiné pour déterminer s'il contient un «ensemble organisé de mots» qui correspond au sens de l'expression «document de travail». Depuis que la section «Analyse» des mémoires au Cabinet a été supprimée, l'application de l'exception est plus complexe, dans la mesure où les faits sont entremêlés avec les opinions, ce qui complique la tâche de distinguer les secrets périphériques des secrets fondamentaux. De plus, il faut entreprendre des recherches pour déterminer si le Cabinet a pris une décision au sujet de l'initiative et, dans l'affirmative, si celle-ci a été rendue publique. Ce type d'information ne peut pas être vérifié «à la face même du document». Pour que sa décision soit cohérente avec son raisonnement sur l'article 68.1 et avec l'arrêt *Ethyl*, la Cour d'appel aurait dû conclure que la commissaire et la Cour disposent à tout le moins du pouvoir d'examiner les mémoires au Cabinet pour évaluer si des extraits de ces documents relèvent de l'exception relative aux documents de travail. Seule la délivrance d'une attestation prévue à l'article 39 pourrait limiter ce pouvoir, et ce, en tenant pour acquis que cette disposition soit constitutionnelle.

2.2.2   *La contestation de l'immunité du Cabinet*

Le régime législatif relatif au secret ministériel de même que les décisions de l'exécutif de revendiquer l'immunité du Cabinet ont été contestés tant sur le fondement du droit constitutionnel

---

188.   *SRC*, CAF, *supra* note 185 au para. 65.
189.   CIC, *Rapport annuel 2013-2014*, *supra* note 171 à la p. 20.

que sur celui du droit administratif. Les contestations de sa constitutionnalité ont surtout porté sur les questions de savoir si le régime législatif respecte le partage des compétences législatives (l'administration de la justice dans la province)[190], les principes constitutionnels non écrits (la primauté du droit; la séparation des pouvoirs; et l'indépendance judiciaire)[191], la *Charte* (le droit à la vie, à la liberté et à la sécurité; le droit à un procès équitable; et le droit à l'égalité)[192] et la *Déclaration canadienne des droits*[193] (le droit à la jouissance des biens; et le droit à une audition impartiale)[194]. Il suffit de dire, pour l'instant, que ces contestations constitutionnelles ont échoué. La Cour suprême du Canada a confirmé la validité du régime législatif dans les arrêts *Commission des droits de la personne* et *Babcock*. Pour leur part, les contestations fondées sur les principes de droit administratif ont surtout porté sur la question de savoir si le gouvernement pouvait refuser la divulgation de renseignements confidentiels du Cabinet en se fondant sur les articles 39 de la *LPC* ou 69 de la *LAI* dans des cas spécifiques. L'accent a été mis sur la légalité des actes de l'exécutif, et non sur la constitutionnalité des textes législatifs. La présente section ne porte que sur les contestations des revendications d'immunité du Cabinet en droit administratif; la validité constitutionnelle du régime législatif sera abordée dans le prochain chapitre[195].

En adoptant l'article 39, le Parlement a créé une clause privative qui rend difficiles les contestations des revendications d'immunité du Cabinet. L'article 39 a préséance sur toutes les règles juridiques qui confèrent aux plaideurs, aux agents du Parlement[196], aux organismes administratifs ainsi qu'aux juges un accès aux

---

190. *Commission des droits de la personne, supra* note 25.

191. *Ibid.*; *Singh c. Canada (Procureur général)*, [2000] 3 C.F. 185 (C.A.) [*Singh*]; *Babcock*, CSC, *supra* note 91.

192. *Syndicat international des débardeurs et magasiniers c. Canada*, [1989] 1 C.F. 444 (C.F.); *Central Cartage*, CAF, *supra* note 136; *CARI, supra* note 85.

193. *Déclaration canadienne des droits*, S.C. 1960, c. 44.

194. *Commission des droits de la personne, supra* note 25; *EACL, supra* note 136; *Central Cartage*, CAF, *supra* note 136; *Wedge c. Canada (Procureur général)*, [1995] A.C.F. nº 1399 (C.F.).

195. Voir le chapitre 4, *infra*, section 2.

196. *Vérificateur général, supra* note 53.

documents qui relèvent du gouvernement. Même si la portée du contrôle judiciaire des revendications d'immunité du Cabinet est étroite, tout tribunal, tout organisme ou toute personne qui a le pouvoir de contraindre la production de renseignements peut contrôler les revendications d'immunité du Cabinet fondées sur l'article 39[197]. En comparaison, seuls le commissaire à l'information et la Cour fédérale peuvent contrôler les revendications d'immunité du Cabinet fondées sur l'article 69. Le tribunal, l'organisme ou la personne chargé de procéder au contrôle ne peut pas examiner les renseignements confidentiels du Cabinet; il doit trancher la question en se fondant sur la description des documents et sur des éléments de preuve extrinsèques[198]. Les revendications d'immunité du Cabinet ont été contestées au motif que le gouvernement aurait commis une erreur de droit dans l'interprétation de l'article 39[199], et les tribunaux ont appliqué la norme de la décision correcte[200]. Comme ils limitent la libre circulation des renseignements, les articles 39 et 69 doivent être interprétés de façon restrictive[201]. Les revendications d'immunité du Cabinet peuvent être contestées pour des motifs tant procéduraux que de fond.

2.2.2.1 Les contestations procédurales des revendications d'immunité du Cabinet

Une contestation procédurale peut être intentée contre une revendication d'immunité du Cabinet fondée sur l'article 39 lorsque cette dernière ne satisfait pas aux exigences de forme. Une revendication de ce type est invalide dans trois situations : en premier lieu, si le gouvernement revendique l'immunité du Cabinet pour protéger des documents sans délivrer une attestation signée

---

197. *Babcock*, CSC, *supra* note 91 aux para. 42-44.

198. *CARI*, *supra* note 85 aux p. 151-152; *Singh*, *supra* note 191 au para. 50; *Babcock*, CSC, *supra* note 91 au para. 40; *Canada (Commissaire à l'information) c. Canada (Ministre de l'Environnement)*, [2000] A.C.F. n° 480 aux para. 13-15 (C.A.).

199. Par opposition, un tribunal ne peut contrôler la «véracité» (en anglais, «the factual correctness») d'une attestation délivrée en bonne et due forme : *Singh*, *supra* note 191 au para. 43.

200. *Ethyl*, CAF, 2003, *supra* note 125 au para. 22.

201. *Bande indienne de Samson*, CF, *supra* note 159 au para. 30; *Donahue*, *supra* note 136 au para. 8; *Babcock*, BCCA, *supra* note 142 au para. 14.

par le greffier[202]; en second lieu, si l'attestation ne décrit pas les
documents suffisamment en détail (par exemple, si elle ne suit
pas le libellé de l'alinéa du paragraphe 39(2) qui est invoqué ou
si elle n'identifie pas la date, le titre, l'auteur et le destinataire
du document); et, en troisième lieu, si l'attestation ne confirme
pas que les exceptions à l'immunité du Cabinet prévues au paragraphe 39(4) – relatives aux documents dont l'existence remonte à
plus de 20 ans et aux documents de travail – ne s'appliquent pas.
Les conséquences des manquements à ces exigences sont minimes.
Les tribunaux ont choisi la voie réparatrice et autorisé le gouvernement à corriger ces lacunes en déposant une nouvelle attestation
dans un délai raisonnable d'au plus 30 jours[203]. Cette approche est
justifiée, puisque le fond doit l'emporter sur la forme. Une atteinte
à l'intérêt public pourrait être portée si le gouvernement perdait
le droit de revendiquer l'immunité du Cabinet à cause de vices de
forme. Ce n'est que lorsque le gouvernement omet de réparer les
lacunes dans un délai raisonnable qu'un tribunal serait justifié
d'ordonner la production des documents.

2.2.2.2 Les contestations de fond des revendications d'immunité du Cabinet

Une contestation de fond peut être intentée contre une revendication d'immunité du Cabinet lorsqu'elle cherche à protéger des
documents qui ne s'inscrivent pas dans le champ d'application de

---

202. *Appleby-Ostroff, supra* note 81 aux para. 34-36. Une revendication fondée sur une
attestation portant sur les mêmes documents, mais délivrée dans le cadre d'un autre
litige, est invalide: *Agenda du premier ministre, supra* note 187 au para. 176. Lorsque
le nombre de documents est élevé, le gouvernement peut négocier le moment où
l'attestation sera délivrée: *Sawridge Band c. Canada*, [2001] A.C.F. n° 1488 (C.F.);
Nunavut Tunngavik, supra note 95. Toutefois, si le gouvernement ne délivre pas l'attestation dans le délai fixé par le tribunal, ce dernier peut ordonner la production
des documents pertinents: *Nunavut Tunngavik Inc. v. Canada (Attorney General)*,
2014 NUCJ 31.

203. *Smith, Kline & French Laboratories, supra* note 83 (30 jours); *Puddister Trading,
supra* note 141 (10 jours); *Bande indienne de Samson*, CF, *supra* note 159 (délai
raisonnable); *Babcock*, BCCA, *supra* note 142 (21 jours); *Ainsworth Lumber, supra*
note 84 (21 jours); *Pelletier c. Canada (Procureur général)*, 2005 CAF 118 [*Pelletier*]
(15 jours); *Tribal Wi-Chi-Way-Win Capital Corporation v. Canada (Attorney
General)*, Cour fédérale, T-22-10 (13 septembre 2011) (20 jours); *Syncrude Canada
Ltd. v. Canada (Attorney General)*, Cour fédérale, T-1643-11 (26 octobre 2012)
(21 jours).

l'immunité ou lorsqu'elle est présentée pour des motifs illégitimes. Cela suppose que les documents ont été retenus de façon erronée ou abusive[204]. Le premier type de cas est plus fréquent que le second. Aucun tribunal canadien n'a jusqu'à présent conclu que l'immunité du Cabinet avait été revendiquée de manière abusive[205]. S'il est vrai que les officiers publics commettent des erreurs à l'occasion, ils n'agissent généralement pas de mauvaise foi, ce qui, par ailleurs, serait difficile à prouver, puisqu'il n'est pas facile d'obtenir des preuves extrinsèques de mauvaise foi et que les tribunaux ne sont pas autorisés à examiner les documents. Il ne serait pas possible de prouver la mauvaise foi, à moins : qu'il ne ressorte clairement de déclarations publiques que la revendication a été présentée de façon abusive ; qu'un lanceur d'alerte ne fournisse les éléments de preuve requis au plaideur ; ou qu'un organisme externe disposant d'un pouvoir de contrainte ne mène une enquête et conclue que la revendication a été faite abusivement. La possibilité que l'immunité du Cabinet puisse être utilisée pour entraver une enquête publique ou obtenir un avantage tactique dans un litige ne peut néanmoins pas être écartée[206]. Ce serait le cas si le greffier délivrait une attestation pour éviter au gouvernement l'embarras public ou pour le soustraire à sa responsabilité juridique. Des motifs illégitimes de ce type vicieraient l'attestation. Cela dit, les revendications d'immunité du Cabinet sont habituellement contestées dans deux situations où la mauvaise foi n'est pas alléguée.

Premièrement, une revendication d'immunité du Cabinet peut être contestée si les documents, à la lumière de la description qui en est faite, n'appartiennent pas à l'une des catégories énumérées

---

204. *Babcock*, CSC, *supra* note 91 au para. 28. Voir aussi : *Smith, Kline & French Laboratories*, *supra* note 83 à la p. 929 ; *Central Cartage*, CAF, *supra* note 136 au para. 11 ; *CARI*, *supra* note 85 aux p. 148-149.

205. Il y a une seule décision dans laquelle un juge dissident a laissé entendre que l'immunité du Cabinet pouvait avoir été revendiquée de manière abusive : *CARI*, *supra* note 85 à la p. 140. Dans cette décision, le juge Hugessen soupçonnait qu'une note de breffage ministérielle protégée par une attestation ne tombait pas sous la portée de l'article 39. Dans ce contexte, il a affirmé que si ses soupçons étaient fondés, « que cette cause [constituerait] un abus flagrant du pouvoir exécutif, mais que, malheureusement, le législateur a clairement envisagé de mettre [cet abus] hors de portée d'un examen judiciaire ».

206. *Babcock*, CSC, *supra* note 91 au para. 25.

aux paragraphes 39(2) et 69(1), ou à une catégorie analogue. Par exemple, les documents suivants ne tombent manifestement pas dans le champ d'application de ces dispositions : un accord ou un contrat signé avec des tiers[207] ; un plan d'affaires ou un plan d'entreprise préparé par une société d'État[208] ; un rapport rédigé par un consultant[209] ; une lettre échangée entre un ministre fédéral et un de ses homologues provinciaux ; une lettre échangée par deux ministres fédéraux portant sur des affaires parlementaires, sociales ou partisanes[210]. Une revendication d'immunité du Cabinet peut également être contestée si, à la lumière de la description qui en est faite, les documents sont visés par une des exceptions énumérées aux paragraphes 39(4) et 69(3). Tel serait le cas si la date du document suggère qu'il remonte à plus de 20 ans. Il en serait de même si un document correspond à la définition de « document de travail » et que des éléments de preuve démontrent que le Cabinet avait déjà rendu publique la décision sous-jacente. La plupart des contestations présentées sur ce fondement l'ont été par le commissaire à l'information aux termes de la *LAI*[211]. L'affaire *Ethyl* en est le meilleur exemple. Le commissaire y a démontré, au moyen d'éléments de preuve extrinsèques, que l'exception relative aux documents de travail était encore pertinente.

Deuxièmement, une revendication d'immunité du Cabinet peut être contestée si les documents en cause ne sont plus confidentiels. Comme la Cour suprême du Canada l'a affirmé dans l'arrêt *Babcock*, « [lorsqu'un] document a déjà été divulgué, [l'immunité du Cabinet] cesse de s'y appliquer[212] ». Il est crucial de faire une distinction entre trois types de divulgation : la divulgation

---

207. CIC, *Rapport annuel 1992-1993*, *supra* note 177 à la p. 49.

208. CIC, *Rapport annuel 1999-2000*, *supra* note 77 aux p. 79-80.

209. CIC, *Rapport annuel 1996-1997*, *supra* note 76 aux p. 57-60.

210. CIC, *Rapport annuel 2000-2001*, *supra* note 177 à la p. 51.

211. L'appui du commissaire à l'information semble essentiel pour qu'une requête en contrôle judiciaire relative à l'exclusion de renseignements confidentiels du Cabinet en vertu de l'article 69 de la *LAI*, *supra* note 3, obtienne gain de cause. Jusqu'à présent, dans les cas où le commissaire n'a pas appuyé la requête, la Cour fédérale l'a rejetée : *Gogolek c. Canada (Procureur général)*, [1996] A.C.F. n° 154 (C.F.) ; *Quinn*, *supra* note 87.

212. *Babcock*, CSC, *supra* note 91 au para. 26.

volontaire, la divulgation involontaire (c'est-à-dire celle commise par inadvertance) et la divulgation non autorisée. Ni l'article 39 ni l'article 69 n'empêchent le gouvernement de divulguer les renseignements confidentiels du Cabinet. Il peut y avoir divulgation volontaire lorsqu'un ministre annonce une initiative qui a fait l'objet de débats au Cabinet, ou lorsqu'il dépose un projet de loi au Parlement. Cela peut aussi survenir lorsque le gouvernement donne à une commission d'enquête ou à la GRC accès à des renseignements confidentiels du Cabinet pour faire la lumière sur des allégations crédibles de conduite répréhensible. Enfin, la divulgation volontaire peut avoir lieu à l'étape de la communication de la preuve dans le cadre d'un litige. Si les documents du Cabinet sont communiqués à une partie adverse, ou si des officiers publics divulguent des renseignements confidentiels du Cabinet durant leur interrogatoire au préalable, le greffier ne peut pas ultérieurement délivrer d'attestation relativement à ces documents ou à ces renseignements en vertu de l'article 39. C'est ce qui explique que la validité de l'attestation n'a pas été reconnue relativement à 17 documents dans l'arrêt *Babcock*.

En rendant une telle décision, la Cour suprême du Canada a implicitement confirmé la position adoptée par la Cour d'appel fédérale dans l'arrêt *Best Cleaners and Contractors Ltd. c. Canada*. Dans cette cause, très tard dans les procédures (soit la veille du début du procès), le greffier avait déposé une attestation relativement à certains renseignements du Cabinet qui avaient déjà été communiqués à la partie adverse, sans que l'avocat du gouvernement s'y oppose. Un fonctionnaire avait révélé la teneur d'une présentation au Conseil du Trésor durant son interrogatoire au préalable. De plus, la copie d'une lettre de décision du Conseil du Trésor avait été remise à la partie adverse. Même si ces renseignements confidentiels du Cabinet avaient été divulgués légalement, le juge du procès a décidé qu'ils n'étaient pas admissibles, compte tenu de la délivrance de l'attestation. Privé du droit d'utiliser ces éléments de preuve apparemment pertinents, le demandeur a perdu le procès. En appel, dans une décision à 2 contre 1, la Cour d'appel fédérale a ordonné la tenue d'un nouveau procès. Selon les juges majoritaires, bien que l'article 39 empêchât les tribunaux de contraindre le gouvernement à divulguer des renseignements confidentiels du Cabinet, il n'interdisait pas leur communication volontaire[213]. Ainsi, un juge peut examiner les renseignements confidentiels du Cabinet si ces derniers ont été légalement portés à sa connaissance. Dans ce contexte, la délivrance d'une attestation n'empêchera pas leur admission en preuve.

Qu'en est-il lorsque les renseignements confidentiels du Cabinet sont divulgués involontairement plutôt que volontairement? Le gouvernement devrait-il alors être autorisé à présenter une revendication d'immunité du Cabinet en vertu de l'article 39? Dans l'arrêt *Babcock*, la Cour suprême du Canada a laissé la question en suspens. Depuis, les décisions des tribunaux ont été à l'origine de deux courants jurisprudentiels. D'une part, la Cour suprême de la Colombie-Britannique a affirmé que les documents divulgués involontairement ne peuvent pas être protégés en application de l'article 39, puisqu'ils ont perdu leur caractère confidentiel. Dans de tels cas, les documents peuvent néanmoins faire l'objet d'une revendication d'immunité en common law. Le juge est donc libre d'examiner les documents et d'évaluer les aspects divergents de l'intérêt public[214]. D'autre part, la Cour fédérale a jugé que les documents divulgués involontairement peuvent toujours être protégés en application de l'article 39. Cette approche pose cependant la difficulté de distinguer la divulgation involontaire de celle faite volontairement. En effet, si un document qui contient des renseignements confidentiels du Cabinet est délibérément joint à une lettre expédiée au commissaire à l'information par le greffier adjoint, la divulgation peut-elle être qualifiée d'involontaire[215]? Qu'en est-il si une présentation confidentielle au gouverneur en conseil est négligemment envoyée au dirigeant d'une société d'État

---

213. *Best Cleaners*, *supra* note 159 à la p. 311.

214. *Babcock v. Canada (Attorney General)*, 2004 BCSC 1311 aux para. 27-33. Après avoir soupesé les aspects divergents de l'intérêt public de manière abstraite, le juge Smith a conclu que les documents ayant fait l'objet d'une divulgation involontaire étaient admissibles. En effet, empêcher le tribunal de prendre en considération les documents dans les circonstances aurait eu pour conséquence de [TRADUCTION] « miner l'intégrité du processus judiciaire » (*ibid.* au para. 31).

215. *Ethyl*, CF, 1999, *supra* note 159 aux para. 31-53.

pour l'informer qu'il a été démis de ses fonctions[216]? Dans les deux cas, la Cour fédérale a conclu que la divulgation avait été involontaire.

La ligne de démarcation entre la divulgation involontaire et la divulgation volontaire a été plus clairement établie dans l'affaire *Reece c. Canada (Ministre de la Diversification de l'économie de l'Ouest canadien)*. Dans cette cause, en consultation avec le chef de cabinet du ministre responsable, l'avocat du gouvernement avait divulgué des extraits d'une note de breffage ministérielle à la partie adverse en cours d'instance. L'avocat a ensuite été informé par le BCP que la note de breffage aurait dû être entièrement protégée. Le greffier a délivré une attestation relativement à cette note. L'avocat a plaidé qu'il l'avait divulguée involontairement et que, dans les circonstances, elle devrait être retournée. La Cour fédérale n'était pas de cet avis. Selon elle, le gouvernement ne pouvait pas se fonder sur l'article 39 pour protéger la note de breffage, parce qu'une divulgation calculée et volontaire avait eu lieu. Lorsqu'un document est divulgué en cours d'instance par un avocat qui semble avoir le pouvoir de le faire, la divulgation ne peut être qualifiée d'involontaire. En effet, si les parties en litige ne pouvaient pas se fier à «l'efficacité des décisions et actions délibérées prises par l'avocat dans le déroulement d'une affaire», les procédures judiciaires deviendraient «impossibles à gérer»[217].

À la lumière des affaires *Best Cleaners*, *Babcock* et *Reece*, il appert que la divulgation de renseignements confidentiels du Cabinet par les avocats du gouvernement et par des officiers publics en cours d'instance ne peut être jugée involontaire. Dans ces circonstances, le gouvernement ne peut donc pas se fonder sur l'article 39 pour bloquer l'admission des renseignements en preuve[218]. Il reste alors à décider si la divulgation de renseignements confidentiels du Cabinet par des officiers publics avant le

---

216. *Pelletier, supra* note 203 aux para. 25-26.

217. *Reece c. Canada (Ministre de la Diversification de l'économie de l'Ouest canadien)*, 2006 CF 688 au para. 28.

218. Toutefois, une promesse faite par l'avocat du gouvernement de produire un document dans le cadre d'un litige n'aura pas pour effet d'empêcher le greffier de délivrer, par la suite, une attestation en vertu de l'article 39 de la *LPC, supra* note 2, dans

début de l'instance peut être qualifiée d'involontaire. La notion de divulgation involontaire ne devrait pas s'appliquer à l'article 39. Les conditions de validité d'une attestation énoncées dans l'arrêt *Babcock* devraient être interprétées de manière restrictive, compte tenu de la nature draconienne de cette disposition lorsqu'on la compare à la common law. Si les renseignements confidentiels du Cabinet ont été divulgués (involontairement ou non) à une partie adverse, les renseignements ne sont plus confidentiels. Par conséquent, ils ne peuvent pas faire l'objet d'une attestation, puisqu'ils ne rencontrent plus la quatrième condition énoncée dans l'arrêt *Babcock*. Assurément, toutes les parties en litige auront pris connaissance des renseignements. Rien ne justifierait de les soustraire à l'attention du juge. Si le gouvernement estime que la mise en preuve des renseignements au procès porterait atteinte à l'intérêt public, il peut présenter une revendication d'immunité fondée sur la common law. Dans de telles circonstances, le juge aurait le pouvoir d'examiner les renseignements et d'évaluer l'intérêt public. Il s'agirait d'une approche fondée sur des principes qui aurait pour effet de limiter la portée de l'article 39, tout en protégeant l'intérêt public.

Il existe une situation où la divulgation de renseignements confidentiels du Cabinet ne devrait pas nécessairement empêcher le gouvernement d'invoquer l'article 39, soit lorsque la divulgation a été faite sans autorisation. En général, cela survient lorsqu'un fonctionnaire coule des renseignements confidentiels du Cabinet. Dans l'affaire *Bruyère c. Canada*, le demandeur avait reçu un document du Cabinet dans une enveloppe vierge que lui avait remis, lors d'une conférence, une personne qu'elle ne connaissait pas. Il avait ensuite tenté de mettre le document en preuve dans le cadre d'une instance qui l'opposait au gouvernement. Le greffier avait délivré une attestation confirmant que le document en cause contenait des renseignements confidentiels du Cabinet et l'avocat du gouvernement avait demandé que le document lui soit retourné. Dans les circonstances, la Cour fédérale ne pouvait pas

---

la mesure où le document n'a pas encore été produit. Voir : *CARI, supra* note 85 aux p. 152-153.

[TRADUCTION] « sanctionner la divulgation autrement non auto-risée et interdite de renseignements confidentiels du Cabinet[219] ». Elle a ordonné que le document soit retourné au gouvernement. Si la Cour fédérale avait autorisé le demandeur à utiliser les rensei-gnements, elle aurait discrédité l'administration de la justice. Le statut des documents du Cabinet ne peut pas être décidé par des fonctionnaires agissant de leur propre initiative; il faut suivre les processus juridiques établis.

En somme, le régime législatif actuel n'autorise qu'un contrôle judiciaire minime des revendications d'immunité du Cabinet. Dans certains cas, comme dans l'affaire *Smith, Kline and French Laboratories*, le gouvernement a été forcé de mieux décrire les documents visés par l'attestation prévue à l'article 39. En l'ab-sence d'un pouvoir d'examiner les documents, leur description est importante, puisqu'elle constitue le principal moyen pour les plaideurs et les juges d'évaluer la légalité des revendications d'im-munité du Cabinet. Au fil des ans, le commissaire à l'informa-tion a réussi à convaincre le gouvernement et les tribunaux que certaines catégories de documents n'appartenaient pas au champ d'application des articles 39 et 69. La persistance du commissaire dans l'affaire *Ethyl* a entraîné la renaissance temporaire de l'excep-tion relative aux documents de travail. Le fondement sur lequel les plaideurs ont pu, en grande partie, faire rejeter les revendications d'immunité du Cabinet a été celui de l'absence de confidentialité. Si les renseignements confidentiels du Cabinet ont été divulgués volontairement à une partie adverse, comme dans les affaires *Best Cleaners*, *Babcock* et *Reece*, le gouvernement ne peut en empêcher l'utilisation en preuve par la délivrance d'une attestation.

---

219. *Bruyere v. Canada*, [2004] F.C.J. No. 2194 au para. 9 (C.F.). Pour une approche similaire en common law, voir: *Ontario (Attorney General) v. Gowling & Henderson* (1984), 47 O.R. (2ᵉ) 449 (H.C.).

CONCLUSION

Le présent chapitre visait à établir la portée de l'immunité du Cabinet suivant le régime législatif fédéral au Canada. Quatre questions ont été abordées.

Premièrement, pourquoi le Parlement a-t-il enchâssé la suprématie du pouvoir exécutif à l'égard des renseignements confidentiels du Cabinet? Il a posé ce geste parce que les libéraux ne faisaient pas confiance aux juges pour gérer leurs secrets politiques. En 1970, après que la Chambre des lords a réaffirmé dans l'arrêt *Conway* le pouvoir judiciaire d'évaluer les revendications d'IIP en common law, le Parlement a adopté le paragraphe 41(2) de la *LCF* pour conférer au gouvernement une immunité absolue quant aux renseignements confidentiels du Cabinet. Les ministres se sont vus confier le pouvoir discrétionnaire de protéger cette catégorie non définie de renseignements pour un temps illimité. En adoptant cette disposition, le Parlement a rétabli le principe énoncé dans l'arrêt *Duncan* qui avait mené à des abus de pouvoir de la part de l'exécutif. Cette disposition a par ailleurs été adoptée sans réelle controverse puisque, historiquement, les juristes canadiens n'ont guère porté attention au rôle des tribunaux par rapport à celui de l'exécutif[220]. À la fin des années 1970, le public canadien souhaitait un meilleur accès à l'information gouvernementale. La première version du projet de loi C-43 aurait donné aux tribunaux le pouvoir d'examiner les renseignements confidentiels du Cabinet et d'en ordonner la production, tant dans le cadre de litiges que dans le contexte du régime d'accès à l'information. Le régime législatif fédéral aurait ainsi été à l'image des règles de common law. Or, le premier ministre Pierre Elliott Trudeau a battu en retraite en raison de son expérience devant la Commission McDonald et du peu de déférence dont certains tribunaux ont fait preuve à l'égard de l'immunité du Cabinet en common law. Sa décision de maintenir un contrôle quasi absolu quant à la divulgation des renseignements confidentiels du Cabinet a mené à l'adoption des articles 39 de la *LPC* et 69 de la *LAI* en 1982.

---

220. Mullan, *supra* note 17 à la p. 291.

Deuxièmement, quelle est la portée et quelles sont les limites de l'immunité du Cabinet? Certes, les articles 39 et 69 ont réduit la portée de l'immunité du Cabinet en définissant les « renseignements confidentiels du Cabinet », mais la définition adoptée est trop large. Plutôt que d'énoncer une définition substantielle, le Parlement a circonscrit le sens de cette expression en fonction des types de documents où peuvent se trouver les renseignements confidentiels. Il a ainsi dressé une liste non exhaustive de documents réputés contenir des renseignements confidentiels du Cabinet. Les officiers publics peuvent ainsi protéger tout renseignement ayant quelque lien que ce soit, aussi ténu soit-il, avec les travaux du Cabinet. En ce qui a trait aux limites de l'immunité du Cabinet, le Parlement a décidé que les renseignements confidentiels du Cabinet doivent être protégés durant 20 ans, une période censée correspondre à la durée attendue de la carrière politique d'un ministre. L'autre limite à l'immunité du Cabinet, celle établie par l'exception relative aux documents de travail, vise à permettre la divulgation de renseignements factuels et contextuels après que la décision sous-jacente du Cabinet a été rendue publique. Le gouvernement a toutefois réussi à contourner cette exception et à étendre la portée du secret ministériel en modifiant le système de dossiers du Cabinet en 1984 et en 2012.

Troisièmement, comment l'immunité du Cabinet doit-elle être revendiquée dans le cadre de litiges et dans le contexte du régime d'accès à l'information? Le processus menant à une revendication d'immunité du Cabinet en application de la *LPC* est plus rigoureux que celui qui entraîne l'exclusion de documents du Cabinet en application de la *LAI*. Pour revendiquer l'immunité du Cabinet en vertu de l'article 39, le gouvernement doit déposer une attestation, signée par le greffier, dans laquelle les documents en cause sont décrits suffisamment en détail. Avant de signer l'attestation, le greffier doit avoir conclu que les documents contiennent des renseignements confidentiels du Cabinet et que l'intérêt public exige qu'ils demeurent confidentiels. Le processus est centralisé: toutes les revendications d'immunité du Cabinet sont filtrées par les avocats du BCP de manière à assurer une interprétation et une application aussi uniformes que possible de l'article 39. En revanche, pour revendiquer l'immunité du Cabinet en vertu de l'article 69, le gouvernement n'est pas tenu de déposer une attestation. Les documents du Cabinet sont exclus par des fonctionnaires subalternes sur avis des avocats du ministère de la Justice. Comme le processus est décentralisé, rien ne garantit que l'article 69 reçoive une interprétation et une application uniformes. Avant d'exclure des documents, les fonctionnaires doivent avoir conclu que ceux-ci contiennent des renseignements confidentiels du Cabinet, mais ils n'ont pas à évaluer les aspects divergents de l'intérêt public. Ainsi, lorsqu'il s'agit d'appliquer la *LAI*, l'intérêt public en faveur de la confidentialité l'emporte systématiquement sur l'intérêt public en faveur de la transparence gouvernementale.

Quatrièmement, dans quelles circonstances les revendications d'immunité du Cabinet peuvent-elles être contestées? Puisqu'aucun organisme indépendant ne peut examiner les documents protégés ou en ordonner la production, il est assez difficile de procéder à un contrôle judiciaire des revendications d'immunité du Cabinet. Il n'en demeure pas moins qu'aucune clause privative, aussi radicale soit-elle, ne peut totalement soustraire les actes de l'exécutif au contrôle judiciaire. Une revendication d'immunité du Cabinet peut être contestée si elle ne satisfait pas aux exigences de forme ; par exemple, si l'attestation n'est pas signée par le greffier, ou si elle ne décrit pas les documents suffisamment en détail. La mesure de redressement applicable consiste à permettre au gouvernement de déposer une attestation conforme dans un délai raisonnable. Une revendication d'immunité du Cabinet peut également être contestée si des éléments de preuve extrinsèques démontrent que les documents ont été retenus de mauvaise foi, soit pour entraver une enquête publique, soit pour obtenir un avantage tactique dans un litige. Cela dit, en pratique, il est pratiquement impossible d'obtenir la preuve de la mauvaise foi. C'est peut-être pourquoi il n'a jamais été possible de contester avec succès une revendication d'immunité du Cabinet sur ce fondement. Le plus souvent, les contestations sont fondées sur le fait que les documents, à leur face même, ne sont pas visés par le champ d'application des articles 39 ou 69 ; ou sur le fait qu'ils ont perdu leur caractère confidentiel parce qu'ils ont été divulgués antérieurement. Les contestations judiciaires ont été couronnées de succès sur le premier fondement dans l'arrêt *Ethyl* et sur le second dans l'arrêt *Babcock*.

Il y a maintenant lieu de se demander si le régime législatif fédéral respecte la primauté du droit et la Constitution, notamment les dispositions qui établissent les limites entre les rôles respectifs des pouvoirs exécutif et judiciaire. Deux problèmes majeurs peuvent être cernés. Le premier en est un d'équité procédurale. Le processus menant à la protection de renseignements confidentiels du Cabinet pertinents dans le cadre de litiges soulève une crainte raisonnable de partialité, puisque le décideur, soit le greffier, n'est pas suffisamment indépendant et impartial pour trancher la question de manière décisive. En outre, le décideur n'est pas tenu de justifier adéquatement sa décision de présenter une revendication d'immunité du Cabinet; il n'est pas tenu d'être transparent et d'engager un dialogue quant à la justification de sa décision. Le second problème en est un de séparation des pouvoirs. Le régime législatif limite indûment le pouvoir des cours supérieures provinciales de contrôler l'admissibilité de la preuve dans le cadre de litiges ainsi que leur compétence de contrôler la legalité des actes de l'exécutif. Il sera question de ces problèmes dans le prochain chapitre.

CHAPITRE 4

LE SECRET MINISTÉRIEL
ET LA PRIMAUTÉ DU DROIT

INTRODUCTION

Parmi les ressorts étudiés, l'ordre fédéral au Canada est le seul ressort de type Westminster à avoir adopté un régime d'immunité quasi absolue relativement aux « renseignements confidentiels du Conseil privé de la Reine pour le Canada » (ci-après « renseignements confidentiels du Cabinet »). Le Parlement a consacré la suprématie du pouvoir exécutif à l'égard de ces renseignements à l'initiative du gouvernement libéral du premier ministre Pierre Elliott Trudeau, qui n'avait pas confiance en la capacité des tribunaux de protéger adéquatement ses secrets politiques. Pour garantir le plus haut degré possible de protection aux renseignements confidentiels du Cabinet, le Parlement a adopté un régime législatif large et robuste dont la portée outrepasse la protection conférée à ce type de renseignements par les conventions constitutionnelles et la common law. Ce faisant, il a retiré aux tribunaux le pouvoir d'examiner les renseignements confidentiels du Cabinet et d'en ordonner la production. Il est ainsi devenu extrêmement difficile de contester les revendications d'immunité du Cabinet. En effet, les plaideurs et les juges n'ont pas accès aux renseignements dont ils auraient besoin pour déterminer si de telles revendications sont raisonnables et présentées de bonne foi par l'exécutif[1].

La question au cœur du présent chapitre est celle de savoir si ce régime législatif particulier est constitutionnel. En common law, à l'ordre provincial au Canada, le pouvoir des tribunaux d'examiner les renseignements confidentiels du Cabinet et d'en ordonner la

---

1. Pour un aperçu de l'immunité du Cabinet en droit législatif, voir le chapitre 3, *supra*, section 2.

production est désormais considéré comme un impératif constitutionnel. Dans l'arrêt *Carey c. Ontario*, la Cour suprême du Canada a conclu qu'il serait « incompatible avec les rapports qui, de par la Constitution, doivent exister entre le pouvoir exécutif et les tribunaux de notre pays » de priver ces derniers du pouvoir en question[2]. En dépit de cette affirmation, les tribunaux ont statué que le Parlement pouvait, selon la doctrine de la souveraineté parlementaire, conférer une immunité quasi absolue au gouvernement à l'égard des renseignements confidentiels du Cabinet en adoptant une loi à cet effet. Ils ont donc jugé que ce type d'immunité n'est pas inconstitutionnel[3]. Or, la position des tribunaux à ce sujet ne semble pas cohérente sur le plan conceptuel : soit il est constitutionnel de les priver du pouvoir d'examiner les renseignements confidentiels du Cabinet et d'en ordonner la production, soit il est inconstitutionnel de le faire, puisque la common law et le droit législatif doivent respecter les mêmes règles supra-législatives.

Dans sa décision déterminante de 2002 sur l'immunité du Cabinet en droit législatif, *Babcock c. Canada (Procureur général)*, la Cour suprême du Canada n'a pas abordé cette incohérence. Dans neuf paragraphes, à la toute fin de ses motifs, elle a affirmé que la suprématie du pouvoir exécutif relativement à l'immunité du Cabinet ne violait pas les principes constitutionnels non écrits de la primauté du droit, de la séparation des pouvoirs et de l'indépendance judiciaire[4]. En se fondant sur des considérations historiques et sur l'existence d'une forme minime de contrôle judiciaire, la Cour a ajouté que le régime législatif ne changeait pas fondamentalement la relation entre les pouvoirs exécutif et judiciaire de l'État. Par conséquent, elle a confirmé que la nature quasi absolue de l'immunité du Cabinet à l'ordre fédéral est non seulement légale, mais également légitime. La Cour a tiré cette conclusion en

---

2. *Carey c. Ontario*, [1986] 2 R.C.S. 637 à la p. 654 [*Carey*].
3. Voir : *Commission des droits de la personne c. Procureur général du Canada*, [1982] 1 R.C.S. 215 à la p. 228 [*Commission des droits de la personne*, CSC] ; *Canada (Procureur général) c. Central Cartage Co.*, [1990] 2 C.F. 641 aux p. 652, 664-665 (C.A.), permission d'en appeler rejetée : [1991] 1 R.C.S. vii [*Central Cartage*] ; *Singh c. Canada (Procureur général)*, [2000] 3 C.F. 185 aux para. 29, 36, 42 (C.A.) [*Singh*] ; *Babcock c. Canada (Procureur général)*, 2002 CSC 57, [2002] 3 R.C.S. 3 aux para. 23, 61 [*Babcock*, CSC].
4. *Babcock*, CSC, *supra* note 3 aux para. 53-61.

adoptant une conception très étroite de la primauté du droit, de même qu'une interprétation particulièrement stricte de la séparation des pouvoirs. Ce faisant, elle n'a tenu compte ni de la sagesse de l'arrêt *Carey* ni de l'héritage de common law en la matière.

Le présent chapitre vise à démontrer que l'immunité quasi absolue conférée par la loi aux renseignements confidentiels du Cabinet enfreint le principe de la primauté du droit et les dispositions de la Constitution. Il portera spécifiquement sur l'article 39 de la *Loi sur la preuve au Canada* (ci-après «*LPC*»)[5], qui prive les tribunaux du pouvoir d'examiner ces renseignements et d'en ordonner la production dans le cadre de litiges. Le chapitre est divisé en deux sections. La première section soutiendra que la conception très étroite de la primauté du droit retenue par la Cour suprême du Canada est peu utile comme cadre normatif pour juger de la légalité de l'article 39. À cette fin, elle fera plutôt appel à la «théorie du droit comme culture de la justification». La deuxième section démontrera que l'article 39 ne satisfait pas aux exigences de l'équité procédurale[6] et empiète sur la compétence et les pouvoirs fondamentaux des cours supérieures provinciales[7]. Elle fera valoir que, pour respecter la primauté du droit et les dispositions de la Constitution, les revendications d'immunité du Cabinet doivent être tranchées par des juges indépendants et impartiaux, au terme d'un processus décisionnel équitable, au cours duquel ils peuvent examiner les documents et évaluer l'intérêt public.

1. LA DÉFINITION DE LA PRIMAUTÉ DU DROIT

Pour juger si l'article 39 de la *LPC* est compatible avec le principe de la primauté du droit, il faut d'abord définir ce que signifie ce concept. Bien qu'il représente un idéal politique important dont les origines historiques remontent aux Grecs et aux Romains, sa

---

5. *Loi sur la preuve au Canada*, L.R.C. 1985, c. C-5, art. 39 [*LPC*, 1985], reproduit en annexe.
6. Voir: *Déclaration canadienne des droits*, S.C. 1960, c. 44, art. 2e) [*Déclaration canadienne des droits*]. Voir aussi: *Charte canadienne des droits et libertés*, partie I de la *Loi constitutionnelle de 1982*, constituant l'annexe B de la *Loi de 1982 sur le Canada* (R.-U.), 1982, c. 11, art. 7, 11d) [*Charte*].
7. Voir: *Loi constitutionnelle de 1867* (R.-U.), 30 & 31 Vict., c. 3, reproduite dans L.R.C. 1985, ann. II, n° 5 [*Loi constitutionnelle de 1867*].

signification précise ne fait pas consensus. Cela dit, toutes les conceptions de la primauté du droit, à divers degrés, visent à limiter les pouvoirs de l'État et à veiller à ce que ceux-ci ne soient pas exercés de manière arbitraire. Au-delà de cette idée de base, les théoriciens du droit ont tendance à établir une distinction entre les conceptions étroites et les conceptions larges de la primauté du droit. Celles dites « étroites » sont associées aux approches positivistes de la primauté du droit, tandis que celles dites « larges » sont associées aux approches fondées sur le droit naturel. Dans un article influent sur la primauté du droit, le professeur Paul Craig a décrit les principales différences entre les conceptions formelles (étroites) et substantielles (larges):

> [TRADUCTION] Les conceptions formelles de la primauté du droit s'intéressent: à la façon dont la loi a été promulguée (était-ce par une personne dûment autorisée, d'une manière dûment autorisée?); à la clarté de la norme qui en a découlé (est-elle suffisamment claire pour guider la conduite d'un individu et lui permettre de planifier sa vie?); et à la dimension temporelle de la norme adoptée (est-elle prospective ou rétrospective?). Les conceptions formelles de la primauté du droit ne cherchent pas à porter un jugement sur le contenu de la loi en tant que tel. Elles ne se préoccupent pas de savoir si elle est une bonne loi ou une mauvaise loi, tant et aussi longtemps qu'il a été satisfait aux préceptes formels de la primauté du droit. Ceux qui adhèrent aux conceptions substantielles de la primauté du droit visent à dépasser ces questions. Ils acceptent que la primauté du droit possède les attributs formels susmentionnés, mais ils souhaitent pousser la doctrine plus loin. Certains droits substantiels seraient fondés sur la primauté du droit ou en dériveraient. Le concept sert alors de fondement à ces droits, qui servent à leur tour à établir une distinction entre les « bonnes » lois, qui respectent ces droits, et les « mauvaises » lois, qui ne les respectent pas[8].

---

8.   Paul Craig, « Formal and Substantive Conceptions of the Rule of Law: An Analytical Framework » [1997] *P.L.* 467 à la p. 467. Au sujet de la distinction entre les conceptions étroites et les conceptions larges de la primauté du droit, voir aussi: Allan C. Hutchinson et Patrick Monahan, « Democracy and the Rule of Law » dans Allan C. Hutchinson et Patrick Monahan, dir., *The Rule of Law: Ideal or Ideology*, Toronto, Carswell, 1987, 97 aux p. 100-102; Brian Z. Tamanaha, *On the Rule of Law: History, Politics, Theory*, Cambridge, Cambridge University Press, 2004 aux p. 91-126 [Tamanaha, *Rule of Law*].

La présente section définira la portée de la conception de la primauté du droit qui sera, par la suite, utilisée dans la section suivante pour déterminer si le Parlement peut, au moyen de l'article 39 de la *LPC*, conférer au gouvernement une immunité quasi absolue à l'égard des renseignements confidentiels du Cabinet. Cette section est divisée en deux sous-sections. La première sous-section démontrera que la Cour suprême du Canada a jusqu'à présent adopté une conception très étroite du principe de la primauté du droit en tant que principe constitutionnel non écrit, une conception peu utile pour juger de la légalité des lois. La deuxième sous-section soutiendra que la théorie du droit comme culture de la justification, qui est implicite dans l'ordre juridique canadien, fournit un meilleur cadre normatif à cette fin, parce qu'elle impose des contraintes significatives à l'État qui, à leur tour, mettent en lumière les défauts dont l'article 39 est entaché.

1.1 La conception de la primauté du droit de la Cour suprême du Canada

1.1.1 *La primauté du droit au sens de primauté des règles*

À ce jour, quelle conception de la primauté du droit la Cour suprême du Canada a-t-elle adoptée? Dans l'ordre juridique canadien, la primauté du droit est un «principe constitutionnel non écrit», dont l'existence tire implicitement son origine du préambule de la *Loi constitutionnelle de 1867*[9] et explicitement de celui de la *Loi constitutionnelle de 1982*[10]. La Cour a vu dans la primauté du droit [TRADUCTION] «un des postulats fondamentaux de notre structure constitutionnelle[11]» qui sont «à la base de notre système

---

9. *Loi constitutionnelle de 1867*, *supra* note 7. Le préambule énonce que le Canada dispose d'«une constitution reposant sur les mêmes principes que celle du Royaume-Uni».

10. Constituant l'annexe B de la *Loi de 1982 sur le Canada* (R.-U.), 1982, c. 11 [*Loi constitutionnelle de 1982*]. Le préambule énonce que le «Canada est fondé sur des principes qui reconnaissent la suprématie de Dieu et la primauté du droit».

11. *Roncarelli v. Duplessis*, [1959] S.C.R. 121 à la p. 142 (juge Rand) [*Roncarelli*].

de gouvernement[12] ». Cette description suscite deux commentaires. Premièrement, en dépit de son importance, la primauté du droit n'est qu'un principe constitutionnel non écrit parmi d'autres, distinct de la séparation des pouvoirs, de l'indépendance judiciaire, du fédéralisme, de la démocratie et du respect des minorités[13]. Le fait que la Cour a établi une distinction entre la primauté du droit et ces autres principes suggère qu'elle a une conception étroite de celle-ci. Deuxièmement, le Canada est doté d'une Constitution écrite, qui décrit la structure constitutionnelle du pays et précise les droits et libertés fondamentaux. Afin de favoriser la certitude, la prévisibilité et la légitimité du droit, la Cour estime que le contrôle judiciaire de l'action législative doit être fondé sur le texte de la Constitution et non sur les principes constitutionnels non écrits[14]. Ce faisant, elle accorde plus d'importance à la Constitution avec un grand « C » qu'à celle avec un petit « c »[15].

La conception de la primauté du droit de la Cour suprême du Canada comprend au moins trois éléments. Le premier exige « la création et le maintien d'un ordre réel de droit positif qui préserve et incorpore le principe plus général de l'ordre normatif[16] ». Le deuxième reconnaît que « le droit est au-dessus des autorités gouvernementales aussi bien que du simple citoyen et exclut, par

---

12. *Renvoi relatif à la sécession du Québec*, [1998] 2 R.C.S. 217 au para. 70 [*Renvoi relatif à la sécession du Québec*].

13. *Ibid.* au para. 32 (pour les principes du fédéralisme, de la démocratie, de la primauté du droit et du respect des minorités) ; *Renvoi relatif à la rémunération des juges de la Cour provinciale (Î.-P.-É.)*, [1997] 3 R.C.S. 3 aux para. 106-107, 163 [*Renvoi relatif à la rémunération des juges*] (pour le principe de l'indépendance judiciaire). Pour une analyse exhaustive des principes constitutionnels non écrits, voir : Robin Elliot, « References, Structural Argumentation and the Organizing Principles of Canada's Constitution » (2001) 80:1&2 *R. du B. can.* 67.

14. Voir : *Renvoi relatif à la sécession du Québec, supra* note 12 au para. 53 ; *Renvoi relatif à la rémunération des juges, supra* note 13 aux para. 93, 314-316.

15. Voir : David Mullan, « Not in the Public Interest : Crown Privilege Defined » (1971) 19:9 *Chitty's L.J.* 289 à la p. 291.

16. *Renvoi : Droits linguistiques au Manitoba*, [1985] 1 R.C.S. 721 à la p. 749 [*Renvoi relatif aux droits linguistiques au Manitoba*]. La Cour suprême du Canada s'est inspirée de la pensée du professeur Joseph Raz, qui promeut une conception positiviste du droit, pour élaborer sa propre conception de la primauté du droit. Voir : Joseph Raz, *The Authority of Law : Essays on Law and Morality*, Oxford, Clarendon Press, 1979 aux p. 212-214.

conséquent, l'influence de l'arbitraire[17]». Le troisième stipule que
«les rapports entre l'État et les individus doivent être régis par le
droit[18]». Bref, la primauté du droit présuppose l'existence d'un
ordre juridique, dans lequel les règles de droit doivent s'appliquer
également à l'État et aux justiciables, et que l'action de l'État est
autorisée par des règles de droit. La Cour a reconnu que le concept
de la primauté du droit peut englober d'autres éléments, mais elle
ne s'est toujours pas prononcée sur ce dont il pourrait s'agir[19]. S'il
est vrai que les trois éléments identifiés jusqu'à présent constituent
des conditions prérequises à l'existence de la primauté du droit, ils
n'imposent aucune contrainte significative à l'État. Ils incorpo-
rent la notion de «limites juridiques» au pouvoir de l'État, sans
toutefois tenter d'en circonscrire les contours. Ainsi, ces éléments
constituent [TRADUCTION] «une version émaciée de la primauté
du droit[20]», qui correspond à une conception positiviste étroite du
principe connu sous le nom de «primauté des règles». Selon cette
conception, une règle de droit est valide du simple fait qu'elle a été
adoptée par l'autorité compétente, conformément à la procédure
applicable[21].

La conception de la primauté du droit préconisée par la Cour
suprême du Canada, en tant que principe constitutionnel non
écrit, n'incorpore pas encore les principes de la légalité formelle.
Tout comme la primauté des règles, la légalité formelle est une
conception étroite de la primauté du droit. Elle va toutefois plus
loin en imposant certaines contraintes à l'État. Afin que le droit
puisse guider efficacement la conduite des justiciables, la légalité formelle commande que les règles de droit soient générales,
claires, publiques, prospectives, cohérentes, possibles à respecter

---

17. *Renvoi relatif aux droits linguistiques au Manitoba*, *supra* note 16 à la p. 748.

18. *Renvoi relatif à la sécession du Québec*, *supra* note 12 au para. 71. Voir aussi: *Renvoi relatif à la rémunération des juges*, *supra* note 13 au para. 10.

19. Voir: *Colombie-Britannique (Procureur général) c. Christie*, 2007 CSC 21, [2007] 1 R.C.S. 873 aux para. 20-21.

20. Mark Carter, «The Rule of Law, Legal Rights in the *Charter*, and the Supreme Court's New Positivism» (2008) 33:2 *Queen's L.J.* 453 à la p. 464.

21. Autrement dit, une règle juridique est valide dans la mesure où elle se conforme à la «règle de reconnaissance». Voir: H.L.A. Hart, *The Concept of Law*, Oxford, Clarendon Press, 1961 à la p. 92.

et relativement stables dans le temps[22]. De plus, elle requiert que toute action étatique soit conforme aux règles de droit[23]. Même si ces principes sont largement acceptés par les théoriciens du droit[24], à ce jour, la Cour a refusé de les inclure dans sa conception de la primauté du droit. La Cour reconnaît et applique les principes de la légalité formelle uniquement lorsqu'ils ont été explicitement enchâssés dans le texte de la Constitution. Ainsi, dans l'arrêt *Colombie-Britannique c. Imperial Tobacco Canada Ltée*, la Cour a confirmé la validité d'une loi provinciale qui visait spécifiquement les compagnies de tabac et qui les tenait rétroactivement responsables des dépenses en santé découlant de la consommation de tabac, et ce, même si la loi en question n'était ni générale ni prospective[25]. Selon la Cour, rien dans le texte de la Constitution n'interdit explicitement l'existence de telles mesures en matière civile[26].

1.1.2 La primauté du droit en tant que cadre normatif

Dans quelle mesure le principe non écrit de la primauté du droit, quel que soit le sens qu'on lui donne, peut-il être utilisé comme cadre normatif pour juger de la légalité d'une loi ? La réponse à cette question comporte trois volets. Premièrement, jusqu'à présent, la Cour suprême du Canada a laissé entendre que la primauté du droit ne peut pas servir, en soi, à invalider une loi[27]. Cette position correspond à celle défendue par des consti-

---

22. Voir : Lon L. Fuller, *The Morality of Law*, éd. révisée, New Haven, Yale University Press, 1969 aux p. 46-81 [Fuller, *Morality of Law*].

23. *Ibid.* aux p. 81-91.

24. Voir : Tamanaha, *Rule of Law*, *supra* note 8 à la p. 119. Voir aussi : Brian Z. Tamanaha, «The History and Elements of the Rule of Law» [2012] 2 *Sing. J.L.S.* 232 ; Jutta Brunnée et Stephen J. Toope, *Legitimacy and Legality in International Law : An Interactional Account*, Cambridge, Cambridge University Press, 2010 aux p. 6-7.

25. *Colombie-Britannique c. Imperial Tobacco Canada Ltée*, 2005 CSC 49, [2005] 2 R.C.S. 473 aux para. 57-77 [*Imperial Tobacco*]. Pour une critique incisive de cette décision, voir : F.C. DeCoste, «Smoked : Tradition and the Rule of Law in *British Columbia v. Imperial Tobacco Ltd.*» (2006) 24:2 *Windsor Y.B. Access Just.* 327.

26. En comparaison, en matière pénale, ce type de mesures serait manifestement contraire à l'article 7 et à l'alinéa 11g) de la *Charte*, *supra* note 6.

27. *Imperial Tobacco*, *supra* note 25 au para. 59 : «il est difficile de concevoir que la primauté du droit puisse servir à invalider une loi comme celle qui nous occupe en raison de son contenu». Pour appuyer cette affirmation, le juge Major a cité le

tutionnalistes respectés. En effet, les professeurs Peter Hogg et Warren Newman soutiennent que la primauté du droit peut servir de fondement à l'interprétation des dispositions constitutionnelles, mais qu'elle ne devrait pas servir d'assise unique pour invalider une loi[28]. Il faut plutôt concilier la primauté du droit avec les principes du constitutionnalisme et de la démocratie. Si une règle de droit est compatible avec le texte de la Constitution (en conformité avec le principe du constitutionnalisme) et qu'elle a été adoptée par le pouvoir législatif conformément à la procédure applicable (en conformité avec le principe de la démocratie), les juges devraient l'appliquer, qu'ils soient d'accord ou non avec la politique sous-jacente. Cette position est cohérente avec la conception très étroite de la primauté du droit adoptée par la Cour. De ce point de vue, le recours contre une loi perçue comme injuste ou inéquitable ne réside pas dans les principes non écrits, mais dans le texte de la Constitution et dans le processus électoral[29].

Cette approche a été préconisée dans plusieurs causes importantes, y compris des causes où il était question de la constitutionnalité de l'immunité du Cabinet. Dans l'arrêt *Singh c. Canada (Procureur général)*, la Cour d'appel fédérale a rejeté l'allégation selon laquelle l'article 39 de la *LPC* viole la primauté du droit, le jugeant conforme aux trois éléments retenus par la Cour suprême du Canada : il établit un ordre juridique pour la protection des renseignements confidentiels du Cabinet ; il s'applique également au gouvernement et aux justiciables ; et il permet au gouvernement de protéger les renseignements confidentiels du Cabinet dans le cadre de litiges. Que l'article 39 codifie une bonne ou une mauvaise politique n'est pas pertinent, a affirmé la Cour d'appel fédérale, puisque « la primauté du droit n'exclut pas une loi spéciale

---

professeur Elliot, *supra* note 13 aux p. 114-115, qui soutient que les trois éléments de la primauté du droit identifiés par la Cour suprême du Canada ne disposent pas du potentiel normatif pour limiter les actions du pouvoir législatif, par opposition aux actions du pouvoir exécutif.

28. Peter W. Hogg et Cara F. Zwibel, « The Rule of Law in the Supreme Court of Canada » (2005) 55:3 *U.T.L.J.* 715 à la p. 727 ; Warren J. Newman, « The Principles of the Rule of Law and Parliamentary Sovereignty in Constitutional Theory and Litigation » (2005) 16:2 *N.J.C.L.* 175 à la p. 187.

29. Voir : *Imperial Tobacco*, *supra* note 25 au para. 66.

produisant un effet spécial au sujet d'une catégorie spéciale de documents, lesquels, pour des raisons fondées de longue date sur des principes constitutionnels comme la responsabilité gouvernementale, ont reçu un traitement différent[30] ». Plus tard, la Cour suprême du Canada a cité et approuvé ce passage dans l'arrêt *Babcock*[31]. Même si l'article 39 est possiblement une règle « draconienne […] », la Cour a ajouté qu'il s'agit d'une disposition que le Parlement est habilité à adopter[32]. D'ailleurs, elle a systématiquement refusé d'invalider des lois parce qu'elles contreviennent au principe non écrit de la primauté du droit, laissant ainsi entendre que ce principe n'a pas, en soi, de force normative pour contester la validité des textes législatifs[33].

Deuxièmement, même si le principe de la primauté du droit n'a pas servi, en soi, pour invalider des lois, il a servi de fondement pour étayer l'interprétation de dispositions de la Constitution qui, elles, ont ensuite été utilisées pour invalider des dispositions législatives[34]. Ce type d'arguments a été jugé plus légitime parce que la déclaration d'invalidité est fondée sur le texte de la Constitution. Par exemple, dans le *Renvoi relatif aux droits linguistiques au Manitoba*, la primauté du droit a été invoquée de deux façons : en conjonction avec l'article 23 de la *Loi de 1870 sur le Manitoba*, pour appuyer la conclusion selon laquelle les lois unilingues adoptées par la législature depuis 1890 étaient invalides, puisqu'elles n'avaient pas été adoptées en français ; et, en conjonction avec l'article 52 de la *Loi constitutionnelle de 1982*, pour surseoir aux effets de la décision pendant que les lois allaient être traduites et adoptées à nouveau, et ce, de manière à maintenir un ordre juridique positif[35]. Dans l'arrêt *R. c. Nova Scotia Pharmaceutical Society*, la Cour suprême du Canada a décidé, en se fondant sur

---

30. *Singh, supra* note 3 au para. 36.
31. *Babcock*, CSC, *supra* note 3 au para. 56.
32. *Ibid.* au para. 57.
33. Voir : *Imperial Tobacco, supra* note 25 aux para. 59-60.
34. Voir : Elliot, *supra* note 13 aux p. 115, 141-142 ; Hogg et Zwibel, *supra* note 28 aux p. 723, 727 ; Newman, *supra* note 28 aux p. 289-290 ; Carter, *supra* note 20 aux p. 457, 485.
35. Voir : *Renvoi relatif aux droits linguistiques au Manitoba, supra* note 16 aux p. 754-758.

le principe de la primauté du droit et sur l'article 7 de la *Charte*, que des dispositions législatives vagues et inintelligibles étaient invalides[36]. Dans le *Renvoi relatif à la sécession du Québec*, la primauté du droit a servi à appuyer la conclusion que le Québec ne peut faire unilatéralement sécession du Canada, même si une majorité claire de la population appuie cette option en réponse à une question claire, car cela nécessiterait une modification à la Constitution qui ne pourrait légalement avoir lieu sans négociation avec le gouvernement fédéral et les autres provinces aux termes de la Partie V de la *Loi constitutionnelle de 1982*[37]. Dans l'arrêt *Trial Lawyers Association of British Columbia c. Colombie-Britannique (Procureur général)*, la Cour a invalidé un règlement qui imposait des frais d'audience, parce que, sans les exceptions appropriées, ces frais pouvaient nuire à l'accès à la justice et enfreindre la compétence fondamentale que confère l'article 96 de la *Loi constitutionnelle de 1867* aux cours supérieures provinciales[38]. Dans cet arrêt, le principe de la primauté du droit a servi à renforcer le lien entre la compétence fondamentale des cours supérieures et l'accès à la justice. À la lumière de ce qui précède, il appert que la primauté du droit peut donc avoir une certaine force normative, lorsqu'elle est appliquée conjointement avec le texte de la Constitution.

Troisièmement, les tribunaux peuvent conclure qu'une règle de droit est, à la fois, incompatible avec le principe non écrit de la primauté du droit et valide sur le plan constitutionnel. Ce type de situations peut survenir lorsqu'une règle de droit viole une exigence de la primauté du droit sans contrevenir au texte de la Constitution. L'exemple qui vient spontanément à l'esprit est celui de l'affaire *Imperial Tobacco*. Si, dans sa décision, la Cour suprême du Canada avait incorporé les principes de la légalité formelle au principe non écrit de la primauté du droit, elle aurait conclu que la loi contestée n'était pas compatible avec la primauté du droit parce

---

36. *R. c. Nova Scotia Pharmaceutical Society*, [1992] 2 R.C.S. 606 aux p. 626-627, 643 [*Nova Scotia Pharmaceutical Society*].

37. *Renvoi relatif à la sécession du Québec*, *supra* note 12 aux para. 76, 84-91. Voir aussi : *Loi constitutionnelle de 1982*, *supra* note 10, partie V.

38. *Trial Lawyers Association of British Columbia c. Colombie-Britannique (Procureur général)*, 2014 CSC 59, [2014] 3 R.C.S. 31 aux para. 24-43 [*Trial Lawyers Association*].

que les mesures en cause n'étaient ni générales ni prospectives. Or, comme la Constitution écrite ne requiert pas que les règles de droit aient ces caractéristiques en matière civile, la loi aurait tout de même été valide sur le plan constitutionnel. En adoptant cette position mitoyenne, la Cour se serait acquittée de son obligation de protéger la primauté du droit tout en respectant son rôle au sein de l'ordre juridique canadien[39]. Cela aurait donné le signal au Parlement et au gouvernement que la loi comportait une faille et aurait ouvert la voie à l'adoption de mesures correctives grâce à un dialogue entre les institutions[40]. Le gouvernement aurait pu continuer à appliquer la loi, mais il en aurait payé le prix politique. À l'avenir, peut-être sera-t-il possible de convaincre la Cour de recourir à la primauté du droit de cette façon.

En résumé, à ce jour, la Cour suprême du Canada a adopté une conception très étroite du principe non écrit de la primauté du droit, qui comprend trois éléments: il doit y avoir un ordre juridique, au sein duquel les règles de droit doivent s'appliquer également à l'État et aux justiciables, et toute action étatique doit être autorisée par les règles de droit. La Cour a laissé entendre que la primauté du droit ne peut servir, en soi, à contester la validité de lois adoptées dans le respect des règles démocratiques. Pour qu'il soit légitime, le contrôle judiciaire d'une loi doit être fondé sur le texte de la Constitution (c'est-à-dire la Constitution avec un grand «C»). Ainsi, pour contester la validité d'un texte législatif, il faut invoquer la primauté du droit en conjonction avec des dispositions spécifiques de la Constitution. Cette approche est compatible avec la conception positiviste de la primauté du droit de la Cour et avec son rejet du constitutionnalisme avec un petit «c». Le problème avec cette approche est le suivant: la conception très étroite de la Cour limite la force normative de la primauté du droit. À l'heure actuelle, ce principe ne peut donc pas insuffler beaucoup de vie au

---

39. Pour une discussion de ce type de contraintes constitutionnelles, voir: David Dyzenhaus, *The Constitution of Law: Legality in a Time of Emergency*, Cambridge, Cambridge University Press, 2006 aux p. 6, 201 [Dyzenhaus, *Constitution of Law*].

40. Au sujet du dialogue entre les trois branches de l'État, voir généralement: Kent Roach, *The Supreme Court on Trial: Judicial Activism or Democratic Dialogue*, éd. révisée, Toronto, Irwin Law, 2016.

texte de la Constitution. S'il a bien un certain potentiel normatif, ce potentiel est verrouillé. Nous sommes donc dans une impasse : la primauté du droit peut servir à renforcer l'interprétation du texte de la Constitution, mais la conception de la Cour est trop étroite pour que la primauté du droit joue ce rôle de façon significative. Pour libérer tout le potentiel normatif du principe de la primauté du droit, une autre conception sera mise de l'avant, la théorie du droit comme culture de la justification, qui est implicite dans l'ordre juridique canadien.

1.2   Une autre conception de la primauté du droit

1.2.1   *La primauté du droit comme culture de la justification*

La théorie du droit comme culture de la justification offre une conception plus convaincante de la primauté du droit par opposition à celle de la primauté des règles, car elle favorise l'instauration d'une « culture de la justification » dans les ordres juridiques. Ce concept a été mis de l'avant par le professeur sud-africain Étienne Mureinik. En 1994, dans un article influent, il a présenté la culture de la justification comme un idéal pour la nouvelle Constitution sud-africaine, par opposition à la culture de l'autorité qui prévalait pendant l'apartheid. Pour le professeur Mureinik, une culture de la justification est [TRADUCTION] « une culture dans laquelle tout exercice du pouvoir est censé être justifié ; où le leadership donné par le gouvernement repose sur la force des arguments présentés pour défendre ses décisions, et non sur la peur inspirée par la force sous son commandement[41] ». Cette idée simple, c'est-à-dire l'idée que les acteurs étatiques doivent justifier de façon substantielle toutes leurs actions, a ensuite été développée par le professeur David Dyzenhaus en une théorie élaborée de la primauté du droit, dans le cadre de ce qu'il appelle le [TRADUCTION] « projet de la

---

41.   Etienne Mureinik, « A Bridge to Where? Introducing the Interim Bill of Rights » (1994) 10:1 *S.A.J.H.R.* 31 à la p. 32. Voir aussi : David Dyzenhaus, « Law as Justification: Etienne Mureinik's Conception of Legal Culture » (1998) 14:1 *S.A.J.H.R.* 11 [Dyzenhaus, « Law as Justification »].

primauté du droit[42] ». Ce dernier vise à assurer que le pouvoir étatique est exercé dans les limites de la primauté du droit en exigeant de ses acteurs qu'ils adhèrent à une culture de la justification. La présence d'une telle culture dans un ordre juridique requiert trois éléments clés : la reconnaissance de principes juridiques fondamentaux ; le contrôle judiciaire de l'action étatique ; et l'imposition d'un fardeau de la justification[43].

1.2.1.1 Les principes juridiques fondamentaux

Tout d'abord, dans une culture de la justification, les juges doivent accepter que le principe de la primauté du droit a un contenu, c'est-à-dire qu'il intègre certains principes juridiques fondamentaux. Ces principes peuvent trouver leur source dans une constitution écrite ou non écrite. Par rapport à un système fondé sur la primauté des règles, la théorie du droit comme culture de la justification promeut une conception plus substantielle de la primauté du droit. Les huit principes de la légalité formelle, énoncés par le professeur Lon Fuller, sont au cœur du projet de la primauté du droit. Les sept premiers principes concernent surtout le pouvoir législatif, parce qu'ils portent sur les qualités intrinsèques que doivent posséder les règles de droit. Elles doivent être générales, publiques, prospectives, claires, cohérentes, possibles à respecter et relativement stables au fil du temps, de sorte qu'elles puissent guider les justiciables[44]. Une règle qui ne satisfait pas à ces principes ne peut prétendre à une légitimité juridique[45]. Le huitième principe, celui de la conformité, concerne surtout le pouvoir exécutif : il exige que les acteurs étatiques agissent en conformité avec les règles de droit[46]. Le respect de ces principes insuffle à la loi une [TRADUCTION] « moralité intrinsèque[47] ». La théorie du droit

---

42. Dyzenhaus, *Constitution of Law*, *supra* note 39 à la p. 3.

43. *Ibid.* à la p. 139.

44. Fuller, *Morality of Law*, *supra* note 22 aux p. 46-81.

45. Voir : David Dyzenhaus, « Process and Substance as Aspects of the Public Law Form » (2015) 74:2 *Cambridge L.J.* 284 aux p. 294, 297 [Dyzenhaus, « Process and Substance »].

46. Voir : Fuller, *Morality of Law*, *supra* note 22 aux p. 81-91.

47. Voir : Dyzenhaus, « Process and Substance », *supra* note 45 à la p. 294.

comme culture de la justification se concentre sur [TRADUCTION] « un type de justice intrinsèque au droit » tant dans leur conception que dans leur administration[48].

La théorie du droit comme culture de la justification a une portée plus large que la légalité formelle, dans la mesure où elle [TRADUCTION] « s'inspire des traditions à la fois libérales et démocratiques[49] ». Ainsi, elle vise à concilier la nécessité que l'élaboration des lois relève des représentants élus du peuple (la valeur de la participation) et celle d'assurer que les règles législatives n'enfreignent pas les droits individuels de manière injustifiée (la valeur de la responsabilité). Le professeur Dyzenhaus reconnaît que la légitimité des lois est incomplète si elles sont dépourvues de légitimité démocratique[50]. En outre, selon lui, les justiciables sont [TRADUCTION] « titulaires de droits fondamentaux[51] », qui doivent être traités équitablement[52] et dignement[53], et dont la liberté doit être respectée[54]. Au-delà de ces attributs fondamentaux et des exigences de l'équité procédurale, le professeur Dyzenhaus a résisté à la tentation de définir plus précisément le contenu substantiel de la primauté du droit[55]. Cela peut s'expliquer par le fait que la théorie du droit comme culture de la justification se concentre tout particulièrement sur le lien qui unit le processus et la substance,

---

48. Dyzenhaus, *Constitution of Law, supra* note 39 à la p. 12.

49. David Dyzenhaus, « Deference, Security and Human Rights » dans Benjamin J. Goold et Liora Lazarus, dir., *Security and Human Rights*, Oxford, Hart, 2007, 125 à la p. 138 [Dyzenhaus, « Deference, Security and Human Rights »].

50. Dyzenhaus, « Process and Substance », *supra* note 45 à la p. 297.

51. Dyzenhaus, *Constitution of Law, supra* note 39 à la p. 13.

52. David Dyzenhaus, « The Politics of Deference: Judicial Review and Democracy » dans Michael Taggart, dir., *The Province of Administrative Law*, Oxford, Hart, 1997, 279 à la p. 307 [Dyzenhaus, « Politics of Deference »].

53. Voir généralement : David Dyzenhaus, « Dignity in Administrative Law: Judicial Deference in a Culture of Justification » (2012) 17:1 *Rev. Const. Stud.* 87.

54. Voir généralement : David Dyzenhaus, « Preventive Justice and the Rule-of-Law Project » dans Andrew Ashworth, Lucia Zedner et Patrick Tomlin, dir., *Prevention and the Limits of the Criminal Law*, Oxford, Oxford University Press, 2013, 91 [Dyzenhaus, « Rule-of-Law Project »].

55. Selon le professeur Dyzenhaus, [TRADUCTION] « les lois doivent pouvoir être interprétées de sorte qu'elles puissent être exécutées conformément à une procédure régulière : les officiers publics qui les mettent en œuvre doivent être en mesure d'agir équitablement et raisonnablement tout en respectant l'égalité des justiciables ». Voir : Dyzenhaus, *Constitution of Law, supra* note 39 aux p. 12-13.

c'est-à-dire sur l'intuition qu'un bon processus décisionnel devrait mener à une bonne décision sur le fond[56]. Cela dit, une culture de la justification est plus susceptible de prospérer au sein d'un ordre juridique qui valorise la démocratie et les droits fondamentaux de la personne.

1.2.1.2 Le contrôle judiciaire

Ensuite, dans une culture de la justification, les juges doivent être en mesure de contrôler les actes des pouvoirs législatif et exécutif pour garantir qu'ils respectent les principes juridiques fondamentaux susmentionnés. Cela suppose qu'il existe une séparation entre les pouvoirs législatif, judiciaire et exécutif, qui confère à des juges indépendants et impartiaux l'autorité ultime d'interpréter et d'appliquer les lois lorsque surgissent des divergences d'opinion. Même si le projet de la primauté du droit requiert la coopération des trois branches de l'État pour assurer le respect de la primauté du droit, les juges jouent un rôle spécial à cet égard[57]. Étant donné l'obligation qui leur incombe d'appliquer fidèlement le droit, les juges doivent tenir les pouvoirs législatif et exécutif responsables lorsqu'ils ne respectent pas le projet de la primauté du droit[58]. Cela peut advenir de nombreuses façons : le législateur peut adopter des règles législatives qui limitent l'accès aux tribunaux, qui privent des justiciables de leur droit à l'équité procédurale ou qui confèrent aux acteurs étatiques un large pouvoir discrétionnaire, soustrait à tout contrôle, sur une question particulière, dont ces derniers pourraient ensuite abuser. Les clauses privatives sont

---

56.   Voir généralement : Dyzenhaus, « Process and Substance », *supra* note 45.

57.   Voir : Dyzenhaus, *Constitution of Law, supra* note 39 aux p. 10-11. Le professeur Dyzenhaus note que [TRADUCTION] « le raisonnement judiciaire demeure l'outil de prédilection pour articuler les principes qui sous-tendent le projet de la primauté du droit » (*ibid.* à la p. 11). De plus, ce dernier utilise la métaphore des juges comme « présentateurs de la météo » pour décrire le rôle des tribunaux, c'est-à-dire celui « de prévenir le Commonwealth lorsque des nuages de tempête, susceptibles de mettre à l'épreuve le principe de la primauté du droit qui protège la structure de la société civile, se dessinent à l'horizon » (*ibid.* à la p. 201).

58.   *Ibid.* à la p. 55. Voir aussi : Lon L. Fuller, « Positivism and Fidelity to Law—A Reply to Professor Hart » (1958) 71:4 *Harv. L. Rev.* 630.

les archétypes de règles juridiques de ce genre[59]. Le danger que posent ces clauses découle de ce qu'elles créent des «trous noirs juridiques[60]», c'est-à-dire des zones qui ne sont pas soumises aux exigences de la primauté du droit[61]. Ces trous noirs juridiques sont incompatibles avec une culture de la justification parce qu'ils mettent l'action étatique à l'abri du contrôle judiciaire.

Le contrôle judiciaire est également essentiel au respect du principe de la conformité énoncé par le professeur Fuller[62]. Il vise avant tout à garantir que les acteurs étatiques agissent dans le respect des règles de droit. Il ne pourrait pas y avoir de primauté du droit, et ce, même si ce concept était compris dans le sens étroit de la primauté des règles, si le pouvoir exécutif pouvait ignorer les règles de droit adoptées par le pouvoir législatif. Tandis que les sept premiers principes de la légalité formelle permettent de convertir les politiques publiques en règles de droit, le dernier permet de convertir les règles de droit en ce que le professeur Fuller qualifie de [TRADUCTION] «revendications de droit ou accusations de faute[63]». C'est aux juges indépendants et impartiaux qu'il revient de s'assurer que l'exécutif agit en conformité avec les règles de droit tout en respectant les exigences de l'équité procédurale. En droit public, l'action en justice est l'un des principaux moyens par lesquels les justiciables peuvent demander des comptes à l'État. C'est une «forme d'ordre social» qui leur permet de participer aux décisions qui les concernent, par la présentation «d'éléments de preuve et d'arguments raisonnés» qui sont «étayés par un principe»[64]. Lorsque le législateur met les actes de l'exécutif à l'abri du contrôle judiciaire, c'est-à-dire lorsqu'il crée un trou noir juridique, il empêche l'application du principe

---

59. Les «clauses privatives» sont des dispositions législatives dont l'objet vise à limiter ou à prévenir le contrôle judiciaire des actes de l'exécutif.

60. L'expression «trou noir juridique» a été utilisée pour la première fois dans l'affaire *R. (Abbasi) v. Secretary of State for Foreign Affairs*, [2002] EWCA Civ. 1598, puis par Johan Steyn dans un article intitulé «Guantanamo Bay: The Legal Black Hole» (2004) 53:1 *I.C.L.Q.* 1.

61. Voir: Dyzenhaus, *Constitution of Law, supra* note 39 aux p. 3, 42, 50.

62. Voir: Fuller, *Morality of Law, supra* note 22 aux p. 81-83.

63. Lon L. Fuller, «The Forms and Limits of Adjudication» (1978) 92:2 *Harv. L. Rev.* 353 à la p. 369.

64. *Ibid.* aux p. 357, 369. Voir aussi: Dyzenhaus, «Rule-of-Law Project», *supra* note 54 à la p. 96.

de la conformité. Voilà qui est incompatible avec une culture de la justification, car cela implique [TRADUCTION] « qu'il n'existe pas de loi à laquelle les actes [de l'exécutif] doivent se conformer[65] ». En agissant de la sorte, le législateur ne traite pas les justiciables avec la dignité qu'ils méritent en tant que titulaires de droits fondamentaux.

1.2.1.3 Le fardeau de la justification

Enfin, dans une culture de la justification, il incombe aux pouvoirs législatif et exécutif de justifier leurs actions à la lumière des principes juridiques fondamentaux. Le fardeau de la justification est déclenché dès lors que l'action étatique a une incidence sur les droits, les privilèges ou les intérêts individuels[66]. Dans de tels cas, les justiciables se demanderont : [TRADUCTION] « Mais comment cette règle de droit peut-elle régir mon comportement[67] ? » En répondant à cette question, l'État doit satisfaire à ce que le professeur Bernard Williams décrit comme la [TRADUCTION] « demande de légitimation de base ». Pour ce faire, l'État doit « justifier son pouvoir à l'égard de *chaque sujet* »[68]. En d'autres termes, l'État doit motiver son action. Les acteurs étatiques doivent être transparents et déterminer la source du pouvoir juridique qu'ils revendiquent, ainsi que la manière dont ce pouvoir a été interprété et appliqué, compte tenu de la situation particulière du justiciable en cause. Ce n'est qu'à la lumière des motifs fournis par les acteurs étatiques pour justifier leurs actions que les justiciables, et les juges, peuvent déterminer si ces actions étaient compatibles avec les principes juridiques fondamentaux. En s'acquittant de leur « obligation de motiver », les acteurs étatiques permettent aux justiciables de

---

65. Dyzenhaus, « Process and Substance », *supra* note 45 à la p. 303.

66. Voir : David Dyzenhaus, « Proportionality and Deference in a Culture of Justification » dans Grant Huscroft, Bradley W. Miller et Grégoire Webber, dir., *Proportionality and the Rule of Law: Rights, Justification, Reasoning*, New York, Cambridge University Press, 2014, 234 aux p. 242, 254 [Dyzenhaus, « Proportionality and Deference »].

67. Dyzenhaus, « Process and Substance », *supra* note 45 à la p. 304.

68. Bernard Williams, *In the Beginning was the Deed: Realism and Moralism in Political Argument*, Princeton, Princeton University Press, 2005 à la p. 4 (en italique dans l'original). Voir aussi : Dyzenhaus, « Process and Substance », *supra* note 45 aux p. 304-306.

savoir que leur dignité et leur égalité devant la loi ont été respectées, et que les actions en cause ont été menées de bonne foi, sans
parti pris et sur la base des considérations juridiques appropriées[69].

Cela dit, l'obligation de motiver n'a de sens que si les motifs
fournis justifient bel et bien l'action en cause. Ainsi, il ne suffit
pas que les acteurs étatiques fournissent des motifs ; ces derniers
doivent en outre être examinés par un juge qui vérifiera s'ils
démontrent, ou peuvent démontrer, que l'action est justifiable au
regard des principes juridiques fondamentaux. Il ne faut toutefois pas confondre ce qui est « justifiable » et ce qui est « justifié ».
Lorsqu'un juge cherche à savoir si une décision est « justifiée », il se
demande s'il aurait pris la même décision, ce qui correspond à la
norme de la décision correcte du droit administratif. En revanche,
lorsqu'un juge cherche à savoir si une décision est « justifiable »,
il se demande si elle est défendable à la lumière des considérations juridiques appropriées, ce qui correspond à la norme de la
décision raisonnable du droit administratif[70]. Selon cette norme,
la décision doit être rationnelle et proportionnelle[71]. En exigeant
que les actes de l'État soient « justifiables », plutôt que « justifiés »,
la théorie du droit comme culture de la justification reconnaît
que les acteurs étatiques ont un rôle légitime dans l'interprétation
du droit. Cela suppose que les juges ne doivent pas annuler une
décision de l'exécutif uniquement parce qu'ils auraient tiré une
conclusion différente, dans la mesure où cette décision fait partie
de l'éventail des résultats défendables[72]. Le professeur Dyzenhaus
recourt au concept de [TRADUCTION] « retenue au sens de respect »
pour transmettre l'idée que les juges doivent s'en remettre à l'interprétation du droit par l'exécutif, dans les limites de son expertise,

---

69.   Dyzenhaus, *Constitution of Law, supra* note 39 aux p. 139-140.

70.   Dyzenhaus, « Law as Justification », *supra* note 41 aux p. 27-28.

71.   Voir : *Dunsmuir c. Nouveau-Brunswick*, 2008 CSC 9, [2008] 1 R.C.S. 190 aux
      para. 46-47 [*Dunsmuir*] ; *Doré c. Barreau du Québec*, 2012 CSC 12, [2012] 1 R.C.S.
      395 aux para. 55-58 ; *École secondaire Loyola c. Québec (Procureur général)*, 2015
      CSC 12, [2015] 1 R.C.S. 613 aux para. 32, 35-42.

72.   Voir : Dyzenhaus, « Proportionality and Deference », *supra* note 66 à la p. 255.

si les motifs donnés au soutien de cette interprétation sont «suffi-samment solides»[73].

1.2.2 La culture de la justification en tant que cadre normatif

Maintenant que les trois éléments de la théorie du droit comme culture de la justification ont été définis, il sera démontré que cette théorie est implicite dans l'ordre juridique canadien. De plus, cette théorie est cohérente avec l'approche adoptée par les tribunaux en common law pour juger de la validité des revendications d'immunité d'intérêt public (ci-après «IIP»), également appelées revendications du privilège de la Couronne, à l'ordre provincial au Canada[74]. Enfin, les conditions normatives auxquelles un régime législatif d'IIP, comme l'article 39 de la *LPC*, doit satisfaire pour respecter la théorie du droit comme culture de la justification seront clairement établies.

1.2.2.1 La culture de la justification et l'ordre juridique canadien

Les trois éléments de la théorie du droit comme culture de la justification sont intégrés dans l'ordre juridique canadien. Premièrement, l'ordre juridique canadien contient des principes juridiques fondamentaux écrits et non écrits. La Constitution écrite établit la gouvernance démocratique sous la forme d'une Chambre des communes[75] élue et protège un large éventail de droits de la personne, dont l'égalité, la dignité et la liberté[76]. De plus, la Constitution contient des principes non écrits, comme la primauté

---

73. Dyzenhaus, «Deference, Security and Human Rights», *supra* note 49 à la p. 131. Le concept de «retenue au sens de respect» doit être distingué de celui de «retenue au sens de soumission», c'est-à-dire de l'acceptation automatique de l'interprétation de la loi par l'exécutif pour se conformer à l'intention du législateur. Voir: Dyzenhaus, «Politics of Deference», *supra* note 52 aux p. 303-304.

74. La doctrine de l'IIP permet au gouvernement de s'opposer à la divulgation de renseignements pertinents dans le cadre de litiges au motif qu'une telle divulgation porterait atteinte à l'intérêt public.

75. Voir: *Loi constitutionnelle de 1867, supra* note 7, art. 37; *Charte, supra* note 6, art. 3.

76. Voir: *Déclaration canadienne des droits, supra* note 6, art. 1-2; *Charte, supra* note 6, art. 2, 6-12, 15.

du droit, la démocratie et le respect des minorités, qui sont des expressions générales de la nature de l'ordre juridique canadien; ces principes peuvent être utilisés pour combler les lacunes de la Constitution écrite[77]. De même, en droit administratif, la Cour suprême du Canada a déclaré que le pouvoir discrétionnaire de l'exécutif devrait être exercé « conformément aux limites imposées dans la loi, aux principes de la primauté du droit, aux principes du droit administratif, aux valeurs fondamentales de la société canadienne, et aux principes de la *Charte*[78] ». La démocratie et les droits de la personne sont donc des composantes importantes tant de la théorie du droit comme culture de la justification que de l'ordre juridique canadien. Enfin, des principes importants de la légalité formelle, comme les principes de généralité[79], de clarté[80], de publicité[81], de prospectivité[82] et de conformité[83] ont un fondement textuel dans la Constitution et dans les lois ordinaires.

Deuxièmement, l'ordre juridique canadien établit une séparation des pouvoirs qui confirme l'autorité des tribunaux de contrôler la validité des actions législatives et exécutives et d'annuler celles qui sont invalides[84]. Même s'il n'existe peut-être pas de séparation

---

77. Voir : *Renvoi relatif à la rémunération des juges, supra* note 13 au para. 104; *Renvoi relatif à la sécession du Québec, supra* note 12 au para. 53. Pour une application des principes constitutionnels non écrits afin de combler un vide dans la Constitution relativement au droit d'accès à l'information gouvernementale, voir : Vincent Kazmierski, « Something to Talk About: Is There a *Charter* Right to Access Government Information? » (2008) 31:2 *Dal. L.J.* 351 aux p. 372-392.

78. *Baker c. Canada (Ministre de la Citoyenneté et de l'Immigration)*, [1999] 2 R.C.S. 817 au para. 56 [*Baker*].

79. Voir : *Charte, supra* note 6, art. 15.

80. *Ibid.*, art. 7. Voir aussi : *Nova Scotia Pharmaceutical Society, supra* note 36; *Ontario c. Canadien Pacifique Ltée*, [1995] 2 R.C.S. 1031.

81. Voir : *Loi sur la publication des lois*, L.R.C. 1985, c. S-21; *Loi sur les textes réglementaires*, L.R.C. 1985, c. S-22.

82. Voir : *Charte, supra* note 6, art. 11g), 11i). Voir aussi : *R. c. K.R.J.*, 2016 CSC 31, [2016] 1 R.C.S. 906 aux para. 20-27.

83. Voir : *Loi constitutionnelle de 1867, supra* note 7, art. 96. Voir aussi : *Roncarelli, supra* note 11 à la p. 142; David Dyzenhaus, « The Deep Structure of *Roncarelli v. Duplessis* » (2004) 53 *R.D. U.N.-B.* 111.

84. Voir : *Fraser c. Canada (Commission des relations de travail dans la Fonction publique)*, [1985] 2 R.C.S. 455 aux p. 469-470 [*Fraser*]; *Dunsmuir, supra* note 71 aux para. 27-33 (relativement au pouvoir des tribunaux judiciaires d'invalider les actes administratifs illégaux); *Loi constitutionnelle de 1982, supra* note 10, art. 52.

rigide entre les pouvoirs législatif et exécutif, puisque les ministres appartiennent aux deux branches de l'État, le pouvoir judiciaire, lui, est clairement séparé des deux autres. L'indépendance institutionnelle des tribunaux découle du principe non écrit de l'indépendance judiciaire, de même que de l'alinéa 11d) de la *Charte* et de l'article 96 de la *Loi constitutionnelle de 1867*[85]. Ce dernier, en particulier, constitutionnalise la compétence et les pouvoirs fondamentaux des cours supérieures provinciales et protège leur capacité de contrôler les actes de l'exécutif pour « erreur de compétence[86] ». Le pouvoir des tribunaux d'invalider les lois découle pour sa part de l'article 52 de la *Loi constitutionnelle de 1982*, de même que du principe du constitutionnalisme[87]. Les règles d'équité procédurale en common law[88], la *Déclaration canadienne des droits*[89] et la *Charte*[90] imposent généralement aux décideurs publics l'obligation d'agir équitablement lorsqu'ils prennent des décisions qui touchent les droits individuels. L'ordre juridique canadien est donc conçu pour que les principes juridiques fondamentaux soient reconnus et appliqués d'une manière qui soit compatible avec le principe de la conformité et une culture de la justification.

Troisièmement, l'ordre juridique canadien impose aux pouvoirs législatif et exécutif le fardeau de justifier leurs actions lorsque celles-ci ont une incidence sur les droits individuels. Selon le droit constitutionnel, il incombe au gouvernement, en application de l'article premier de la *Charte*, de justifier toute règle législative qui restreint les droits et libertés. Cette disposition entraîne un examen de la proportionnalité de la loi en cause[91]. Il incombe également au

---

85.   Voir : *Renvoi relatif à la rémunération des juges, supra* note 13 aux para. 82-109.

86.   Voir : *Crevier c. Québec (Procureur général),* [1981] 2 R.C.S. 220 aux p. 237-238 [*Crevier*].

87.   Voir : *Renvoi relatif à la sécession du Québec, supra* note 12 au para. 72.

88.   Voir, par exemple : *Nicholson c. Haldimand-Norfolk Regional Police Commissioners,* [1979] 1 R.C.S. 311 à la p. 324 ; *Cardinal c. Directeur de l'Établissement Kent,* [1985] 2 R.C.S. 643 à la p. 653 ; *Knight c. Indian Head School Division No. 19,* [1990] 1 R.C.S. 653 à la p. 677 ; *Baker, supra* note 78 au para. 28 ; *Dunsmuir, supra* note 71 aux para. 79, 90.

89.   *Déclaration canadienne des droits, supra* note 6, art. 1a), 2e)-f).

90.   *Charte, supra* note 6, art. 7, 11d).

91.   Voir : *R. c. Oakes* [1986] 1 R.C.S. 103 à la p. 139. La proportionnalité est essentielle dans le cadre d'une culture de la justification. En effet, [TRADUCTION] « à la base,

gouvernement de justifier, en application des principes de justice fondamentale, l'existence de toute règle législative qui enfreint le droit à la vie, à la liberté et à la sécurité de la personne protégé par l'article 7 de la *Charte*[92]. Il existe un fardeau similaire en droit administratif. Les règles d'équité procédurale imposent une obligation au gouvernement de justifier ses décisions, surtout lorsqu'elles sont de «grande importance» pour un individu[93]. Comme l'illustrent les arrêts *Roncarelli c. Duplessis* et *Baker c. Canada (Ministre de la Citoyenneté et de l'Immigration)*, il est primordial de connaître les motifs qui sous-tendent les actes de l'exécutif pour qu'une demande de contrôle judiciaire puisse être couronnée de succès. Les tribunaux examinent ces motifs pour déterminer si la décision de l'exécutif était «raisonnable», une norme de contrôle qui met l'accent sur «la justification de la décision [ainsi que sur] la transparence et [...] l'intelligibilité du processus décisionnel[94]». Le fardeau de la justification et le concept de «retenue au sens de respect» font donc partie de l'ordre juridique canadien[95].

1.2.2.2 *La culture de la justification et l'IIP en common law*

Les exigences que sont le «contrôle judiciaire» et le «fardeau de la justification» sont essentielles pour évaluer si les diverses approches de common law relativement à l'IIP dans les ressorts de type Westminster respectent la théorie du droit comme culture de la justification[96]. Durant presque trois décennies, à cause de la décision rendue en 1942 par le comité d'appel de la Chambre des

---

une culture de la justification requiert que les gouvernements fournissent une justification substantielle pour leurs actions, [...] une justification portant sur la rationalité et le caractère raisonnable de chaque action et les compromis que chaque action implique nécessairement, c'est-à-dire [une justification] au niveau de la proportionnalité». Voir: Moshe Cohen-Eliya et Iddo Porat, «Proportionality and the Culture of Justification» (2011) 59:2 *Am. J. Comp. L.* 463 aux p. 466-467.

92. Voir: *Reference Re B.C. Motor Vehicle Act*, [1985] 2 R.C.S. 486 à la p. 515.

93. Voir: *Baker, supra* note 78 au para. 43.

94. *Dunsmuir, supra* note 71 au para. 47.

95. *Baker, supra* note 78 au para. 65 (relativement au concept de «retenue au sens de respect» en particulier).

96. Pour une analyse de l'immunité du Cabinet en common law, voir le chapitre 2, *supra*, section 1.2.

lords dans l'affaire *Duncan v. Cammell, Laird & Co.*, la common law a privé les juges du pouvoir d'évaluer la validité des revendications d'IIP présentées par le ministre responsable conformément aux exigences de forme applicables[97]. Cette situation a mené à des cas d'abus de pouvoir, lorsque des ministres ont revendiqué l'IIP à des fins tactiques dans des causes où le gouvernement était l'une des parties en litige, et ce, en violation des règles fondamentales d'équité procédurale[98]. L'arrêt *Duncan* était incompatible avec le principe de la conformité et avec le deuxième élément de la théorie du droit comme culture de la justification, puisqu'il constituait une barrière au contrôle judiciaire de l'action étatique. Cette lacune a été corrigée par l'arrêt *Conway v. Rimmer*, dans lequel la Chambre des lords a infirmé l'arrêt *Duncan* et confirmé le pouvoir des tribunaux d'examiner les documents visés par une revendication d'IIP, de soupeser et de mettre en balance les aspects divergents de l'intérêt public, et d'ordonner la production des documents en question lorsqu'ils le jugent approprié[99]. Depuis l'arrêt *Conway*, les juges peuvent véritablement évaluer la validité des revendications d'IIP, conformément au deuxième élément de la théorie du droit comme culture de la justification, soit celui relatif à la tenue d'un contrôle judiciaire.

Cette évolution de la jurisprudence n'a toutefois pas rendu les règles de common law relatives à l'IIP compatibles avec le troisième élément de la théorie du droit comme culture de la justification. Les tribunaux du Royaume-Uni et de l'Australie ont adopté la position selon laquelle un juge ne devrait pas examiner les documents du Cabinet qui répondent à la norme de communication de la preuve, à moins que le plaideur ne les persuade de la nécessité d'une telle démarche[100]. Or, il est pratiquement impossible qu'un

---

97.   *Duncan v. Cammell, Laird & Co.*, [1942] UKHL 3, [1942] A.C. 624 aux p. 641-643 [*Duncan*, UKHL].

98.   Voir: *Ellis v. Home Office*, [1953] 2 Q.B. 135 (C.A.) [*Ellis*]. Voir aussi le chapitre 2, *supra*, section 1.1.2.1.

99.   *Conway v. Rimmer*, [1968] UKHL 2, [1968] A.C. 910 [*Conway*].

100.   Voir: *Burmah Oil Co. Ltd. v. Bank of England*, [1979] UKHL 4, [1980] A.C. 1090 à la p. 1117 [*Burmah Oil*]; *Air Canada v. Secretary of State for Trade (No. 2)*, [1983] 2 A.C. 394 aux p. 434-435, 439 [*Air Canada*]; *Commonwealth v. Northern Land Council*, [1993] H.C.A. 24, 176 C.L.R. 604 aux p. 619-620 [*Northern Land Council*].

plaideur s'acquitte de ce fardeau, puisqu'il n'a pas accès au contenu des documents. Dans ces ressorts, les revendications d'immunité du Cabinet restent donc, dans une certaine mesure, à l'abri de tout contrôle judiciaire. Cela est problématique sous l'angle de la primauté du droit, surtout lorsqu'il est allégué que le gouvernement a agi illégalement. [TRADUCTION] « [L'intérêt public] [...] quant au respect de la légalité » ne peut être validé si les juges refusent d'examiner les documents pertinents faisant l'objet d'une revendication d'immunité du Cabinet[101]. Dans ce contexte, les juges ne peuvent pas déterminer si les actes de l'exécutif sont réellement conformes aux règles de droit. C'est pour cette raison que les tribunaux canadiens, à l'ordre provincial, inspirés par la position adoptée en Nouvelle-Zélande, ont renversé le fardeau de la justification. Dans ces ressorts, les juges examinent les documents du Cabinet visés par la norme de communication de la preuve, à moins que le gouvernement n'établisse clairement qu'un tel examen serait inutile dans les circonstances[102]. Ainsi, l'approche de common law préconisée au Canada et en Nouvelle-Zélande est également conforme au troisième élément du droit comme justification, soit celui relatif au fardeau de la justification.

1.2.2.3 *La culture de la justification et l'IIP en droit législatif*

Dans ce contexte, on peut établir deux conditions normatives auxquelles doit satisfaire un régime législatif relatif à l'IIP, tel que celui créé par l'article 39 de la *LPC*, pour qu'il respecte la théorie du droit comme culture de la justification. Ces conditions s'appliquent chaque fois qu'une décision de l'exécutif d'exclure des renseignements a pour effet de priver un plaideur d'éléments de preuve pertinents au règlement équitable de sa cause. La première condition combine les principes juridiques fondamentaux et le

---

101. T.R.S. Allan, « Abuse of Power and Public Interest Immunity: Justice, Rights and Truth » (1985) 101:2 *Law Q. Rev.* 200 à la p. 206. Voir aussi : T.R.S. Allan, « Before the High Court: Discovery of Cabinet Documents: The *Northern Land Council* Case » (1992) 14:2 *Sydney L. Rev.* 230 aux p. 236-239.

102. Voir : *Smallwood c. Sparling*, [1982] 2 R.C.S. 686 à la p. 703 [*Smallwood*] ; *Carey*, *supra* note 2 aux p. 678, 681-683 ; *Fletcher Timber Ltd. v. Attorney-General*, [1984] 1 N.Z.L.R. 290 aux p. 295, 301, 305, 308 (C.A.) [*Fletcher Timber*].

fardeau de la justification, tandis que la seconde porte sur l'exigence du contrôle judiciaire.

1. Le régime législatif doit créer un processus décisionnel équitable. Cela suppose que la décision ultime d'exclure des renseignements confidentiels du Cabinet pertinents dans le cadre de litiges devrait être prise par un décideur indépendant et impartial. Cela implique en outre que les décideurs devraient avoir l'obligation de motiver adéquatement les revendications d'immunité du Cabinet.

2. Les décisions de l'exécutif d'exclure des renseignements confidentiels du Cabinet pertinents dans le cadre de litiges devraient être assujetties à un contrôle véritable par les tribunaux pour garantir que les actes de l'exécutif sont conformes aux règles de droit et que les acteurs étatiques n'outrepassent pas les limites des pouvoirs que leur confère la loi. Cela suppose que les tribunaux devraient avoir le pouvoir d'examiner les renseignements confidentiels du Cabinet et de rejeter les revendications d'immunité lorsque cela s'avère nécessaire.

Bref, la théorie du droit comme culture de la justification constitue une conception plus convaincante de la primauté du droit que celle préconisée par la Cour suprême du Canada. Puisqu'elle est déjà enchâssée dans l'ordre juridique canadien, les tribunaux peuvent légitimement se servir de la théorie du droit comme culture de la justification pour les guider dans leur interprétation de la Constitution. Quelle incidence cela a-t-il sur l'article 39 de la *LPC*? Dans une culture de la justification, pour que le principe de la conformité et l'intégrité du processus décisionnel soient respectés, la décision ultime de priver un plaideur d'éléments de preuve pertinents dans le cadre d'un litige doit être prise conformément à un processus équitable, par un juge impartial, ayant le pouvoir d'examiner la justification et les renseignements. Cela dit, simultanément, dans une culture de la justification, s'il est raisonnable de le faire, le juge doit s'en remettre à la décision de l'exécutif de protéger les renseignements confidentiels du Cabinet, conformément au concept de « retenue au sens de respect ».

2. L'EXAMEN DE LA LÉGALITÉ DE L'ARTICLE 39 DE LA *LPC*

Le régime relatif au secret ministériel établi par l'article 39 de la *LPC* est-il compatible avec la théorie du droit comme culture de la justification et avec les dispositions de la Constitution ? La section 2 répondra à cette question. Elle est divisée en deux sous-sections. La première sous-section examinera si le processus décisionnel est équitable sur le plan procédural. Elle mettra l'accent sur deux exigences de l'équité procédurale, soit le droit d'un plaideur à ce que sa cause soit tranchée par un décideur indépendant et impartial et son droit d'avoir accès aux motifs qui sous-tendent la décision. Ces exigences, inhérentes à la théorie du droit comme culture de la justification, tirent leur origine de la common law, de l'alinéa 2e) de la *Déclaration canadienne des droits*, ainsi que de l'article 7 et de l'alinéa 11d) de la *Charte*. La deuxième sous-section examinera si l'article 39 restreint indûment la capacité des cours supérieures provinciales de contrôler l'admissibilité des éléments de preuve dans le cadre de litiges et la légalité des actes de l'exécutif. Le contrôle judiciaire, un élément clé de la théorie du droit comme culture de la justification, est protégé par l'article 96 de la *Loi constitutionnelle de 1867*. Cette section démontrera que l'article 39 est inéquitable sur le plan procédural et qu'il empiète sur la compétence et les pouvoirs fondamentaux des cours supérieures. Il est donc incompatible avec la théorie du droit comme culture de la justification et, parce qu'il enfreint des dispositions de la Constitution, il est également inconstitutionnel.

2.1 L'article 39 est inéquitable sur le plan procédural

2.1.1 *Le décideur n'est pas indépendant et impartial*

Dans des causes civiles qui les opposaient au gouvernement fédéral, des plaideurs ont contesté – sans succès – la validité de l'article 39 de la *LPC* (de même que les dispositions qui l'ont précédé[103]), en faisant valoir que cette disposition enfreint le « droit

---

103. Voir : *Loi sur la Cour fédérale*, S.R.C. 1970, 2ᵉ supp., c. 10, art. 41(2), reproduit en annexe ; *Loi sur la preuve au Canada*, L.R.C. 1970, c. E-10, art. 36.3 [*LPC*, 1970],

[d'une personne] à une audition impartiale de sa cause» protégé par l'alinéa 2e) de la *Déclaration canadienne des droits*[104]. L'alinéa 2e) dispose qu'aucune loi canadienne ne doit être interprétée ou appliquée d'une manière qui « [prive] une personne du droit à une audition impartiale de sa cause, selon les principes de justice fondamentale, pour la définition de ses droits et obligations ». La Cour suprême du Canada a décidé que, selon l'alinéa 2e), les décideurs qui se prononcent sur les droits et obligations individuels sont tenus d'« agir équitablement, de bonne foi, sans préjugé et avec sérénité, et [de] donner [au justiciable] l'occasion d'exposer adéquatement sa cause[105] ». Dans leur lutte contre l'article 39, les plaideurs se sont concentrés sur le dernier élément de cette déclaration, soit le droit d'exposer adéquatement sa cause, une composante du principe de la justice naturelle *audi alteram partem* – « entendre l'autre partie », aussi connu comme le « droit d'être entendu ». L'essentiel de leurs prétentions portait sur le fait que l'article 39 les privait de l'accès à des éléments de preuve qui, à première vue, étaient pertinents pour le règlement équitable de leur cause, ce qui les empêchait d'exposer adéquatement leurs thèses. Les tribunaux ont rejeté ces demandes au motif que l'exclusion d'éléments de preuve pertinents en application d'un privilège ou d'une immunité n'enfreint pas le « droit d'être entendu ». La logique sous-jacente à la position des tribunaux a été résumée dans les termes suivants par le juge Iacobucci, alors juge en chef de la Cour d'appel fédérale, dans l'arrêt *Central Cartage* :

> Bon nombre de privilèges, comme le privilège des communications entre l'avocat et son client ou entre le prêtre et le pénitent, ou de règles sur la preuve par ouï-dire peuvent restreindre la possibilité pour une personne de présenter sa

---

telle que modifiée par la *Loi édictant la Loi sur l'accès à l'information et la Loi sur la protection des renseignements personnels, modifiant la Loi sur la preuve du Canada et la Loi sur la Cour fédérale et apportant des modifications corrélatives à d'autres lois*, L.C. 1980-81-82-83, c. 111, art. 4.

104. Voir : *Commission des droits de la personne c. Canada (Procureur général)*, [1978] R.J.Q. 67 à la p. 74 (C.A.Q.) [*Commission des droits de la personne*, CAQ] ; *Ouvrage de raffinage de métaux Dominion Ltée c. Énergie atomique du Canada Ltée*, [1988] R.J.Q. 2232 à la p. 2238 (C.S.Q.) ; *Central Cartage*, *supra* note 3 aux p. 661-666 ; *Wedge c. Canada (Procureur général)*, [1995] A.C.F. n° 1399 au para. 13 (C.F.).

105. *Duke c. La Reine*, [1972] R.C.S. 917 à la p. 923.

cause en niant l'admissibilité de certains éléments de preuve, bien que la pertinence puisse en être établie. Le privilège de la Couronne à l'égard des renseignements confidentiels du Cabinet est bien reconnu comme étant l'une de ces exceptions et, à mon avis, cette exception n'a pas été annulée par le libellé de l'alinéa 2e) de la *Déclaration canadienne des droits*[106].

S'il est vrai que ces plaideurs avaient une intuition valable, leur argument était mal ciblé. Ce qui rend le processus décisionnel décrit à l'article 39 inéquitable sur le plan procédural, ce n'est pas le fait qu'il peut mener à l'exclusion d'éléments de preuve pertinents pour des raisons d'ordre public ; c'est plutôt le fait que la décision d'exclure de tels éléments de preuve est prise par une personne qui semble avoir un parti pris, soit « un ministre ou le greffier du Conseil privé ». Le paragraphe 39(1) confère aux membres de l'exécutif un très vaste pouvoir discrétionnaire de décider si des éléments de preuve pertinents devraient être exclus dans le cadre de procédures auxquelles participe le gouvernement, ce qui enfreint le principe de la justice naturelle *nemo judex in sua causa* – « nul ne peut être juge de sa propre cause », aussi connu comme la « règle de l'objectivité ». Cette caractéristique différencie l'article 39 des autres privilèges et immunités. Le ministre ou le greffier ne se limite pas à « s'opposer » à la production des renseignements, il « tranche » la question de manière décisive. Aucun autre privilège ni aucune autre immunité ne permet à une partie en litige de décider quels éléments ne devraient pas être admis en preuve. Cette question relève normalement du juge. Ainsi, le problème qui se pose n'est pas tant que l'article 39 empêche un plaideur de faire valoir sa cause, mais plutôt que celui qui détient le pouvoir d'écarter des éléments de preuve n'est pas « objectif ». Cet argument sera étayé par l'intermédiaire des trois questions suivantes : quelles sont les exigences de la règle de l'objectivité ? quelles sont les raisons permettant de conclure que l'article 39 enfreint cette règle ? et quelles sont les conséquences de cette violation ?

---

106. *Central Cartage*, *supra* note 3 aux p. 664-665 (notes en bas de page omises).

2.1.1.1 Les exigences de la règle de l'objectivité

La règle de l'objectivité prévoit que les décideurs et les processus décisionnels ne doivent pas donner un traitement préférentiel à une partie en litige par rapport à l'autre, ni être influencés par des préjugés. Elle vise à maintenir l'équité des procédures et la confiance du public envers l'administration de la justice[107]. Ainsi, une simple apparence de partialité, si elle est raisonnable, peut invalider une décision : [TRADUCTION] « il est essentiel que non seulement justice soit rendue, mais également que justice paraisse manifestement et indubitablement être rendue[108] ». Dans les causes civiles, la règle de l'objectivité s'applique à tout décideur qui doit trancher des questions ayant une incidence sur les droits d'un individu. Dans de tels cas, l'individu concerné a légalement le droit à ce qu'un décideur indépendant et impartial soit chargé de décider de l'issue de la cause. Le degré d'indépendance et d'impartialité requis varie selon que le décideur exerce des fonctions judiciaires ou quasi judiciaires, qui exigeront un degré plus élevé, ou des fonctions administratives, qui exigeront un degré moindre.

La notion d'« impartialité » renvoie à l'état d'esprit du décideur en lien avec les questions et les parties en cause[109]. Un décideur impartial est celui qui peut trancher un débat avec un esprit ouvert et qui n'a pas d'intérêt relativement à la question en litige ou de lien avec elle. Un décideur sera disqualifié s'il existe une preuve réelle de partialité ou si les circonstances donnent lieu à une « crainte raisonnable de partialité ». Dans ce dernier cas, il faut se poser la question suivante :

> [À] quelle conclusion en arriverait une personne bien renseignée qui étudierait la question en profondeur, de façon réaliste et pratique. Croirait-elle que, selon toute vraisemblance,

---

107. Voir : *2747-3174 Québec Inc. c. Québec (Régie des permis d'alcool)*, [1996] 3 R.C.S. 919 au para. 45 [*2747-3174 Québec Inc.*].

108. *R. v. Sussex Justices* (1923), [1924] 1 K.B. 256 à la p. 259 (lord Hewart, juge en chef).

109. Voir : *Valente c. La Reine*, [1985] 2 R.C.S. 673 à la p. 685 [*Valente*] ; *Bande indienne Wewaykum c. Canada*, 2003 CSC 45, [2003] 2 R.C.S. 259 aux para. 57-58 ; *Commission scolaire francophone du Yukon, district scolaire #23 c. Yukon (Procureure générale)*, 2015 CSC 25, [2015] 2 R.C.S. 282 aux para. 20-23.

[le décideur], consciemment ou non, ne rendra pas une décision juste[110] ?

Une crainte raisonnable de partialité peut être individuelle ou institutionnelle. La partialité individuelle advient lorsque le décideur a un intérêt pécuniaire dans l'issue de la cause, un lien avec une des parties, une participation antérieure à la cause ou une prédisposition attitudinale à un résultat précis. Quant à la partialité institutionnelle, elle advient lorsque la structure d'un organisme décisionnel ou ses pratiques internes « [soulèvent], dans un <u>grand nombre</u> de cas, une crainte raisonnable de partialité dans l'esprit d'une personne parfaitement informée[111] ».

La notion d'« indépendance » est liée à celle d'« impartialité », en ce sens que l'indépendance renforce la perception d'impartialité aux yeux du public[112]. L'essence de l'indépendance judiciaire est :

> la liberté complète des juges pris individuellement d'instruire et de juger les affaires qui leur sont soumises : personne de l'extérieur – que ce soit un gouvernement, un groupe de pression, un particulier ou même un autre juge – ne doit intervenir en fait, ou tenter d'intervenir, dans la façon dont un juge mène l'affaire et rend sa décision[113].

L'indépendance judiciaire suppose donc que la relation des juges avec les autres branches de l'État, en particulier l'exécutif, repose sur des conditions ou des garanties objectives comme l'inamovibilité, la sécurité financière et l'autonomie administrative[114]. Pour protéger l'indépendance des tribunaux contre toute ingérence indue de l'exécutif, les juges ne peuvent être destitués qu'à l'issue d'une enquête judiciaire au cours de laquelle ils ont

---

110. *Committee for Justice and Liberty c. L'Office national de l'énergie*, [1978] 1 R.C.S. 369 à la p. 394.

111. *R. c. Lippé*, [1991] 2 R.C.S. 114 à la p. 144 (soulignement dans l'original) [*Lippé*]. La Cour suprême du Canada a confirmé que ce critère s'appliquait également dans le contexte du droit administratif dans *Canadien Pacifique Ltée c. Bande indienne de Matsqui*, [1995] 1 R.C.S. 3 au para. 67 [*Bande indienne de Matsqui*].

112. Voir : *Lippé*, *supra* note 111 à la p. 139.

113. *La Reine c. Beauregard*, [1986] 2 R.C.S. 56 à la p. 69.

114. Voir : *Valente*, *supra* note 109 à la p. 685.

pleinement la possibilité d'être entendus[115], leur traitement et leur pension sont fixés par la loi[116] et ils ont le contrôle sur la façon dont leurs affaires sont gérées[117]. La Cour suprême du Canada a décidé que ces conditions s'appliquent, dans une certaine mesure, aux organismes administratifs, même s'ils font partie de l'exécutif[118]. Cette position soulève la question de savoir comment les organismes administratifs peuvent, à la fois, faire partie de l'exécutif et en être indépendants[119]. Ce qui importe ici, ce n'est pas tant que ces organismes soient indépendants de l'exécutif, mais plutôt qu'ils soient indépendants des parties en litige[120]. Il y a donc une crainte raisonnable de partialité lorsque l'une des parties en litige contrôle la durée du mandat, la rémunération ou le *modus operandi* du décideur[121].

2.1.1.2 La compatibilité de l'article 39 avec la règle de l'objectivité

Trois conditions doivent être satisfaites pour que s'applique la règle de l'objectivité dans le contexte de l'article 39 de la *LPC*. Tout d'abord, le litige doit opposer un plaideur au gouvernement. La préoccupation centrale découle du fait qu'une des parties en litige,

---

115. *Ibid.* aux p. 697-698. Le gouvernement ne peut destituer un juge au motif qu'il est en désaccord avec ses décisions. Voir : *Renvoi relatif à la rémunération des juges, supra* note 13 au para. 115 ; *Re Therrien*, 2001 CSC 35, [2001] 2 R.C.S. 3 au para. 66.

116. Voir : *Valente, supra* note 109 à la p. 704. Le gouvernement ne peut modifier la rémunération des juges pour des raisons arbitraires qui pourraient miner l'indépendance judiciaire, par exemple, pour exprimer son désaccord avec certaines décisions judiciaires. De plus, la rémunération des juges doit être suffisante pour que ces derniers n'aient pas besoin de chercher d'autres sources de revenu. Voir aussi : *Renvoi relatif à la rémunération des juges, supra* note 13 aux para. 135, 222.

117. Voir : *Valente, supra* note 109 aux p. 708-712. Le gouvernement ne peut décider quel juge devrait entendre un litige particulier (autonomie administrative) ou comment un litige devrait être tranché (autonomie adjudicative).

118. Voir : *Bande indienne de Matsqui, supra* note 111 aux para. 80, 83-84.

119. Voir : *Ocean Port Hotel Ltd. c. Colombie-Britannique (General Manager, Liquor Control and Licensing Branch)*, 2001 CSC 52, [2001] 2 R.C.S. 781 aux para. 24, 32 [*Ocean Port Hotel*] (relativement à la position des tribunaux administratifs qui « chevauchent la ligne de partage constitutionnelle entre l'exécutif et le judiciaire »).

120. Voir : Ann Chaplin, « Travelling in Constitutional Circles: The Paradox of Tribunal Independence » (2016) 36:1 *N.J.C.L.* 73 aux p. 109-110.

121. *Ibid.* aux p. 107, 110. Voir aussi : *Bande indienne de Matsqui, supra* note 111 aux para. 93-99.

en l'occurrence le gouvernement, puisse exclure à mauvais escient des renseignements pertinents. Cette préoccupation est moins pressante lorsque le gouvernement n'est pas l'une des parties en litige. Ensuite, les renseignements exclus doivent être « pertinents » pour le règlement équitable du litige. C'est l'exclusion de renseignements pertinents qui porterait atteinte au droit d'un plaideur de faire valoir sa cause et qui entraînerait un déni de justice. En revanche, l'exclusion de renseignements non pertinents n'aurait aucune incidence sur l'équité des procédures. Cela dit, comme personne ne peut examiner les renseignements exclus par le gouvernement, il est raisonnable de tenir pour acquis que tout renseignement visé par la norme de communication de la preuve est à première vue pertinent pour le règlement équitable du litige. Enfin, le pouvoir d'exclure des renseignements pertinents dans le cadre d'un litige, pour des raisons d'ordre public, doit être de nature judiciaire. Puisqu'il suppose l'interprétation et l'application décisive[122] de normes juridiques[123] ayant une incidence sur les droits d'un plaideur, le pouvoir d'exclure des documents pertinents est de nature judiciaire, qu'il soit exercé par un juge, un ministre ou un haut fonctionnaire. Ainsi, pour éviter toute crainte raisonnable de partialité, le décideur doit jouir d'un degré élevé d'indépendance et d'impartialité.

L'exclusion de renseignements confidentiels du Cabinet par un ministre ou le greffier dans le cadre d'un litige donne-t-elle lieu à une crainte raisonnable de partialité ? Le décideur est-il suffisamment indépendant et impartial pour s'acquitter équitablement de cette fonction ?

En ce qui a trait à la question de l'indépendance, ni le ministre ni le greffier ne sont indépendants de l'exécutif en tant

---

122. Aux termes de l'article 39 de la *LPC*, 1985, *supra* note 5, le ministre ou le greffier ne s'oppose pas simplement à la production de renseignements confidentiels du Cabinet en laissant, par la suite, le soin au juge de trancher la question. Au contraire, le ministre ou le greffier tranche lui-même la question de manière décisive (il n'y a pas de procédure d'appel aux termes de l'article 39). Le pouvoir d'exclure des éléments de preuve dans le cadre d'un litige est de nature judiciaire.

123. Il s'agit de savoir (1) si un document contient des renseignements confidentiels du Cabinet au sens du paragraphe 39(2) de la *LPC*, 1985, *supra* note 5, et (2) si l'intérêt public requiert qu'il soit protégé.

que tel. Là n'est toutefois pas la question. Il s'agit plutôt de savoir si l'une des parties en litige exerce un contrôle direct ou indirect sur leur mandat, sur leur rémunération ou sur leur *modus operandi*[124]. Or, tel est bel et bien le cas. Les ministres et les greffiers sont nommés conformément à la recommandation du premier ministre et occupent leur poste à titre amovible, ce qui signifie qu'ils peuvent être destitués en tout temps et pour n'importe quel motif. Concentrons-nous sur le greffier qui est le premier responsable de l'application de l'article 39. Il s'acquitte de trois fonctions : sous-ministre du premier ministre, secrétaire du Cabinet et chef de la fonction publique fédérale. Compte tenu de sa position unique au sein de l'appareil gouvernemental, le greffier doit servir le premier ministre et le Cabinet avec loyauté[125]. Il doit avant tout assurer l'efficacité du processus décisionnel collectif et aider ses supérieurs à élaborer et à mettre en œuvre leur programme politique. Simultanément, le greffier doit prendre des décisions relativement à l'application de l'article 39. Lorsqu'il décide si des renseignements confidentiels du Cabinet devraient être divulgués dans le cadre d'un litige, le greffier agit pour l'exécutif et rend compte de ses décisions au premier ministre et au Cabinet.

Naturellement, la divulgation de renseignements confidentiels du Cabinet est susceptible de préoccuper le premier ministre et les ministres, surtout si ces renseignements concernent leur propre gouvernement, puisqu'elle pourrait avoir d'importantes conséquences politiques. Elle pourrait nuire à la franchise et à l'efficacité des délibérations du Cabinet ainsi qu'à la solidarité ministérielle. Elle pourrait même mettre en péril la capacité du gouvernement de conserver la confiance de la Chambre des communes et de

---

124. Voir : Chaplin, *supra* note 120 à la p. 107.

125. Voir : Canada, Commission d'enquête sur le programme de commandites et les activités publicitaires, *Rétablir l'imputabilité : Recommandations*, Ottawa, Travaux publics et Services gouvernementaux Canada, 2006, ch. 8 ; A.D.P. Heeney, « Mackenzie King and the Cabinet Secretariat » (1967) 10:3 *Administration publique du Canada* 366 à la p. 373 (décrivant le greffier comme [TRADUCTION] « serviteur du premier ministre, puisque le premier ministre est le "maître" [...] des affaires du Cabinet »).

l'électorat[126]. Voilà le type d'effets néfastes que le Parlement a tenté d'éliminer lorsqu'il a rendu l'immunité du Cabinet quasi absolue. La divulgation de renseignements confidentiels du Cabinet peut aussi avoir des conséquences juridiques considérables, puisque ces renseignements pourraient être utilisés pour attaquer la légalité des politiques gouvernementales[127], pour établir la responsabilité civile de l'État en raison d'actes fautifs[128], ou pour mettre en lumière une mauvaise gestion des fonds publics[129]. L'exécutif est donc fortement incité à garder secrets les documents du Cabinet. Il serait sans précédent pour quiconque d'autoriser la divulgation d'un document officiel du Cabinet sans le consentement du premier ministre. Cela pourrait expliquer pourquoi, avant l'expiration du moratoire de 20 ans, les documents de ce type ne sont généralement pas divulgués volontairement dans le cadre de litiges. Le pouvoir du premier ministre sur le mandat du décideur et son « intérêt politique personnel » à préserver le secret du Cabinet donnent donc lieu à une crainte raisonnable de partialité[130]. Une personne renseignée conclurait vraisemblablement que le ministre ou le greffier ne peut pas trancher la question équitablement.

En ce qui a trait à la question de l'impartialité, le processus prévu à l'article 39 de la *LPC* peut susciter une crainte raisonnable de partialité individuelle et institutionnelle. En effet, la participation antérieure du ministre ou du greffier à une décision du gouvernement qui fait l'objet d'une contestation judiciaire peut donner lieu à une perception de partialité individuelle. Les ministres et les greffiers ne devraient pas trancher, de manière décisive, des

---

126. Pour une analyse des raisons fondées sur l'intérêt public qui justifient le secret ministériel, voir le chapitre 1, *supra*, section 1.1.2.

127. Voir, par exemple : *Air Canada, supra* note 100 à la p. 430 ; *Environmental Defence Society Inc. v. South Pacific Aluminium Ltd. (No. 2)*, [1981] 1 N.Z.L.R. 153 aux p. 156-157 (C.A.).

128. Voir, par exemple : *Burmah Oil, supra* note 100 à la p. 1108 ; *Fletcher Timber, supra* note 102 à la p. 291 ; *Carey, supra* note 2 ; *Northern Land Council, supra* note 100 aux p. 619-620 ; *Babcock*, CSC, *supra* note 3.

129. Voir, par exemple : Canada, Commission d'enquête sur le programme de commandites et les activités publicitaires, *Qui est responsable ? Synopsis*, Ottawa, Travaux publics et Services gouvernementaux Canada, 2005 aux p. 2-3.

130. Voir : Christopher Berzins, « Crown Privilege : A Troubled Exclusionary Rule of Evidence » (1984) 10:1 *Queen's L.J.* 135 aux p. 161, 163.

questions relatives à la divulgation de renseignements confidentiels du Cabinet dans le cadre de litiges s'ils ont participé à la prise de la décision qui fait l'objet d'une contestation judiciaire.

Supposons que le ministre de l'Environnement et le greffier ont participé au processus décisionnel collectif ayant mené à la décision d'approuver la construction d'un oléoduc, en dépit des effets néfastes importants qu'il pourrait avoir sur l'environnement. Supposons aussi que la légalité de la décision est ensuite contestée par certaines bandes des Premières Nations qui font valoir que leurs droits n'ont pas été dûment pris en compte. Une personne bien renseignée serait-elle encline à conclure que le ministre ou le greffier a un intérêt à exclure les renseignements confidentiels du Cabinet qui pourraient servir à invalider la décision? Dans ces circonstances, le lien direct entre le décideur et la décision contestée donnerait effectivement lieu à une crainte raisonnable de partialité.

Le même raisonnement s'appliquerait dans les cas où des allégations de manquements à un contrat ou à des obligations fiduciales ou encore de conduite répréhensible sont formulées contre le gouvernement. Si le ministre ou le greffier a participé à la prise de décisions, il ne peut exclure, de manière décisive, des éléments de preuve pertinents dans le cadre d'une instance visant à contester cette décision sans susciter une crainte raisonnable de partialité.

Enfin, le rôle joué par le conseiller juridique du greffier dans le processus décisionnel décrit à l'article 39 de la *LPC* peut donner lieu à une apparence de partialité institutionnelle. Chaque fois que le gouvernement est impliqué dans un litige important, le conseiller juridique est appelé à exercer deux fonctions apparemment incompatibles: d'une part, fournir des conseils juridiques au greffier, au premier ministre et au Cabinet, et recevoir leurs instructions sur la position à adopter dans le cadre du litige et, d'autre part, fournir des conseils juridiques au greffier sur l'opportunité d'exclure certains éléments de preuve pertinents au règlement équitable du litige. Ces fonctions sont incompatibles, puisque la capacité du gouvernement de se défendre avec succès dans le cadre d'un litige peut être minée par la divulgation de renseignements confidentiels du Cabinet. Le problème découle du fait qu'une même personne participe à la fois à l'élaboration de la stratégie du gouvernement relativement au litige et à la décision d'exclure ou non des éléments de preuve susceptibles de renforcer ou d'affaiblir cette stratégie. Les avocats qui collaborent à la défense du gouvernement dans un litige particulier ne devraient pas participer au processus décisionnel décrit à l'article 39, car cela susciterait chez une personne bien renseignée « une crainte raisonnable de partialité dans un grand nombre de cas[131] ». Lorsque le conseiller juridique recommande au greffier de délivrer une attestation fondée sur l'immunité du Cabinet, il participe, en fait, au processus décisionnel parce que l'attestation privera la partie adverse et le juge d'éléments de preuve qui auraient pu être pertinents pour le règlement équitable du litige. De facto, le conseiller juridique agit à la fois comme juge et partie dans la même cause.

2.1.1.3 Les conséquences de la violation de la règle de l'objectivité

Le processus décisionnel établi par le Parlement à l'article 39 de la *LPC* est donc incompatible avec la règle de l'objectivité, qui fait partie intégrante, à la fois, de la common law et de la théorie du droit comme culture de la justification. Le libellé de l'article 39 laisse entendre que le Parlement voulait passer outre la common law en permettant au ministre ou au greffier d'exclure des renseignements confidentiels pertinents du Cabinet, en dépit des craintes raisonnables de partialité que cela peut susciter. En l'absence de contraintes constitutionnelles, les tribunaux auraient l'obligation de mettre en œuvre l'intention du Parlement[132]. Or, à l'ordre fédéral, l'alinéa 2e) de la *Déclaration canadienne des droits* a conféré à la règle de l'objectivité un statut quasi constitutionnel[133]. Ainsi, en l'absence d'une déclaration expresse, cette règle ne devrait pas être écartée par une simple loi comme la *LPC*. En définitive, le fait que le premier ministre contrôle la nomination des ministres

---

131. *2747-3174 Québec Inc.*, *supra* note 107 au para. 54.

132. Voir : *Ocean Port Hotel*, *supra* note 119 au para. 24.

133. Voir : *Bell Canada c. Association canadienne des employés de téléphone*, 2003 CSC 36, [2003] 1 R.C.S. 884 au para. 28.

et des greffiers et qu'il pourrait exercer une influence sur le recours à l'immunité du Cabinet, mène à la conclusion que l'article 39 ne satisfait pas à l'exigence d'indépendance[134]. Les processus décisionnels soulèvent également des préoccupations quant à l'impartialité individuelle et institutionnelle des acteurs étatiques. En conséquence, l'article 39 devrait être déclaré « inopérant », dans la mesure où il contrevient à l'alinéa 2e) de la *Déclaration canadienne des droits*[135].

Jusqu'à présent, ce chapitre a porté principalement sur la question de l'indépendance et de l'impartialité en matière civile, mais le même raisonnement s'applique en matière pénale. Dans les cas où un individu fait face à de réelles conséquences pénales, l'analyse porterait avant tout sur l'article 7 et sur l'alinéa 11d) de la *Charte*[136]. Dans l'arrêt *R. c. Stinchcombe*, la Cour suprême du Canada a statué que l'article 7 confère à un accusé le droit constitutionnel de présenter une défense pleine et entière[137]. À cette fin, les principes de justice fondamentale, qui comprennent l'obligation d'équité procédurale, exigent que tous les éléments de preuve pertinents soient fournis à l'accusé[138]. En outre, lorsque l'admissibilité d'éléments de preuve pertinents suscite un débat, l'alinéa 11d) prévoit que l'accusé a le droit constitutionnel d'exiger que la question soit

---

134. Voir: *2747-3174 Québec Inc.*, *supra* note 107 aux para. 67-68. Selon la Cour suprême du Canada, le décideur doit, au minimum, (1) avoir été nommé pour une durée fixe et (2) être susceptible de destitution uniquement pour un motif valable pour que soient respectées les exigences quasi constitutionnelles d'indépendance. Autrement dit, le décideur doit bénéficier d'une certaine sécurité d'emploi.

135. Voir: *MacBain c. Lederman*, [1985] 1 C.F. 856 aux p. 880-883 (C.A.). Voir aussi: *Hassouna c. Canada (Ministre de la Citoyenneté et de l'Immigration)*, 2017 CF 473 au para. 195.

136. L'article 7 de la *Charte*, *supra* note 6, s'appliquerait également dans toute procédure, qu'elle soit ou non de nature pénale, dans laquelle le « droit à la vie, à la liberté et à la sécurité de sa personne » est compromis, comme une procédure d'extradition. Voir: *États-Unis c. Burns*, 2001 CSC 7, [2001] 1 R.C.S. 283 au para. 59; *Kindler c. Canada (Ministre de la Justice)*, [1991] 2 R.C.S. 779 à la p. 831.

137. *R. c. Stinchcombe*, [1991] 3 R.C.S. 326 à la p. 336 (dans les procédures pénales). Voir aussi: *Charkaoui c. Canada (Ministre de la Citoyenneté et de l'Immigration)*, 2007 CSC 9, [2007] 1 R.C.S. 350 au para. 61 (dans les procédures où le droit à la vie, à la liberté et à la sécurité de la personne est en jeu); Hamish Stewart, *Fundamental Justice: Section 7 of the Canadian Charter of Rights and Freedoms*, Toronto, Irwin Law, 2012 aux p. 249-259.

138. Voir: *Suresh c. Canada (Ministre de la Citoyenneté et de l'Immigration)*, 2002 CSC 1, [2002] 1 R.C.S. 3 au para. 127.

tranchée par un « tribunal indépendant et impartial ». Ainsi, il serait surprenant qu'une attestation délivrée en vertu de l'article 39 de la *LPC* dans le cadre d'une poursuite pénale résiste à un examen fondé sur la *Charte*[139]. Cela pourrait expliquer pourquoi, à ce jour, le gouvernement s'est abstenu d'invoquer l'article 39 dans un tel contexte. Dans les poursuites où des renseignements confidentiels du Cabinet étaient pertinents pour la défense d'anciens ministres, ils ont été divulgués volontairement à l'accusé[140]. Compte tenu de l'importance des intérêts en jeu en matière pénale, il faut faire un choix entre la poursuite de l'accusé et la protection des renseignements confidentiels du Cabinet. L'article 39 ne doit pas servir à priver l'accusé d'éléments de preuve pertinents étant donné le risque de condamnation injustifiée.

2.1.2   Le décideur n'est pas tenu de motiver sa décision

Du point de vue de l'équité procédurale, la façon dont l'article 39 de la *LPC* a été interprété et appliqué soulève un autre motif de préoccupation. Ce dernier réside au cœur de la théorie du droit comme culture de la justification, puisqu'il se rapporte aux raisons données par le décideur pour justifier l'exclusion de renseignements pertinents dans le cadre de litiges. L'obligation de motiver est maintenant fermement établie dans le droit positif canadien comme un élément du principe de la justice naturelle *audi alteram partem*[141]. Il sera démontré que, dans leur forme actuelle,

---

139. Voir : *Canadian Association of Regulated Importers c. Canada (Procureur général)*, [1992] 2 C.F. 130 aux p. 140-141 (C.A.).

140. Par exemple, la divulgation de renseignements confidentiels du Cabinet a été autorisée dans le cadre de poursuites pénales contre l'ancien ministre progressiste-conservateur André Bissonnette (voir le décret en conseil C.P. 1987-2284 du 6 novembre 1987) et l'ancien ministre libéral John Munro (voir les décrets en conseil C.P. 1990-2228, C.P. 1990-2229 et C.P. 1990-30 du 11 octobre 1990). Sur la base de ces précédents, le gouvernement aurait dû autoriser la divulgation des renseignements confidentiels du Cabinet pertinents à la cause du vice-amiral Mark Norman lorsqu'il a été inculpé pour abus de confiance aux termes de l'article 122 du *Code criminel*, L.R.C. 1985, c. C-46. Les procédures contre ce dernier ont finalement été suspendues après que le poursuivant en soit venu à la conclusion qu'il n'y avait plus de perspective raisonnable de condamnation à la lumière de nouveaux éléments de preuve.

141. Voir : David J. Mullan, *Administrative Law*, Toronto, Irwin Law, 2001 aux p. 306-318 [Mullan, *Administrative Law*].

les attestations délivrées par le gouvernement pour exclure des renseignements confidentiels du Cabinet contiennent des lacunes sur le plan structurel, puisqu'elles ne traitent pas d'une question fondamentale, soit celle de savoir pourquoi l'intérêt public exige que les renseignements soient exclus en l'espèce. Le ministre ou le greffier est tenu de répondre à cette question avant de délivrer une attestation en vertu de l'article 39, mais son raisonnement n'est communiqué ni au plaideur ni au juge, comme ce serait le cas pour toute autre revendication d'IIP. Cette démonstration s'articulera autour des trois questions suivantes : quelles sont les exigences de l'obligation de motiver ? quelles sont les raisons expliquant l'insuffisance des motifs fournis dans les attestations ? et quelles sont les conséquences de l'omission de fournir des motifs suffisants ?

2.1.2.1 Les exigences de l'obligation de motiver

Historiquement, en common law, l'équité procédurale n'imposait pas aux décideurs administratifs une obligation générale de motiver leurs décisions. La réticence des tribunaux à cet égard découlait de nombreuses préoccupations. Les tribunaux ont en effet jugé qu'une telle obligation ferait peser un fardeau indu sur les décideurs administratifs, ce qui entraînerait des coûts ainsi que des délais additionnels et donnerait possiblement lieu à un manque de franchise de la part de ces décideurs[142]. Ces préoccupations ont toutefois été progressivement éclipsées par les avantages de la reconnaissance d'une obligation générale de motiver. L'exposé des motifs favorise la transparence et la responsabilisation, en plus de renforcer la confiance du public dans l'intégrité du processus décisionnel[143]. Il favorise également la prise de meilleures décisions, car il oblige les décideurs à s'attaquer aux questions cruciales en litige et à articuler soigneusement leur raisonnement[144]. La publication de motifs permet aussi aux plaideurs d'évaluer si leurs prétentions et toutes les considérations factuelles et juridiques pertinentes ont été prises en considération et si la décision devrait être contestée

---

142. Voir, par exemple : *Public Service Board of New South Wales v. Osmond* (1986), 159 C.L.R. 656 à la p. 668 (H.C.A.).

143. Voir : *Northwestern Utilities Ltd. c. Edmonton*, [1979] 1 R.C.S. 684 à la p. 706.

144. Voir : *Baker*, *supra* note 78 au para. 39.

au moyen d'un appel prévu par la loi ou d'un contrôle judiciaire[145]. Lorsque la décision est contestée, le cas échéant, les motifs permettent aux décideurs saisis de l'appel ou du contrôle judiciaire d'évaluer si la décision devrait ou non être maintenue[146]. Dans l'ensemble, l'exposé des motifs garantit que le plaideur est traité avec équité, dignité et respect. C'est pourquoi la Cour suprême du Canada a reconnu dans l'arrêt *Baker* l'obligation de motiver une décision « dans des cas [...] où [elle] revêt une grande importance pour l'individu, dans des cas où il existe un droit d'appel prévu par la loi, ou dans d'autres circonstances [comme pour faciliter la tenue d'un contrôle judiciaire][147] ».

Pour dissiper les préoccupations traditionnelles relatives à l'obligation de motiver et pour préserver l'efficacité des processus décisionnels administratifs, la Cour suprême du Canada a fait preuve de souplesse quant à la façon dont les décideurs peuvent s'en acquitter[148]. Ainsi, lorsque l'obligation de motiver s'applique, l'équité procédurale requiert que le décideur donne des motifs sous une forme ou sous une autre ; ces derniers n'ont pas besoin d'être aussi détaillés que ceux que rédigent les juges. Pour se conformer à la demande de légitimation de base, les motifs doivent à tout le moins répondre à la question du « pourquoi ? »[149]. En effet, le plaideur a le droit de savoir pourquoi le décideur a tiré une conclusion en particulier. Cependant, pour satisfaire à la demande de légitimation de base, le décideur ne peut pas se contenter de réciter les prétentions des parties, de résumer la preuve et d'énoncer une conclusion[150]. Il doit traiter des questions cruciales en litige et expliquer pourquoi il a été convaincu par certains arguments et non par d'autres. Ce faisant, le décideur doit énoncer ses conclusions de fait

---

145. *Ibid.*

146. Voir : *National Corn Growers Assn. c. Canada (Tribunal des importations)*, [1990] 2 R.C.S. 1324 à la p. 1383 (juge Gonthier). Voir généralement : *Baker, supra* note 78.

147. *Baker, supra* note 78 au para. 43.

148. *Ibid.* aux para. 40, 44.

149. Voir : *Wall v. Independent Police Review Director*, 2013 ONSC 3312 au para. 46 (C. Div. Ont.), confirmée par 2014 ONCA 884. Voir aussi : Williams, *supra* note 68.

150. *Gray v. Ontario (Disability Support Program, Director)* (2002), 59 O.R. (3e) 364 au para. 22 (C.A.), citant *VIA Rail Canada Inc. c. Office national des transports*, [2001] 2 C.F. 25 aux para. 17-22 (C.A.) [*Via Rail*].

essentielles et identifier les éléments de preuve sur lesquels elles sont fondées[151]. De plus, si sa conclusion repose sur l'interprétation ou sur l'application de dispositions législatives ou de précédents, le décideur est censé expliquer son raisonnement juridique[152]. Bref, il doit démontrer qu'il y a un « lien logique » entre sa conclusion et le fondement de cette dernière[153]. Ce n'est qu'à la lumière de la justification factuelle et juridique du décideur que le plaideur et le tribunal d'appel ou celui chargé du contrôle judiciaire seront en mesure d'évaluer si toutes les considérations pertinentes ont été dûment prises en compte. Comme la Cour l'a conclu dans l'arrêt *Dunsmuir*, la validité d'une décision dépend en partie de sa « justification [ainsi que de] la transparence et [de] l'intelligibilité » des motifs énoncés pour l'appuyer[154].

2.1.2.2 *La compatibilité de l'article 39 avec l'obligation de motiver*

Le gouvernement est-il tenu de motiver sa décision de protéger des renseignements confidentiels du Cabinet en vertu de l'article 39 de la *LPC*? La réponse est affirmative. Une décision de cette nature a nécessairement une « grande importance » pour le plaideur si elle le prive d'éléments de preuve pertinents pour le règlement équitable de sa cause. C'est pourquoi il devrait avoir le droit de comprendre la logique qui sous-tend la décision au-delà du fait évident que les renseignements appartiennent à la catégorie des « renseignements confidentiels du Cabinet ». En outre, s'il est vrai que l'attestation visée à l'article 39 est censée être décisive et qu'elle n'est donc pas sujette à « un droit d'appel prévu par la loi », elle n'est pas à l'abri d'un contrôle judiciaire pour erreur de compétence. Toutefois, pour qu'un tel recours soit efficace, le plaideur et le juge doivent avoir accès aux motifs qui sous-tendent la revendication[155].

---

151. Voir: *Via Rail*, *supra* note 150 au para 22.

152. Voir: Mullan, *Administrative Law*, *supra* note 141 aux p. 314-315.

153. Voir: *R. c. R.E.M.*, 2008 CSC 51, [2008] 3 R.C.S. 3 aux para. 17, 35.

154. Voir: *Dunsmuir*, *supra* note 71 au para. 47.

155. Voir généralement: *Société des services Ozanam inc. c. Québec (Commission municipale)*, [1994] R.J.Q. 364 (C.S.); *Future Inns Canada Inc. v. Nova Scotia (Labour Relations Board)* (1997), 160 N.S.R. (2ᵉ) 241 (C.A.); *Syndicat canadien de la fonction publique, section locale 301 c. Montréal (Ville)*, [1997] 1 R.C.S. 793 aux para. 72-87.

Le fait que le libellé clair du paragraphe 39(1) impose au gouvernement l'obligation d'« [attester] par écrit que le renseignement constitue un renseignement confidentiel du Conseil privé de la Reine pour le Canada » laisse entendre que le Parlement lui-même a envisagé la nécessité de fournir une certaine forme de motivation pour justifier le recours à l'immunité du Cabinet. Cela est compatible avec la position adoptée depuis longtemps par les tribunaux en common law[156]. Ainsi, la question n'est pas tant de savoir si le gouvernement a l'obligation de motiver sa décision lorsqu'il invoque l'immunité du Cabinet que de déterminer la portée de son obligation.

Dans l'arrêt *Babcock*, la Cour suprême du Canada a affirmé que le gouvernement – c'est-à-dire le ministre ou le greffier – doit répondre à deux questions avant de délivrer une attestation : (1) les documents contiennent-ils des « renseignements confidentiels du Cabinet » au sens du paragraphe 39(2) de la *LPC* ? et (2) les documents devraient-ils être protégés dans les circonstances de la cause compte tenu des aspects divergents de l'intérêt public[157] ? On s'attendrait à ce que l'attestation traite des deux questions. Malheureusement, ce n'est pas le cas. La Cour a imposé au gouvernement l'obligation de motiver sa réponse à la première question, mais pas à la seconde question[158]. Pour démontrer qu'il s'est dûment penché sur la première question, le gouvernement doit donner une description suffisamment détaillée des documents visés par l'attestation. À cette fin, il doit préciser pour chaque document sa date, son titre, son auteur et son destinataire ; il doit aussi indiquer de quel alinéa du paragraphe 39(2) relève chaque document – s'agit-il d'un mémoire, d'une présentation, d'un ordre du jour, d'un procès-verbal, d'un compte rendu de décision, d'une lettre, d'une note de breffage, d'un avant-projet de loi ou d'un projet de règlement ? Si ces descriptions démontrent clairement que les documents contiennent des renseignements confidentiels du Cabinet,

---

156. Voir, par exemple : *Robinson v. State of South Australia (No. 2)*, [1931] UKPC 55, [1931] A.C. 704 aux p. 721-722 [*Robinson*].

157. *Babcock*, CSC, *supra* note 3 au para. 22.

158. *Ibid.* au para. 28.

le gouvernement s'est acquitté de son obligation de motiver quant à la première question. Voyons maintenant ce qu'il en est pour la seconde question. La Cour a déclaré à son sujet que l'évaluation de l'intérêt public est un « élément discrétionnaire » qu'« [on] peut considérer [comme] établi par l'acte d'attestation »[159]. Cela suppose que le gouvernement n'est pas tenu de justifier pourquoi les documents doivent être protégés dans l'intérêt public. D'ailleurs, les attestations délivrées dans la foulée de l'arrêt *Babcock* ne traitent pas de la question[160]. Il s'agit d'une faille importante dans l'interprétation qu'a donnée la Cour de l'article 39 : sans justification, il n'y a tout simplement aucun moyen de savoir si le gouvernement s'est penché comme il se doit sur la seconde question.

L'interprétation de la Cour suprême du Canada ne découle pas du libellé clair de la disposition législative : le Parlement n'a pas expressément remplacé les principes pertinents de la common law en adoptant l'article 39 de la *LPC*. Tout au plus, on pourrait dire que la disposition législative est muette quant à l'obligation ou non de motiver l'évaluation de l'intérêt public. Les tribunaux peuvent donc recourir à la common law pour combler la lacune de l'article 39 à cet égard[161]. Que dit la common law à ce sujet ? Selon cette dernière, pour que sa revendication ait gain de cause, le gouvernement doit non seulement décrire les documents visés par l'attestation, mais il doit également expliquer pourquoi l'intérêt public requiert qu'ils soient exclus[162]. Il doit fournir une évaluation des degrés de pertinence et de préjudice des documents. L'évaluation de l'intérêt public est un élément crucial des attestations. D'ailleurs, en common law, le débat porte rarement sur la présence ou non de renseignements confidentiels du Cabinet dans les documents ; il porte plutôt sur la question de savoir si l'intérêt de la justice l'emporte sur l'intérêt du bon gouvernement[163].

---

159. *Ibid.*

160. Voir, par exemple : *Pelletier c. Canada (Procureur général)*, 2005 CAF 118 au para. 12 [*Pelletier*].

161. Voir : *Cooper v. Wandsworth (Board of Works)* (1863), 143 E.R. 414 à la p. 420.

162. Voir : *Fletcher Timber, supra* note 102 à la p. 295. Voir aussi le chapitre 2, *supra,* section 2.1.2.1.

163. Voir généralement : *Carey, supra* note 2.

Lorsqu'il évalue l'intérêt public, le gouvernement doit prendre en considération des facteurs comme la valeur probante et l'importance des documents, d'une part, et la sensibilité de leur contenu et le moment de leur production, d'autre part. L'absence d'une justification rationnelle devrait entraîner le rejet de la revendication. Comme l'article 39 impose déjà au gouvernement l'obligation d'évaluer l'intérêt public, pourquoi celui-ci devrait-il être exempté de l'obligation de communiquer les motifs de sa décision au plaideur et au juge ?

En common law, la doctrine d'équité procédurale étaye également la reconnaissance d'une obligation plus large de motiver les décisions découlant de l'application de l'article 39. Il importe de ne pas interpréter les dispositions législatives à la légère de manière à écarter la common law à cet égard[164]. L'accès aux motifs donnerait l'assurance au plaideur que le gouvernement a tenu compte de tous les facteurs appropriés, et qu'il a adéquatement soupesé et mis en balance les aspects divergents de l'intérêt public. Cela s'impose non seulement pour garantir que le plaideur est traité avec respect, mais également comme moyen de favoriser la confiance du public envers l'intégrité du processus décisionnel. L'accès aux motifs serait susceptible de mettre en lumière des erreurs de bonne foi ou de mauvaise foi qui peuvent avoir été commises durant l'évaluation de l'intérêt public. En ayant connaissance de ces erreurs, le plaideur serait en mesure d'exercer son droit constitutionnel de contester la décision. S'il n'en a pas connaissance, il est incapable d'exercer ce droit de manière efficace, puisqu'il ne sait ni si la décision est raisonnable ni si celui qui l'a rendue a agi à l'intérieur des limites de sa compétence. Sa capacité de participer au processus de contestation en présentant des arguments au tribunal est ainsi entravée. En outre, sans cette connaissance, le juge est incapable d'évaluer si la décision du gouvernement d'exclure des renseignements confidentiels du Cabinet peut être justifiée. Les tribunaux devraient donc recourir à la common law pour élargir l'obligation de motiver que prévoit l'article 39, de sorte qu'elle comprenne l'évaluation de

---

164. Pour un argument similaire, voir généralement : Kent Roach, « Constitutional and Common Law Dialogues between the Supreme Court and Canadian Legislatures » (2001) 80:1&2 *R. du B. can.* 481.

l'intérêt public. Dans l'arrêt *Babcock*, la Cour suprême du Canada a fait un premier pas en interprétant l'article 39 de telle sorte qu'il comprenne l'évaluation de l'intérêt public, même si elle n'est pas expressément requise par le libellé de la disposition. Les tribunaux devraient maintenant contraindre le gouvernement à divulguer son évaluation de l'intérêt public dans les attestations comme condition de validité des revendications d'immunité du Cabinet, puisque cette information peut être fournie sans porter atteinte à l'immunité du Cabinet[165]. Cette approche peut être mise en œuvre au moyen d'une interprétation judiciaire en ce sens, et ce, sans qu'il soit nécessaire de modifier la loi.

2.1.2.3 *Les conséquences de la violation de l'obligation de motiver*

Quelles sont les conséquences de l'omission par le gouvernement de porter son évaluation de l'intérêt public à la connaissance du plaideur et du juge ? En plus de constituer une infraction à une exigence clé de la théorie du droit comme culture de la justification, cette omission invalide l'attestation et la revendication d'immunité du Cabinet, qu'elle soit considérée comme un vice de procédure ou un vice de fond. La question procédurale – assujettie à la norme de la décision correcte – est celle de savoir si le gouvernement a motivé sa décision. En revanche, la question de fond – assujettie à la norme de la décision raisonnable – consiste à savoir si le gouvernement a donné des motifs adéquats pour justifier sa décision. L'omission par le gouvernement de communiquer son évaluation de l'intérêt public serait vraisemblablement perçue comme un vice de fond plutôt que comme un vice de procédure[166]. Si le juge estime que la

---

165.   Les plaideurs et les juges doivent savoir si les documents qui font l'objet d'une attestation sont pertinents (en tenant compte de leur valeur probante et de leur importance pour résoudre les questions en litige) et sensibles (en tenant compte de la nature de l'information qu'ils contiennent, c'est-à-dire s'il s'agit de secrets fondamentaux ou périphériques, et du moment de leur production, c'est-à-dire avant ou après que la décision ait été rendue publique). Cette information peut être communiquée sans porter atteinte à l'intérêt public. Par analogie, le gouvernement doit présentement fournir ce type d'information lorsqu'il revendique une IIP en vertu des articles 37 et 38 de la *LPC*, 1985, *supra* note 5.

166.   Dans l'arrêt *Newfoundland and Labrador Nurses' Union c. Terre-Neuve-et-Labrador (Conseil du Trésor)*, 2011 CSC 62, [2011] 3 R.C.S. 708 au para. 21, la juge Abella souligne qu'il est « inutile d'expliciter l'arrêt *Baker* en indiquant que les lacunes

délivrance d'une attestation satisfait à l'exigence procédurale de motiver la décision, il doit ensuite se demander si les motifs fournis dans l'attestation sont adéquats[167]. Or, comme l'attestation ne fait pas état de l'évaluation de l'intérêt public menée par le gouvernement, le juge n'est pas en mesure d'examiner le caractère raisonnable de la décision d'exclure des renseignements confidentiels du Cabinet. Cette faille découle de la décision du gouvernement de ne pas révéler l'information. Dans un tel contexte, le juge est impuissant à pallier l'absence de motifs ; il ne peut « compléter » les motifs[168] fournis dans l'attestation puisqu'il ne peut ni examiner les documents visés à l'article 39 ni mener sa propre évaluation de l'intérêt public. Ainsi, le juge n'a d'autre choix que de déclarer l'attestation invalide et de renvoyer l'affaire au gouvernement pour qu'un ministre ou le greffier puisse délivrer une nouvelle attestation qui traiterait de l'évaluation d'intérêt public ou abandonner la revendication[169].

En résumé, la façon dont l'article 39 a été conçu, interprété et appliqué est inéquitable sur le plan procédural et incompatible avec la théorie du droit comme culture de la justification. Premièrement, le processus décisionnel donne lieu à une crainte raisonnable de partialité, puisque le ministre et le greffier n'ont pas l'indépendance et l'impartialité requises pour juger équitablement les revendications d'immunité du Cabinet dans les causes auxquelles participe le gouvernement. Deuxièmement, les juges ne

---

ou les vices dont seraient entachés les motifs appartiennent à la catégorie des manquements à l'obligation d'équité procédurale et qu'ils sont soumis à la norme de la décision correcte ».

167. *Ibid.* au para. 22. Selon la juge Abella, « [le] manquement à une obligation d'équité procédurale constitue certes une erreur de droit. Or, en l'absence de motifs dans des circonstances où ils s'imposent, il n'y a rien à contrôler. Cependant, dans les cas où, comme en l'espèce, *il y en a*, on ne saurait conclure à un tel manquement. Le raisonnement qui sous-tend la décision/le résultat ne peut donc être remis en question que dans le cadre de l'analyse du caractère raisonnable de celle-ci » (en italique dans l'original).

168. Voir, par exemple : *Alberta (Information and Privacy Commissioner) c. Alberta Teachers' Association*, 2011 CSC 61, [2011] 3 R.C.S. 654 aux para. 53-54.

169. Il serait inapproprié pour un tribunal judiciaire d'ordonner la production d'un document sans d'abord donner au gouvernement la possibilité de justifier sa décision à l'aide de représentations quant aux aspects divergents de l'intérêt public (*ibid.* au para. 55).

sont pas en mesure d'évaluer si les attestations sont raisonnables, puisque les ministres et les greffiers ne motivent pas leurs décisions selon lesquelles l'intérêt public requiert que les renseignements confidentiels du Cabinet soient exclus dans les circonstances de la cause. Ces problèmes relatifs à la primauté du droit ont trait à l'identité du décideur et à sa relation avec le premier ministre, ainsi qu'à la façon dont il exerce le pouvoir discrétionnaire que lui confère la loi. Il convient maintenant d'aborder une autre lacune fondamentale de l'article 39 qui concerne la séparation des pouvoirs.

2.2   L'article 39 empiète sur la compétence et les pouvoirs des cours supérieures

On dit souvent que [TRADUCTION] « [la] *Loi constitutionnelle de 1867* ne prévoit pas une "séparation générale des pouvoirs" », en ce sens qu'elle « ne sépare pas les fonctions législative, exécutive et judiciaire, et n'insiste pas pour que chaque secteur de gouvernement n'exerce que "ses propres" fonctions »[170]. Cette affirmation est fondée sur deux considérations. Premièrement, dans un système de gouvernement responsable, le pouvoir exécutif doit rendre des comptes au pouvoir législatif, une réalité qui est souvent décrite comme « l'antithèse de la séparation des pouvoirs[171] ». Deuxièmement, le pouvoir législatif peut conférer des fonctions non judiciaires aux tribunaux ou des fonctions judiciaires à des organes qui ne sont pas des tribunaux. S'il est vrai que la Constitution canadienne n'insiste pas sur une séparation rigide des pouvoirs, elle crée néanmoins une séparation « fonctionnelle » des pouvoirs entre les trois branches de l'État selon laquelle le pouvoir législatif est responsable de l'adoption des lois, le pouvoir judiciaire est responsable de l'interprétation et de l'application des lois et le pouvoir exécutif est responsable de l'administration et de la mise en œuvre des lois[172]. L'aspect de la séparation des pouvoirs qui nous

---

170. Peter W. Hogg, *Constitutional Law of Canada*, éd. étudiante, Toronto, Thomson Reuters, 2017, section 7.3(a) [Hogg, *Constitutional Law*].

171. *Singh, supra* note 3 au para. 28.

172. Voir: *Fraser, supra* note 84 aux p. 469-470; *Wells c. Terre-Neuve*, [1999] 3 R.C.S. 199 aux para. 51-55.

intéresse ici est la séparation entre le pouvoir judiciaire, d'une part, et les pouvoirs législatif et exécutif, d'autre part. La primauté du droit perd tout son sens en l'absence d'un système judiciaire indépendant et impartial compétent pour contrôler la légalité des actes législatifs et exécutifs. Cet aspect de la séparation des pouvoirs est enchâssé dans l'article 96 de la *Loi constitutionnelle de 1867*[173], qui protège la compétence et les pouvoirs fondamentaux des cours supérieures provinciales contre les empiètements législatifs.

Il existe deux moyens par lesquels le pouvoir législatif peut empiéter sur la compétence et les pouvoirs fondamentaux des cours supérieures. D'abord, il peut attribuer à un tribunal judiciaire de niveau inférieur ou à un tribunal administratif une compétence ou un pouvoir qui relevait traditionnellement des cours supérieures. Ensuite, il peut retirer aux cours supérieures une compétence ou un pouvoir qui leur était traditionnellement conféré. Différents critères juridiques s'appliquent pour déterminer, d'une part, si un tribunal judiciaire de niveau inférieur ou un tribunal administratif s'est vu « attribuer » une compétence ou un pouvoir[174] et, d'autre part, si l'on en a « retiré » à une cour supérieure[175]. Le premier critère empêche les législatures provinciales de créer des organismes concurrençant les cours supérieures[176], tandis que le second empêche les législatures provinciales et le Parlement de restreindre la compétence et les pouvoirs des cours supérieures[177]. Pour juger de la validité de l'article 39, il ne s'agit pas de se demander si le Parlement peut autoriser des officiers publics à revendiquer l'immunité du Cabinet au nom du gouvernement. La common law leur a reconnu depuis longtemps le pouvoir de s'opposer à la production de renseignements sensibles dans l'intérêt public, sous réserve

---

173. L'article 96 de la *Loi constitutionnelle de 1867, supra* note 7, vise à promouvoir l'unité nationale en établissant des tribunaux judiciaires de compétence générale dont les juges sont nommés par le gouvernement fédéral.

174. Voir : *Renvoi sur la Loi de 1979 sur la location résidentielle*, [1981] 1 R.C.S. 714 aux p. 734-736.

175. Voir : *MacMillan Bloedel Ltd. c. Simpson*, [1995] 4 R.C.S. 725 au para. 27 [*MacMillan Bloedel*].

176. Voir : Hogg, *Constitutional Law, supra* note 170, section 7.3(b).

177. Voir : *MacMillan Bloedel, supra* note 175 au para. 15.

du pouvoir de supervision des tribunaux[178]. Il s'agit plutôt de savoir si le Parlement peut faire en sorte que les revendications d'immunité du Cabinet aient un caractère décisif, de façon à empêcher les cours supérieures d'examiner les renseignements confidentiels du Cabinet et d'en ordonner la production. Le problème est donc le « retrait » de la compétence et des pouvoirs des cours supérieures à l'égard des revendications d'immunité du Cabinet.

L'article 96 de la *Loi constitutionnelle de 1867* vise le « maintien de la primauté du droit par la protection du rôle des tribunaux[179] ». Pour qu'un État soit régi par la primauté du droit, il doit être doté d'un système judiciaire apte à assurer le respect des règles et des processus juridiques. Au Canada, les cours supérieures constituent le « fondement de la primauté du droit[180] ». Le retrait d'une partie de leur compétence ou de leurs pouvoirs fondamentaux les affaiblirait de manière importante : cela ferait d'elles quelque chose de moins qu'une cour supérieure. Dans l'arrêt *MacMillan Bloedel Ltd. c. Simpson*, le juge en chef Lamer a affirmé que « [la] compétence fondamentale des cours supérieures provinciales comprend les pouvoirs qui sont essentiels à l'administration de la justice et au maintien de la primauté du droit[181] ». Les concepts de « compétence » et de « pouvoirs » ne doivent pas être confondus. La « compétence » fondamentale des cours supérieures est leur autorité inhérente – non prévue par la loi – d'entendre et de trancher les différends[182]. Les cours supérieures, en tant que seuls tribunaux de compétence générale, ont hérité leur compétence fondamentale des cours supérieures anglaises. En outre, [TRADUCTION] « un tribunal doté d'une compétence particulière dispose des pouvoirs nécessaires pour lui permettre de s'acquitter efficacement des fonctions

---

178. Voir généralement : Stephen G. Linstead, « The Law of Crown Privilege in Canada and Elsewhere : Part 1 » (1968) 3:1 *R.D. Ottawa* 79 [Linstead, « Crown Privilege : Part 1 »].

179. *Renvoi relatif à la rémunération des juges, supra* note 13 au para. 88.

180. *MacMillan Bloedel, supra* note 175 au para. 37.

181. *Ibid.* au para. 38.

182. Voir : Rosara Joseph, « Inherent Jurisdiction and Inherent Powers in New Zealand » (2005) 11 *Canterbury L. Rev.* 220 aux p. 220-221. La compétence fondamentale des cours supérieures comprend leur compétence en matière de *parens patriae*, de contrôle judiciaire et d'outrage au tribunal (*ibid.* aux p. 225-228).

qui relèvent de cette compétence[183] ». Ces « pouvoirs » fondamentaux sont de nature procédurale et tributaires de l'exercice de la compétence ; ils permettent aux cours supérieures de contrôler leur propre processus, de maintenir l'équité des procédures et d'accorder des réparations[184]. Le pouvoir fondamental qui nous intéresse est le pouvoir de contrôler l'admissibilité de la preuve dans le cadre de litiges ; la compétence fondamentale qui nous intéresse est la compétence de contrôler la légalité des actes de l'exécutif.

Ces aspects de la compétence et des pouvoirs fondamentaux des cours supérieures sont liés à une autre doctrine juridique que la Cour suprême du Canada a intégrée à l'article 96 de la *Loi constitutionnelle de 1867*. Dans l'arrêt *Trial Lawyers Association*, la Cour a invalidé un règlement qui imposait des « frais d'audience » parce que ceux-ci pouvaient, dans certains cas, entraver l'accès à la justice[185]. Ce faisant, la Cour a insisté sur le fait que le « pouvoir […] d'imposer des frais d'audience [doit être exercé] conformément à l'art. 96 de la *Loi constitutionnelle de 1867* et aux exigences qui découlent de cet article par déduction nécessaire[186] ». Une de ces exigences est le maintien de l'accès à la justice[187]. L'on pourrait soutenir que l'article 39 de la *LPC* entrave l'accès à la justice en privant des parties d'éléments de preuve qui leur permettraient de faire appliquer leurs droits et de contester les actes de l'exécutif. Comme la Cour l'a souligné dans l'arrêt *Trial Lawyers Association*, « [si] les gens ne sont pas en mesure de contester en justice les mesures prises par l'État, ils ne peuvent obliger celui-ci à rendre des comptes – l'État serait alors au-dessus des lois ou perçu comme tel[188] ». Les débats sur la validité de l'article 39 comportent souvent une analyse de l'arrêt *Commission des droits de la*

---

183. *Connelly v. Director of Public Prosecutions*, [1964] A.C. 1254 à la p. 1301.

184. Voir : Joseph, *supra* note 182 aux p. 220-221. Les pouvoirs fondamentaux des tribunaux judiciaires comprennent les pouvoirs de régir leur propre procédure, d'assurer le caractère équitable du processus judiciaire et de prévenir les abus de procédure (*ibid.* aux p. 234-238).

185. *Trial Lawyers Association*, *supra* note 38.

186. *Ibid.* au para. 24.

187. *Ibid.* aux para. 38-40.

188. *Ibid.* au para. 40.

personne c. Procureur général du Canada[189]. Dans cette cause, la Cour a conclu que le Parlement était compétent eu égard aux IIP à l'ordre fédéral et que, conformément à la doctrine de la souveraineté parlementaire, il pouvait rendre l'immunité absolue[190]. Cette position est toutefois erronée : la compétence du Parlement est, et a toujours été, assujettie à l'article 96. L'arrêt *Commission des droits de la personne* soutient la position selon laquelle une IIP absolue est conforme au partage des compétences entre les deux ordres de gouvernement, fédéral et provincial, mais elle ne soutient pas la position selon laquelle une IIP absolue est conforme à la séparation des pouvoirs entre les trois branches de l'État. Cette question n'a pas été abordée en 1982[191] et n'a depuis été abordée que de façon superficielle par le plus haut tribunal[192].

2.2.1   *Les cours supérieures ne peuvent contrôler l'admissibilité de la preuve*

La question de savoir si l'article 39 de la *LPC* enfreint l'article 96 de la *Loi constitutionnelle de 1867* a été traitée sommairement par la Cour suprême du Canada dans l'arrêt *Babcock*. Dans cette cause, les avocats du ministère de la Justice qui travaillaient à Vancouver ont poursuivi le gouvernement fédéral pour manquement à ses obligations contractuelles et fiduciales, car ils n'étaient pas aussi bien rémunérés que leurs collègues de Toronto. Leur rémunération avait été fixée par le Conseil du Trésor, un comité du Conseil privé. Le recours avait été intenté devant la Cour suprême de la Colombie-Britannique, une cour supérieure. À l'étape de la communication de la preuve, le greffier s'est fondé sur l'article 39 pour exclure 51 documents qui révélaient le raisonnement tenu par le Conseil du Trésor pour en arriver à sa décision. Les avocats ont contesté la validité constitutionnelle de l'article 39 de la *LPC* en faisant valoir qu'il enfreignait l'article 96 de la *Loi constitutionnelle*

---

189.   Voir, par exemple : *Singh, supra* note 3 au para. 17 ; *Babcock*, CSC, *supra* note 3 au para. 55.

190.   *Commission des droits de la personne*, CSC, *supra* note 3 à la p. 228.

191.   Voir : David J. Mullan, « Developments in Administrative Law : The 1981-1982 Term » (1983) 5 *S.C.L.R.* 1 aux p. 12-14.

192.   Voir : *Babcock*, CSC, *supra* note 3 aux para. 53-61.

de 1867. Ils soutenaient que le pouvoir de gérer l'admissibilité de la preuve dans le cadre de litiges faisait partie de la « compétence fondamentale » ou, plus précisément, des « pouvoirs fondamentaux » des cours supérieures. Le gouvernement a répliqué que ces dernières n'avaient pas le pouvoir d'exiger la production des renseignements confidentiels du Cabinet en 1867 et que, par conséquent, ce pouvoir ne pouvait être protégé par l'article 96. La Cour suprême de la Colombie-Britannique et la Cour suprême du Canada ont toutes deux abouti à cette conclusion[193]. Cette dernière a souligné que :

> [La] tradition de common law qui protège les renseignements confidentiels du Cabinet est très ancienne. Au Canada, les cours supérieures fonctionnaient déjà avant la Confédération, sans avoir le pouvoir d'ordonner la production des renseignements confidentiels du Cabinet. En fait, au moment de la Confédération, aucun tribunal n'avait compétence pour connaître d'une action contre le Souverain[194].

Cette conclusion sera contestée sur la base des trois arguments suivants : la Constitution devrait être interprétée de manière progressiste ; les cours supérieures détenaient, en 1867, le pouvoir de rejeter les revendications d'IIP ; et le pouvoir de rejeter les revendications d'IIP est de nature constitutionnelle.

2.2.1.1 *L'interprétation progressiste de la Constitution*

Dans l'arrêt *Babcock*, la Cour suprême du Canada a affirmé qu'il n'existe « aucun critère précis » pour définir ce qui constitue la compétence ou les pouvoirs fondamentaux visés par l'article 96 de la *Loi constitutionnelle de 1867*[195]. Cela dit, comme point de départ, la Cour a établi que, lorsqu'il s'agit de décider si l'octroi ou le retrait d'une compétence ou d'un pouvoir est constitutionnel, il

---

193. *Babcock v. Canada (Attorney General)* (1999), 176 D.L.R. (4ᵉ) 417 à la p. 444 (B.C.S.C.) ; *Babcock*, CSC, *supra* note 3 au para. 60. Pour ce qui est de la Cour d'appel de la Colombie-Britannique, même si le juge MacKenzie a laissé entendre que l'article 39 n'était pas compatible avec la relation constitutionnelle censée exister entre le judiciaire et l'exécutif, il a tranché l'appel sur une autre base. Voir : *Babcock v. Canada (Attorney General)*, 2000 BCCA 348 au para. 14.

194. *Babcock*, CSC, *supra* note 3 au para. 60.

195. *Ibid.* au para. 59.

faut examiner si les cours supérieures avaient cette compétence ou ce pouvoir en 1867. Même si la Cour n'a pas expliqué pourquoi il est nécessaire de retourner dans le temps pour circonscrire la compétence et les pouvoirs fondamentaux des cours supérieures, sa position est vraisemblablement fondée sur le souhait de respecter l'intention des auteurs de la Constitution[196]. Or, le problème avec cette approche «originaliste» découle de ce qu'il n'existe aucune preuve du fait que les auteurs souhaitaient que les concepts de «compétence fondamentale» et de «pouvoirs fondamentaux» restent immuables dans le temps[197]. En outre, que cela ait été ou non l'intention des auteurs de la Constitution, l'«originalisme» est incompatible avec l'approche prédominante en matière d'interprétation constitutionnelle, soit celle de la doctrine de l'«arbre vivant». Il est bien établi que la Constitution doit être interprétée de manière progressiste, de sorte qu'elle s'adapte à l'évolution de la société[198]. D'ailleurs, la Cour a souvent rejeté la thèse selon laquelle la Constitution devrait être interprétée de manière statique:

> Le raisonnement fondé sur l'existence de «concepts figés» va à l'encontre de l'un des principes les plus fondamentaux d'interprétation de la Constitution canadienne: notre Constitution est un arbre vivant qui, grâce à une interprétation progressiste, s'adapte et répond aux réalités de la vie moderne[199].

---

196. Voir: *Sobeys Stores Ltd. c. Yeomans et Labour Standards Tribunal (N.-É.)*, [1989] 1 R.C.S. 238 à la p. 263 [*Sobeys*]. Voir aussi: Léonid Sirota et Benjamin Oliphant, «Originalist Reasoning in Canadian Constitutional Jurisprudence» (2017) 50:2 *U.B.C. L. Rev.* 505 aux p. 531-533.

197. En comparaison, avant d'être modifié par le Parlement impérial en 1875, l'article 18 de la *Loi constitutionnelle de 1867*, *supra* note 7, prévoyait explicitement que les privilèges de la Chambre des communes et du Sénat canadiens ne pouvaient excéder les privilèges que la Chambre des communes britannique possédait et exerçait en 1867.

198. Cette doctrine a notamment été utilisée pour reconnaître le droit des femmes d'être nommées au Sénat. Voir: *Edwards v. Canada (Attorney General)* (1929), [1930] A.C. 124 à la p. 136. Elle a également été utilisée pour confirmer le droit des couples de même sexe de contracter un mariage civil. Voir: *Renvoi relatif au mariage entre personnes du même sexe*, 2004 CSC 79, [2004] 3 R.C.S. 698 aux para. 22-29.

199. *Ibid.* au para. 22. La doctrine de l'arbre vivant a aussi été appliquée dans le contexte du partage des compétences entre le Parlement et les législatures provinciales. Voir: *Renvoi relatif à la Loi sur l'assurance-emploi (Can.), art. 22 et 23*, 2005 CSC 56, [2005] 2 R.C.S. 669 au para. 9.

Avec l'expansion des activités de l'État et l'essor des instruments relatifs aux droits de la personne comme la *Charte*, le rôle des cours supérieures a considérablement évolué depuis 1867. Pourquoi alors leur compétence et leurs pouvoirs fondamentaux devraient-ils rester les mêmes ? Le professeur Kent Roach souligne à bon droit que l'approche préconisée par la Cour suprême du Canada pour interpréter l'article 96 a pour effet de transformer d'importantes questions relatives à la séparation des pouvoirs en questions historiques étroites : dans ce contexte, [TRADUCTION] « [l'article] 96 semble n'être qu'un dispositif faible pour protéger la séparation des pouvoir[200] ». En quoi consisterait une interprétation progressiste de l'article 96 ? Il s'agirait de poser une question clé : la compétence ou le pouvoir est-il « [essentiel] » à l'administration de la justice et au maintien de la primauté du droit[201] ? » Il sera démontré que le pouvoir des cours supérieures de contrôler l'admissibilité de la preuve – et de rejeter les revendications d'IIP – est, et a toujours été, essentiel, que la question fasse l'objet d'un examen à la lumière de la réalité de 1867 ou à celle d'aujourd'hui.

2.2.1.2 *Le pouvoir historique des tribunaux en matière d'IIP*

En partant de l'hypothèse que la compétence et les pouvoirs fondamentaux des cours supérieures sont immuables, il faut se demander si, en 1867, elles avaient le pouvoir de rejeter les revendications d'IIP. Dans l'arrêt *Babcock*, la Cour suprême du Canada a conclu par la négative, mais deux failles entachent son raisonnement : elle a mal qualifié la question et elle a confondu l'immunité de la Couronne et le privilège de la Couronne. Premièrement, la Cour s'est demandé si, en 1867, les cours supérieures avaient « le pouvoir d'ordonner la production des renseignements confidentiels

---

200. Kent Roach, « "Constitutional Chicken": National Security Confidentiality and Terrorism Prosecutions after *R. v. Ahmad* » (2011) 54 *S.C.L.R.* (2ᵉ) 357 à la p. 383.

201. *MacMillan Bloedel*, *supra* note 175 au para. 38. Un critère de « nécessité » similaire est utilisé pour identifier les privilèges de la Chambre des communes et du Sénat. Voir : *Canada (Chambre des communes) c. Vaid*, 2005 CSC 30, [2005] 1 R.C.S. 667 aux para. 41-46.

du Cabinet[202] ». La qualification du pouvoir dont on cherche à démontrer l'existence devrait certes être étroite[203], elle ne devrait toutefois pas l'être au point de rendre l'examen inutile. Puisque le système organisé des documents du Cabinet actuellement en place n'existait pas en 1867[204] et que la question de leur production n'a pas été soulevée à l'époque, il est inutile de se demander si les cours supérieures pouvaient alors ordonner la production de « renseignements confidentiels du Cabinet ». Il faut plutôt « rechercher une compétence analogue et non tout à fait identique » et se concentrer sur le « type de litige » dont le tribunal est saisi[205]. Dans l'affaire *Babcock*, le type de litige concernait la production de « documents gouvernementaux » dans le cadre de procédures civiles : la catégorie précise des documents en cause était sans importance aux fins de la qualification du litige. Deuxièmement, la Cour a déclaré que, en 1867, « aucun tribunal n'avait compétence pour connaître d'une action contre le Souverain »[206]. C'est vrai, mais ce n'est pas pertinent. Les doctrines de l'immunité de la Couronne et du privilège de la Couronne ne sont pas une seule et même doctrine. Même si personne ne pouvait poursuivre le gouvernement sans son consentement, en application de la doctrine de l'immunité de la Couronne, les tribunaux pouvaient malgré tout ordonner la production de renseignements gouvernementaux dans les instances où ils avaient compétence, que le gouvernement y ait été ou non partie[207]. Les plaideurs pouvaient citer des officiers publics à

---

202. *Babcock*, CSC, *supra* note 3 au para. 60. De manière analogue, la Cour d'appel fédérale a dénaturé la question en litige dans l'arrêt *Singh*, *supra* note 3 au para. 42, lorsqu'elle a affirmé que « [la] délivrance des attestations dont [il] s'agit ne peut être [...] qualifiée de fonction traditionnelle et nécessaire d'une cour supérieure telle qu'elle était envisagée en 1867 ». Il va de soi que les cours supérieures n'ont jamais eu pour fonction de revendiquer l'immunité du Cabinet au nom du gouvernement. Leur fonction consistait plutôt à décider si une telle revendication devait être maintenue ou non en tenant compte des aspects divergents de l'intérêt public.

203. Voir : *Sobeys*, *supra* note 196 à la p. 254.

204. Le système organisé des dossiers du Cabinet a été mis sur pied à la suite de l'établissement des secrétariats du Cabinet au Royaume-Uni, en 1916, et au Canada, en 1940. Voir le chapitre 1, *supra*, section 1.2.

205. *Sobeys*, *supra* note 196 à la p. 255.

206. *Babcock*, CSC, *supra* note 3 au para. 60.

207. Avant l'adoption de la *Crown Proceedings Act, 1947* (R.-U.), 10 & 11 Geo. VI, c. 44, le gouvernement ne pouvait pas être poursuivi devant les tribunaux. Afin d'intenter une procédure judiciaire contre le gouvernement, un justiciable devait d'abord

comparaître au procès pour les contraindre à témoigner et à produire des documents. Dans de tels cas, le droit du gouvernement de s'opposer à la divulgation de renseignements gouvernementaux pour des considérations d'intérêt public n'était pas une question d'immunité de la Couronne, mais une question de privilège de la Couronne ou d'IIP.

La jurisprudence et la doctrine pertinentes n'étayent pas la position adoptée par la Cour suprême du Canada dans l'arrêt *Babcock*[208]. Elles soutiennent plutôt la position selon laquelle, en droit, les tribunaux ont historiquement détenu le pouvoir d'examiner les documents gouvernementaux et d'en ordonner la production; par contre, en pratique, ils ont été réticents à exercer ce pouvoir[209]. *Beatson v. Skene*[210] est l'arrêt anglais antérieur à 1867 le plus pertinent à cet égard. En effet, dans cette cause, la Cour de l'échiquier s'est penchée sur la validité d'une revendication d'IIP relative à la production de documents dans le contexte d'une poursuite en diffamation. Tout en accueillant la revendication, le juge en chef Pollock a convenu au nom des juges majoritaires que [TRADUCTION] «l'on peut envisager des cas où la question serait à ce point limpide que le juge pourrait exiger [la production d'un document] en dépit des scrupules [que certains officiers publics éprouveraient à cet égard]»; il a cependant précisé que les juges devraient agir ainsi uniquement dans des «cas extrêmes»[211]. En

---

obtenir son consentement par l'intermédiaire d'une pétition de droit. Lorsque l'immunité de la Couronne a été abolie en 1947, le droit du gouvernement de s'opposer à la divulgation de documents gouvernementaux dans l'intérêt public (le privilège de la Couronne) a été explicitement maintenu (*ibid.*, art. 28). Voir: T.G. Cooper, *Crown Privilege*, Aurora (Ontario), Canada Law Book, 1990 aux p. 8-16.

208. Avant l'arrêt de la Chambre des lords dans l'affaire *Duncan*, UKHL, *supra* note 97, la jurisprudence n'était pas cohérente quant au pouvoir des juges de rejeter une revendication d'IIP. Voir: Linstead, «Crown Privilege: Part 1», *supra* note 178 à la p. 98; Louise McIsaac, Laura Campbell et Paul Lordon, «Crown Information Law» dans Paul Lordon, dir., *Crown Law*, Toronto, Butterworths, 1991, 513 à la p. 516.

209. Voir: D.H. Clark, «Administrative Control of Judicial Action: The Authority of *Duncan v. Cammell Laird*» (1967) 30:5 *Mod. L. Rev.* 489 aux p. 500-501 [Clark, «Administrative Control»].

210. *Beatson v. Skene* (1860), 157 E.R. 1415 [*Beatson*]. Avant l'arrêt *Beatson*, la jurisprudence n'avait pas directement tranché cette question. Voir: Linstead, «Crown Privilege: Part 1», *supra* note 178 à la p. 93.

211. *Beatson*, *supra* note 210 à la p. 1422.

revanche, le juge Martin a adopté une approche plus libérale:
[TRADUCTION] « [Lorsqu'un] juge est convaincu que le document
pourrait être rendu public sans qu'il en découle une atteinte à la
fonction publique, il devrait en ordonner la production, quelle que
soit la réticence des [officiers publics] à cet égard[212]. » En définitive,
la différence entre ces deux approches n'en était une que de degré,
puisque les magistrats convenaient que, dans certains cas, les tribunaux pouvaient rejeter les revendications d'IIP. L'arrêt *Beatson*
a été appliqué par la Cour du Banc de la Reine – dans ce qui était
alors le Canada-Est – dans l'affaire *Gugy v. Maguire*, la seule décision canadienne pertinente antérieure à 1867[213]. Dans cette cause,
les juges majoritaires ont accueilli une revendication d'IIP dans le
contexte d'une poursuite en diffamation. Ce faisant, ils n'ont pas
écarté explicitement la possibilité qu'une revendication d'IIP soit
rejetée dans des cas extrêmes; toutefois, selon eux, l'affaire *Gugy*
n'était pas l'un de ces cas. Le juge Mondelet, dissident, était d'avis
de rejeter la revendication. Puisqu'une copie du document avait été
rendue publique, il ne voyait pas comment sa production nuirait
à l'intérêt public[214]. À son avis, l'affaire *Gugy* était précisément le
type de cause qui justifiait une intervention judiciaire.

Avant que la décision de la Chambre des lords ne soit rendue
dans l'arrêt *Duncan*, la jurisprudence et la doctrine anglaises soutenaient la thèse selon laquelle les tribunaux détenaient le pouvoir inhérent de rejeter les revendications d'IIP. En 1888, la Haute
Cour a affirmé son pouvoir d'examiner, en privé, les documents
visés par une revendication d'IIP, de manière à vérifier si c'était
bel et bien l'intérêt public qui avait motivé la présentation de la
revendication. Elle n'a toutefois pas exercé ce pouvoir[215]. En 1916,
la Cour d'appel anglaise a confirmé la décision d'un juge qui avait
exercé, avant d'accueillir une revendication, le pouvoir d'examiner

---

212. *Ibid.*
213. *Gugy v. Maguire* (1863), 13 L.C.R. 33 aux p. 49-51 (juge Aylwin), 51-65 (juge Meredith).
214. *Ibid.* aux p. 38-39, 45-48.
215. Voir: *Hennessy v. Wright* (1888), 21 Q.B.D. 509 à la p. 515.

les documents qu'un plaideur cherchait à faire produire[216]. En 1931, le Comité judiciaire du Conseil privé a confirmé que la Cour suprême de l'Australie-Méridionale, une cour supérieure, avait le pouvoir « inhérent » d'examiner des documents gouvernementaux et d'en ordonner la production en dépit de l'opposition du gouvernement[217]. Cette décision a ouvert la voie à la communication de nombreux documents aux demandeurs. En 1933, la Haute Cour a rejeté une revendication d'IIP après avoir examiné les documents et conclu que leur production ne nuirait pas à l'intérêt public[218]. L'état du droit en 1941 a été résumé par lord MacKinnon de la façon suivante : [TRADUCTION] « en théorie, la Cour a le droit d'examiner les documents, en dépit de la revendication présentée par le ministre, pour être en mesure de se faire sa propre idée concernant la validité de la revendication ; toutefois, selon la pratique de la Cour, ce pouvoir ne sera que rarement exercé[219] ». Cet aperçu de l'historique de la question illustre qu'avant l'arrêt *Duncan*, [TRADUCTION] « le pouvoir judiciaire [était] l'arbitre ultime de l'intérêt public[220] ». En 1942, la Chambre des lords n'a pas suivi ces précédents et a décidé que les tribunaux étaient tenus de faire droit aux revendications d'IIP qui respectaient les exigences de forme. Cependant, elle a atténué sa position en déclarant que ces revendications n'étaient décisives que dans les affaires civiles, et non dans les affaires pénales. En outre, elle a souligné que [TRADUCTION] « le juge est maître du procès et non l'exécutif » et que, par conséquent, « la décision d'écarter de tels documents relève du juge »[221]. Ainsi, même dans cette cause, la Chambre des lords n'a pas totalement écarté le pouvoir des tribunaux de rejeter les revendications d'IIP.

L'arrêt *Duncan* n'a pas été suivi par les plus hautes instances de l'Australie, de la Nouvelle-Zélande et du Canada[222]. Le plus haut

---

216. Voir : *Asiatic Petroleum Co. Ltd. v. Anglo-Persian Oil Co. Ltd.*, [1916] 1 K.B. 822 (C.A.).

217. Voir : *Robinson, supra* note 156 aux p. 716-717, 722-723.

218. Voir : *Spigelman v. Hocken* (1933), 150 *Law Times Reports* 256 à la p. 262 (K.B.).

219. *Duncan v. Cammell, Laird & Co.*, [1941] 1 K.B. 640 à la p. 644 (C.A.).

220. Clark, « Administrative Control », *supra* note 209 à la p. 504.

221. *Duncan*, UKHL, *supra* note 97 à la p. 642.

222. Voir le chapitre 2, *supra*, section 1.1.2.2.

tribunal canadien a établi que les revendications d'IIP peuvent être rejetées tant dans les affaires pénales[223] que dans les affaires civiles[224]. Dans une cause issue de l'Écosse, lord Radcliffe a affirmé qu'il serait [TRADUCTION] «vraiment regrettable» que les tribunaux «abdiquent [...] un droit de contrôle que leurs prédécesseurs des siècles antérieurs ont insisté pour faire valoir»[225]. L'arrêt *Duncan* a été critiqué par la Cour d'appel anglaise en 1964[226], avant d'être infirmé par la Chambre des lords dans l'arrêt *Conway v. Rimmer*. Dans cette cause, les magistrats n'ont pas prétendu créer un nouveau pouvoir judiciaire pour rejeter les revendications d'IIP; ils ont plutôt rétabli un pouvoir reconnu depuis longtemps qui avait été indûment restreint. Au sujet de la doctrine de l'IIP, lord Upjohn a précisé qu'il était temps que le pouvoir judiciaire [TRADUCTION] «reprenne le contrôle de l'ensemble de ce domaine du droit[227]». Le professeur D.H. Clark a noté que l'arrêt *Conway* [TRADUCTION] «a redonné au judiciaire [...] son pouvoir résiduel inhérent [...] de rejeter une opposition formellement irréprochable présentée au nom [du gouvernement] pour des considérations d'intérêt public, à la divulgation de preuves documentaires ou orales dans le cadre de litiges[228]». Par la suite, lorsque les tribunaux ont été saisis de la question de la production de documents du Cabinet dans la foulée de l'arrêt *Conway*, ils ont jugé qu'ils avaient le pouvoir d'examiner ces documents et d'en ordonner la production[229]. La position selon laquelle les tribunaux canadiens n'avaient pas le pouvoir d'ordonner la production de documents gouvernementaux, quelle que soit leur nature, avant ou après 1867, n'est donc pas étayée par ces précédents. Le fait que les tribunaux aient été traditionnellement

---

223. Voir: *R. v. Snider*, [1954] S.C.R. 479 [*Snider*].

224. Voir: *Gagnon c. Commission des valeurs mobilières du Québec*, [1965] R.C.S. 73.

225. *Glasgow Corporation v. Central Land Board* (1955), [1956] Sess. Cas. 1 à la p. 19.

226. Voir: *Re Grosvenor Hotel, London (No. 2)*, [1965] 1 Ch. 1210 aux p. 1245-1246 (C.A.) [*Grosvenor Hotel*].

227. *Conway*, *supra* note 99 à la p. 994.

228. D.H. Clark, «The Last Word on the Last Word» (1969) 32:2 *Mod. L. Rev.* 142 à la p. 142.

229. Voir: *Sankey v. Whitlam*, [1978] H.C.A. 43, 142 C.L.R. 1 aux p. 41-42, 63-64, 96 [*Whitlam*] (Australie); *Burmah Oil*, *supra* note 100 aux p. 1113, 1134, 1144 (Angleterre); *Fletcher Timber*, *supra* note 102 aux p. 296-297, 303, 306-307 (Nouvelle-Zélande); *Carey*, *supra* note 2 à la p. 670 (Canada).

réticents à exercer ce pouvoir et à rejeter les revendications d'IIP, en pratique, ne les dépouillait pas de ce pouvoir, en droit.

2.2.1.3 *La nature constitutionnelle du pouvoir des tribunaux en matière d'IIP*

La question centrale est celle de savoir si le pouvoir de contrôler l'admissibilité de la preuve, y compris celui de rejeter les revendications d'IIP, est « [essentiel] à l'administration de la justice et au maintien de la primauté du droit[230] ». La jurisprudence à cet égard n'est pas constante. Tel que mentionné précédemment, dans l'arrêt *Carey*, la Cour suprême du Canada a conclu qu'il « serait incompatible avec les rapports qui, de par la Constitution, doivent exister entre le pouvoir exécutif et les tribunaux de notre pays » de priver ces derniers du pouvoir d'examiner les renseignements confidentiels du Cabinet et d'en ordonner la production[231]. Or, dans l'arrêt *Babcock*, la Cour a déclaré que l'article 39 de la *LPC*, qui prive les tribunaux précisément de ce pouvoir, « ne [nuit pas ni ne fait] obstacle sous un aspect fondamental aux rapports entre les tribunaux et les autres composantes du gouvernement[232] ». Même si l'arrêt *Carey* a été décidé en appliquant les principes de common law et l'arrêt *Babcock* en appliquant une loi, ces deux positions sont irréconciliables. Priver les juges du pouvoir d'examiner les renseignements confidentiels du Cabinet et d'en ordonner la production est soit compatible avec les rapports constitutionnels qui devraient exister entre les pouvoirs judiciaire et exécutif, soit incompatible. La common law et le droit législatif doivent tous les deux respecter l'article 96 de la *Loi constitutionnelle de 1867*. La position de la Cour dans l'arrêt *Babcock* laisse entendre que les tribunaux doivent faire preuve d'une plus grande déférence à l'égard du droit législatif, ce qui n'est pas justifié lorsqu'il est question des pouvoirs fondamentaux des cours supérieures.

Dans un article qui fait autorité, Me I.H. Jacob a affirmé qu'en [TRADUCTION] « raison de son caractère essentiel, une cour

---

230. *MacMillan Bloedel*, *supra* note 175 au para. 38.

231. *Carey*, *supra* note 2 à la p. 654.

232. *Babcock*, *supra* note 3 au para. 57.

supérieure de justice doit nécessairement être investie du pouvoir de maintenir son autorité et d'empêcher qu'on fasse obstacle à sa procédure ou qu'on en abuse[233] ». Ces pouvoirs sont l'« âme » d'une cour supérieure, car ils « lui permettent de se réaliser en tant que cour de justice »[234]. Quel est le rôle des tribunaux si ce n'est de résoudre des litiges en interprétant les lois et en les appliquant ?[235] Comme le droit ne s'applique pas dans l'abstrait, pour qu'ils s'acquittent de cette fonction, les tribunaux doivent d'abord décider quels sont les faits pertinents. Dans notre système contradictoire, il revient aux parties de présenter la preuve orale ou documentaire pertinente au tribunal. Dans le cadre d'une saine administration de la justice, toutes les preuves pertinentes devraient être mises à la disposition des parties dans le respect des règles de la preuve. Exceptionnellement, les parties en litige peuvent invoquer certains privilèges applicables à des renseignements confidentiels ou s'opposer à l'admissibilité d'éléments de preuve non fiables ou indûment préjudiciables. Toutefois, pour préserver l'intégrité du processus décisionnel, c'est le juge qui prend la décision ultime concernant la production ou l'admissibilité de la preuve[236]. Si cette responsabilité incombait aux parties, il serait dans leur intérêt d'écarter les éléments de preuve défavorables à leur cause[237]. En conséquence, les juges ne contrôleraient plus le processus décisionnel et ils ne seraient plus en mesure d'empêcher les abus, ce qui, à son tour, minerait la confiance du public envers l'administration de la justice.

Le professeur John Wigmore a décrit le pouvoir des tribunaux d'évaluer l'admissibilité de la preuve comme [TRADUCTION] « une

---

233.   I.H. Jacob, « The Inherent Jurisdiction of the Court » (1970) 23:1 *Current Leg. Probs.* 23 à la p. 27.

234.   *Ibid.*

235.   *Trial Lawyers Association, supra* note 38 aux para. 32-33.

236.   Comme l'affirme le juge Sopinka dans l'arrêt *R. c. Carosella*, [1997] 1 R.C.S. 80 au para. 56, « [dans] notre système, qui est régi par la primauté du droit, c'est aux tribunaux qu'il appartient de décider quels sont les éléments de preuve qui doivent être produits ou admis ».

237.   Voir : John Henry Wigmore, *A Treatise on the System of Evidence in Trials at Common Law Including the Statutes and Decisions of All Jurisdictions of the United States*, Boston, Little, Brown, & Co., 1904 au § 2376.

fonction judiciaire indestructible[238] ». Les règles qui empêchent les tribunaux de s'acquitter de cette fonction empiètent « sur leur compétence exclusive[239] ». Les tribunaux de dernière instance des ressorts de common law souscrivent à la position du professeur Wigmore. En 1954, le juge Rand a statué qu'il serait incompatible avec [TRADUCTION] « les concepts de base de notre régime politique » d'interdire aux juges de trancher les revendications d'IIP, puisque ce pouvoir est essentiel pour empêcher « que l'exécutif n'empiète sur l'administration de la justice »[240]. En 1964, lord Denning a déclaré que l'IIP est une question de droit constitutionnel, puisqu'elle touche à la relation qui doit exister entre les pouvoirs respectifs de l'exécutif et du judiciaire. À titre de « gardiens de la justice », a-t-il poursuivi, il est impératif que les juges aient le dernier mot sur la production de la preuve en cour[241]. Ce point de vue a été confirmé ultérieurement par la Chambre des lords[242]. En 1974, le juge en chef Burger a conclu que la doctrine du privilège de l'exécutif doit être examinée à la lumière de [TRADUCTION] « l'engagement historique [des États-Unis] envers la primauté du droit » et a rejeté la revendication du président Nixon d'un privilège absolu de l'exécutif pour le motif qu'il « porterait gravement atteinte à la fonction fondamentale des tribunaux » prévue par la Constitution des États-Unis[243]. Des décennies plus tôt, le juge en chef Vinson avait affirmé que [TRADUCTION] « [les] juges ne peuvent pas abdiquer le contrôle qu'ils exercent sur la preuve dans un litige [en abandonnant cette fonction] au caprice d'officiers publics », car cela conduirait à des « abus intolérables »[244]. Le juge en chef adjoint Gibbs et les juges Stephen et Mason de la Haute Cour d'Australie ont également conclu que les juges doivent détenir le pouvoir exclusif de décider quels éléments de preuve peuvent être

---

238. *Ibid.* au § 1353.

239. *Ibid.*

240. *Snider, supra* note 223 à la p. 485.

241. Voir: *Grosvenor Hotel, supra* note 226 aux p. 1245-1246.

242. Voir généralement: *Conway, supra* note 99.

243. *United States v. Nixon*, 418 U.S. 683 (1974) aux p. 708, 712 [*Nixon*].

244. *United States v. Reynolds*, 345 U.S. 1 (1953) aux p. 8-10.

produits dans le cadre de litiges[245]. En 1982, la juge Wilson de la Cour suprême du Canada a nié que l'exécutif pouvait « décider de sa propre immunité », puisque cette fonction « incombe exclusivement aux cours »[246]. La jurisprudence et les textes de doctrine appuient la position préconisée dans l'arrêt *Carey*. Les juges, qui ont l'ultime responsabilité d'assurer le respect de la primauté du droit, doivent également avoir l'ultime responsabilité de décider de quelle preuve ils devraient disposer pour pouvoir rendre justice[247]. Comme l'a écrit le professeur Allan Manson :

> [TRADUCTION] [Un] privilège absolu en matière de communication et de production de la preuve portera toujours atteinte à la fonction judiciaire. Si l'on accepte que la thèse selon laquelle la séparation des pouvoirs repose sur la nécessité d'assurer l'indépendance et le bon fonctionnement des différentes branches du gouvernement, il est incohérent sur le plan de la logique de soutenir que la Constitution habilite le Parlement à légiférer d'une manière qui peut, dans les cas graves, affaiblir de manière importante le pouvoir judiciaire[248].

Dans l'arrêt *Babcock*, la Cour suprême du Canada a fait fi de la sagesse de l'arrêt *Carey* et de la common law lorsqu'elle a rejeté la prétention selon laquelle l'article 39 de la *LPC* porte atteinte aux pouvoirs fondamentaux des cours supérieures. Bien que la Cour soit libre de changer d'avis, dans une culture de la justification, elle devrait à tout le moins expliquer pourquoi elle le fait. Elle devrait en effet expliquer pourquoi les précédents et les textes de doctrine précités ont erré en concluant que le pouvoir de contrôler l'admissibilité de la preuve et de rejeter les revendications d'IIP est de nature constitutionnelle. L'explication ne devrait pas se borner à la question de savoir si les cours supérieures détenaient ou non

---

245. Voir : *Whitlam, supra* note 229 aux p. 38, 58-60, 95-96.

246. *Smallwood, supra* note 102 à la p. 708.

247. Cette phrase reprend une idée exprimée par lord Woolf dans l'arrêt *R. v. Chief Constable of West Midlands Police, Ex parte Wiley*, [1994] UKHL 8, [1995] 1 A.C. 274 à la p. 296. Bien que le Parlement puisse encadrer l'immunité du Cabinet en adoptant une loi à cet effet, il doit, ce faisant, préserver le pouvoir discrétionnaire des juges d'examiner les documents du Cabinet et d'ordonner leur production lorsque l'intérêt de la justice l'emporte sur l'intérêt du bon gouvernement.

248. Allan Manson, « Questions of Privilege and Openness: Proposed Search and Seizure Reforms » (1984) 29:4 *R.D. McGill* 651 à la p. 697.

ce pouvoir en 1867 ; elle devrait porter sur la question de fond, soit celle de savoir si le pouvoir des cours supérieures de contrôler l'admissibilité de la preuve est essentiel à l'administration de la justice et au maintien de la primauté du droit. L'arrêt *Babcock* a répondu par la négative à cette question. Or, cette réponse, poussée à l'extrême de sa logique, pourrait avoir des conséquences considérables : le Parlement pourrait créer une immunité quasi absolue non seulement pour les renseignements confidentiels du Cabinet, mais pour l'ensemble des renseignements gouvernementaux, et abolir le droit d'un plaideur de contraindre l'État à lui divulguer des renseignements pertinents lors de l'enquête préalable[249]. Si le gouvernement pouvait contrôler l'accès aux éléments de preuve de cette façon, par le biais du droit législatif, la capacité des justiciables de le tenir responsable de ses actes, et par extension la primauté du droit, serait sapée. Il est troublant que la position de la Cour puisse ultimement aboutir à un résultat aussi aberrant.

2.2.2   *Les cours supérieures ne peuvent contrôler la légalité des actes de l'exécutif*

Le Parlement et les législatures provinciales ne peuvent pas totalement priver les cours supérieures de leur compétence en ce qui a trait au contrôle de la légalité des actes de l'exécutif. S'ils peuvent limiter la portée du contrôle judiciaire en recourant à des clauses privatives, ils ne peuvent cependant pas empêcher les cours supérieures de contrôler les actes de l'exécutif pour erreur de compétence[250]. Dans l'arrêt *Crevier*, la Cour suprême du Canada a statué que le contrôle judiciaire des erreurs de compétence était la « marque [...] distinctive d'une cour supérieure » et était protégé

---

249. Voir : Stephen G. Linstead, « The Law of Crown Privilege in Canada and Elsewhere : Part 2 » (1969) 3:2 *R.D. Ottawa* 449 à la p. 462. Voir aussi : *Canada (Procureur général) c. Thouin*, 2017 CSC 46, [2017] 2 R.C.S. 184.

250. Selon la Cour suprême du Canada, le concept d'« erreur de compétence » comprend « le fait d'agir de mauvaise foi, de fonder la décision sur des données étrangères à la question, d'omettre de tenir compte de facteurs pertinents, d'enfreindre les règles de la justice naturelle ou d'interpréter erronément les dispositions du texte législatif ». Voir : *Union internationale des employés des services, Local no. 333 c. Nipawin District Staff Nurses Association*, [1975] 1 R.C.S. 382 à la p. 389.

par l'article 96 de la *Loi constitutionnelle de 1867*[251]. La primauté du droit est maintenue en assurant que les cours supérieures ont le dernier mot sur les questions de compétence[252] et que les justiciables disposent de recours efficaces pour se protéger contre les actes illégaux de l'exécutif. Si l'article 39 de la *LPC* était interprété de telle sorte qu'il exclut totalement le contrôle judiciaire, il serait clairement inconstitutionnel. Dans l'arrêt *Babcock*, la Cour a jugé que tel n'était pas l'effet de l'article 39. Même si cette disposition peut être perçue comme une clause privative «draconienne», selon la Cour, elle n'empêche pas le contrôle judiciaire pour erreur de compétence[253]. Les juges peuvent examiner les revendications d'immunité du Cabinet pour déterminer si les documents décrits dans l'attestation sont visés à l'article 39 et si l'attestation a été délivrée de bonne foi[254]. Comme les juges ne peuvent pas examiner les documents, toute contestation des revendications d'IIP doit être fondée sur les renseignements fournis dans l'attestation ou sur des éléments de preuve extrinsèques. Même si «ces restrictions peuvent, dans les faits, rendre difficile l'annulation de l'attestation délivrée en application de l'art. 39[255]», cette disposition n'a pas, selon la Cour, «modifié fondamentalement le rôle de la magistrature par rapport aux fonctions qu'elle exerçait sous le régime de la common law[256]».

La question en suspens consiste à avoir si l'article 39 de la *LPC*, comme il a été interprété par la Cour suprême du Canada dans l'arrêt *Babcock*, permet réellement aux cours supérieures d'examiner les revendications d'immunité du Cabinet pour erreur de

---

251. *Crevier, supra* note 86 à la p. 237. Voir aussi: *MacMillan Bloedel, supra* note 175 au para. 35; *Cooper c. Canada (Commission des droits de la personne)*, [1996] 3 R.C.S. 854 au para. 11; *Dunsmuir, supra* note 71 aux para. 31, 52; W.R. Lederman, «The Independence of the Judiciary» (1956) 34:10 *R. du B. can.* 1139 à la p. 1174.

252. Voir: *Dunsmuir, supra* note 71 au para. 30.

253. Selon la Cour suprême du Canada, «il est possible de contester l'attestation délivrée par le greffier ou le ministre en application du par. 39(1) lorsque les renseignements à l'égard desquels l'immunité est invoquée ne relèvent pas à leur face même du par. 39(1), ou lorsqu'il peut être démontré que le greffier ou le ministre ont exercé de façon irrégulière le pouvoir discrétionnaire que le par. 39(1) leur confère». Voir: *Babcock*, CSC, *supra* note 3 au para. 39.

254. *Ibid.* aux para. 39, 60.

255. *Ibid.* au para. 40.

256. *Ibid.* au para. 60.

compétence. Autrement dit, permet-il un véritable contrôle judiciaire des actes de l'exécutif, comme l'exigent le principe de la conformité, la théorie du droit comme culture de la justification et la Constitution canadienne? Il sera démontré que, contrairement à ce que soutient la Cour, ce n'est pas le cas. D'emblée, il importe de souligner que la délivrance d'une attestation en vertu de l'article 39 ne constitue pas uniquement une question de fait, comme la Cour d'appel fédérale l'a déclaré dans l'arrêt *Singh*[257]. La délivrance d'une attestation repose sur une analyse de questions mixtes de fait et de droit. Le décideur doit d'abord examiner les documents pour évaluer s'ils contiennent bel et bien des «renseignements confidentiels du Cabinet» au sens du paragraphe 39(2), ce qui consiste partiellement en un exercice d'interprétation législative. Il doit ensuite soupeser et mettre en balance les aspects divergents de l'intérêt public de manière à évaluer si les documents devraient être exclus. Cela suppose qu'il procède à une analyse du degré de pertinence des documents et du degré de préjudice que pourrait causer leur production[258]. Les sous-sections qui suivent visent à démontrer que les cours supérieures ne sont toutefois pas en mesure d'examiner si l'immunité du Cabinet a été revendiquée de façon erronée ou abusive lorsqu'elles n'ont pas accès aux documents et aux raisons pour lesquelles ils devraient être protégés.

2.2.2.1 *Le contrôle judiciaire des erreurs de l'exécutif*

Il y a trois types d'erreurs de bonne foi que le décideur administratif peut commettre lorsqu'il délivre une attestation en vertu de l'article 39 de la *LPC*.

Tout d'abord, le ministre ou le greffier peut revendiquer l'immunité pour des documents qui ne contiennent pas de «renseignements confidentiels du Cabinet» au sens du paragraphe 39(2) parce que: (1) ces documents n'ont pas un lien suffisamment étroit avec le processus décisionnel collectif; ou (2) les renseignements qu'ils contiennent ont déjà été rendus publics. Ce premier problème

---

257. *Singh*, *supra* note 3 aux para. 29, 40-41, 43.

258. Le degré de pertinence dépend de la valeur probante et de l'importance de l'information. En comparaison, le degré de préjudice dépend de la sensibilité de l'information et du moment de sa production.

découle du fait que le paragraphe 39(2) ne dresse pas une liste exhaustive des documents qui contiennent des renseignements confidentiels du Cabinet. En outre, la liste qui s'y trouve est très large : elle ne se limite pas aux documents officiels du Cabinet ; elle comprend des documents des ministères qui ont un lien ténu avec le processus décisionnel collectif[259]. En ce qui a trait aux documents des ministères, les descriptions fournies (soit la date, le titre, l'auteur et le destinataire) peuvent ne pas suffire pour établir clairement, à la face même de l'attestation, que les documents contiennent des renseignements confidentiels du Cabinet. Il s'agit d'un problème sérieux, étant donné qu'un nombre croissant de documents exclus par le gouvernement en invoquant l'immunité du Cabinet sont des documents des ministères comme des courriels, des notes de breffage et des présentations PowerPoint[260]. Le deuxième problème concerne la confidentialité des renseignements. Si ces derniers ont été rendus publics, ils ne peuvent plus être protégés en application de l'article 39. Le gouvernement présente néanmoins parfois des revendications d'immunité pour des documents dont le contenu a déjà été rendu public[261]. Or, les juges ne peuvent pas savoir si les renseignements contenus dans les documents visés par une attestation sont véritablement confidentiels sans les examiner.

Ensuite, le ministre ou le greffier peut revendiquer l'immunité même si l'intérêt public exige que les documents soient produits dans les circonstances particulières de la cause. Le processus qui consiste à soupeser et à mettre en balance les aspects divergents de l'intérêt public est une étape fondamentale de l'analyse. S'ils n'ont pas accès aux justifications relatives à « l'intérêt public » qui

---

259. Pour des exemples de situations où l'immunité du Cabinet a été revendiquée de manière inappropriée, voir : Ken Rubin, *Access to Cabinet Confidences: Some Experiences and Proposals to Restrict Cabinet Confidentiality Claims*, Ottawa, Ken Rubin, 1986 aux p. 59-64. Ces exemples portent sur l'application de l'article 69 de la *Loi sur l'accès à l'information*, L.R.C. 1985, c. A-1 [*LAI*], reproduit en annexe, qui utilise, en pratique, la même définition de l'expression « renseignements confidentiels du Cabinet » que l'article 39 de la *LPC*, 1985, *supra* note 5.

260. Voir : Yan Campagnolo, « Cabinet documents should be under the scope of the ATIA », *The Hill Times* (6 juin 2016) à la p. 15.

261. Voir : *Pelletier, supra* note 160 aux para. 22-26.

sous-tendent les revendications d'immunité du Cabinet, les juges ne sont pas en mesure de savoir si le décideur a raisonnablement évalué l'intérêt public. Le décideur pourrait avoir sous-estimé le degré de pertinence des documents ou avoir surestimé le degré de préjudice que pourrait entraîner leur production.

Enfin, le ministre ou le greffier peut avoir mal appliqué l'«exception relative aux documents de travail[262]». Compte tenu des changements apportés au système de dossiers du Cabinet, aucun document de travail n'a été divulgué de 1984 à 2003. Cette exception a été ravivée à la suite de l'intervention du commissaire à l'information du Canada et d'un jugement de la Cour d'appel fédérale[263]. Toutefois, en 2012, de nouveaux changements dans le système de dossiers du Cabinet ont eu pour effet de restreindre considérablement la portée de cette exception[264]. En pratique, son application dépend d'un examen minutieux des documents afin de déterminer s'ils contiennent «un ensemble [organisé] de mots destinés à présenter des problèmes, des analyses ou des options politiques à l'examen du [Cabinet]» pour lui permettre de prendre des décisions[265]. Tout extrait d'un document qui correspond à cette définition doit être divulgué dans les cas où les décisions auxquelles il se rapporte ont été rendues publiques ou, à défaut de publicité, ont été prises au moins quatre ans auparavant[266]. Cela dit, personne ne peut déterminer si cette exception s'applique, à la lumière de la description des documents, sans les lire. Dépourvus du pou-

---

262. Les documents de travail sont des documents destinés à présenter des problèmes, des analyses ou des options politiques à l'examen du Cabinet pour fins de décision. En vertu de l'alinéa 39(4)b) de la *LPC*, 1985, *supra* note 5, les documents de travail ne sont plus sujets à l'immunité du Cabinet lorsque les décisions auxquelles ils se rapportent ont été rendues publiques ou, si ce n'est pas le cas, lorsqu'au moins quatre ans se sont écoulés depuis que les décisions ont été prises. Cette exception à l'immunité du Cabinet est connue sous le nom d'«exception relative aux documents de travail». La même exception se trouve dans la *LAI*. Voir: *LAI*, *supra* note 259, art. 69(1)b), 69(3)b). Voir aussi le chapitre 3, *supra*, section 2.1.2.2.

263. Voir: *Canada (Commissaire à l'information) c. Canada (Ministre de l'Environnement)*, 2003 CAF 68 aux para. 23-26 [*Ethyl*].

264. Voir: Ken Rubin, «Harper's Cabinet need not have any background facts, reinforces greater Cabinet secrecy», *The Hill Times* (14 avril 2014) à la p. 15 [Rubin, «Greater Cabinet Secrecy»]. Voir aussi le chapitre 3, *supra*, section 2.1.2.2.

265. *Ethyl*, *supra* note 263 au para. 27.

266. Voir: *LPC*, 1985, *supra* note 5, art. 39(4)b).

voir d'examen, les juges ne peuvent pas savoir si les documents énumérés dans les attestations visées à l'article 39 sont assujettis à l'exception relative aux documents de travail. Cela est troublant, puisque le gouvernement a souvent contourné et mal appliqué cette exception dans le passé[267].

2.2.2.2 Le contrôle judiciaire des abus de pouvoir commis par l'exécutif

Le ministre ou le greffier peut aussi revendiquer l'immunité du Cabinet de façon abusive, c'est-à-dire pour entraver une enquête publique ou obtenir un avantage tactique dans un litige[268]. L'histoire regorge d'exemples de situations où l'IIP a ainsi été utilisée à mauvais escient[269]. La mauvaise foi est rarement apparente à la face même de l'attestation, puisque le décideur peut faire une présentation erronée de la nature des documents et de l'issue de l'évaluation de l'intérêt public[270]. La mauvaise foi est généralement révélée par des éléments de preuve extrinsèques ou par un examen judiciaire des documents. La première de ces méthodes pose problème, puisque les preuves extrinsèques de mauvaise foi sont très difficiles à obtenir. Elle suppose que survienne l'un des trois scénarios suivants. Premièrement, le décideur peut révéler publiquement les véritables motifs qui sous-tendent sa décision, sans se rendre compte de leur caractère inapproprié[271]. Deuxièmement, un lanceur d'alerte peut révéler les véritables motifs qui sous-tendent la

---

267. Voir: *Ethyl*, *supra* note 263 aux para. 23-26; Rubin, « Greater Cabinet Secrecy », *supra* note 264. Voir aussi le chapitre 3, *supra*, section 2.1.2.2.

268. Voir: *Babcock*, CSC, *supra* note 3 au para. 25.

269. Par exemple, dans les arrêts *Robinson*, *supra* note 156 et *Ellis*, *supra* note 98, des officiers publics ont revendiqué l'IIP afin d'éviter que le gouvernement ne soit tenu responsable dans le cadre de procédures civiles. De manière analogue, dans les arrêts *Nixon*, *supra* note 243 et *Whitlam*, *supra* note 229, des officiers publics ont revendiqué l'IIP pour entraver des procédures pénales.

270. Voir: Marc-André Boucher, « L'évolution de la primauté du droit comme principe constitutionnel et sa relation avec le pouvoir exécutif en matière de renseignements confidentiels » (2002) 32:4 *R.G.D.* 909 aux p. 961, 975.

271. Voir, par exemple, l'arrêt *Roncarelli*, *supra* note 11 aux p. 133-137, où le premier ministre Duplessis a admis avoir révoqué le permis d'alcool de M. Roncarelli en raison de l'aide qu'il a prodiguée aux Témoins de Jéhovah. De manière analogue, dans l'arrêt *Conway*, *supra* note 99 aux p. 942-943, le procureur général a admis que l'IIP était parfois revendiquée pour empêcher que des officiers publics ne soient tenus responsables dans le cadre de procédures civiles.

décision[272]. Troisièmement, un organisme externe doté d'un pouvoir de contrainte pourrait faire enquête et conclure que le gouvernement a utilisé l'IIP de façon inappropriée[273]. Ces scénarios reposent toutefois tous sur un élément de chance. Techniquement, le plaideur ne peut contre-interroger le décideur pour chercher à connaître ses motifs parce que l'attestation n'est pas un affidavit[274]. Ainsi, le seul moyen efficace de garantir que l'immunité du Cabinet est systématiquement revendiquée de bonne foi, en conformité avec la théorie du droit comme culture de la justification, est la seconde méthode, soit de permettre aux juges d'examiner les documents pour qu'ils puissent confirmer que ces derniers contiennent des renseignements confidentiels du Cabinet devant être exclus dans l'intérêt public.

2.2.2.3 L'immunité du Cabinet : un trou noir juridique

Comme l'interprétation et l'application de l'article 39 de la *LPC* relèvent presque exclusivement du gouvernement, l'immunité risque d'être revendiquée de manière excessive[275]. Les dangers de l'interprétation décisive de la loi par l'exécutif sont bien documentés[276]. Les décideurs sont souvent soumis à des pressions subtiles de la part de leurs supérieurs politiques, qui exercent un contrôle sur eux. Ainsi, l'analyse juridique à l'origine de leurs décisions peut être intéressée ou erronée. Les décideurs peuvent en définitive outrepasser leur compétence, ce qui, sans véritable contrôle judiciaire, se mue en conduite illégale indétectable. Le contrôle de

---

272. Toutefois, les tribunaux condamnent habituellement les divulgations non autorisées de renseignements confidentiels du Cabinet par des fonctionnaires. Voir : *Ontario (Attorney General) v. Gowling & Henderson* (1984), 47 O.R. (2e) 449 à la p. 463 (H.C.) ; *Bruyere v. Canada*, [2004] F.C.J. No. 2194 au para. 9 (C.F.).

273. Voir, par exemple : *Ethyl, supra* note 263.

274. Voir : Peter W. Hogg, Patrick J. Monahan et Wade K. Wright, *Liability of the Crown*, 4e éd., Toronto, Carswell, 2011 à la p. 135.

275. De même, il existe des éléments de preuve étayant la thèse selon laquelle le gouvernement tend « à exagérer les réclamations de confidentialité fondées sur la sécurité nationale ». Voir : *Canada (Ministre de la Citoyenneté et Immigration) c. Harkat*, 2014 CSC 37, [2014] 2 R.C.S. 33 au para. 63.

276. Voir généralement : Jack Goldsmith, « The Irrelevance of Prerogative Power, and the Evils of Secret Legal Interpretation » dans Clement Fatovic et Benjamin A. Kleinerman, dir., *Extra-Legal Power and Legitimacy: Perspectives on Prerogative*, New York, Oxford University Press, 2013, 214.

l'interprétation de la loi par l'exécutif requiert un degré de transparence, de justification et d'intelligibilité qu'interdit l'article 39.
Habituellement, lorsque les juges se penchent sur la légalité de
décisions administratives, ils ont accès aux dossiers des tribunaux
administratifs ainsi qu'aux motifs de leurs décisions. Ce n'est toutefois pas le cas lorsqu'il est question de l'article 39. Contrairement
à la position exprimée par la Cour suprême du Canada dans l'arrêt
Commission des droits de la personne, le problème découle de la
conception de la loi et non uniquement de la façon dont elle est
appliquée[277]. L'article 39 dissimule des actes possiblement illégaux
de l'exécutif en aveuglant les juges. En interdisant à ces derniers
d'examiner les documents, l'article 39 empêche l'application du
principe de la conformité. Privés de l'éclairage qui leur permettrait
de détecter les conduites illégales, les juges sont mal équipés pour
faire respecter la primauté du droit. Un juge n'est pas en mesure
de confirmer si une revendication d'IIP est valide ou non sans
examiner les documents en cause, à l'instar de l'inspecteur d'une
maison qui ne peut confirmer que cette dernière est exempte de
vices cachés sans y entrer. Lire une attestation équivaut à regarder
la façade d'une maison : c'est un piètre moyen d'en évaluer la véritable qualité.

En adoptant l'article 39 de la *LPC*, le Parlement a créé un trou
noir juridique[278], c'est-à-dire une zone qui n'est pas soumise aux
exigences de la primauté du droit. Pour dire les choses crûment, il
a pris « le risque d'abus de pouvoir qui échapperaient au contrôle
judiciaire[279] ». La Cour suprême du Canada aurait dû statuer que
la Constitution ne confère pas au Parlement le pouvoir de créer
de tels trous noirs. L'article 96 de la *Loi constitutionnelle de 1867*
ne lui permet pas de retirer aux cours supérieures la compétence
fondamentale de contrôler les actes de l'exécutif pour erreur de

---

277. *Commission des droits de la personne*, CSC, *supra* note 3 aux p. 228-229. Voir aussi :
   Little Sisters Book and Art Emporium c. Canada (Ministre de la Justice), 2000 CSC
   69, [2000] 2 R.C.S. 1120 aux para. 203-213 (juge Iacobucci, dissident en partie).

278. Pour une discussion des trous noirs juridiques, voir : Dyzenhaus, *Constitution of
   Law*, *supra* note 39 aux p. 3, 42, 50.

279. *Commission des droits de la personne*, CSC, *supra* note 3 aux p. 225-226, citant
   Commission des droits de la personne, CAQ, *supra* note 104 aux p. 73-74.

compétence. Malheureusement, plutôt que d'adopter ce raisonnement, la Cour a fait abstraction des défauts de l'article 39. Dans l'arrêt *Babcock*, elle a sanctionné le mythe que les juges peuvent véritablement contrôler la légalité des revendications d'immunité du Cabinet sans avoir accès aux documents en cause et à la justification de la revendication. Si tel était le cas, il n'y aurait pas de différence, sur le plan conceptuel, entre une immunité relative et une immunité quasi absolue. La Cour a nié que l'article 39 crée un trou noir juridique. Ce faisant, elle est à l'origine de quelque chose de plus dangereux qu'un trou noir juridique, c'est-à-dire un trou gris juridique. Le professeur Dyzenhaus a expliqué qu'un trou gris juridique est une zone qui semble soumise aux exigences de la primauté du droit – et qui jouit donc de la légitimité que confère ce principe – bien que, dans les faits, elle ne le soit pas véritablement[280]. L'article 39 est un trou gris juridique, dans la mesure où le gouvernement peut revendiquer l'immunité du Cabinet de manière excessive, sans que la manœuvre soit détectée, et prétendre agir conformément à la primauté du droit. Cela n'est rien de plus qu'un écran de fumée, puisque personne hors du gouvernement ne peut confirmer que l'immunité du Cabinet a été appliquée comme il se doit.

En résumé, la position adoptée par la Cour suprême du Canada dans l'arrêt *Babcock* selon laquelle l'article 39 de la *LPC* n'a pas d'incidence sur la relation qui devrait exister entre les pouvoirs exécutif et judiciaire est discutable. Premièrement, le pouvoir des cours supérieures de contrôler l'admissibilité de la preuve dans le cadre de litiges est essentiel à l'administration de la justice et au maintien de la primauté du droit. En limitant considérablement ce pouvoir, le Parlement a miné la capacité des juges d'assurer l'équité des procédures et de remédier aux abus. Deuxièmement, l'article 39 restreint indûment la compétence des cours supérieures de contrôler les actes de l'exécutif pour erreur de compétence en les empêchant d'examiner les documents visés par les attestations. Dépourvus du pouvoir d'examen, les juges ne peuvent pas évaluer si une revendication est raisonnable et a été présentée de bonne

---

280. Dyzenhaus, *Constitution of Law, supra* note 39 aux p. 3, 42, 50, 205.

foi. En plaçant l'exécutif à l'abri de tout contrôle judiciaire efficace, l'article 39 affaiblit la séparation des pouvoirs. S'il ne dispose pas des outils nécessaires pour obliger l'exécutif à rendre des comptes, un juge ne peut s'acquitter de sa responsabilité constitutionnelle de faire respecter la primauté du droit.

CONCLUSION

Le présent chapitre visait à démontrer que l'article 39 de la *LPC* enfreint le principe de la primauté du droit, de même que les dispositions de la Constitution. Pour ce faire, il a adopté, comme cadre normatif, la théorie du droit comme culture de la justification, implicite dans l'ordre juridique canadien. Cette théorie impose des contraintes significatives à l'État et, contrairement à la conception très étroite de la primauté du droit adoptée jusqu'à présent par la Cour suprême du Canada, elle met en lumière les failles de l'article 39. Ce chapitre s'est fondé sur la théorie du droit comme culture de la justification pour étoffer le principe non écrit de la primauté du droit et pour guider l'interprétation des dispositions pertinentes de la Constitution. Les arguments présentés se fondaient sur deux principes : l'équité procédurale et la séparation des pouvoirs. Le régime législatif établi par le Parlement pour régir les revendications d'immunité du Cabinet a fait l'objet d'un examen pour déterminer s'il respectait l'obligation d'équité procédurale ainsi que la compétence et les pouvoirs fondamentaux des cours supérieures. Cet examen a mené à la conclusion que l'article 39 ne respectait pas ces exigences. En conséquence, le régime législatif est non seulement incompatible avec la théorie du droit comme culture de la justification, mais il est également inconstitutionnel.

L'équité procédurale est un principe juridique fondamental, tant selon la théorie du droit comme culture de la justification que selon la common law et la Constitution[281]. Une décision gouvernementale de priver un plaideur d'éléments de preuve pertinents dans le cadre d'un litige met en péril deux aspects de l'obligation

---

281.   Voir : *Déclaration canadienne des droits, supra* note 6, art. 2e) ; *Charte, supra* note 6, art. 7, 11d).

d'équité : (1) le droit du plaideur que la question soit tranchée par un décideur indépendant et impartial ; et (2) son droit d'être informé des motifs de la décision. Premièrement, selon un principe bien établi en droit « nul ne peut être juge de sa propre cause ». Un membre de l'exécutif ne devrait donc pas être autorisé à déterminer, de manière décisive, si des éléments de preuve pertinents devraient être produits dans le cadre d'un litige auquel participe le gouvernement. En effet, une partie en litige ne devrait pas avoir le contrôle sur la durée du mandat du décideur. En outre, un membre de l'exécutif ne devrait pas trancher des questions relatives à la divulgation de renseignements s'il a participé à l'élaboration de la politique gouvernementale contestée. Ces situations soulèvent une crainte raisonnable de partialité. Deuxièmement, les revendications relatives au secret ministériel sont présentées d'une manière qui est incompatible avec un aspect important de la théorie du droit comme culture de la justification : le fardeau de la justification. À l'heure actuelle, le décideur n'est pas tenu de justifier pourquoi l'intérêt public requiert l'exclusion des renseignements confidentiels du Cabinet. Or, sans cette justification, ni le plaideur ni le juge ne peuvent déterminer si le décideur a correctement soupesé et mis en balance l'intérêt de la justice et celui du bon gouvernement. Ils ne peuvent pas évaluer si la revendication est rationnelle, proportionnelle et raisonnable. Ce manque de transparence est un obstacle à tout véritable contrôle judiciaire.

Le contrôle judiciaire est crucial pour le maintien d'une culture de la justification, de même que pour le respect de la primauté du droit au Canada[282]. L'article 39 de la *LPC* entrave le contrôle judiciaire, une fonction qui incombe aux cours supérieures en vertu de la séparation des pouvoirs, car il limite indûment leur pouvoir fondamental de contrôler l'admissibilité de la preuve et leur compétence fondamentale de contrôler la légalité des actes de l'exécutif. Premièrement, la jurisprudence et les textes de doctrine étayent la position selon laquelle le pouvoir de contrôler l'admissibilité de la preuve est essentiel à l'administration de la justice et au maintien de

---

282. Voir : *Loi constitutionnelle de 1867, supra* note 7, art. 96 ; *Crevier, supra* note 86 aux p. 234, 237-238 ; *Dunsmuir, supra* note 71 au para. 30 ; *Trial Lawyers Association, supra* note 38 aux para. 38-40.

la primauté du droit. Une situation où les parties en litige peuvent décider quels éléments de preuve sont admissibles ou non risque d'entraîner de graves abus. Ces dernières, pour favoriser leurs propres intérêts, sont ainsi en mesure d'écarter tout élément de preuve défavorable à leur cause. Dans ce contexte, les juges ne sont plus en mesure d'assurer le plein contrôle du processus judiciaire, ni de remédier aux abus de procédure. Leur capacité de chercher la vérité est compromise, tout comme la confiance du public envers l'administration de la justice. Deuxièmement, en privant les cours supérieures du pouvoir d'examiner les documents en cause, l'article 39 mine leur capacité de contrôler les actes de l'exécutif pour erreur de compétence. Dans des circonstances normales, privés du pouvoir d'examen, les juges ne sont pas en mesure de déceler si une revendication a été présentée de façon erronée ou abusive. Ainsi, les juges ne peuvent pas évaluer si les actes de l'exécutif sont, comme l'a exprimé le professeur Fuller, « conformes » aux règles de droit. Dans la mesure où il soustrait les actes de l'exécutif aux exigences de la primauté du droit, l'article 39 constitue un trou noir juridique. Malheureusement, la Cour suprême du Canada a légitimé ce trou en niant son existence.

L'article 39 de la *LPC* est l'antithèse de la primauté du droit et du principe d'accès à la justice au Canada. Bien qu'il cherche à protéger un principe important pour le fonctionnement du système de gouvernement responsable, à savoir le secret ministériel, il le fait d'une manière incompatible avec les dispositions de la Constitution, interprétées à la lumière de la théorie du droit comme culture de la justification. Même si les tribunaux concluaient, en se fondant sur des considérations de droit positif, que l'article 39 n'enfreint aucune disposition de la Constitution écrite (c'est-à-dire la Constitution avec un grand « C »), la controverse perdurerait. En effet, selon la théorie du droit comme culture de la justification, une règle de droit peut être jugée contraire à la primauté du droit, même si elle n'enfreint pas clairement la Constitution écrite. Dans de tels cas, s'il est vrai que les tribunaux ne peuvent pas invalider la loi, ils devraient reconnaître ouvertement la violation de la primauté du droit de manière à priver la loi en cause de toute légitimité juridique. Cela donnerait lieu à un dialogue entre les trois branches de l'État, puisque le Parlement et le gouvernement sauraient alors que la loi doit être modifiée pour qu'elle respecte la primauté du droit.

Le secret ministériel peut être protégé à l'ordre fédéral au Canada, comme il l'est à l'ordre provincial et ailleurs, sans priver les plaideurs de l'équité procédurale élémentaire et les cours supérieures de leur compétence et de leurs pouvoirs fondamentaux. Tout système juridique qui incorpore les principes d'équité procédurale et de séparation des pouvoirs dans sa conception de la primauté du droit jugerait également inacceptable l'idée d'une IIP quasi absolue. D'un point de vue théorique, pour qu'elles respectent la primauté du droit, les revendications d'immunité du Cabinet doivent être tranchées par des juges indépendants et impartiaux qui ont un libre accès aux motifs sous-jacents et aux renseignements en cause. Cela ne veut pas dire que les juges ne devraient jamais s'en remettre aux décisions de l'exécutif de revendiquer l'immunité du Cabinet, mais leur déférence devrait découler de la qualité des motifs exprimés au soutien de la décision et non d'un asservissement aveugle à la sagesse présumée des officiers publics. La primauté du droit rejette les règles absolues quant au secret ou à la divulgation au profit d'une évaluation plus contextuelle dans laquelle tous les aspects de l'intérêt public sont dûment considérés.

CONCLUSION GÉNÉRALE

Cet ouvrage a porté sur le secret ministériel. Il a exploré la tension qui existe entre la transparence et la confidentialité gouvernementales. L'accès aux renseignements du gouvernement est un élément crucial de la bonne gouvernance, puisqu'il permet aux citoyens de participer pleinement au processus démocratique, d'exercer leur liberté d'expression et d'assurer que les titulaires de charges publiques sont tenus responsables de leurs faits et gestes[1]. Malheureusement, le régime fédéral d'accès à l'information au Canada est aujourd'hui désuet. En date du 30 juin 2019, une étude menée par le Centre for Law and Democracy plaçait le régime fédéral d'accès à l'information au 57e rang à l'échelle internationale et au 5e rang à l'échelle nationale[2]. L'une des faiblesses principales du régime réside dans le fait que, aux termes de l'article 69 de la *Loi sur l'accès à l'information*[3] (ci-après «*LAI*»), il ne s'applique pas aux «renseignements confidentiels du Conseil privé de la Reine pour le Canada» (ci-après «renseignements confidentiels du Cabinet»). En outre, l'article 39 de la *Loi sur la preuve au Canada*[4] (ci-après «*LPC*») accorde au gouvernement une immunité quasi absolue relativement à la production de renseignements confidentiels du Cabinet dans le cadre de litiges. Le degré élevé de protection

---

1. *Dagg c. Canada (Ministre des Finances)*, [1997] 2 R.C.S. 403 au para. 61; Donald C. Rowat, «How Much Administrative Secrecy?» (1965) 31:4 *Canadian Journal of Economics and Political Science* 479 à la p. 480. Pour une analyse du lien entre l'accès à l'information, la liberté d'expression et les droits démocratiques, voir: Vincent Kazmierski, «Something to Talk About: Is There a *Charter* Right to Access Government Information?» (2008) 31:2 *Dal. L.J.* 351.

2. Centre for Law and Democracy, *Global Right to Information Rating*, en ligne: <https://www.rti-rating.org/country-data/>; Centre for Law and Democracy, *Canadian RTI Rating*, en ligne: <http://www.law-democracy.org/live/rti-rating/canada/>.

3. *Loi sur l'accès à l'information*, L.R.C. 1985, c. A-1, art. 69 [*LAI*], reproduit en annexe.

4. *Loi sur la preuve au Canada*, L.R.C. 1985, c. C-5, art. 39 [*LPC*], reproduit en annexe.

conféré à ces renseignements à l'ordre fédéral n'a d'équivalent ni dans les provinces canadiennes ni dans les autres ressorts de type Westminster sous étude.

Le présent ouvrage visait à déterminer si le secret ministériel est encore légitime, à une époque où la transparence gouvernementale est une valeur importante et, le cas échéant, si les règles juridiques élaborées pour protéger le secret ministériel à l'ordre fédéral au Canada sont compatibles avec la primauté du droit et les dispositions de la Constitution. Pour atteindre cet objectif, l'ouvrage a examiné, d'un point de vue théorique et comparé, les conventions constitutionnelles pertinentes, les règles de common law et les régimes législatifs du Royaume-Uni, de l'Australie, de la Nouvelle-Zélande et du Canada. Dans l'ensemble, il conclut que le secret ministériel demeure légitime, mais que le régime législatif élaboré par le Parlement du Canada pour le protéger est incompatible avec la primauté du droit et les dispositions de la Constitution. En outre, ce régime n'est plus en harmonie avec les meilleures pratiques appliquées dans les provinces canadiennes de même qu'au Royaume-Uni, en Australie et en Nouvelle-Zélande. La conclusion générale présentera les douze principaux constats découlant des chapitres précédents et formulera six recommandations pour améliorer le régime législatif.

CONSTAT N⁰ 1

Selon les conventions, le secret ministériel est fondamental au bon fonctionnement d'un système de gouvernement responsable.

Comme l'a démontré le chapitre 1, selon les conventions constitutionnelles, le secret ministériel demeure légitime, puisqu'il constitue un élément essentiel de la doctrine de la responsabilité collective ministérielle, à l'instar des conventions sur la confiance et sur la solidarité. Le Cabinet est un forum où les ministres se rencontrent pour proposer, débattre et décider des politiques et des actions gouvernementales. La confidentialité des délibérations qui s'y déroulent encourage la franchise des discussions entre les ministres[5] et l'efficacité du processus décisionnel collectif[6]. De plus, elle permet aux ministres de rester unis publiquement, en dépit des désaccords qu'ils pourraient avoir en privé[7]. La solidarité est essentielle, puisqu'elle permet aux ministres de préserver, en tant que groupe, la confiance de la Chambre des communes et, ainsi, d'assurer le maintien au pouvoir du gouvernement. Les conventions sur la confiance, sur la solidarité et sur le secret des délibérations du Cabinet se complètent les unes les autres. En retirer une minerait le bon fonctionnement du système de gouvernement responsable. Par le passé, les initiatives visant à réduire la solidarité et le secret ministériels se sont avérées malavisées[8]. S'il n'était pas possible de protéger la confidentialité des délibérations du Cabinet, les discussions entre ministres se déplaceraient vraisemblablement dans un autre forum, encore plus opaque.

CONSTAT N⁰ 2

Selon les conventions, à l'occasion d'un changement de gouvernement, le gouvernement entrant ne peut avoir accès aux documents du Cabinet du gouvernement sortant.

Le Secrétariat du Cabinet a été créé au Canada durant la Deuxième Guerre mondiale pour appuyer le processus décisionnel

---

5. Les ministres doivent se sentir à l'aise de s'exprimer librement au cours du processus décisionnel collectif dans le but de cerner et de régler les désaccords qui les opposent. Si la confidentialité des délibérations n'était pas assurée, les ministres seraient réticents à dire le fond de leur pensée quant aux questions délicates sur le plan politique.

6. Si la confidentialité des délibérations du Cabinet n'était pas maintenue avant qu'une décision finale soit prise et rendue publique, cela aurait pour conséquence d'accroître la pression publique exercée sur les ministres par les parties prenantes et de susciter des critiques partisanes de la part d'opposants politiques. Cela aurait finalement pour effet de paralyser le processus décisionnel collectif.

7. Les ministres doivent demeurer unis en public et parler d'une seule voix. Si les désaccords internes entre les ministres étaient rendus publics, leurs adversaires politiques exploiteraient ces renseignements pour miner l'unité du gouvernement, ainsi que sa capacité à maintenir la confiance de la Chambre des communes.

8. Voir, par exemple, la décision éphémère du premier ministre Pierre Elliott Trudeau visant à assouplir les règles de la solidarité ministérielle en 1968 et l'expérience infructueuse du premier ministre Gordon Campbell avec le concept de «Cabinet ouvert» en Colombie-Britannique en 2001.

collectif. Un système organisé de documents du Cabinet a été instauré à cette fin à la condition que la confidentialité des documents soit protégée. Une nouvelle convention, soit celle sur l'accès, a été adoptée pour garantir que les secrets politiques du parti au pouvoir ne se retrouvent pas entre les mains de ses adversaires[9]. Ainsi, à l'occasion d'un changement de gouvernement, le gouvernement entrant ne peut avoir accès aux documents du Cabinet du gouvernement sortant[10]. Ces documents restent sous la garde du greffier du Conseil privé, à titre de secrétaire du Cabinet. Le greffier peut informer le gouvernement entrant des décisions prises par le gouvernement sortant, de telle sorte que les affaires de l'État puissent continuer à être menées efficacement. Il ne peut toutefois révéler ni les opinions personnelles exprimées par les ministres durant les délibérations sur les politiques et les actions gouvernementales ni les désaccords qu'ils ont pu avoir en privé[11]. S'il n'était pas possible de maintenir la confidentialité des documents du Cabinet, ceux-ci cesseraient vraisemblablement d'exister, et une partie de nos archives historiques nationales serait perdue.

CONSTAT N[O] 3

Selon les conventions, les secrets du Cabinet ne jouissent pas d'une protection absolue dans toutes les circonstances.

Les conventions ne confèrent pas une protection absolue aux secrets du Cabinet. Elles établissent plutôt une distinction entre

---

9.   La convention sur l'accès a été appliquée pour la première fois en 1957. Elle a par la suite été confirmée en 1963, 1979, 1980, 1984, 1993, 2003, 2006 et 2015, par l'intermédiaire d'échanges de lettres entre le greffier du Conseil privé, le premier ministre sortant et le premier ministre entrant.

10. La convention sur l'accès a été, à l'origine, appliquée lorsqu'il y avait un changement de gouvernement entre partis politiques ; toutefois, depuis 1984, elle est également appliquée lorsqu'il y a un changement de chef au sein d'un même parti politique. Cette expansion de la portée de la convention semble incompatible avec sa raison d'être.

11. À l'origine, la convention sur l'accès a été principalement appliquée aux documents qui contenaient des secrets fondamentaux, en particulier les procès-verbaux des réunions du Cabinet ; toutefois, depuis 1979, la portée de la convention a été élargie pour inclure les documents qui contiennent des secrets périphériques. Cette expansion de la portée de la convention semble incompatible avec sa raison d'être.

les secrets fondamentaux et les secrets périphériques. Les « secrets fondamentaux » sont des renseignements qui dévoilent des opinions personnelles exprimées par les ministres durant les délibérations sur les politiques et les actions gouvernementales. Pour leur part, les « secrets périphériques » sont des renseignements qui concernent le processus décisionnel collectif, mais qui ne révèlent pas les opinions personnelles exprimées par les ministres durant les délibérations sur les politiques et les actions gouvernementales. Les secrets fondamentaux sont jugés plus sensibles que les secrets périphériques, parce qu'ils concernent un type de renseignements que des adversaires politiques pourraient utiliser pour ébranler l'unité du gouvernement, ainsi que sa capacité à maintenir la confiance de la Chambre des communes. Les secrets périphériques, tels que les renseignements factuels et contextuels sous-jacents aux décisions du Cabinet, peuvent être divulgués sans risque de préjudice une fois que la décision en cause est rendue publique. Les conventions reconnaissent en outre que la sensibilité des secrets du Cabinet décroît avec le passage du temps[12], jusqu'à ce qu'ils n'aient plus qu'un intérêt historique. Par ailleurs, l'intérêt public peut entraîner la nécessité de faire une exception au secret ministériel (par exemple, dans le contexte de poursuites pénales[13], de commissions d'enquête[14], d'enquêtes du vérificateur général du

---

12. De plus, par convention, un ancien ministre peut prendre l'initiative de divulguer des secret du Cabinet dans deux situations. En premier lieu, un ministre qui démissionne en raison d'un désaccord avec ses collègues peut expliquer publiquement la nature de ce désaccord et, ce faisant, divulguer des secrets du Cabinet. En deuxième lieu, un ancien ministre peut divulguer des secrets du Cabinet dans le cadre de ses mémoires politiques pour expliquer ou justifier les décisions qu'il a prises alors qu'il était en fonction. Voir: *Attorney-General v. Jonathan Cape Ltd.*, [1976] 1 Q.B. 752 [*Jonathan Cape*].

13. La divulgation de documents du Cabinet a été autorisée dans le cadre des poursuites pénales contre les anciens ministres André Bissonnette (progressiste-conservateur) et John Munro (libéral).

14. La divulgation de documents du Cabinet a été autorisée dans le cadre des commissions d'enquête McDonald, Gomery et Oliphant.

Canada[15] et, dans une certaine mesure, dans le cadre de travaux parlementaires[16]).

CONSTAT N° 4

En common law, les tribunaux sont habilités à examiner les secrets du Cabinet et à décider s'ils devraient être produits dans l'intérêt public.

Comme l'a démontré le chapitre 2, de 1942 à 1968, les revendications d'immunité d'intérêt public (ci-après «IIP») par les ministres étaient dotées d'un caractère décisif en Angleterre[17]. L'abdication par les tribunaux anglais de leur pouvoir de contrôler l'admissibilité de la preuve dans le cadre de litiges a permis à des ministres de soustraire des éléments de preuve pertinents dans des litiges où le gouvernement était partie, et ce, en contravention de la primauté du droit et de la séparation des pouvoirs. En 1968, en réaction aux abus de ministres en matière d'IIP, et pour harmoniser le droit anglais avec celui en vigueur dans les autres ressorts de type Westminster, les tribunaux anglais ont rétabli le pouvoir judiciaire d'examiner les secrets gouvernementaux et d'en ordonner la production. Ce faisant, ils ont instauré un nouveau processus pour soupeser et mettre en balance les divers éléments en cause dans l'évaluation des revendications d'IIP[18]. Peu de temps après, ce

---

15. Un accès confidentiel à certains documents du Cabinet a été conféré au vérificateur général du Canada, pour qu'il puisse accomplir son mandat légal, par l'intermédiaire de décrets adoptés en 1985, 2006, 2017 et 2018.

16. La branche exécutive de l'État ne devrait pas invoquer le secret ministériel pour refuser de donner à la Chambre des communes des renseignements dont elle a besoin pour évaluer les effets et les coûts d'un projet de loi, comme l'ont fait les conservateurs en 2011. Sans ces renseignements, la Chambre des communes n'est pas en mesure de remplir adéquatement son rôle constitutionnel. En comparaison, en 2019, le gouvernement libéral a partiellement levé le voile du secret ministériel pour permettre à diverses personnes, dont l'ancienne ministre de la Justice et procureure générale du Canada, Jody Wilson-Raybould, de témoigner devant le Comité permanent de la justice et des droits de la personne de la Chambre des communes et le commissaire aux conflits d'intérêts et à l'éthique sur l'affaire SNC-Lavalin.

17. *Duncan v. Cammell, Laird & Co.*, [1942] UKHL 3, [1942] A.C. 624.

18. *Conway v. Rimmer*, [1968] UKHL 2, [1968] A.C. 910.

pouvoir a été étendu aux secrets du Cabinet au Royaume-Uni[19], en Australie[20], en Nouvelle-Zélande[21] et au Canada[22]. Cela confirmait que l'immunité du Cabinet, en common law, était relative et non absolue. La justification et la portée de l'immunité du Cabinet sont les mêmes selon les conventions constitutionnelles et la common law : les tribunaux ont confirmé que la justification du secret ministériel s'estompe avec le passage du temps[23] et qu'elle ne met pas les officiers publics à l'abri de poursuites pénales[24].

CONSTAT N⁰ 5

En common law, l'approche adoptée par les tribunaux pour évaluer le bien-fondé des revendications d'immunité du Cabinet n'est pas uniforme.

Le degré de déférence à l'égard des revendications d'immunité du Cabinet en common law n'est pas le même partout : les tribunaux de dernière instance du Royaume-Uni et de l'Australie font preuve de déférence à l'égard de ces revendications, contrairement à ceux de la Nouvelle-Zélande et du Canada. Selon « l'approche non interventionniste[25] », l'immunité du Cabinet est présumée. Les tribunaux n'examinent pas les documents, à moins que le plaideur ne démontre qu'il est très probable qu'ils étayeraient considérablement ses allégations. La faiblesse de cette approche réside dans le fait que le fardeau qu'elle impose est incompatible avec le principe de l'accès à la preuve et injuste envers le plaideur, de sorte qu'elle entraîne l'exclusion de documents à première vue pertinents. En

---

19. *Burmah Oil Co. Ltd.* v. *Bank of England*, [1979] UKHL 4, [1980] A.C. 1090 [*Burmah Oil*].

20. *Sankey* v. *Whitlam*, [1978] H.C.A. 43, 142 C.L.R. 1 [*Whitlam*].

21. *Fletcher Timber Ltd.* v. *Attorney-General*, [1984] 1 N.Z.L.R. 290 (C.A.) [*Fletcher Timber*].

22. *Carey c. Ontario*, [1986] 2 R.C.S. 637 [*Carey*].

23. *Jonathan Cape, supra* note 12.

24. *United States* v. *Nixon*, 418 U.S. 683 (1974) ; *Whitlam, supra* note 20.

25. *Burmah Oil, supra* note 19 ; *Air Canada* v. *Secretary of State for Trade (No. 2)*, [1983] 2 A.C. 394 ; *Commonwealth* v. *Northern Land Council*, [1993] H.C.A. 24, 176 C.L.R. 604.

comparaison, lorsque les tribunaux appliquent «l'approche interventionniste[26]», l'immunité du Cabinet n'est pas présumée. Les tribunaux examinent les documents, à moins que le gouvernement ne démontre, sans l'ombre d'un doute, que l'intérêt public exige qu'ils demeurent confidentiels. La faiblesse de cette approche découle de l'insuffisance du poids donné à la justification qui sous-tend le secret ministériel; elle entraîne donc la production de documents sensibles qui, dans bien des cas, n'étayent pas les allégations du plaideur. Bref, les documents du Cabinet sont surprotégés dans certains ressorts (au détriment de l'intérêt de la justice) et sous-protégés dans d'autres (au détriment de l'intérêt du bon gouvernement).

CONSTAT N° 6

En common law, l'adoption d'une nouvelle approche rationnelle pourrait améliorer la manière dont les tribunaux évaluent les revendications d'IIP.

Pour accroître la prévisibilité, la certitude et la transparence de l'évaluation des revendications d'IIP, le chapitre 2 a mis de l'avant une nouvelle «approche rationnelle» ou «pondérée». Par souci d'efficacité, et pour éviter les différends relatifs à la production de documents qui ont un faible degré de pertinence, cette approche préconise l'adoption d'une norme étroite de pertinence durant le processus de communication de la preuve[27]. Par souci d'équité, elle fait peser le fardeau de la justification sur le gouvernement[28]. Autrement dit, les tribunaux devraient examiner les documents en cause avant de se prononcer sur une revendication d'IIP, à moins

---

26.   *Fletcher Timber, supra* note 21; *Carey, supra* note 22.

27.   L'approche rationnelle favorise l'adoption de la norme de la simple pertinence plutôt que celle de l'apparence de pertinence à l'étape de la communication de la preuve. En effet, les parties en litige devraient uniquement être tenues de divulguer les documents qui sont, selon toute vraisemblance, véritablement pertinents au règlement équitable du litige plutôt que l'ensemble des documents qui s'y rapportent de manière générale.

28.   Afin de décharger le fardeau de la justification, le gouvernement doit soumettre une attestation dans laquelle les documents sujets à l'immunité du Cabinet sont suffisamment décrits. De plus, le gouvernement doit expliquer pourquoi l'intérêt public requiert que ces documents soient protégés en tenant compte de leur degré de pertinence et du degré de préjudice que causerait leur production.

que le gouvernement ne démontre clairement que leur production n'est pas nécessaire au règlement équitable du litige. En outre, l'approche proposée préconise une analyse coûts-bénéfices pour l'évaluation des revendications d'IIP : en principe, la production des documents devrait être ordonnée si l'intérêt de la justice – qui est déterminé en fonction du degré de pertinence des documents (sur les plans factuel et juridique)[29] – est supérieur ou égal à l'intérêt du bon gouvernement[30] – qui dépend du degré de préjudice associé aux documents (en fonction du niveau de sensibilité de leur contenu et du moment de leur divulgation)[31]. Enfin, par déférence pour l'expertise du gouvernement, l'approche proposée comprend une obligation judiciaire de minimiser le degré de préjudice – en caviardant les documents ou en assortissant leur utilisation de conditions – lorsque la production des documents est ordonnée[32]. L'approche rationnelle vise à guider l'évaluation judiciaire des revendications d'IIP de manière à s'assurer que les plaideurs ne soient pas injustement privés d'éléments de preuve déterminants et que le bon fonctionnement de notre système de gouvernement ne soit pas inutilement et indûment entravé.

---

29. La « pertinence factuelle » réfère à la valeur probante des éléments de preuve : autrement dit, suivant la logique et l'expérience, aident-ils à prouver ou à réfuter un fait en particulier ? La « pertinence juridique » réfère à l'importance des éléments de preuve : autrement dit, aident-ils à prouver ou à réfuter un fait important et à l'égard duquel les parties en litige ne s'entendent pas ?

30. À titre d'exception, en matière pénale, étant donné que la liberté d'une personne est en jeu, la production des documents devrait être ordonnée si le degré de pertinence est de moyen à élevé, sans égard au degré de préjudice.

31. La « sensibilité en lien avec le contenu » dépend du niveau hiérarchique du décideur (échelon supérieur ou inférieur), de la nature de la politique (sécurité nationale ou activités commerciales) et de la nature des renseignements (secrets fondamentaux ou secrets périphériques). La « sensibilité en lien avec le moment de la production » dépend de la question de savoir si la politique contestée est en cours d'élaboration (auquel cas le niveau de sensibilité sera plus élevé) ou si une décision finale a été prise et rendue publique (auquel cas le niveau de sensibilité sera moins élevé).

32. Voir, par exemple : *Can Am Simulation Ltd. v. Newfoundland* (1994), 118 Nfld. & P.E.I.R. 35 (S.C. (T.D.)) ; *Health Services and Support-Facilities Subsector Bargaining Association v. British Columbia*, 2002 BCSC 1509 ; *Nunavut (Department of Community and Government Services) v. Northern Transportation Company Limited*, 2011 NUCJ 4.

CONSTAT N⁰ 7

Parmi les ressorts de type Westminster étudiés (le Royaume-Uni, l'Australie, la Nouvelle-Zélande et le Canada), l'ordre fédéral au Canada est le seul ayant conféré, par voie législative, une immunité quasi absolue aux renseignements confidentiels du Cabinet.

Comme l'a démontré le chapitre 3, le Parlement du Canada a légiféré en 1970 pour mettre un terme à la tendance de la common law à favoriser la transparence gouvernementale. En vertu du paragraphe 41(2) de la *Loi sur la cour fédérale*[33], le Parlement a supplanté la common law et a accordé au gouvernement une immunité absolue quant aux renseignements confidentiels du Cabinet. Cette décision a soulevé de sérieuses questions quant à la conception canadienne de la relation qui devrait exister entre les pouvoirs exécutif et judiciaire[34]. Dans le contexte des réformes de l'accès à l'information déposées au Parlement en 1980[35], les libéraux ont envisagé d'accorder aux tribunaux le pouvoir d'examiner les revendications d'immunité du Cabinet. En définitive, ils ont toutefois décidé de maintenir l'immunité quasi absolue applicable aux renseignements confidentiels du Cabinet dans le cadre de litiges (article 39 de la *LPC*) et de les soustraire à l'application de la nouvelle *LAI* (article 69 de la *LAI*). Cette décision a été le fruit de l'intervention directe du premier ministre Pierre Elliott Trudeau – et a été prise contre l'avis du ministre responsable, Francis Fox –, parce que le premier ministre craignait que les tribunaux ne protègent pas adéquatement ses secrets politiques[36]. En conséquence,

---

33.   *Loi sur la Cour fédérale*, S.R.C. 1970, 2ᵉ supp., c. 10, art. 41(2) [*LCF*], reproduit en annexe.

34.   David Mullan, « Not in the Public Interest: Crown Privilege Defined » (1971) 19:9 *Chitty's L.J.* 289 à la p. 291.

35.   Chambre des communes, Comité permanent de la justice et des questions juridiques, *Procès-verbaux et témoignages*, nᵒˢ 49-50 (8-9 juillet 1981).

36.   Quatre événements ont incité le premier ministre à prendre cette décision : son témoignage devant la Commission McDonald, au cours duquel des procès-verbaux de réunions du Cabinet ont été utilisés pour le contredire ; les arrêts de deux cours d'appel provinciales ordonnant la production de documents du Cabinet dans le cadre de litiges ; la pression grandissante du vérificateur général du Canada pour obtenir accès aux documents du Cabinet relatifs à l'achat de Petrofina par

le degré de protection accordé aux renseignements confidentiels du Cabinet excède celui conféré aux renseignements relatifs aux relations internationales, à la défense nationale et à la sécurité nationale.

CONSTAT N⁰ 8

En droit législatif, la portée de l'immunité du Cabinet, telle qu'elle a été interprétée et appliquée par le gouvernement, est excessivement large.

Le régime législatif fédéral, à savoir les articles 39 de la *LPC* et 69 de la *LAI*, protège les «renseignements confidentiels du Cabinet» à titre de catégorie de documents, sans toutefois définir cette expression de manière substantielle. En effet, ces dispositions énoncent plutôt une liste non exhaustive de documents où peuvent se trouver des renseignements confidentiels du Cabinet comme: les mémoires au Cabinet; les documents de travail; les ordres du jour, les procès-verbaux des réunions du Cabinet et les comptes rendus des décisions prises; les communications entre les ministres quant aux travaux du Cabinet; les notes de breffage à l'intention des ministres relativement aux travaux du Cabinet; les avant-projets de loi et les projets de règlement; et les autres documents connexes. Contrairement aux règles pertinentes selon les conventions et la common law, les dispositions en question protègent tous les renseignements confidentiels du Cabinet pour une période de 20 ans, et ce, peu importe leur nature[37]. En 2017-2018, plus de 75 % des documents exclus en application de l'article 69 entraient dans la catégorie des «autres documents connexes» prévue à l'alinéa 69(1)g)[38]. La nature imprécise et illimitée de cette catégorie permet aux

---

Petro-Canada; et l'arrêt de la Cour suprême du Canada confirmant la constitutionnalité de l'immunité absolue prévue au paragraphe 41(2) de la *LCF, supra* note 33.

37. Le moratoire de 20 ans s'applique tant aux documents qui contiennent des secrets fondamentaux qu'à ceux qui contiennent des secrets périphériques, comme les ordres du jour des réunions du Cabinet, les comptes rendus de ses décisions, les avant-projets de loi et les projets de règlement: voir l'alinéa 39(4)a) de la *LPC, supra* note 4.

38. Secrétariat du Conseil du Trésor du Canada, *Rapport statistique sur l'accès à l'information et la protection des renseignements personnels, 2017-2018*, en ligne: <https://

officiers publics de protéger des documents qui n'ont qu'un lien ténu avec le processus décisionnel collectif, sans tenir compte des aspects divergents de l'intérêt public. Dans plusieurs cas, l'immunité du Cabinet a été invoquée de manière excessive[39].

L'exemple le plus flagrant d'une application inappropriée de l'immunité du Cabinet par le gouvernement est la façon dont ce dernier a contourné l'«exception relative aux documents de travail» au fil des ans. Un «document de travail» est un document destiné à «présenter des problèmes, des analyses ou des options politiques à l'examen du Conseil»[40]. Ce type de document était utilisé à des fins de consultation et ne révélait aucun secret fondamental. Aux termes des alinéas 39(4)b) et 69(3)b), les documents de travail devenaient publiquement accessibles aussitôt que le Cabinet annonçait sa décision sur un sujet donné. Or, en 1984, le premier ministre Pierre Elliott Trudeau a décidé qu'on ne rédigerait plus de documents de ce type. Le gouvernement a dès lors commencé à inclure les renseignements factuels et contextuels (qui se trouvaient auparavant dans les documents de travail) dans la section «Analyse» des mémoires au Cabinet – une catégorie de documents protégée durant 20 ans – et il a cessé d'appliquer l'exception relative aux documents de travail. En 2003, la Cour d'appel fédérale a rejeté cette extension démesurée de l'immunité du Cabinet[41]. Le gouvernement a donc été obligé de divulguer la section «Analyse» des mémoires au Cabinet en application de l'exception relative aux documents de travail, et ce, jusqu'à ce que le premier ministre

www.canada.ca/fr/secretariat-conseil-tresor/services/acces-information-protection-reseignements-personnels/statistiques-aiprp/rapport-statistique-acces-information-protection-renseignements-personnels-exercice-2017-2018.html> [SCT, *Info Source 2017-2018*].

39.   Voir les rapports annuels du commissaire à l'information des années 1992-1993, 1996-1997, 1999-2000 et 2000-2001, en ligne: <http://publications.gc.ca/site/fra/9.502367/publication.html>. Voir aussi: Ken Rubin, *Access to Cabinet Confidences: Some Experiences and Proposals to Restrict Cabinet Confidentiality Claims*, Ottawa, Ken Rubin, 1986.

40.   Voir les alinéas 39(2)b) de la *LPC, supra* note 4, et 69(1)b) de la *LAI, supra* note 3.

41.   *Canada (Commissaire à l'information) c. Canada (Ministre de l'Environnement)*, [2001] 3 C.F. 514, confirmée par 2003 CAF 68.

Stephen Harper décide de l'abolir en 2012[42]. Les renseignements factuels et contextuels sont désormais entremêlés avec les opinions et les recommandations ministérielles. Il est donc devenu difficile d'appliquer cette exception conformément à l'intention initiale du Parlement[43].

CONSTAT N⁰ 9

En droit législatif, seul un contrôle judiciaire minime peut être exercé à l'encontre des revendications d'immunité du Cabinet.

Les tribunaux ont interprété les articles 39 de la *LPC* et 69 de *LAI* de telle sorte que le contrôle judiciaire des revendications d'immunité du Cabinet s'en trouve considérablement limité. Ils ont confirmé que les juges ne peuvent, sous aucune circonstance, examiner les renseignements ayant fait l'objet de l'attestation visée à l'article 39[44] ou qui ont été exclus en application de l'article 69[45]. Les juges ne peuvent infirmer une revendication d'immunité du Cabinet faite conformément aux exigences de forme que dans trois situations : si, selon la description qui en est faite, les documents ne sont pas visés par la définition de l'expression « renseignements confidentiels du Cabinet » ; si, sur le fondement d'éléments de preuve extrinsèques, il s'avère que la revendication a été présentée de mauvaise foi ; et si les renseignements visés par la revendication d'immunité ne sont plus confidentiels. Or, sans disposer du pouvoir d'examiner les documents, les tribunaux ne sont pas en mesure de véritablement contrôler le caractère raisonnable des revendications d'immunité du Cabinet. Cela explique pourquoi, en pratique, les plaideurs ont eu autant de difficulté à l'ordre fédéral

---

42. Ken Rubin, « Harper's Cabinet need not have any background facts, reinforces greater Cabinet secrecy », *The Hill Times* (14 avril 2014) à la p. 15.

43. Bien que les documents de travail ne soient plus produits, les fonctionnaires continuent d'exclure des documents sur la base de l'alinéa 69(1)b) de la *LAI*, *supra* note 3. Voir : SCT, *Info Source 2017-2018*, *supra* note 38.

44. *Babcock c. Canada (Procureur général)*, 2002 CSC 57, [2002] 3 R.C.S. 3 [*Babcock*] ; *Pelletier c. Canada (Procureur général)*, 2005 CAF 118.

45. *Société Radio-Canada c. Canada (Commissaire à l'information)*, 2011 CAF 326.

à contester ces revendications. Le problème est exacerbé avec l'application de l'article 69, puisque le processus menant à l'exclusion des renseignements confidentiels du Cabinet a été décentralisé en 2013[46] et n'exige pas la délivrance d'une attestation formelle[47].

CONSTAT N[O] 10

La théorie du droit comme culture de la justification fournit un cadre normatif utile pour évaluer la légalité des revendications d'immunité du Cabinet.

Comme l'a démontré le chapitre 4, à ce jour, la Cour suprême du Canada a adopté une conception très étroite du principe non écrit de la primauté du droit, soit celle de la primauté des règles[48]. Selon cette conception, une règle de droit est valide si elle a été adoptée par l'autorité compétente en respectant la procédure applicable[49]. Cette conception de la primauté du droit retenue par la Cour est peu utile comme cadre normatif pour évaluer la légalité des dispositions législatives, puisqu'elle n'impose pas de contrainte significative à l'État. Pour pallier cette lacune, le chapitre 4 s'est appuyé sur la « théorie du droit comme culture de la justification », qui est plus large[50] et qui est implicite dans l'ordre juridique canadien[51]. Cette théorie insiste sur les exigences d'équité, de transparence et de responsabilité. Selon elle, une décision de l'exécutif de maintenir la confidentialité d'éléments de preuve pertinents dans le cadre de litiges doit respecter deux critères. Premièrement,

---

46.   La décentralisation a eu pour conséquence immédiate d'augmenter de 49 % le nombre d'exclusions faites aux termes de l'article 69 de la *LAI*, *supra* note 3, en 2013-2014. Voir : Yan Campagnolo, « Cabinet documents should be under the scope of the ATIA », *The Hill Times* (6 juin 2016) à la p. 15.

47.   *Quinn c. Canada (Premier ministre)*, 2011 CF 379.

48.   *Babcock*, *supra* note 44.

49.   *Colombie-Britannique c. Imperial Tobacco Canada Ltée*, 2005 CSC 49, [2005] 2 R.C.S. 473.

50.   Voir : David Dyzenhaus, *The Constitution of Law : Legality in a Time of Emergency*, Cambridge, Cambridge University Press, 2006.

51.   Les trois éléments de la théorie du droit comme culture de la justification (c'est-à-dire la reconnaissance de principes juridiques fondamentaux, le contrôle judiciaire de l'action étatique et l'imposition d'un fardeau de la justification à l'État) sont intégrés dans l'ordre juridique canadien.

elle doit être prise au terme d'un processus décisionnel équitable. Cela suppose que la décision ultime de ne pas divulguer des renseignements confidentiels du Cabinet devrait être prise par un décideur indépendant et impartial. Cela suppose aussi que les officiers publics devraient avoir l'obligation de justifier adéquatement les revendications d'immunité du Cabinet. Deuxièmement, les décisions de l'exécutif de maintenir la confidentialité des renseignements confidentiels du Cabinet devraient être sujettes à un contrôle judiciaire afin de garantir qu'elles sont compatibles avec les règles de droit et que les officiers publics n'outrepassent pas les limites des pouvoirs que leur confère la loi. À cette fin, les tribunaux devraient pouvoir examiner les renseignements confidentiels du Cabinet et rejeter les revendications d'immunité qui ne satisfont pas à la norme du caractère raisonnable.

CONSTAT Nº 11

Le régime législatif régissant l'immunité du Cabinet au Canada enfreint les exigences de l'équité procédurale.

Le processus décisionnel établi par l'article 39 de la *LPC* est incompatible tant avec la théorie du droit comme culture de la justification qu'avec les exigences de l'équité procédurale protégée par l'alinéa 2e) de la *Déclaration canadienne des droits*[52]. Aux termes du paragraphe 39(1), la décision de soustraire les renseignements confidentiels du Cabinet aux exigences de divulgation dans le cadre de litiges est prise soit par un ministre, soit par le greffier du Conseil privé et elle dispose d'un caractère décisif. Cette approche est problématique sous l'angle de la primauté du droit, surtout lorsque le gouvernement est partie à l'instance, puisque le ministre et le greffier sont des décideurs qui ne sont ni indépendants ni impartiaux[53]. Le fait qu'un ministre ou le greffier exclue

---

52. *Déclaration canadienne des droits*, S.C. 1960, c. 44.
53. Les ministres et le greffier du Conseil privé occupent leurs fonctions à la discrétion du premier ministre, qui dispose d'un intérêt certain à maintenir la confidentialité des travaux du Cabinet. Pour cette raison, ils ne jouissent ni de sécurité d'emploi ni d'indépendance. De plus, dans la mesure où ils ont été impliqués dans les délibérations menant à l'adoption d'une décision contestée devant les tribunaux, ils ne peuvent être considérés comme impartiaux.

des éléments de preuve pertinents dans ce contexte soulève une crainte raisonnable de partialité. De plus, le ministre ou le greffier n'est pas tenu d'expliquer pourquoi les documents devraient demeurer confidentiels dans l'intérêt public, ce qui contrevient à l'obligation de motiver[54]. Ces lacunes soulèvent de sérieuses préoccupations quant à la légalité de l'article 39.

CONSTAT N⁰ 12

Le régime législatif régissant l'immunité du Cabinet au Canada empiète sur la compétence et les pouvoirs fondamentaux des cours supérieures provinciales.

La théorie du droit comme culture de la justification et l'article 96 de la *Loi constitutionnelle de 1867*[55] exigent qu'il existe une séparation des pouvoirs entre les tribunaux et le gouvernement. L'article 39 de la *LPC* enfreint cette exigence en permettant au gouvernement de s'ingérer dans la compétence et les pouvoirs fondamentaux des cours supérieures provinciales, et ce, de deux façons. Premièrement, l'article 39 les prive du pouvoir de contrôler l'admissibilité de la preuve dans le cadre de litiges, un pouvoir qui est « [essentiel] à l'administration de la justice et au maintien de la primauté du droit[56] ». Privés de ce pouvoir, les juges ne sont pas en mesure de protéger l'intégrité du processus judiciaire contre les abus possibles que pourraient commettre des parties intéressées[57]. Deuxièmement, l'article 39 prive les tribunaux de la compétence de véritablement contrôler la légalité des actes de l'exécutif eu égard à de possibles erreurs de compétence[58]. Les motifs donnant

---

54. L'absence de motifs relativement à l'application du critère d'intérêt public empêche, dans les faits, les tribunaux de contrôler le caractère raisonnable de la revendication.

55. *Loi constitutionnelle de 1867* (R.-U.), 30 & 31 Vict., c. 3, reproduite dans L.R.C. 1985, ann. II, n⁰ 5.

56. *MacMillan Bloedel Ltd. c. Simpson*, [1995] 4 R.C.S. 725 au para. 38.

57. John Henry Wigmore, *A Treatise on the System of Evidence in Trials at Common Law Including the Statutes and Decisions of All Jurisdictions of the United States*, Boston, Little, Brown, and Co., 1904 aux § 1353, 2376.

58. *Crevier c. Québec (Procureur général)*, [1981] 2 R.C.S. 220.

ouverture à un contrôle judiciaire aux termes de l'article 39 sont si étroits qu'il est pratiquement impossible, sans examiner les documents en cause, de prouver que le gouvernement a revendiqué l'immunité du Cabinet de façon erronée ou abusive. L'article 39 peut donc être décrit comme un « trou noir juridique », en ce sens qu'il place les actes de l'exécutif à l'abri de tout contrôle judiciaire efficace[59].

À la lumière de ces constats, quelles modifications devraient être apportées pour améliorer le régime législatif fédéral ? Il s'agit de concevoir un système qui puisse protéger les secrets du Cabinet, tout en respectant le principe de la primauté du droit et les valeurs démocratiques. Ce système devrait aussi être compatible avec les meilleures pratiques des ressorts de type Westminster. Comment peut-on maximiser l'intérêt public dans la saine administration de la justice ainsi que dans la transparence gouvernementale, tout en s'assurant que les délibérations du Cabinet soient suffisamment protégées ? Les six recommandations suivantes, qui sont pertinentes à la fois pour l'article 39 de la *LPC* et pour l'article 69 de la *LAI*, sont divisées en deux groupes. Les recommandations n°s 1, 2, 3 et 4 cherchent à garantir la proportionnalité de la portée de l'immunité du Cabinet à l'objectif qu'elle vise, c'est-à-dire à protéger le bon fonctionnement du système de gouvernement responsable. Pour leur part, les recommandations n°s 5 et 6 cherchent à garantir que les revendications d'immunité du Cabinet sont assujetties à des mécanismes de surveillance et de contrôle adéquats.

RECOMMANDATION N[O] 1

Les renseignements confidentiels du Cabinet devraient être protégés sur la base d'un critère fondé sur le préjudice plutôt que sur la catégorie.

À l'heure actuelle, le régime législatif fédéral protège les renseignements confidentiels du Cabinet en fonction d'un critère fondé sur la « catégorie » plutôt que sur le « préjudice ». Ainsi, tout

---

59. Dyzenhaus, *supra* note 50 aux p. 3, 42, 50.

document réputé contenir des renseignements confidentiels du Cabinet est susceptible d'être protégé pour une période de 20 ans: le préjudice potentiel que sa divulgation pourrait causer à l'intérêt du bon gouvernement est tenu pour acquis plutôt que démontré. L'évaluation porte strictement sur la présence ou non de renseignements confidentiels du Cabinet dans les documents. L'absence de définition substantielle de cette expression dans les lois pertinentes mène à une interprétation trop large de la catégorie[60]. Pour limiter la portée de l'immunité du Cabinet, certains ressorts ont défini les renseignements confidentiels du Cabinet comme des renseignements qui «révèlent le contenu des délibérations du Cabinet» (Alberta[61], Colombie-Britannique[62], Île-du-Prince-Édouard[63], Manitoba[64], Nouveau-Brunswick[65], Nouvelle-Écosse[66], Ontario[67], Terre-Neuve-et-Labrador[68] et Australie[69]). Les dispositions législatives de ces ressorts ajoutent toutefois une liste non exhaustive de documents (comme celles qui se trouvent aux paragraphes 39(2) de la *LPC* et 69(1) de la *LAI*), qui sont réputés «révéler le contenu des délibérations du Cabinet». Tout renseignement ayant un lien, aussi ténu soit-il, avec le processus décisionnel collectif peut donc

---

60. Cela a été reconnu par un groupe de travail gouvernemental qui avait pour mandat de moderniser la *LAI, supra* note 3. Voir: Groupe d'étude de l'accès à l'information, *Accès à l'information: comment mieux servir les Canadiens* (juin 2002) aux p. 48-49, en ligne: <http://publications.gc.ca/collections/Collection/BT22-83-2002F.pdf> [Groupe d'étude de l'accès à l'information, *Rapport de 2002*].

61. *Freedom of Information and Protection of Privacy Act*, R.S.A. 2000, c. F-25, art. 22(1) [*Loi de l'Alberta*].

62. *Freedom of Information and Protection of Privacy Act*, R.S.B.C. 1996, c. 165, art. 12(1) [*Loi de la Colombie-Britannique*].

63. *Freedom of Information and Protection of Privacy Act*, R.S.P.E.I. 1988, c. F-15.01, art. 20(1) [*Loi de l'Île-du-Prince-Édouard*].

64. *Loi sur l'accès à l'information et la protection de la vie privée*, C.P.L.M., c. F175, art. 19(1) [*Loi du Manitoba*].

65. *Loi sur le droit à l'information et la protection de la vie privée*, L.N.-B. 2009, c. R-10.6, art. 17(1) [*Loi du Nouveau-Brunswick*].

66. *Freedom of Information and Protection of Privacy Act*, S.N.S. 1993, c. 5, art. 13(1) [*Loi de la Nouvelle-Écosse*].

67. *Loi sur l'accès à l'information et la protection de la vie privée*, L.R.O. 1990, c. F.31, art. 12(1) [*Loi de l'Ontario*].

68. *Access to Information and Protection of Privacy Act, 2015*, S.N.L. 2015, c. A-1.2, art. 27(2)(b) [*Loi de Terre-Neuve-et-Labrador*].

69. *Freedom of Information Act 1982* (Cth.), No. 3, art. 34(3) [*Loi de l'Australie*].

être protégé par l'immunité du Cabinet[70]. Même si cette approche a reçu l'aval de comités parlementaires[71], de commissaires à l'information[72] et de groupes de travail gouvernementaux[73], on peut douter que son adoption limiterait véritablement la portée de l'immunité du Cabinet.

L'expression «renseignements confidentiels du Cabinet» est difficile à définir, puisque toutes sortes de documents sont liés, directement ou non, au processus décisionnel collectif au sein de l'exécutif. Il est toutefois possible d'éviter ce problème en faisant reposer la protection sur un critère fondé sur le préjudice plutôt que sur la catégorie du document en cause[74]. En appliquant un critère

---

70. Cela dit, les ressorts ayant adopté cette approche ont tenté de limiter la portée de l'immunité du Cabinet en précisant que les documents doivent avoir été «soumis ou préparés dans le but d'être soumis» au Cabinet ou doivent être «directement liés» au processus décisionnel collectif.

71. Voir: Chambre des communes, Comité permanent de la justice et du Solliciteur général, *Une question à deux volets: Comment améliorer le droit d'accès à l'information tout en renforçant les mesures de protection des renseignements personnels*, Ottawa, Imprimeur de la Reine pour le Canada, 1987 aux p. 38-39 [Chambre des communes, *Rapport de 1987*]; Chambre des communes, Comité permanent de l'accès à l'information, de la protection des renseignements personnels et de l'éthique, *Examen de la Loi sur l'accès à l'information* (juin 2016) à la p. 38, en ligne: <https://www.noscommunes.ca/DocumentViewer/fr/42-1/ETHI/rapport-2> [Chambre des communes, *Rapport de 2016*].

72. Voir: Commissaire à l'information du Canada, *Rapport annuel: 1995-1996* aux p. 44-46, en ligne: <http://publications.gc.ca/site/fra/9.502367/publication.html> [CIC, *Rapport annuel 1995-1996*]; Commissaire à l'information du Canada, *Rapport annuel: 2000-2001* aux p. 54-55, en ligne: <http://publications.gc.ca/site/fra/9.502367/publication.html> [CIC, *Rapport annuel 2000-2001*]; Commissaire à l'information du Canada, *Modifications proposées sur l'accès à l'information: Présentation au Comité permanent de l'accès à l'information, de la protection des renseignements personnels et de l'éthique* (septembre 2005), art. 69 [CIC, Rapport de 2005]; Commissaire à l'information du Canada, *Viser juste pour la transparence – Recommandations pour moderniser la Loi sur l'accès à l'information* (mars 2015) aux p. 64-65, en ligne: <https://www.oic-ci.gc.ca/fr/ressources/rapports-publications/2015-viser-juste-pour-la-transparence> [CIC, *Rapport de 2015*].

73. Voir: Groupe d'étude de l'accès à l'information, *Rapport de 2002*, *supra* note 60 à la p. 48; Ministère de la Justice du Canada, *Un Cadre compréhensif concernant la réforme de l'accès à l'information* (avril 2005) à la p. 15, en ligne: <https://www.justice.gc.ca/fra/pr-rp/sjc-csj/aiprp-atip/aai-ati/aai-ati.pdf> [Justice Canada, *Rapport de 2005*].

74. Au fil des années, seul un comité de la Chambre des communes a recommandé l'adoption d'un critère fondé sur le préjudice pour la protection des renseignements confidentiels du Cabinet. Voir généralement: Bibliothèque du Parlement, *La Loi sur l'accès à l'information et les propositions de réforme*, Publication n° 2005-55-F (6 juin 2012) à la p. 4, en ligne:

fondé sur le préjudice, un renseignement ne serait protégé que si sa divulgation portait réellement atteinte : (1) à la convention sur la responsabilité ministérielle collective ; (2) à la franchise des discussions au sein du Cabinet ; ou (3) à l'efficacité du processus décisionnel du Cabinet. Cette approche, adoptée au Royaume-Uni[75] et en Nouvelle-Zélande[76], énoncerait de manière explicite les raisons fondées sur l'intérêt public qui sous-tendent le secret ministériel. Les renseignements ne seraient plus protégés uniquement parce qu'ils appartiennent à la catégorie très vaste des « renseignements confidentiels du Cabinet » ; ils le seraient plutôt parce que leur divulgation nuirait à l'intérêt du bon gouvernement. Des changements dans la structure du système de dossiers du Cabinet (comme les types de documents du Cabinet, leurs noms et leurs formats) par le gouvernement, comme cela s'est produit pour les documents de travail, n'auraient aucune incidence sur le degré de protection des renseignements confidentiels du Cabinet. La portée de l'immunité du Cabinet en droit législatif serait enfin compatible avec les conventions constitutionnelles et la common law.

RECOMMANDATION N⁰ 2

L'immunité du Cabinet ne devrait pas s'appliquer lorsque l'intérêt public pour la divulgation l'emporte sur l'intérêt public qui s'y oppose.

Le régime législatif fédéral ne prévoit pas explicitement que le gouvernement doive examiner les aspects divergents de l'intérêt public avant de protéger les renseignements confidentiels du Cabinet, comme il le fait pour d'autres types de renseignements[77]. La Cour suprême du Canada a interprété l'article 39 de la *LPC* de telle sorte qu'il comprend l'examen de l'intérêt public

---

<http://publications.gc.ca/collections/collection_2012/bdp-lop/bp/2005-55-fra.pdf> [Bibliothèque du Parlement, *Rapport de 2012*].

75.   *Freedom of Information Act 2000* (R.-U.), c. 36, art. 36(2) [*Loi du Royaume-Uni*].

76.   *Official Information Act 1982* (N.-Z.), 1982/156, art. 9(2)(f)-(g) [*Loi de la Nouvelle-Zélande*].

77.   Voir, par exemple, le paragraphe 20(6) de la *LAI*, *supra* note 3, et l'alinéa 8(2)m) de la *Loi sur la protection des renseignements personnels*, L.R.C. 1985, c. P-21.

dans le cadre de litiges[78]. À l'heure actuelle, il n'existe toutefois aucune exigence similaire en application de l'article 69 de la *LAI*. Or, comme l'immunité du Cabinet est une IIP, elle ne devrait être revendiquée que lorsque l'intérêt public à ce que les renseignements restent confidentiels l'emporte sur l'intérêt public à ce qu'ils soient divulgués. Cela explique pourquoi les lois relatives à l'accès à l'information de l'Alberta, de la Colombie-Britannique, de l'Île-du-Prince-Édouard, de la Nouvelle-Écosse, de l'Ontario, de Terre-Neuve-et-Labrador, du Yukon, du Royaume-Uni et de la Nouvelle-Zélande contiennent une disposition qui consacre la « primauté de l'intérêt public[79] », dont la portée s'étend notamment aux documents du Cabinet. Plusieurs commissaires à l'information ont préconisé l'ajout d'une telle disposition – qui s'appliquerait à toutes les catégories de documents – dans la *LAI*[80]. Ce type d'exception requerrait la divulgation de documents du Cabinet, en dépit du préjudice que cela pourrait causer à l'intérêt du bon gouvernement, lorsque l'intérêt public dans la transparence gouvernementale l'emporte. Une disposition qui consacre la primauté de l'intérêt public dans la *LAI* pourrait s'appliquer, par exemple, lorsque la divulgation des documents est nécessaire pour éviter « un grave danger pour la santé ou la sécurité du public ou pour l'environnement[81] » ou encore pour faire la lumière sur des allégations crédibles de conduites

---

78. *Babcock*, *supra* note 44 aux para. 22, 28. Voir aussi les paragraphes 37(5) et 38.06(2) de la *LPC*, *supra* note 4.

79. La primauté de l'intérêt public s'applique de manière générale dans les lois suivantes : *Loi de l'Alberta*, *supra* note 61, art. 32(1) ; *Loi de la Colombie-Britannique*, *supra* note 62, art. 25(1) ; *Loi de l'Île-du-Prince-Édouard*, *supra* note 63, art. 30(1) ; *Loi de la Nouvelle-Écosse*, *supra* note 66, art. 31(1) ; *Loi de Terre-Neuve-et-Labrador*, *supra* note 68, art. 27(3). La primauté de l'intérêt public s'applique de manière limitée, en situation de « grave danger pour la santé ou la sécurité du public ou pour l'environnement », dans les lois suivantes : *Loi de l'Ontario*, *supra* note 67, art. 11(1) ; *Loi sur l'accès à l'information et la protection de la vie privée*, L.R.Y. 2002, c. 1, art. 28(1) [*Loi du Yukon*]. Suivant la *Loi du Royaume-Uni*, *supra* note 75, art. 2(2)(b), 35-36, et la *Loi de la Nouvelle-Zélande*, *supra* note 76, art. 9(1), 9(2)(f), 9(2)(g), les dispositions qui consacrent la primauté de l'intérêt public s'appliquent uniquement à certaines exceptions, dont celles qui protègent les documents du Cabinet.

80. CIC, *Rapport annuel 1995-1996*, *supra* note 72 aux p. 52-53 ; CIC, *Rapport annuel 2000-2001*, *supra* note 72 aux p. 59-60 ; CIC, *Rapport de 2005*, *supra* note 72, art. 2.3 ; CIC, *Rapport de 2015*, *supra* note 72 aux p. 63-64.

81. *Loi de l'Ontario*, *supra* note 67, art. 11(1) ; *Loi du Yukon*, *supra* note 79, art. 28(1).

répréhensibles, de mauvaise gestion ou d'actes criminels[82]. La protection des documents du Cabinet sur la base d'un critère fondé sur le préjudice et la primauté de l'intérêt public implique que ce type de documents devrait faire l'objet d'une exception « discrétionnaire ».

RECOMMANDATION N[O] 3

L'immunité du Cabinet ne devrait pas servir à protéger les renseignements factuels et contextuels relatifs à une décision qui a été rendue publique.

À l'heure actuelle, le régime législatif fédéral prévoit une exception relative aux « [documents] de travail [destinés] à présenter des problèmes, des analyses ou des options politiques à l'examen du Conseil[83] ». Les documents de travail peuvent être divulgués lorsque la décision sous-jacente a été rendue publique ou, à défaut de publicité, a été prise au moins quatre ans auparavant[84]. Certaines lois provinciales contiennent une exception similaire[85]. Cependant, le gouvernement fédéral a modifié le système de dossiers du Cabinet, ce qui a eu pour conséquence de contrecarrer l'application de cette exception. En pratique, pour que l'exception fonctionne, il faudrait modifier le format des documents du Cabinet de manière à garantir que les secrets périphériques, c'est-à-dire les renseignements factuels et contextuels, puissent être séparés des secrets fondamentaux, c'est-à-dire des opinions et des recommandations ministérielles. En effet, [TRADUCTION] « [empêcher] la divulgation de faits n'est pas conforme à l'objet

---

82. Comme cela était le cas dans le contexte des commissions d'enquête McDonald, Gomery et Oliphant ainsi que des poursuites pénales contre les anciens ministres André Bissonnette (progressiste-conservateur) et John Munro (libéral).

83. Voir les alinéas 39(2)b) de la *LPC*, *supra* note 4 et 69(1)b) de la *LAI*, *supra* note 3.

84. Voir les alinéas 39(4)b) de la *LPC*, *supra* note 4 et 69(3)b) de la *LAI*, *supra* note 3.

85. *Loi de l'Alberta*, *supra* note 61, art. 22(2)(c) ; *Loi de la Colombie-Britannique*, *supra* note 62, art. 12(2)(c) ; *Loi de la Nouvelle-Écosse*, *supra* note 66, art. 13(2)(c) ; *Loi de l'Ontario*, *supra* note 67, art. 12(1)c) ; *Loi de Terre-Neuve-et-Labrador*, *supra* note 68, art. 27(1)(d) ; *Loi du Yukon*, *supra* note 79, art. 15(2)c). Voir aussi : *Loi du Royaume-Uni*, *supra* note 75, art. 35(2), 35(4) ; *Loi de l'Australie*, *supra* note 69, art. 34(6).

de la convention sur le secret des délibérations du Cabinet[86]». Les juges, les parlementaires, les journalistes, les citoyens et les plaideurs ont besoin de faits pour tenir le gouvernement responsable. L'accès aux renseignements factuels et contextuels qui sous-tendent les dispositions législatives permettrait aussi de favoriser un meilleur dialogue institutionnel entre les trois branches de l'État[87]. Une exception au secret ministériel pour ce type de renseignements a reçu l'aval de tous les rapports qui ont proposé des projets de réforme visant à moderniser le régime législatif fédéral[88]. Il y aurait lieu d'envisager de créer une exception similaire pour les documents officiels du Cabinet qui ont une valeur probante et qui ne révèlent pas de secrets fondamentaux, comme ceux où sont consignées les décisions du Cabinet et celles du Conseil du Trésor[89].

RECOMMANDATION N⁰ 4

L'immunité du Cabinet ne devrait pas s'appliquer pour une période qui excède la durée attendue de la carrière politique d'un ministre.

Le régime législatif fédéral comprend une exception applicable aux renseignements confidentiels du Cabinet «dont l'existence

---

86. Nicholas d'Ombrain, «Cabinet Secrecy» (2004) 47:3 *Administration publique du Canada* 332 à la p. 352. Voir aussi: S.I. Bushnell, «Crown Privilege» (1973) 51:4 *R. du B. Can.* 551 aux p. 581-582.

87. Sur la théorie du dialogue, voir: Kent Roach, *The Supreme Court on Trial: Judicial Activism or Democratic Dialogue*, éd. révisée, Toronto, Irwin Law, 2016. L'accès aux renseignements factuels et contextuels sur lesquels se fondent les politiques gouvernementales promouvrait aussi un meilleur dialogue entre les décideurs administratifs et les justiciables sujets à leur pouvoir discrétionnaire. Voir: Geneviève Cartier, «Administrative Discretion as Dialogue: A Response to John Willis (or: From Theology to Secularization)» (2005) 55:3 *U.T.L.J.* 629.

88. Chambre des communes, *Rapport de 1987, supra* note 71 à la p. 37; Commissaire à l'information du Canada, *Rapport annuel: 1993-1994* à la p. 28, en ligne: <http://publications.gc.ca/site/fra/9.502367/publication.html> [CIC, *Rapport annuel 1993-1994*]; CIC, *Rapport annuel 1995-1996, supra* note 72 aux p. 48-50; CIC, *Rapport annuel 2000-2001, supra* note 72 aux p. 57-58; Groupe d'étude de l'accès à l'information, *Rapport de 2002, supra* note 60 aux p. 48-49; CIC, *Rapport de 2005, supra* note 72, art. 69; CIC, *Rapport de 2015, supra* note 72 à la p. 65; Chambre des communes, *Rapport de 2016, supra* note 71 à la p. 38.

89. CIC, *Rapport de 2005, supra* note 72, art. 69.

remonte à plus de vingt ans[90] ». À l'instar des conventions constitutionnelles et de la common law, le droit législatif reconnaît que
la sensibilité des renseignements confidentiels du Cabinet diminue
avec le passage du temps. Les régimes provinciaux d'accès à l'information ainsi que ceux du Royaume-Uni, de l'Australie et de
la Nouvelle-Zélande prévoient la protection des renseignements
confidentiels du Cabinet durant une période allant de 10 à 25 ans[91].
Plusieurs comités parlementaires, commissaires à l'information et
groupes de travail gouvernementaux ont recommandé de réduire
la durée de la protection à 15 ans à l'ordre fédéral[92]. Le choix du
nombre d'années est, dans une certaine mesure, arbitraire. Quel
critère pourrait tout de même, de manière aussi objective que
possible, guider ce choix? Un critère pertinent serait celui de la
durée attendue de la carrière politique d'un ministre[93]. En effet,
un ministre devrait normalement pouvoir s'attendre à ce que les
opinions qu'il a exprimées durant les délibérations du Cabinet ne
soient pas rendues publiques avant qu'il ne quitte la vie politique.
Bien que la période de 20 ans prévue actuellement semble raison-

---

90.   Voir les alinéas 39(4)a) de la *LPC*, *supra* note 4 et 69(3)a) de la *LAI*, *supra* note 3.

91.   10 ans: *Loi de la Nouvelle-Écosse*, *supra* note 66, art. 13(2)(a). 15 ans: *Loi de l'Alberta*, *supra* note 61, art. 22(2)(a); *Loi de la Colombie-Britannique*, *supra* note 62,
art. 12(2)(a); *Loi de l'Île-du-Prince-Édouard*, *supra* note 63, art. 20(2)(a); *Loi du
Nouveau-Brunswick*, *supra* note 65, art. 17(2) (toutefois, après 15 ans, la divulgation
ne peut se faire qu'avec l'approbation du Conseil exécutif); *Loi sur l'accès à l'information et la protection de la vie privée*, L.T.N.-O. (Nu.) 1994, c. 20, art. 13(3) [*Loi du
Nunavut*]; *Loi sur l'accès à l'information et la protection de la vie privée*, L.T.N.-O.
1994, c. 20, art. 13(2) [*Loi des Territoires du Nord-Ouest*]; *Loi du Yukon*, *supra*
note 79, art. 15(2)a). 20 ans: *Loi du Manitoba*, *supra* note 64, art. 19(2)a); *Loi de
l'Ontario*, *supra* note 67, art. 12(2)a); *Loi de Terre-Neuve-et-Labrador*, *supra* note 68,
art. 27(4)(a); *Loi du Royaume-Uni*, *supra* note 75, art. 62(1). 21 ans: *Archives Act
1983* (Cth.), No. 79, art. 3(7) (Australie), sauf pour les cahiers de notes du Cabinet
qui sont protégés pour une durée de 31 ans aux termes de l'article 22A. 25 ans:
*Loi sur l'accès aux documents des organismes publics et sur la protection des ren-
seignements personnels*, L.R.Q., c. A-2.1, art. 33 [*Loi du Québec*]; *The Freedom of
Information and Protection of Privacy Act*, S.S. 1990-91, c. F-22.01, art. 16(2)(a) [*Loi
de la Saskatchewan*]; *Public Records Act 2005* (N.-Z.), 2005/40, art. 21.

92.   Chambre des communes, *Rapport de 1987*, *supra* note 71 à la p. 39; CIC, *Rapport
annuel 1993-1994*, *supra* note 88 à la p. 28; CIC, *Rapport annuel 1995-1996*, *supra*
note 72 à la p. 48; CIC, *Rapport annuel 2000-2001*, *supra* note 72 à la p. 57; Groupe
d'étude de l'accès à l'information, *Rapport de 2002*, *supra* note 60 à la p. 49; CIC,
Rapport de 2005, *supra* note 72, art. 69; CIC, *Rapport de 2015*, *supra* note 72 à la
p. 65. Dans le même esprit, voir: Chambre des communes, *Rapport de 2016*, *supra*
note 71 à la p. 38.

93.   Bureau du Conseil privé, *Loi sur le droit d'accès à l'information: Document de
travail*, par Walter Baker, Ottawa, Président du Conseil privé, 1979 à la p. 18.

nable relativement aux secrets fondamentaux[94], il serait utile de mener une étude empirique portant sur la durée des carrières des ministres depuis la création du Secrétariat du Cabinet fédéral en 1940 pour confirmer qu'il s'agit d'un point de référence adéquat. Quoi qu'il en soit, les dispositions législatives devraient établir clairement que la période de 20 ans constitue un maximum et non un minimum : la divulgation des renseignements confidentiels du Cabinet devrait être permise dans l'intérêt public avant l'expiration de ce délai.

RECOMMANDATION N° 5

Dans le cadre de litiges, les cours supérieures provinciales et la Cour fédérale devraient avoir le pouvoir d'examiner les renseignements confidentiels du Cabinet, d'évaluer les aspects divergents de l'intérêt public et d'ordonner la production de ces renseignements, le cas échéant.

L'article 39 de la *LPC* prévoit que les tribunaux ne peuvent ni examiner les renseignements confidentiels du Cabinet ni en ordonner la production lorsqu'une attestation conforme aux exigences de forme a été déposée par un ministre ou par le greffier. Cette disposition prive les tribunaux de leur pouvoir de contrôler l'admissibilité de la preuve dans le cadre de litiges, de même que de leur compétence d'effectuer un véritable contrôle des actes de l'exécutif. Pour régler ce problème, il faudrait permettre aux tribunaux d'examiner les renseignements confidentiels du Cabinet, d'évaluer les aspects divergents de l'intérêt public et, lorsque cela s'avère nécessaire, d'ordonner la production des renseignements en cause. Cela rétablirait le pouvoir et la compétence que les tribunaux possèdent déjà en common law. Il est toutefois plus difficile de déterminer quel tribunal devrait avoir le pouvoir d'ordonner la

---

94. En comparaison, la divulgation de secrets périphériques après qu'une décision ait été rendue publique ne porterait pas préjudice à l'intérêt public dans la saine administration du gouvernement, puisque cela ne minerait pas l'efficacité du processus décisionnel collectif. L'intérêt public peut toutefois requérir que les secrets fondamentaux demeurent confidentiels, et ce, même après que la décision sous-jacente ait été rendue publique, afin de maintenir la franchise des discussions entre les ministres et la solidarité ministérielle.

production des renseignements confidentiels du Cabinet. Est-ce que cela devrait être les cours supérieures provinciales et la Cour fédérale, comme c'est le cas aux termes de l'article 37 de la *LPC* (qui s'applique aux revendications d'IIP en général), ou est-ce que seule la Cour fédérale devrait être investie de ce pouvoir, comme le prévoit l'article 38 de la *LPC* (qui s'applique aux IIP fondées sur les relations internationales, la défense nationale et la sécurité nationale)?

Les arguments en faveur d'une compétence exclusive de la Cour fédérale portent principalement sur des considérations de sécurité, d'expertise et de cohérence. Premièrement, les bureaux de la Cour fédérale satisfont déjà aux exigences de sécurité pour le traitement des documents secrets et très secrets, ce qui n'est pas nécessairement le cas des palais de justice où siègent les cours supérieures. Deuxièmement, comme seul un groupe restreint de juges de la Cour fédérale serait appelé à examiner les renseignements confidentiels du Cabinet, au fil du temps, ces juges développeraient une expertise sur le sujet. Au contraire, le juge d'une cour supérieure pourrait n'être que rarement, voire jamais, appelé à traiter de renseignements confidentiels du Cabinet durant sa carrière. Troisièmement, comme la Cour fédérale a une compétence exclusive quant à la production de renseignements relatifs aux relations internationales, à la défense nationale et à la sécurité nationale, il semblerait logique de lui conférer aussi une compétence exclusive quant à la production de renseignements confidentiels du Cabinet[95]. Un tel choix favoriserait une application uniforme de l'article 39 dans l'ensemble du pays.

Ces arguments ne justifient toutefois pas d'écarter la compétence des cours supérieures. Comme l'a démontré le chapitre 4, aux termes de l'article 96 de la *Loi constitutionnelle de 1867*, le Parlement ne peut priver les cours supérieures de leur pouvoir de contrôler l'admissibilité de la preuve et de leur compétence d'examiner la légalité des actes de l'exécutif. Ainsi, il serait

---

95.   Le ministère de la Justice a recommandé que la Cour fédérale se voie octroyer un pouvoir limité de contrôler les revendications d'immunité du Cabinet aux termes de la *LPC*, *supra* note 4, à la suite de la décision de la Cour suprême du Canada dans l'arrêt *Babcock*, *supra* note 44. Voir: Justice Canada, *Rapport de 2005*, *supra* note 73 aux p. 15-16.

inconstitutionnel que le Parlement dépouille les cours supérieures de leur autorité de statuer sur les revendications d'immunité du Cabinet. Cela serait aussi inefficace, puisqu'il en résulterait un processus à deux voies : la Cour supérieure serait tenue de surseoir à ses procédures pendant que la Cour fédérale, qui, dans la plupart des cas, ne serait pas aussi familière avec les questions en litige, se prononcerait sur la production des renseignements confidentiels du Cabinet[96]. De plus, le poids des arguments favorables à la compétence exclusive de la Cour fédérale ne devrait pas être surestimé. Les palais de justice où œuvrent les cours supérieures peuvent être adaptés pour satisfaire aux exigences pertinentes en matière de sécurité. En outre, bien que les juges des cours supérieures seraient rarement saisis de dossiers mettant en cause la production de renseignements confidentiels du Cabinet, cela ne signifie pas pour autant qu'ils n'auraient pas l'expertise pour en traiter. En effet, ces juges sont souvent appelés à trancher des questions de privilège et d'immunité ; ils sont aussi parfois appelés à examiner des revendications d'immunité du Cabinet à l'ordre provincial. Tout manque d'uniformité entre leurs décisions finirait par être résolu par la Cour suprême du Canada. En définitive, le tribunal qui a compétence pour entendre la cause devrait pouvoir statuer sur la revendication, puisqu'il est habituellement dans une meilleure position pour évaluer la pertinence des documents et pour protéger l'équité des procédures.

Pour s'assurer que les revendications d'immunité du Cabinet soient adéquatement évaluées par les tribunaux, il serait opportun que le Parlement circonscrive l'exercice du pouvoir discrétionnaire judiciaire. Il pourrait le faire en enchâssant dans la loi l'approche rationnelle décrite au chapitre 2, relativement aux revendications d'immunité du Cabinet. Ainsi, le Parlement pourrait : restreindre la norme de communication de la preuve applicable aux poursuites intentées contre le gouvernement fédéral ; faire peser sur le gouvernement le fardeau de justifier adéquatement les revendications d'immunité du Cabinet ; préciser les diverses étapes de l'analyse

---

96. Il s'agit d'un problème important aux termes de l'article 38 de la *LPC*, *supra* note 4. Voir : *R. c. Ahmad*, 2011 CSC 6, [2011] 1 R.C.S. 110 ; Kent Roach, « "Constitutional Chicken" : National Security Confidentiality and Terrorism Prosecutions after *R. v. Ahmad* » (2011) 54 *S.C.L.R.* (2ᵉ) 357.

372 LE SECRET MINISTÉRIEL: THÉORIE ET PRATIQUE

coûts-bénéfices dans la loi; et imposer aux tribunaux l'obligation de minimiser le degré de préjudice lorsqu'ils ordonnent la production des documents en cause. Cette approche donnerait aux tribunaux les balises nécessaires pour réaliser un équilibre adéquat entre l'intérêt de la justice et l'intérêt du bon gouvernement. Elle permettrait en outre aux plaideurs de disposer des renseignements dont ils ont besoin pour assurer le règlement équitable de leur cause, sans indûment miner le bon fonctionnement de notre système de gouvernement.

RECOMMANDATION Nº 6

Dans le cadre du régime d'accès à l'information, le commissaire à l'information et la Cour fédérale devraient disposer du pouvoir d'examiner les documents du Cabinet, et la Cour fédérale devrait disposer du pouvoir additionnel de rendre des ordonnances exécutoires de divulgation.

Comme l'article 69 de la *LAI* exclut les documents du Cabinet de la portée de cette loi, le commissaire à l'information et la Cour fédérale ne peuvent ni examiner ces documents ni en contraindre la divulgation[97]. Il est donc pratiquement impossible de déterminer si l'article 69 est appliqué de façon raisonnable et de bonne foi. Comme l'affirmait l'ancien commissaire à l'information, John Reid, « [l]e principe de la confidentialité des documents du Cabinet risque d'être appliqué trop largement et de façon trop intéressée par les gouvernements lorsqu'il n'existe pas d'organe de surveillance indépendant[98] ». La solution consisterait à prévoir dans la *LAI* une « exception », par opposition à une « exclusion », pour les documents du Cabinet. Il faudrait alors décider qui devrait avoir le pouvoir d'examiner ces documents pour juger du caractère raisonnable de la revendication. Deux approches ont été proposées.

---

97. Aucune autre disposition de la *LAI*, *supra* note 3, n'a autant miné la crédibilité et terni la réputation du régime fédéral d'accès à l'information que l'article 69. Voir : Chambre des communes, *Rapport de 1987*, *supra* note 71 à la p. 37 ; CIC, *Rapport annuel 1993-1994*, *supra* note 88 à la p. 26.

98. Tel que cité dans CIC, *Rapport de 2015*, *supra* note 72 à la p. 62.

La première consisterait à conférer ce pouvoir à la Cour fédérale, mais non au commissaire. En présence d'une revendication non fondée, la Cour pourrait rendre une ordonnance exécutoire de divulgation. C'est l'approche qu'ont préconisée un comité parlementaire et des groupes de travail gouvernementaux[99]. Elle est fondée sur la présomption que l'on ne peut faire confiance au commissaire pour traiter de secrets politiques. Comme ce dernier rend compte au Parlement, dont plusieurs membres sont des adversaires politiques des ministres, il ne devrait pas détenir le pouvoir d'examiner les documents du Cabinet. La seconde approche consisterait à autoriser tant le commissaire que la Cour fédérale à examiner les documents du Cabinet. Cette approche, qui a été systématiquement recommandée par les commissaires à l'information[100], a été adoptée dans presque toutes les provinces canadiennes[101], au Royaume-Uni[102], en Australie[103] et en Nouvelle-Zélande[104]. La différence principale entre ces ressorts découle du fait que certains d'entre eux autorisent leur commissaire à l'information à ordonner la divulgation des documents, tandis que d'autres ne l'autorisent pas[105].

---

99. Chambre des communes, *Rapport de 1987*, *supra* note 71 aux p. 37-39; Groupe d'étude de l'accès à l'information, *Rapport de 2002*, *supra* note 60 aux p. 49-50; Justice Canada, *Rapport de 2005*, *supra* note 73 à la p. 15.

100. CIC, *Rapport annuel 1993-1994*, *supra* note 88 à la p. 28; CIC, *Rapport annuel 1995-1996*, *supra* note 72 aux p. 43, 53-54; CIC, *Rapport annuel 2000-2001*, *supra* note 72 aux p. 53, 60-61; CIC, *Rapport de 2005*, *supra* note 72, art. 69; CIC, *Rapport de 2015*, *supra* note 72 aux p. 63-65. Dans le même esprit, voir: Chambre des communes, *Rapport de 2016*, *supra* note 71 à la p. 38.

101. *Loi de l'Alberta*, *supra* note 61, art. 56; *Loi de la Colombie-Britannique*, *supra* note 62, art. 44(1)(b); *Loi de l'Île-du-Prince-Édouard*, *supra* note 63, art. 53(2); *Loi du Manitoba*, *supra* note 64, art. 50(2), 71; *Loi de la Nouvelle-Écosse*, *supra* note 66, art. 38(1)(a); *Loi de l'Ontario*, *supra* note 67, art. 52(4), 56(2); *Loi du Québec*, *supra* note 91, art. 141; *Loi de la Saskatchewan*, *supra* note 91, art. 54(1)(a); *Loi de Terre-Neuve-et-Labrador*, *supra* note 68, art. 97(3); *Loi du Nunavut*, *supra* note 91, art. 34; *Loi des Territoires du Nord-Ouest*, *supra* note 91, art. 34; *Loi du Yukon*, *supra* note 79, art. 53(1)b). Seul le Nouveau-Brunswick n'autorise pas le commissaire à l'information de la province à examiner les documents du Cabinet: *Loi du Nouveau-Brunswick*, *supra* note 65, art. 70(1).

102. *Loi du Royaume-Uni*, *supra* note 75, art. 50, 55, annexe 3.

103. *Loi de l'Australie*, *supra* note 69, art. 55U(3).

104. *Loi de la Nouvelle-Zélande*, *supra* note 76, art. 28-29A.

105. Les lois autorisant le commissaire à l'information à ordonner la divulgation des documents du Cabinet sont les suivantes: *Loi de l'Alberta*, *supra* note 61, art. 72; *Loi de la Colombie-Britannique*, *supra* note 62, art. 58-59.01; *Loi de*

La seconde approche est la meilleure, et ce, pour trois raisons. Premièrement, il est plus rapide, moins cher et plus efficace que le commissaire à l'information examine et tente de répondre aux plaintes avant que ne s'amorcent les procédures devant la Cour fédérale. Si les plaignants pouvaient saisir directement le tribunal, cela « créerait des pressions énormes sur les ressources judiciaires[106] ». Deuxièmement, le commissaire n'est pas partisan et est juridiquement tenu de maintenir la confidentialité des documents du gouvernement[107]. Il n'y a aucun motif raisonnable de croire que le commissaire révélerait des renseignements confidentiels aux adversaires politiques des ministres[108]. Troisièmement, pour que le processus d'examen judiciaire puisse accomplir sa fonction de manière effective, quelqu'un doit pouvoir contester la revendication du gouvernement. Le commissaire ne pourrait pas le faire s'il ne participait pas à l'étape de l'enquête. En ce qui a trait à la question de savoir si le commissaire devrait être habilité à rendre des ordonnances exécutoires de divulgation des documents du Cabinet, le présent ouvrage ne prend pas position. L'octroi d'un tel pouvoir ferait passer le rôle du commissaire de celui de « protecteur du citoyen » à celui de « tribunal quasi judiciaire ». Cela requerrait d'apporter des changements structurels importants au

---

l'*Île-du-Prince-Édouard*, *supra* note 63, art. 66(2) ; *Loi du Manitoba*, *supra* note 64, art. 66.8(2) ; *Loi de l'Ontario*, *supra* note 67, art. 54(1) ; *Loi du Québec*, *supra* note 91, art. 141. Les lois n'autorisant pas le commissaire à l'information à ordonner la divulgation des documents du Cabinet sont les suivantes : *Loi du Nouveau-Brunswick*, *supra* note 65, art. 70(1), 73 ; *Loi de la Nouvelle-Écosse*, *supra* note 66, art. 39(1)(a) ; *Loi de la Saskatchewan*, *supra* note 91, art. 55 ; *Loi de Terre-Neuve-et-Labrador*, *supra* note 68, art. 47 ; *Loi du Nunavut*, *supra* note 91, art. 35 ; *Loi des Territoires du Nord-Ouest*, *supra* note 91, art. 35 ; *Loi du Yukon*, *supra* note 79, art. 57 ; *Loi du Royaume-Uni*, *supra* note 75, art. 54 ; *Loi de l'Australie*, *supra* note 69, art. 55L(2) ; *Loi de la Nouvelle-Zélande*, *supra* note 76, art. 30.

106.   Commissaire à l'information du Canada, *Réponse au rapport du groupe d'étude de l'accès à l'information* (septembre 2002) aux p. 17-18, en ligne : <http://publications. gc.ca/collections/Collection/IP4-1-2002F.pdf>.

107.   Voir, en particulier, le paragraphe 35(1) ainsi que les articles 62 et 64 de la *LAI*, *supra* note 3.

108.   Cela dit, afin de réduire le risque de compromettre la confidentialité des renseignements, le pouvoir d'examiner les documents du Cabinet ne devrait être exercé que par un nombre limité d'employés au sein du Commissariat à l'information, comme le recommandent les rapports suivants : CIC, *Rapport annuel 1995-1996*, *supra* note 72 aux p. 53-54 ; CIC, *Rapport annuel 2000-2001*, *supra* note 72 aux p. 60-61 ; CIC, *Rapport de 2015*, *supra* note 72 à la p. 65 ; Chambre des communes, *Rapport de 2016*, *supra* note 71 à la p. 38. Voir aussi le paragraphe 59(2) de la *LAI*, *supra* note 3, par analogie.

Commissariat à l'information pour faire en sorte que le processus décisionnel menant à une ordonnance exécutoire de divulgation soit présidé par un décideur indépendant et impartial.

Le rôle du commissaire à l'information et de la Cour fédérale consisterait à examiner les documents à huis clos et *ex parte* pour évaluer si leur divulgation porterait préjudice : (1) à la convention sur la responsabilité ministérielle collective ; (2) à la franchise des délibérations du Cabinet ; ou (3) à l'efficacité du processus décisionnel du Cabinet. Ce faisant, le commissaire ou la Cour fédérale s'en remettrait à l'expertise du gouvernement, qui est dans une meilleure position pour évaluer le préjudice potentiel à l'intérêt du bon gouvernement. Si la divulgation était jugée préjudiciable à l'intérêt du bon gouvernement, le commissaire ou la Cour examinerait ensuite si la règle de la « primauté de l'intérêt public » devrait s'appliquer. Selon la *LAI*, l'intérêt quant à la transparence gouvernementale ne l'emporterait sur l'intérêt du bon gouvernement que dans des cas exceptionnels ; par exemple, lorsqu'il est nécessaire de révéler les renseignements afin d'empêcher « un grave danger pour la santé ou la sécurité du public ou pour l'environnement[109] » ou de faire la lumière sur des allégations crédibles de conduites répréhensibles, de mauvaise gestion ou d'actes criminels.

Le présent ouvrage n'est pas favorable à l'ajout d'une disposition aux articles 39 de la *LPC* ou 69 de la *LAI* qui permettrait au gouvernement d'infirmer une ordonnance du tribunal exigeant la divulgation des renseignements confidentiels du Cabinet, tel qu'il en existe actuellement dans la législation canadienne. En effet, l'article 38.13 de la *LPC* autorise le procureur général du Canada à délivrer un certificat infirmant une décision judiciaire d'ordonner la production de renseignements relatifs aux relations internationales, à la défense nationale et à la sécurité nationale[110]. Bien que la délivrance d'un tel certificat puisse avoir un coût politique pour le gouvernement, le fait de permettre à un membre de l'exécutif

---

109. Voir, par exemple : *Loi de l'Ontario, supra* note 67, art. 11(1) ; *Loi du Yukon, supra* note 79, art. 28(1).

110. Des dispositions analogues, autorisant l'exécutif à infirmer les décisions du commissaire à l'information, existent également dans les régimes d'accès à l'information du Québec et du Royaume-Uni. Voir : *Loi du Québec, supra* note 91, art. 145 ; *Loi du Royaume-Uni, supra* note 75, art. 53(2).

d'infirmer une décision judiciaire rendue dans une cause précise – une fois que les deux parties ont eu l'occasion de présenter leurs arguments et que le tribunal a eu l'occasion d'examiner les renseignements et d'évaluer l'intérêt public – est incompatible avec la primauté du droit. Si le gouvernement est insatisfait d'une décision judiciaire, c'est en interjetant appel qu'il peut y remédier, et ce, jusqu'à la Cour suprême du Canada, au besoin. Le gouvernement ne devrait pas être autorisé à infirmer lui-même les décisions judiciaires qui lui sont défavorables. Les dispositions comme l'article 38.13 sont préoccupantes sous l'angle de la primauté du droit.

En définitive, cet ouvrage a démontré que le régime législatif fédéral présente des lacunes et devrait être réformé. L'expérience des provinces canadiennes et des autres ressorts de type Westminster sous étude (c'est-à-dire le Royaume-Uni, l'Australie et la Nouvelle-Zélande) démontre que les renseignements confidentiels du Cabinet peuvent être bien protégés par une immunité plus restreinte dont l'exercice est sujet à des mécanismes de surveillance et de contrôle adéquats[111]. Il y a toutefois peu d'espoir que le gouvernement, peu importe son affiliation politique, prenne, par l'entremise du Parlement, des mesures pour moderniser les articles 39 de la *LPC* et 69 de la *LAI*. En effet, pourquoi le gouvernement changerait-il un régime qui lui donne un contrôle total sur la divulgation de ses secrets politiques ? À moins qu'il n'ait quelque chose à gagner en changeant le régime, tout acteur intéressé souhaiterait maintenir le *statu quo*[112]. Bien que la question du secret ministériel soit importante pour les juristes, les journalistes et les

---

111. Stanley L. Tromp, *Fallen Behind: Canada's Access to Information Act in the World Context* (septembre 2008) à la p. 13, en ligne: <http://www3.telus.net/index100/report>. Selon cet auteur, [TRADUCTION] « [le] Canada doit certainement modifier ses propres lois sur l'accès à l'information pour se conformer aux meilleures pratiques de ses partenaires du Commonwealth [...]. Cela ne constitue pas un objectif radical ou déraisonnable car, pour l'atteindre, les parlementaires canadiens n'ont pas besoin de faire un saut vers l'avenir ; ils doivent simplement entrer dans le présent ». Le Canada est, par exemple, bien loin derrière la Nouvelle-Zélande, qui encourage la divulgation proactive des documents du Cabinet par leur publication en ligne. Voir: Nouvelle-Zélande, Department of the Prime Minister and Cabinet, *Cabinet Manual*, 2017 aux para. 8.14-8.19, en ligne: <https://dpmc.govt.nz/our-business-units/cabinet-office/supporting-work-cabinet/cabinet-manual>.

112. Il n'est donc pas surprenant que les projets de loi visant à réformer l'immunité du Cabinet n'aient pas été adoptés. Voir généralement: Bibliothèque du Parlement, *Rapport de 2012*, *supra* note 74.

universitaires, elle n'a pas été une priorité pour les Canadiens en général. L'impulsion du changement devra donc venir d'ailleurs, une action en justice étant l'avenue la plus prometteuse. Il faut espérer que les arguments présentés dans cet ouvrage pourront servir pour convaincre les tribunaux que le régime législatif est non seulement déficient du point de vue des politiques publiques, mais également inconstitutionnel. Une déclaration judiciaire d'inconstitutionnalité ouvrirait la voie à la modernisation de ce régime par le Parlement à la lumière des recommandations énoncées précédemment.

ANNEXE

Loi sur la Cour fédérale, S.R.C. 1970, 2ᵉ supp., c. 10

41. (1) Sous réserve des dispositions de toute autre loi et du paragraphe (2), lorsqu'un ministre de la Couronne certifie par affidavit à un tribunal qu'un document fait partie d'une catégorie ou contient des renseignements dont on devrait, à cause d'un intérêt public spécifié dans l'affidavit, ne pas exiger la production et la communication, ce tribunal peut examiner le document et ordonner de le produire ou d'en communiquer la teneur aux parties, sous réserve des restrictions ou conditions qu'il juge appropriées, s'il conclut, dans les circonstances de l'espèce, que l'intérêt public dans la bonne administration de la justice l'emporte sur l'intérêt public spécifié dans l'affidavit.

(2) Lorsqu'un ministre de la Couronne certifie par affidavit à un tribunal que la production ou communication d'un document serait préjudiciable aux relations internationales, à la défense ou à la sécurité nationale ou aux relations fédérales-provinciales, ou dévoilerait une communication confidentielle du Conseil privé de la Reine pour le Canada, le tribunal doit, sans examiner le document, refuser sa production et sa communication.

Loi sur la preuve au Canada, L.R.C. 1985, c. C-5

39 (1) Le tribunal, l'organisme ou la personne qui ont le pouvoir de contraindre à la production de renseignements sont, dans les cas où un ministre ou le greffier du Conseil privé s'opposent à la divulgation d'un renseignement, tenus d'en refuser la divulgation, sans l'examiner ni tenir d'audition à son sujet, si le ministre ou le greffier attestent par écrit que le renseignement constitue un

renseignement confidentiel du Conseil privé de la Reine pour le Canada.

(2) Pour l'application du paragraphe (1), un *renseignement confidentiel du Conseil privé de la Reine pour le Canada* s'entend notamment d'un renseignement contenu dans :

a) une note destinée à soumettre des propositions ou recommandations au Conseil ;

b) un document de travail destiné à présenter des problèmes, des analyses ou des options politiques à l'examen du Conseil ;

c) un ordre du jour du Conseil ou un procès-verbal de ses délibérations ou décisions ;

d) un document employé en vue ou faisant état de communications ou de discussions entre ministres sur des questions liées à la prise des décisions du gouvernement ou à la formulation de sa politique ;

e) un document d'information à l'usage des ministres sur des questions portées ou qu'il est prévu de porter devant le Conseil, ou sur des questions qui font l'objet des communications ou discussions visées à l'alinéa d) ;

f) un avant-projet de loi ou projet de règlement.

(3) Pour l'application du paragraphe (2), *Conseil* s'entend du Conseil privé de la Reine pour le Canada, du Cabinet et de leurs comités respectifs.

(4) Le paragraphe (1) ne s'applique pas :

a) à un renseignement confidentiel du Conseil privé de la Reine pour le Canada dont l'existence remonte à plus de vingt ans ;

b) à un document de travail visé à l'alinéa (2)b), dans les cas où les décisions auxquelles il se rapporte ont été rendues publiques ou, à défaut de publicité, ont été rendues quatre ans auparavant.

Loi sur l'accès à l'information, L.R.C. 1985, c. A-1

69 (1) La présente partie ne s'applique pas aux documents confidentiels du Conseil privé de la Reine pour le Canada, notamment aux :

a) notes destinées à soumettre des propositions ou recommandations au Conseil ;

b) documents de travail destinés à présenter des problèmes, des analyses ou des options politiques à l'examen du Conseil ;

c) ordres du jour du Conseil ou procès-verbaux de ses délibérations ou décisions ;

d) documents employés en vue ou faisant état de communications ou de discussions entre ministres sur des questions liées à la prise des décisions du gouvernement ou à la formulation de sa politique ;

e) documents d'information à l'usage des ministres sur des questions portées ou qu'il est prévu de porter devant le Conseil, ou sur des questions qui font l'objet des communications ou discussions visées à l'alinéa d) ;

f) avant-projets de loi ou projets de règlement ;

g) documents contenant des renseignements relatifs à la teneur des documents visés aux alinéas a) à f).

(2) Pour l'application du paragraphe (1), *Conseil* s'entend du Conseil privé de la Reine pour le Canada, du Cabinet et de leurs comités respectifs.

(3) Le paragraphe (1) ne s'applique pas :

a) aux documents confidentiels du Conseil privé de la Reine pour le Canada dont l'existence remonte à plus de vingt ans ;

b) aux documents de travail visés à l'alinéa (1)b), dans les cas où les décisions auxquelles ils se rapportent ont été rendues publiques ou, à défaut de publicité, ont été rendues quatre ans auparavant.

BIBLIOGRAPHIE CHOISIE

Abrams, Linda S. et Kevin P. McGuinness. *Canadian Civil Procedure Law*, 2ᵉ éd., Markham (Ontario), LexisNexis, 2010.

Allan, T.R.S. «Abuse of Power and Public Interest Immunity: Justice, Rights and Truth» (1985) 101:2 *Law Q. Rev.* 200.

————. «Before the High Court: Discovery of Cabinet Documents: The *Northern Land Council* Case» (1992) 14:2 *Sydney L. Rev.* 230.

Allen, Carleton Kemp. *Law and Orders: An Inquiry Into the Nature and Scope of Delegated Legislation and Executive Powers in English Law*, 3ᵉ éd., Londres, Stevens & Sons, 1965.

Anson, William R. et A. Berriedale Keith. *The Law and Custom of the Constitution*, vol. 2, partie 1, 4ᵉ éd., Oxford, Clarendon Press, 1935.

Archibald, Todd L., James C. Morton et Corey D. Steinberg. *Discovery: Principles and Practice in Canadian Common Law*, 2ᵉ éd., Toronto, CCH, 2009.

Berzins, Christopher. «Crown Privilege: A Troubled Exclusionary Rule of Evidence» (1984) 10:1 *Queen's L.J.* 135.

Boucher, Marc-André. «L'évolution de la primauté du droit comme principe constitutionnel et sa relation avec le pouvoir exécutif en matière de renseignements confidentiels» (2002) 32:4 *R.G.D.* 909.

Brand, S.J. «The Prime Minister and Cabinet» dans Donald C. Rowat, dir., *The Making of the Federal Access Act: A Case Study of Policy-Making in Canada*, Ottawa, Carleton University, 1985.

Brunnée, Jutta et Stephen J. Toope. *Legitimacy and Legality in International Law: An Interactional Account*, Cambridge, Cambridge University Press, 2010.

Bryant, Alan W., Sidney N. Lederman et Michelle K. Fuerst. *The Law of Evidence in Canada*, 3ᵉ éd., Toronto, LexisNexis, 2009.

Bushnell, S.I. «Crown Privilege» (1973) 51:4 *R. du B. Can.* 551.

Campbell, Susan. «Recent Cases» (1979) 53 *Austl. L.J.* 212.

Carter, Mark. « The Rule of Law, Legal Rights in the *Charter*, and the Supreme Court's New Positivism » (2008) 33:2 *Queen's L.J.* 453.

Cartier, Geneviève. « Administrative Discretion as Dialogue: A Response to John Willis (or: From Theology to Secularization) » (2005) 55:3 *U.T.L.J.* 629.

Chaplin, Ann. « Travelling in Constitutional Circles: The Paradox of Tribunal Independence » (2016) 36:1 *N.J.C.L.* 73.

Clark, D.H. « Administrative Control of Judicial Action: The Authority of *Duncan v Cammell Laird* » (1967) 30:5 *Mod. L. Rev.* 489.

_____. « The Last Word on the Last Word » (1969) 32:2 *Mod. L. Rev.* 142.

Cleary, Edward W. dir., *McCormick on Evidence*, 3ᵉ éd., St-Paul (Minnesota), West, 1984.

Cohen-Eliya, Moshe et Iddo Porat. « Proportionality and the Culture of Justification » (2011) 59:2 *Am. J. Comp. L.* 463.

Cooper, T.G. « Auditor General of Canada v. Minister of Energy, Mines and Resources » (1990) 40 *Administrative Law Reports* 1.

_____. *Crown Privilege*, Aurora (Ontario), Canada Law Book, 1990.

Côté, Yves. « La protection des renseignements confidentiels du Cabinet au Gouvernement fédéral: la perspective du Bureau du Conseil privé » (2006) 19:2 *Can. J. Admin. L. & Prac.* 219.

Craig, Paul. « Formal and Substantive Conceptions of the Rule of Law: An Analytical Framework » [1997] *P.L.* 467.

Crossman, Richard. *The Diaries of a Cabinet Minister*, vol. 1-3, Londres, Hamish Hamilton Limited & Jonathan Cape Limited, 1975-1977.

Dawson, Robert MacGregor. *The Government of Canada*, 3ᵉ éd. révisée, Toronto, University of Toronto Press, 1957.

DeCoste, F.C. « Smoked: Tradition and the Rule of Law in *British Columbia v. Imperial Tobacco Ltd* » (2006) 24:2 *Windsor Y.B. Access Just.* 327.

de Smith, Stanley et Rodney Brazier, *Constitutional and Administrative Law*, 8ᵉ éd., Londres, Penguin Books, 1998.

Dicey, Albert Venn. *Introduction to the Study of the Law of the Constitution*, 8ᵉ éd., Londres, MacMillan, 1915.

d'Ombrain, Nicholas. « Cabinet Secrecy » (2004) 47:3 *Administration publique du Canada* 332.

Duffy, Beverly. « Orders for Papers and Cabinet Confidentiality post *Egan v Chadwick* » (2006) 21:2 *Australasian Parliamentary Review* 93.

Dussault, René et Louis Borgeat. *Administrative Law*, vol. 3, 2ᵉ éd., Toronto, Carswell, 1989.

Dyzenhaus, David. « Deference, Security and Human Rights » dans Benjamin J. Goold et Liora Lazarus, dir., *Security and Human Rights*, Oxford, Hart, 2007.

⸻. « The Deep Structure of *Roncarelli v. Duplessis* » (2004) 53 *R.D. U.N.-B.* 111.

⸻. « Dignity in Administrative Law: Judicial Deference in a Culture of Justification » (2012) 17:1 *Rev. Const. Stud.* 87.

⸻. « Law as Justification: Etienne Mureinik's Conception of Legal Culture » (1998) 14:1 *S.A.J.H.R.* 11.

⸻. « Preventive Justice and the Rule-of-Law Project » dans Andrew Ashworth, Lucia Zedner et Patrick Tomlin, dir., *Prevention and the Limits of the Criminal Law*, Oxford, Oxford University Press, 2013.

⸻. « Process and Substance as Aspects of the Public Law Form » (2015) 74:2 *Cambridge L.J.* 284.

⸻. « Proportionality and Deference in a Culture of Justification » dans Grant Huscroft, Bradley W. Miller et Grégoire Webber, dir., *Proportionality and the Rule of Law: Rights, Justification, Reasoning*, New York, Cambridge University Press, 2014.

⸻. *The Constitution of Law: Legality in a Time of Emergency*, Cambridge, Cambridge University Press, 2006.

⸻. « The Politics of Deference: Judicial Review and Democracy » dans Michael Taggart, dir., *The Province of Administrative Law*, Oxford, Hart, 1997.

Eagles, I.G. « Cabinet Secrets as Evidence » [1980] *P.L.* 263.

Elliot, Robin. « References, Structural Argumentation and the Organizing Principles of Canada's Constitution » (2001) 80:1&2 *R. du B. can.* 67.

Fuller, Lon L. « Positivism and Fidelity to Law—A Reply to Professor Hart » (1958) 71:4 *Harv. L. Rev.* 630.

⸻. « The Forms and Limits of Adjudication » (1978) 92:2 *Harv. L. Rev.* 353.

_____. *The Morality of Law*, éd. révisée, New Haven, Yale University Press, 1969.

Goldsmith, Jack. « The Irrelevance of Prerogative Power, and the Evils of Secret Legal Interpretation » dans Clement Fatovic et Benjamin A. Kleinerman, dir., *Extra-Legal Power and Legitimacy: Perspectives on Prerogative*, New York, Oxford University Press, 2013.

Goodhart, A.L. « Notes » (1942) 58:4 *Law Q. Rev.* 433.

_____. « The Authority of Duncan v. Cammell Laird & Co. » (1963) 79:2 *Law Q. Rev.* 153.

Hanbury, H.G. « Equality and Privilege in English Law » (1952) 68:2 *Law Q. Rev.* 173.

Hart, H.L.A. *The Concept of Law*, Oxford, Clarendon Press, 1961.

Heard, Andrew. *Canadian Constitutional Conventions: The Marriage of Law and Politics*, 2e éd., Don Mills (Ontario), Oxford University Press, 2014.

Heeney, Arnold. « Cabinet Government in Canada: Some Recent Developments in the Machinery of the Central Executive » (1946) 12:3 *Revue canadienne d'économique et de science politique* 282.

_____. « Mackenzie King and the Cabinet Secretariat » (1967) 10:3 *Administration publique du Canada* 366.

_____. *The Things That Are Caesar's: Memoirs of a Canadian Public Servant*, Toronto, University of Toronto Press, 1972.

Hodgson, D.C. « Recent Developments in the Law of Public Interest Immunity: Cabinet Papers » (1987) 17:2 *V.U.W.L.R.* 153.

Hogg, Peter W. *Constitutional Law of Canada*, éd. étudiante, Toronto, Thomson Reuters, 2017.

Hogg, Peter W. et Cara F. Zwibel. « The Rule of Law in the Supreme Court of Canada » (2005) 55:3 *U.T.L.J.* 715.

Hogg, Peter W., Patrick J. Monahan et Wade K. Wright, *Liability of the Crown*, 4e éd., Toronto, Carswell, 2011.

Hunt, John. « Access to a Previous Government's Papers » [1982] *P.L.* 514.

Hutchinson, Allan C. et Patrick Monahan, « Democracy and the Rule of Law » dans Allan C. Hutchinson et Patrick Monahan, dir., *The Rule of Law: Ideal or Ideology*, Toronto, Carswell, 1987.

Jacob, I.H. « The Inherent Jurisdiction of the Court » (1970) 23:1 *Current Leg. Probs.* 23.

Jennings, Ivor. *Cabinet Government*, 3ᵉ éd., Cambridge, Cambridge University Press, 1959.

————. *The Law and the Constitution*, 5ᵉ éd., Londres, University of London Press, 1959.

Joseph, Rosara. « Inherent Jurisdiction and Inherent Powers in New Zealand » (2005) 11 *Canterbury L. Rev.* 220.

Kaplan, William. *Bad Judgment: The Case of Mr Justice Léo A Landreville*, Toronto, University of Toronto Press, 1996.

Kazmierski, Vincent. « Something to Talk About: Is There a *Charter* Right to Access Government Information? » (2008) 31:2 *Dal. L.J.* 351.

Koroway, Edward. « Confidentiality in the Law of Evidence » (1978) 16:2 *Osgoode Hall L.J.* 361.

Lederman, W.R. « The Independence of the Judiciary » (1956) 34:10 *R. du B. can.* 1139.

Lieberman, Ronald M. « Executive Privilege » (1975) 33:2 *U.T. Fac. L. Rev.* 181.

Linstead, Stephen G. « The Law of Crown Privilege in Canada and Elsewhere: Part 1 » (1968) 3:1 *R.D. Ottawa* 79.

————. « The Law of Crown Privilege in Canada and Elsewhere: Part 2 » (1969) 3:2 *R.D. Ottawa* 449.

Lowell, A. Lawrence. *The Government of England*, vol. 1, New York, MacMillan, 1908.

Lynn, Jonathan et Antony Jay, *The Complete Yes Minister: The Diaries of a Cabinet Minister by the Right Hon. James Hacker MP*, Londres, Guild Publishing, 1990.

Mackay, James. « The Development of the Law on Public Interest Immunity » (1983) 2 *C.J.Q.* 337.

MacIvor, Heather. « The Speaker's Ruling on Afghan Detainee Documents: The Last Hurrah for Parliamentary Privilege? » (2010) 19:1 *Const. Forum Const.* 129.

Malek, Hodge M. dir., *Phipson on Evidence*, 18ᵉ éd., Londres, Sweet & Maxwell, 2013.

Mallory, J.R. « Mackenzie King and the Origins of the Cabinet Secretariat » (1976) 19:2 *Administration publique du Canada* 254.

_____. *The Structure of Canadian Government*, éd. révisée, Toronto, Gage Publishing Limited, 1984.

Manson, Allan. « Questions of Privilege and Openness: Proposed Search and Seizure Reforms » (1984) 29:4 *R.D. McGill* 651.

Marrie, Megan. « From a "Semblance of Relevance" to "Relevance": Is It Really a New Scope of Discovery for Ontario? » (2011) 37:4 *Adv. Q.* 520.

Marshall, Geoffrey. *Constitutional Conventions: The Rules and Forms of Political Accountability*, Oxford, Clarendon Press, 1984.

_____. *Ministerial Responsibility*, Oxford, Oxford University Press, 1989.

Marshall, Geoffrey et Graeme C. Moodie, *Some Problems of the Constitution*, Londres, Hutchinson University Library, 1961.

Masschaele, Brian. « Memos and Minutes: Arnold Heeney, the Cabinet War Committee, and the Establishment of a Canadian Cabinet Secretariat during the Second World War » (1998) 46 *Archivaria* 147.

Matheson, W.A. *The Prime Minister and the Cabinet*, Toronto, Methuen, 1976.

McCamus, John D. « Freedom of Information in Canada » (1983) 10 *Government Publications Review* 51.

McIsaac, Louise, Laura Campbell et Paul Lordon. « Crown Information Law » dans Paul Lordon, dir., *Crown Law*, Toronto, Butterworths, 1991.

Mewett, Allan W. « Cabinet Secrets » (1982-1983) 25:3 *Crim. L.Q.* 257.

_____. « State Secrets in Canada » (1985) 63:2 *R. du B. can.* 358.

Middlemas, R.K. « Cabinet Secrecy and the Crossman Diaries » (1976) 47:1 *Political Quarterly* 39.

Molnar, Gerry. « Crown Privilege » (1977–1978) 42:2 *Sask. L. Rev.* 173.

Moore, Christopher. *1867: How the Fathers Made a Deal*, Toronto, McClelland & Stewart, 1997.

Morrison, Herbert. *Government and Parliament: A Survey from the Inside*, 3ᵉ éd., Londres, Oxford University Press, 1964.

Mullan, David J. *Administrative Law*, Toronto, Irwin Law, 2001.

_____. « Developments in Administrative Law: The 1981–1982 Term » (1983) 5 *S.C.L.R.* 1.

_____. «Not in the Public Interest: Crown Privilege Defined» (1971) 19:9 *Chitty's L.J.* 289.

Mureinik, Etienne. «A Bridge to Where? Introducing the Interim Bill of Rights» (1994) 10:1 *S.A.J.H.R.* 31.

Naylor, John F. *A Man and an Institution: Sir Maurice Hankey, the Cabinet Secretariat and the Custody of Cabinet Secrecy*, Cambridge, Cambridge University Press, 1984.

Newman, Warren J. «The Principles of the Rule of Law and Parliamentary Sovereignty in Constitutional Theory and Litigation» (2005) 16:2 *N.J.C.L.* 175.

Onyshko, Tom. «The Federal Court and the *Access to Information Act*» (1993-1994) 22 *Man. L.J.* 73.

Paciocco, David M. et Lee Stuesser, *The Law of Evidence*, 7ᵉ éd., Toronto, Irwin Law, 2015.

Pearce, Dennis. «Of Ministers, Referees and Informers—Evidence Inadmissible in the Public Interest» (1980) 54 *Austl. L.J.* 127.

_____. «The Courts and Government Information» (1976) 50 *Austl. L.J.* 513.

Perreault, François. *Gomery : l'enquête*, Montréal, Éditions de l'Homme, 2006.

Pound, Roscoe. «Administrative Discretion and Civil Liberties in England: The *Liversidge, Greene*, and *Duncan* Cases» (1943) 56:5 *Harv. L. Rev.* 806.

Rankin, T. Murray. *Freedom of Information in Canada: Will the Doors Stay Shut?*, Ottawa, Association du Barreau canadien, 1977.

_____. «The New *Access to Information and Privacy Act*: A Critical Annotation» (1983) 15:1 *R.D. Ottawa* 1.

Raz, Joseph. *The Authority of Law: Essays on Law and Morality*, Oxford, Clarendon Press, 1979.

Roach, Kent. «Constitutional and Common Law Dialogues between the Supreme Court and Canadian Legislatures» (2001) 80:1&2 *R. du B. can.* 481.

_____. «"Constitutional Chicken": National Security Confidentiality and Terrorism Prosecutions after *R. v. Ahmad*» (2011) 54 *S.C.L.R.* (2ᵉ) 357.

_____. *The Supreme Court on Trial: Judicial Activism or Democratic Dialogue*, éd. révisée, Toronto, Irwin Law, 2016.

Rowat, Donald C. « How Much Administrative Secrecy? » (1965) 31:4 *Canadian Journal of Economics and Political Science* 479.

Rozell, Mark J. *Executive Privilege: Presidential Power, Secrecy, and Accountability*, 3ᵉ éd., Lawrence (Kansas), University Press of Kansas, 2010.

Rubin, Ken. *Access to Cabinet Confidences: Some Experiences and Proposals to Restrict Cabinet Confidentiality Claims*, Ottawa, Ken Rubin, 1986.

Ruoff, Theo. « Links with London » (1957) 30 *Austl. L.J.* 456.

Simon, J.E.S. « Evidence Excluded by Considerations of State Interest » (1955) 13:1 *Cambridge L.J.* 62.

Smith, David E. « The Federal Cabinet in Canadian Politics » dans Michael S. Whittington et Glen Williams, dir., *Canadian Politics in the 1980s*, 2ᵉ éd., Toronto, Methuen, 1984.

Spencer, Maureen. « Bureaucracy, National Security and Access to Justice: New Light on *Duncan v Cammell Laird* » (2004) 55:3 *N. Ir. Leg.* Q. 277.

Spencer, Maureen et John Spencer. « Coping With *Conway* v. *Rimmer* [1968] AC 910: How Civil Servants Control Access to Justice » (2010) 37:3 *J.L. & Soc'y* 387.

Street, Harry. « State Secrets—A Comparative Study » (1951) 14:2 *Mod. L. Rev.* 121.

Stewart, Hamish. dir., *Evidence: A Canadian Casebook*, 3ᵉ éd., Toronto, Emond Montgomery, 2012.

_____. *Fundamental Justice: Section 7 of the Canadian Charter of Rights and Freedoms*, Toronto, Irwin Law, 2012.

Steyn, Johan, « Guantanamo Bay: The Legal Black Hole » (2004) 53:1 *I.C.L.Q.* 1.

Tamanaha, Brian Z. *On the Rule of Law: History, Politics, Theory*, Cambridge, Cambridge University Press, 2004.

_____. « The History and Elements of the Rule of Law » [2012] 2 *Sing. J.L.S.* 232.

Tomkins, Adam. *The Constitution After Scott: Government Unwrapped*, Oxford, Clarendon Press, 1998.

Tonning, Henrik G. « Crown Privilege in Regard to Upper Echelon Government Documentation » (1981) 30 *R.D. U.N.-B.* 121.

Wade, William et Christopher Forsyth. *Administrative Law*, 11ᵉ éd., Oxford, Oxford University Press, 2014.

White, Graham. *Cabinets and First Ministers*, Vancouver, UBC Press, 2005.

Wigmore, John Henry. *A Treatise on the System of Evidence in Trials at Common Law Including the Statutes and Decisions of All Jurisdictions of the United States*, Boston, Little, Brown, & Co., 1904.

Williams, Bernard. *In the Beginning was the Deed: Realism and Moralism in Political Argument*, Princeton, Princeton University Press, 2005.

Wright, Cecil A. « Evidence—Objection by Minister of State to Production—Public Interest » (1942) 20 *R. du B. can.* 805.

Yale, D.E.C. « Iudex in Propria Causa: An Historical Excursus » (1974) 33:1 *Cambridge L.J.* 80.